김재홍 문학전집 ⑤

현대시와 역사의식

국학자료원

일러두기

1. 전집은 단행본 발행연도를 기준으로 삼았으나, 학위논문인 『한용운 문학연구』는 1권에, 편저는 9권과 10권에 각각 수록했다.

2. 출판 당시 저자의 집필의도를 살리기 위해, 일부의 보완 원고는 그대로 두었다. 단, 내용이 중복된 것은 삭제하여 전집의 전체성을 유지했다.

3. 원문을 최대한으로 살리되, 의미와 어감을 해치지 않는 범위에서 현행 맞춤법에 따라 고쳤다.

4. 한문과 외국어는 괄호 안에 병기하는 원칙으로 하되, 필요한 부분은 노출하였다. 단, 제1권 『한용운 문학연구』는 원문 그대로 수록하였다.

5. 본문의 '인용' 부분은 필요에 따라 한글 표기를 했으며, 이외의 것은 원문에 충실하려고 노력했다.

현대시와 역사의식

金載弘 著

1988年

인하대학교 출판부

머 리 말

문학을 처음 공부하던 60년대 후반 나는 문학이 서정이고, 상상력이며, 언어예술이라는 당시의 통념을 별다른 회의 없이 받아들였고, 그에 관해 관심을 많이 기울이면서 문학에 관한 눈을 키워 갔다. 그렇지만 70년대 이래 특히 험난한 이 땅의 역사와 현실을 고통스럽게 살아오면서 문학이 역사적 삶의 문제, 또는 동시대인들의 삶에 뿌리를 내리고 있을 때보다 생명력을 획득할 수 있다는 소중한 깨달음을 갖게 되었다. 그렇다고 해서 시를 시답게 하는 기본이 서정이나 상상력, 그리고 언어에 있다는 생각에는 변함이 없다. 그렇지만 시를 제대로 쓰거나 읽기 위해서는 시의 구조적 장치나 미학적 요소, 그리고 문학사적 사실들을 제대로 아는 일과 더불어서 작품이 쓰여진 사회적 조건이나 역사적 상황을 깊이 있게 이해하지 않으면 안 된다고 확신하게 된 것이다. 시의 구조나 미학적 요소들은 역사 전개 과정에서 서로 길항하면서 가치 체계를 형성해가기 때문이다. 시와 역사는 삶의 진정한 가치와 바람직한 이상의 모습이 어떠한 것인가에 대해 끊임없이 질문을 던지는 정신의 형식이며 표현이라 하겠다. 이 점에서 고은 시인의 말대로 진정한 시의 시대란 바로 역사의 시대가 될 수 있다고 생각한다.

그렇다면 시에서 역사의식이란 무엇인가? 니체는 역사의식이란 한 국민이나 공동사회 또는 한 개인의 생활 기준이 되어온 가치 판단의 위계를 정확하게 통찰하는 능력이라고 말한 바 있다. 따라서 시에서의 역사의식이란 결국 개인의 실존적 삶이나 역사적 삶에 있어서 지난날의 옳고 그름을 바르게 가치 판단하고, 오늘날의 삶의 단계를 정당하게 비판하여 앞날의 삶을 바람직하게 이끌어가고자 하는 비판적인 정신의 힘이자 창조적인 예지라고 말할 수 있으리라. 이 점에서 바람직한 시란 삶을 삶답게 만들어주는 힘으로서의 역사의식과 시를 시답게 만들어주는 힘으로서의 예술의식이 서로 탄력 있고, 깊이 있게 결합되는 데서 참모습을 드러낼 수 있다고 확신한다. 또한 바로 여기에서 앞으로 우리 시의 바람직한 지평이 열릴 수 있을 것으로 기대한다.

이 부족한 저서에서는 한국 현대사 특히 분단 이래 이 땅 역사의 고통스러운 흔적이 시 속에 어떻게 투영되어 있는가를 주로 살펴보고자 하였다. 시와 역사의 만남에 대한 조악한 성찰이라 할 것이다. 최근의 민족문학론이 그 이념적 당위성과 현실적 설득력을 충분히 지니고 있음에도 불구하고 작가 작품에 대한 구체적인 논의가 부족하여 공허감을 던져주는 것도 이 책을 묶어내게 된 한 동기가 된다.

이 책에 수록된 논문은 대부분 80년대 중반기에 쓰였기 때문에 6·29 이후에 상황이 많이 바뀌어서 다소 신선감이 덜하고 내용 또한 충실치 못한 듯하다. 이 점 항상 격려해 주시는 동학·친지·독자 여러분께 송구스럽다. 너그러운 용서를 빈다. 또한 책의 체계상 10여 년 전 평민문고로 펴냈던「한국전

쟁과 현대시의 응전력」을 다소 보완하여 「6·25와 한국 현대시」로 개제하여
수록하였으며, 「한국 현대시와 민중의식의 전개」는 한국정신문화연구원의
연구비 지원과 인하대 국문과 김창수 조교의 도움이 많았음을 밝혀둔다.

부족한 책이나마 출간하도록 격려해 주신 한국학연구소장 윤병석 교수님
과 인하대 출판부장 윤명구 교수님께 감사드린다. 아울러 무더위에 교정에
힘쓰고 여러모로 저자를 도와준 김삼주·황규수 석사와 좋은 책 만들어주기
위해 애쓰신 출판부 여러분께 고마움 전한다.

1988.8

김재홍(金載弘)

차 례

제 1 부

문학과 시대정신

1.한국 근대서사시와 역사적 대응력

1−1 장시와 서사시의 차이점

한국의 근대시를 살피다 보면 대체로 길이가 긴 작품군을 발견하게 된다. 서사시라는 제목이 붙은 유춘섭의 「소녀의 죽음」(『금성』 2호, 1924)과 안서가 서(序)에서 장편서사시라고 이름 붙인 김동환의 「국경의 밤」(한성도서, 1925) 이래로 이러한 긴 시의 양식은 근대시에서 중요한 한 형식으로 자리 잡아 왔다.

30년대만 하더라도 김억의 「지새는 밤」(1930), 김기림의 「기상도」(1936), 김해강의 「홍천몽」(1937), 김용호의 「낙동강」(1938)이 발표되었고, 40년대에도 김억의 「먼 동이 틀 제」(1947), 김상훈의 「북풍」(1948)이 단행본으로 간행되었다. 50년대에 이르러서는 김용호의 「남해찬가」(1952), 김종문의 「불안한 토요일」(1953), 민재식의 「속죄양」(1955~57), 송욱의 「하여지향」, 「해인연가」(1956~59), 신석초의 「바라춤」(1959), 신동엽의 「이야기하는 쟁기꾼의 대지」(1959) 등 긴 시 형식이 하나의 유형을 이루었다. 60년대에도 김구용의 「구곡」(1961~77), 전봉건의 「속의 바다」, 「춘향연가」(1967), 신동엽의 「금강」(1967), 김해성의 「영산강」(1968), 김소영의 「어머니」(1969) 등이 지속적으로 발표되었다. 70년대에는 바야흐로 이러한 긴 시 형식이 크게 위세를 떨치게 된다. 김지하의 「오적」(1970), 「앵적가」(1971), 「비어」(1972), 모윤숙의 「논개」(1974), 양성우의 「벽시」(1977), 고은의 「갯비나리」(1978), 신경림의 「새재」(1978), 문병란의 「호롱불의 역사」(1978), 이성부의 「전야」(1978), 김성영의 「백의종군」(1979), 이동순의 「검정버선」(1979), 정상구의 「잃어버린 영가」(1979) 등이 바로 그것이다. 또한 이 시기에는 문예진흥원의 지원으로 많은 긴 시들이 한꺼번에 발표된다. 이인석의 「찬란한 생명─동명성왕」(1975)을 비롯하여 김춘수의 「남산의 악성─백결선생」, 정한모의 「처용의 노래」, 조병화의 「고려의 별」, 김규동의 「망각의 강」, 김종해의 「천노, 일어서다」, 김광협의 「예성강곡」 등 32편이 『민족문학대계』 6권 (동화출판공사, 1975)에 수록되며, 김후란의 「세종대왕」, 이원섭의 「매월당의 생애」, 구상의 「황진이」, 박성룡의 「백자를 노래함」, 이형기의 「김정호」, 박희선의 「겨레의 시인 황매천」 등 10편이 동18권 (1979)에 실림으로써 긴 시 형식이 근대시사에 확고하게 자리 잡게 되는 것이다.

한편 80년대에 들어서는 이러한 긴 시 형식은 일대 유행을 보게 된다. 80년에만 하더라도 양성우의 「만석보」, 문충성의 「자청비」, 정상구의 「불타는 영가」, 안도섭의 「황토현의 횃불」 등이, 81년에는 신경림의 「남한강」, 이동순의 「물의 노래」, 김정환의 「황색예수전」 등이, 82년에는 김지하의 「대설·남」이 쓰여지기 시작한 것을 필두로 김창완의 「하늘나라의 넝쿨장미」, 장효문의 「전봉준」, 정상구의 「새벽의 영가」 등이 발표되었고, 83년에도 고정희의 「초혼제」, 김정환의 「회복기」, 문병란의 「동소산의 머슴새」, 양성우의 「넋이라도 있고 없고」, 김지하의 「남」 등이, 84년에도 박용수의 「바람소리」, 정상구의 「바람속의 영가」, 윤재철의 「난민가」, 박몽구의 「십자가의 꿈」, 감태준의 「사람의 집」, 「우리사는 세상」 등이 지속적으로 발표되었다. 특히 85년 올해에는 정동주의 「논개」, 최두석의 「임진강」, 김용택의 「섬진강」, 감태준의 「종로별곡」, 박몽구의 「십자가의 꿈」, 배달순의 「김대건」 등이 간행되는 등 긴 시 형식의 활발한 대두 현상이 나타나고 있다.

그런데 이 일련의 작품들은 많은 경우 장시, 서사시, 담시 등의 표제를 달고 있어서 관심을 끈다. 그러나 실제로 작품들을 통독해보면 그러한 호칭이 객관적인 기준을 근거로 해서 붙여지고 있지 않음을 금방 알 수 있다. 또한 어느 정도 객관적인 호칭이라 볼 수 있는 경우에도 확실한 준거 틀을 마련하고 있지 못한 것이 사실이다. 이러한 사정은 비단 시사에서뿐 아니라 근대문학사 전반에서 두루 발견되는 문제점이지만 특히 서사시를 논할 때 가장 심각하게 부딪쳐 오는 난제인 것이다. 이렇게 볼 때 논의의 핵심은 장시와 서사시, 그리고 담시가 각각 어떻게 구별되며, 그 범주를 어떻게 설정할 수 있을까 하는 것으로 요약된다.

지금까지 이러한 문제에 대한 논의는 여러 차례 전개돼 온 것이 사실이다. 먼저 장시에 관해서는 김종길 교수 등에 의해 논의가 전개되어 있는바, 그 핵심은 첫째 긴 시면서 기존 양식—서사시, 설화시, 연작시 등—이 아니어야 하고, 둘째 그것이 통일된 계획이나 구성 아래 단일 주제로 통합되어 있어야 하고, 셋째 길이는 약 200행~3,000행 내외가 돼야 한다는 내용 등이다.[1] 그러나 이 주장은 서사시라는 말속에 장시라는 요건이 이미 포함되어 있다는 점에서 쉽게 무리가 드러난다. 장시는 장르 명칭이라기보다는 오히려 시의 길이에 따른 형식적 요건에 해당하는 것이기 때문이다. 연작시의 예를 보아도 장시가 하나의 장르 명칭이 되기 어려운 점은 쉽게 드러난다. 연작시는 한 편한 편이 독립성을 지니면서도 전체적으로는 하나의 통일된 계획 아래 일관된 구성 및 내용을 지니기 때문에 이것을 연작장시로 불러 마땅한 것이다. 따라서 장시가 서사시·연작시 등 기존 양식에 속하지 않아야 한다는 주장은 논리적인 모순점을 지닌다. 또한 통일된 계획이나 구성 아래 단일 주제로 통합되

---

1) 김종길, 「한국에서의 장시의 가능성」, 『문화비평』 1권 2호(1969, 여름) 228~244쪽.

어 있어야 한다는 두 번째 주장 역시 합당치 않다. 서사시도 단형인 담시의 경우에는 단일 구성과 단일 주제를 지니고 있으며, 연작시의 경우도 그와 유사하기 때문이다. 길이가 약 200~3,000행 내외가 돼야 한다는 주장은 더욱 난점이 있다. 이것은 서사시의 경우나 연작시의 경우에도 얼마든지 적용될 수 있기 때문에 장시의 고유한 특성이라고는 할 수 없다. 실상 서사시라고 하는 개념 속에 장시라는 조건이 포함되어 있기 때문에 따로 장시라고 부를 필요성이 없는 것이지, 전통적인 양식에 포함되기 때문에 장시라고 부르지 않는 것은 아닌 것이다. 따라서 장시라는 말은 다만 시가 길다는 형식적 요건을 지칭하는 것이지 장르 명칭이 아니라는 점을 확실히 알 수 있다. 이 점에서는 오히려 김기림의 주장이 더 설득력을 지닌다.

> 시(詩)는 첫째 형태적으로 단시와 장시로 구별된다. 시는 짧을수록 좋다고 할 때 「포―」는 장시의 일은 잊어버렸던 것이다. 장시는 장시로서의 독특한 영분(領分)을 가지고 있다. 어떠한 점으로 보아 더 복잡다단하고 굴곡이 많은 현대문명은 그것에 적합한 시의 형태로서 차라리 극적 발전이 가능한 장시를 환영하는 필연적인 요구를 가지고 있는 것처럼 보이기도 한다. 현대시에 혁명적 충동을 준 엘리어트의 「황무지」와 최근으로는 스펜더의 「비엔나」와 같은 시가 모두 장시인 것은 거기에 어떠한 시대적 약속이 있는 것이나 아닐까? 나는 있다고 생각한다.[2]

김기림의 이러한 주장은 장시가 형태 또는 길이의 개념이지 장르 명칭이 아님을 분명히 해준다는 점에서 의미를 지닌다. 그리고 장시가 복잡다기한 현대문명의 산물이며 시대적 약속의 한 반영이라는 점에서 온당한 의견이 아닐 수 없다. 다만 장시가 독특한 '영분(領分)'을 지니고 있다고 했음에도 불구

---

2) 김기림, 『시론』(백양당, 1949), 141쪽.

하고 그에 대한 구체적인 실증이 없는 점이 결함으로 지적된다. 이 점은 리드 (H.Read)의 다음 주장에 의해 보충할 수 있다.

> 장시(長詩)(long poem)란 짧은 시, 즉 서정시가 '단일 단순한 정서적 태도를 구현한 시, 연속적인 기분이나 영감을 직접 표현한 시'임에 대하여, '수 개 혹은 다수의 정서를 기교에 의하여 결합한, 어떤 복잡한 이야기를 포함한 일련의 긴 시'를 구별하기 위해 사용되는 용어이다. 장시는 서구문학의 경우 서사시(epic), 이야기시(narrative poetry), 그리고 길이가 긴 철학시(philosophic poem)와 부(賦)(ode) 등을 포괄하는 개념이다.[3]

그렇다면 장시는 단시와 구별되는 시의 한 형태로서 마치 소설 장르에서 장편소설이 단편소설과 구별되는 사실과 대응되는 것으로 볼 수 있다. 이것은 장르 개념으로서의 서사시와는 엄연히 구별되는 것이 아닐 수 없다. 다시 말해서 서사시도 장시라는 요건을 전제로 하지만, 장시가 바로 서사시가 될 수 있는 것은 아니라는 점이다. 그렇다면 문제의 핵심은 자연히 서사시가 장시냐 아니냐 하는 문제가 아니라, 장시 가운데에서 어떤 것이 서사시에 해당하고 어떤 것이 서사시가 아니며, 그 근거는 무엇인가 하는 데로 집약된다. 단적으로 말해서 서사시는 '서사'로서의 기본 요건인 ① 일정한 성격을 지닌 인물과 ② 일정한 질서를 지닌 사건을 갖춘 ③ 있을 수 있는 이야기를 바탕으로 하는[4] 비교적 길이가 긴 노래체의 율문이어야 한다. 따라서 서사시가 넓은 의미에서의 장시라는 말은 가능하지만, '기본적으로 서정시에 속하며 다수의 정서가 복합되어 있고 관념적인 이야기를 지니고 있는 길이가 긴 시'로서의 협의에 있어서의 장시와는 확연히 구별된다. 서사시에도 물론 길이가 방대한 것과 비교적 짧은 것이 있을 수 있지만, 그것이 서정시와 다른 점은 반드시 등

---

3) H.Read, *Collected Essays in Literary Criticism*(London: Faber&Faber, 1950), 57~68쪽.
4) 조동일, 『서사민요연구』(계명대출판부, 1983), 43쪽.

장인물이 있어야 하고 일관된 행위와 통일된 사건이 전개돼야 하며 객관적 시점을 바탕으로 알려진 얘기를 해야 된다는 점에 놓여진다.

이렇게 볼 때 한국의 근대시사에서 발견되는 길이가 긴 일련의 작품들에서 문제가 되는 것은 그것이 서사적 요건을 갖춘 시, 즉 서사시에 해당하는가, 아니면 단순한 서정시로서 좁은 의미의 장시 즉 '장편시'5) 해당하는가를 구별하는 작업이 된다. 그리고 서사적 요건을 갖추고 있다고 해서 그대로 서사시라고 호칭할 수 있을까 하는 것도 문제로 남는다. 서두에서 열거한 일련의 작품들을 서사적 요건에 비춰볼 때 우리는 대략 그것들이 두 가지로 대별될 수 있음을 알 수 있다. 즉 「국경의 밤」에서 「남해찬가」, 「금강」, 「오적」 등으로 이어지는 계열과 「소녀의 죽음」에서 「기상도」, 「하여 지향」, 「춘향연가」 등으로 이어지는 계열이 그것이다.6) 이 경우 전자는 서사적 요건을 지니고 있는데 비해 후자는 그렇지 않음을 쉽게 알 수 있다. 이것을 필자는 범박하게 전자를 서사시로, 후자를 그냥 장편시라고 부르고자 하는 것이다. 이때 서사시라는 명칭이 또 문제가 될 것이다. 우리는 흔히 우리의 근대문학을 논하면서 서구의 문학개론이나 문예사전을 준거 틀로 사용해 왔기 때문에 그에 잘 맞아떨어지지 않을 경우 그에 대해 이의를 제기해 온 일이 적지 않았다. 「국경의 밤」이 서사시인가 아닌가 하는 논쟁이 그 대표적인 한 예가 된다. 서구적인 개념만으로 재단해 본다면 엄격한 의미에서 「국경의 밤」은 서사시라고 보기 어려운 면이 없지 않다.7)

---

5) 가설적으로 '장편시'라는 호칭을 붙여보기로 한다. 그것은 '장시'가 장르명으로서의 서정시의 긴 형식을 일컫기 때문이다. 짧은 서정시는 그대로 서정시로, 긴 형식의 서정시는 장편시(줄여서 장시)로서 불러보고자 하는 것이다. 이것은 마치 단편소설이 단일 구성으로 이루어진 짧은 형식의 소설을 의미하고 장편소설이 복합구성으로 이루어진 긴 형식의 소설을 일컫는 것과 대응된다.

6) 염무웅, 「서사시의 가능성과 문제점」, 『한국문학의 현단계 I』(창작과비평사, 1982), 9쪽.

7) 오세영, 「국경의 밤과 서사시의 문제」, 『국어국문학』 75호(1977).

그렇다면 애초에 우리의 문학개론이나 문학사에서는 서사시라는 용어를 빼버리는 것이 현명할는지 모른다. 그러나 서구적 개념이 아니더라도 우리 문학사에는 「동명왕편」과 같은 탁월한 서사시가 있어왔던 점에 비추어, 또한 판소리, 서사무가, 서사민요 등의 호칭이 정당한 것처럼 우리 실정에 맞는 서사시의 개념을 정립해야 하며 그에 걸맞은 준거 틀을 마련하면 하등 문제가 없을 것이다.8) 이 점에서 필자는 서사적 구조를 갖춘 시라면 굳이 서사시라고 부르지 못할 아무런 이유가 없다고 생각한다. 우리의 서사시는 우리의 서사시대로 고유의 성격과 구조를 지니고 있으며, 또한 필연적인 시대적 · 사회적 · 역사적 · 문학적 창작배경과 집필 동기를 지니고 있을 것이 분명하기 때문이다. 실상 내우외환에 시달리던 고려 무신정권 하에서 「동명왕편」이 쓰여졌으며, 일제 수난기에 「국경의 밤」이 쓰여졌고, 가깝게는 6 · 25 수난기에 「남해찬가」가, 4 · 19 후에 「금강」이, 그리고 유신정변 무렵에 「오적」이 쓰여진 사실이 그러한 반증이 된다.

따라서 본고에서 필자는 「국경의 밤」 등 몇 작품을 중심으로 해서 우리의 서사시가 대략 어떠한 내용과 구조로 짜여있으며 그것이 역사적 상황과 어떻게 대응되는 의미를 지니는가를 소략하게나마 살펴보고자 한다. 한가지 원래 의도는 장편시의 경우도 함께 비교 고찰할 예정이었으나, 주어진 지면 관계로 다음 기회로 미룬다는 점을 밝혀둔다.

1-2 「동명왕편」과 민족주체성 모색

고려말 이규보가 그의 나이 26세 때 지은 「동명왕편」은 민족 영웅으로서의 동명성왕의 파란만장한 생애를 운문으로 기록한 장편서사시이다. 1,405자의 본시와 2,200여 자의 주석 등 모두 4,000자 가까운 한문으로 쓰여진 서

---

8) 조남현, 「파인 김동환」, 『국어국문학』 75호(1977)도 이와 비슷한 논거이다.

사시인 것이다.9) 이 시는 영웅의 파란만장한 생애를 그렸다는 점에서는 영웅서사시에 속하고 민족의 성립과 국가 형성과정을 그렸다는 점에서는 민족서사시로 볼 수 있다.10) 특히 이우성은 「동명왕편」이 북방 민족과의 대결 속에서 주체적이며 진취적인 민족의식의 역사적 산물임을 주장한 바 있다. 아울러 조동일도 구귀족의 중국문화 추종과 그에 따른 주체성 상실의 태도를 비판하고 민족사에 관한 새로운 입장을 수립하기 위해서 「동명왕편」을 썼다고 주장한 바 있다.11) 여하튼 「동명왕편」은 민족적 주체성의 모색과 확립이라는 목표에서 쓰여진 것으로 보아 크게 무리가 없을 듯하다.

이 「동명왕편」은 내용상 대략 세 부분으로 구분할 수 있다. 즉 동명왕 탄생 이전의 계보를 노래한 서장과, 동명왕의 출생으로부터 나라를 세우고 죽기까지의 과정 및 유리왕의 왕위계승까지를 다룬 본장, 그리고 이야기를 마무리하는 결장으로 구성된 것이다. 이렇게 본다면 이 작품의 기본 구조는 동명성왕의 출생 이전과 출생 및 죽음, 그리고 유리왕의 등장으로 이어지는 '탄생─죽음─탄생'의 순환구조를 지니는 것으로 이해할 수 있다. 다시 말해서 죽음과 탄생, 이별과 만남이라는 운명적 사건을 뼈대로 하여 동명성왕의 파란만장한 생애가 펼쳐진 것이다. 그러므로 등장하는 인물들이 우선 다양하다. 해모수, 하백, 동명왕, 비류왕, 유리왕 등의 영웅들과 유화, 훤화, 위화 등의 미녀들, 사자와 군사와 군신 등이 입체적인 관계를 형성하며 사건을 이끌어 간다. 또한 사랑과 질투, 대결과 도피, 음모와 혈투 등의 사건이 다양하게 펼쳐짐으로써 극적 긴박감을 고조시키기도 한다. 배경에 있어서도 하늘과 땅이라는 환상적인 요소와 함께 북방대륙과 압록강 등의 구체적인 장소가 서로 어울려 장대한 스케일을 이루어내는 것이다. 아울러 젊은 날의 유리왕이 부러

---

9) 전형대, 『이규보의 삶과 문학』(홍성사, 1983), 65~89쪽.
10) 장덕순은 영웅서사시로 보며 이우성은 민족서사시로 본다. 김시업, 「무신집권기의 문학적 전환」, 『한국문학 연구입문』(지식산업사, 1982), 216쪽.
11) 조동일, 『한국문학사상사시론』(지식산업사, 1978), 85쪽.

진 칼을 찾아 고구려로 가서 부왕 동명성왕을 만나 서로 가진 칼을 합하니 피가 나면서 이어져 한칼이 되고 마침내 이적을 행함으로 태자가 된다는 결구에서 볼 수 있듯이 전체적인 사건이 일관성과 집중성을 견지하는 것이다. 또한 엄격한 오언고율(五言古律)로 되어있는 노래체 시 형식이 또한 돋보인다고 하지 않을 수 없다.

이렇게 본다면 「동명왕편」은 일정한 성격을 지닌 인물들이 다양하게 등장하고, 영웅의 한 생애가 구성적 질서로 통합돼 있고, 작품에 내포된 하나하나의 사실이 개별적 현실을 지시하지 않고 이야기로서의 전체적인 의미가 현실의 반영으로 이해될 수 있는 '있을 수 있는 이야기'로 짜여져 있다는 점에서 서사적이며, 그것이 운문으로 쓰였기 때문에 서사시라고 일컬어 조금도 손색이 없는 것이다. 여기에서 군이 서구적 의미의 서사시 개념이나 표준을 들출 필요는 없다. 우리의 고전 작품 중에서도 서사시의 전범을 찾아낼 수 있다는 사실을 「동명왕편」에서 확인할 수 있기 때문이다. 그렇다면 가장 핵심이 되는 것은 왜 이 서사시가 쓰였으며, 그것이 당대의 사회적 · 역사적 상황과 어떠한 함수관계를 갖는가 하는 문제가 된다. 실상 이러한 문제의 해명은 한국 고전 서사시의 구조적 특성을 제시하는 것일 수도 있을 것이다. 앞에서 언급했던 것처럼 「동명왕편」의 의의는 민족주체성에 대한 자각과 민족사에 관한 새로운 입장의 수립에 놓여진다.

> 구삼국사(舊三國史)를 얻어서 동명왕본기(東明王本紀)를 보니 그 신이한 자취는 세상에서 말하는 것을 넘어선다. 처음에는 믿을 수 없어서 귀(鬼)이고 환(幻)이라고 생각했는데, 세 번 거푸 탐독하고 음미하니 점차 그 근원에 이르게 되고, 환(幻)이 아니고 성(聖)이며, 귀(鬼)가 아니고 신(神)이다…… 동명(東明)의 일은 변화(變化) 신이(神異)로써 사람의 눈을 현혹시키는 것이 아니고, 실은 바로 창국(創國)의 신이한 자취이다. 이것을 기술하지 않으면 후에 무엇을 보여줄 수 있겠는

가? 시로 지어서 무릇 천하가 우리나라는 원래 성인의 도(都)임을 알
게 하겠다.12)

　이 글에는 「동명왕편」의 집필 동기가 분명하게 제시된 것으로 보인다. 그
것은 바로 민족적 주체성에 대한 자각이며 민족적 자존심에 대한 고양의 의
지에서 「동명왕편」이 쓰였음을 설명해주는 것이 된다. 따라서 이러한 민족적
주체성 자각과 자존심 고양이 새삼 필요한 이유가 무엇 때문인가 하는 데에
서 「동명왕편」의 보다 중요한 창작 배경이 설명될 수 있을 것이다. 이것은 이
작품이 쓰여진 12~13세기 고려조의 정치·사회적 상황과 무관하지 않은 것
으로 이해된다. 바로 이 시기는 정중부의 난에서부터 시작된 무신정권 시대
에 해당한다. 또한 이러한 무신들의 정권투쟁과 함께 각처에서 봉기하기 시
작한 천민계층의 반란을 지적할 수 있다. 망이·망소이의 난(1176)과 만적의
난(1198) 등이 계속 일어남으로써 사회적인 혼란이 야기된 것이다. 이러한 국
내의 정치·사회적 혼란은 또한 거란과 몽골의 지속적인 침탈과도 무관하지
않다. 실상 내우외환의 와중에서 가장 절실한 것은 민족적 주체성의 확립과
자존심의 고양이었던 것이다.13) 따라서 신이(神異)로 가득 찬 고구려 건국 영
웅의 파란만장한 생애를 노래함으로써 민족정신을 고양함은 물론 국난을 극
복하려는 의지를 창조적 열기로 뻗쳐오르게 한 것으로 해석할 수 있다. 영웅
의 신이한 행적과 파란만장한 일생을 표면적으로 노래하면서 당대의 혼란과
시련을 극복하고 민족혼을 불러일으키려는 심층적 의도를 담고 있는 것이다.
이 점에서 서사시 「동명왕편」은 당대를 수난의 시대로 파악하고, 이것을 극
복하려는 열린 정신의 분출이자 시대정신의 표출로 해석할 수 있음이 물론이
다. 또한 서사시가 민족의 수난기를 배경으로 하여 민족적 저력과 작가의 문

---

12) 조동일, 「동명왕편서」, 『한국문학사상사시론』(지식산업사, 1978), 88~89쪽 재인용.
13) 장윤익, 『한국서사시연구』(명지대학교 박사학위논문, 1983)도 이러한 견해를 보
　　여준다.

학적 상상력이 합치됨으로써 비로소 쓰였고, 또 쓰여질 수 있는 역사적 장르에 속한다는 점도 이해할 수 있는 것이다.

1-3 「국경의 밤」, 혹은 식민지 현실의 상징화

파인 김동환의 시집 『국경의 밤』은 1925년 3월 한성도서주식회사 발행으로 출간되었다. 이 시집 속에는 잘 알려진 「북청물장사」 등 14편의 서정시와 서사시 「국경의 밤」이 함께 실려 있다. 이 「국경의 밤」에는 아무런 장르 명칭이 붙여져 있지 않다. 다만 앞머리에 안서가 쓴 '서(序)'에 그것이 '서사시', '장편서사시'이며, '우리 시단에 처음 있는 일'로 밝혀져 있어 관심을 끈다. 또한 이 시집의 앞머리에는 파인이 스스로 지은 "하폄을 친다/시가가 하폄을 친다/조선의 시가가 인해서 하폄을 친다//햇발을 보내자/시가에 햇발을 보내자/조선의 시가에 재생의 햇발을 보내자!"라는 「서시」가 실려 있다. 아마도 이 「서시」는 이 「국경의 밤」이 무언가 침체상태에 빠져있는 20년 당대의 시단에 "재생의 햇발"로서의 신선한 기분을 불어넣고자 한 데서 이 새로운 형태의 시가 쓰였음을 강조하는 동시에, 그것이 바로 안서가 바로 앞의 '서'에서 말한 바 있는 장편서사시의 실험인 것으로 풀이된다. 여하튼 이 서사시 「국경의 밤」은 단시 또는 서정시 위주의 당대 시에 대한 하나의 반발에서 비롯된 새로운 시도임에는 틀림이 없다.

아하, 무사(無事)히 건넛슬가,
이 한밤에 남편(男便)은
두만강(豆滿江)을 탈업시 건너슬가?
저리 국경강안(國境江岸)을 경비(警備)하는
외투(外套)쓴 거문순사(巡査)가
왔다 – 갓다 –

오르명 내리명 분주(奔走)히하는대
발각(發覺)도 안되고 무사(無事)히 건넛슬가?

　이러한 대화체(독백) 허두로 시작되는 「국경의 밤」은 모두 72면 900여 행
으로 짜인 3부작으로 구성돼 있다. 두만강의 겨울밤을 배경으로 하여 남편을
소금실이 밀수출마차에 띄워 보내고 초조히 기다리고 있는 한 아낙네, 즉 순
이를 묘사하는 장면으로부터 시작하는 것이다. 이러한 북국의 겨울밤의 음산
한 풍정에 대한 묘사는 7장까지 계속되고, 8장부터 27장까지는 고향을 떠났
다가 옛 애인을 찾아 돌아오는 한 청년과 순이가 재회하는 광경으로까지 이
어진다. 제2부인 28장~57장까지는 이들 사이에 있었던 과거의 아름다우면
서도 비극적인 사랑 얘기로 엮어진다. 비로소 본격적인 사건이 전개되는 것
이다. 즉 순이는 그 옛날 고려 시절 윤관이 정벌했던 여진족의 패망한 후예들
인 재가승의 딸이었다. 재가승은 재가승끼리 결혼해야 한다는 율법에 의해
순이는 사랑하던 '언문 아는 선비'로서의 소년과 헤어지고 동네 존위(尊位)집
으로 시집가고 만다. 이에 소년은 마을을 떠나가 버리고, 그로부터 8년이 지
난 겨울밤에 다시 재회하게 되는 것이다. 다시 3부는 1부와 호응 되어 현재
시제로 돌아온다. 그 사이에 청년은 도회에서의 타락한 생활 끝에 새로운 삶
을 찾아 옛 애인을 찾아온 것이다. 따라서 3부는 청년과 처녀의 대화체로 전
개된다. 청년과 처녀의 현실적 갈등이 노골적으로 표출되는 것이다. 그것은
문명과 원시, 혹은 도회와 자연의 갈등이라는 표면적인 양상을 지닌다.

그래두실혀요 나는
당신갓혼이는 실혀요,
다른계집을 알고 또 돈을 알구요,
더구나 일본말까지 아니
와보시구려, 오는날부터 순사가 뒤따라 단닐터인데

그러니 더욱 실혀요 벌서 간첩(間牒)이라고 하던데!

그리고 내가 미나리 캐라단닐때
당신은 뿌리도 안 떠러줄걸요,
백은(白銀)길갓흔 손길에 흙이 뭇는다고
더구나 감자국에 귀밀밥을 먹는다면—

에그, 애닯어라
당신은 역시(亦是) 꿈에 볼 사람이랍니다, 어서 가세요

—58장에서

그러나 이들의 애틋한 대화는 남편 병남이 죽어서 시체로 돌아오는 데서 끝나고 만다. 순이에게 있어서 과거의 사랑도 비극적이었지만, 현실에서의 사랑은 더더욱 비극적인 종말을 맞이하고 마는 것이다. 이렇게 볼 때 이 작품은 '남편을 기다림—남편의 죽음과 시신으로 돌아옴'이라는 현실적 비극이 핵심적인 이야기이고, 그 속에 '옛날 있었던 애인과의 비극적 사랑과 헤어짐—그 옛 애인과의 재회와 갈등'이라는 이야기를 내포하고 있음을 알 수 있다. 다시 말해서 현실적인 비극으로서의 남편의 죽음을 현실적인 외화(外話)로 하고, 그 안에 환상적인 비련의 얘기와 이룰 수 없는 사랑의 비극을 내화(內話)로써 담고 있는 비극의 중층구조로 짜여져 있는 것이다. 이러한 이중구조적인 짜임새는 이 작품의 비극성을 더욱 심화해 주는 효과적인 장치가 아닐 수 없다.

이렇게 볼 때 얼핏 보기에는 이 작품이 청춘남녀의 비극적 사랑을 낭만적으로 묘파한 작품으로 생각하기 십상이다. 그러나 이 작품을 자세히 들여다보면 이 작품이 지닌 비극성이 사랑 얘기에서 파생되고 있는 것이 아니라, 국경 변두리 소외계층의 버림받은 삶과 그 덧없는 일생에 대한 깊은 통찰에서 비롯됨을 알 수 있다. 과거에 있었던 순이와 청년의 비극적인 사랑 얘기는, 순이와 남편이 처한 현실적 삶의 고통과 그 비극적 결말이라는 메인 플롯에 긴

장감과 박진감을 불어넣기 위한 방법적 장치로서의 의미를 지닌다. 아울러 비극의 주인공으로서의 순이의 비참한 운명을 강조하기 위한 구조적 기법에 해당한다. 순이와 청년과의 관계는 이 점에서 에피소드적이며, 핵심은 순이와 병남의 고난에 가득 찬 비극적 삶에 놓여 있는 것이다. 그것은 이들 부부가 당대 조선의 백성이긴 했으나 기본적으로 나라와 땅을 잃어버린 여진족의 후예라는 사실 속에서 깊은 암유적 관계를 발견할 수 있다. 두만강과 변두리에서 밀수로 목숨을 부지하다가 어느 날 문득 비적의 총에 맞아 죽어간 병남과, 사랑하는 사람과 신분의 차이로 말미암아 헤어지고 몇 년 후 다시 남편마저 비운에 잃어버리고 마는 순이의 모습 속에는 일제에게 나라와 땅을 뺏겨버리고 간도로 쫓겨가거나 어이없는 죽음을 당하던 당대 조선 백성의 비참하고 덧없는 삶의 모습이 예리하게 반영되어 있는 것이다. 이 점에서 이 작품은 현실의식과 민족의식이 강하게 분출되어 있는 것으로 이해된다. 마지막 결구 부분에는 이러한 민족의식이 다소 우회적이긴 하지만 요약적으로 표출돼 있다.

> 거이 뭇칠때 죽은병남(丙南)이 글배우던 서당(書堂)집노훈장(老訓長)이,
> 「그래두 조선(朝鮮)땅에 뭇긴다!」하고 한숨을 휘─쉰다.
> 여러사람은 또 맹자(孟子)나 통감(通鑑)을 닑는가고, 멍멍하였다.
> 청년(靑年)은 골을 돌리며
> 「연기(煙氣)를 피(避)하여 간다!」하였다.
>
> 강(江)저쪽으로 점심때라고
> 중국군영(中國軍營)에서 나팔소리 또따따하고 울녀들린다.
>
> ─71, 72장

여기에서 "그래두 조선땅에 뭇긴다", "연기를 피하여 간다"라는 두 구절 속에는 이 시 전체의 핵심적인 의미가 상징적으로 제시된 것으로 보인다. 먼저 그것은 '조선땅'에 묻힌다는 평범한 사실만으로도 그것이 당대에는 매우 커

다란 행운으로 받아들여질 수 있었음을 확인할 수 있다는 점에서 그러하다. 나라를 잃고 떠도는 유랑민의 모습 그 자체로 당대 조선과 조선인의 현실이 인식되고 있는 것이다. 아울러 '조선땅'에 묻힌다는 사실 하나만으로도 위안받는다는 사실은 마치 이상화가 "지금은 남의 땅―빼앗긴 들에도 봄은 오는가?/그러나 지금은 들을 빼앗겨 봄조차 빼앗기겠네"라고 절규하면서 대지를 품에 안고 걸어가는 모습과 크게 다를 바 없는 것이다. '조선땅'은 바로 당대인의 가슴 속에 살아있는 조선정신의 표상이며 민족혼의 상징이기 때문이다. 이 점에서 이 구절에는 투철한 민족의식이 우회적으로 표출된 것으로 보인다. 아울러 "연기를 피하여 간다"라는 구절은 당대 현실이 마치 질식할 것 같은 절망과 암흑의 밤 또는 연기 속과 같은 것임을 비유한 것으로 보인다. 죽음이 더 행복한 것일는지도 모른다는 날카로운 현실풍자가 담겨있는 것으로 이해된다는 점에서 그러하다.

이 점에서 「국경의 밤」은 비극적인 사랑 이야기를 표층구조로 하여 부정적인 현실인식을 드러내고 그 심화된 비극을 통해서 민족혼을 강조하고자 하는 심층적 의미를 담고 있는 것으로 해석된다. 이것은 「국경의 밤」이라는 서사시가 쓰일 수밖에 없는 필연적인 이유가 된다. 짧막한 서정시로서는 당대 식민지하의 현실 속에서 민족적 저항의지를 문학적 웅전력으로 충분히 형상화할 수 없었던 까닭이다. 따라서 거듭되는 비극적인 사랑과 고난의 얘기를 통해서 당대 민족이 처한 비극적 현실과 수난을 암유하고자 한 것이다. 아울러 민족적 비극의 의미를 심화하는 가운데 그 괴롭고 슬픈 현실을 극복하고자 하는 열린 의지가 담겨져 있는 것으로 이해된다. 주권과 민족상실이라는 역사적 수난에 처하여 민족혼의 부활이라는 소중한 의지를 서사시 「국경의 밤」으로 형상화한 데서 이 작품의 참된 의미가 드러나는 것이다.

여기에서 우리는 또 하나의 중요한 사실에 직면하게 된다. 그것은 이 「국경의 밤」이 만해의 시집 『님의 침묵』(1926)과 대응된다는 사실이다. 필자는 이미『님의 침묵』이 88편으로 구성된 연작장시임을 밝힌 바 있다. 즉『님의 침묵』은 88편의 시가 '님의 떠남→님이 떠난 후의 고통과 슬픔→슬픔의 극복과 희망의 생성→만남의 성취'라는 기·승·전·결의 극적 구성 (dramatic plot)을 지닌 연작장시임을 밝히고, 이 점에서『님의 침묵』은 이별과 슬픔의 시가 아니라 극복과 만남의 시임을 주장한 바 있다.14) 이러한 사실은 다시 『님의 침묵』이 표면적으로는 사랑의 노래로 되어 있지만, 심층에는 민족과 주권의 상실을 님의 상실로 비유하여 님과의 만남, 즉 국권의 회복을 갈망한 희망과 극복의 의지를 담고 있다는 해석을 가능케 한다. 따라서『님의 침묵』은 처음부터 일관된 의도와 통일된 주제를 가지고 집중적으로 쓰여진 연작장시에 해당하며, 이러한 사실은 서사시「국경의 밤」과 내면적인 상관관계를 지니는 것이 분명하다. 두 작품이 모두 비극적 사랑 얘기라는 표면구조와 비극의 심화를 통한 현실극복 의지의 구상화라는 심층적 의미라는 이중구조로 짜여져 있으며, 그것이 연작장편시 또는 장편서사시로서 형상화됐다는 점이 서로 대응되는 점이다.15) 비록『님의 침묵』은 서정시 구조로 짜여져 있고, 「국경의 밤」은 서사시 구조로 이루어져 있다는 장르적 차이점이 있지만, 두 편이 다 역사의 수난기에 처해 민족의 정신적 저력을 문학적으로 표출했다는 점에서 커다란 의미를 지닌다. 무엇보다도 이 두 작품은 어두운 시대의 비극을 고난의 과정으로 묘파한 데서 특징이 선명하게 드러난다. 이 두 작품이 우리에게 공감을 주는 것은 끊임없는 고통과 슬픔의 과정이며, 바로 이러한 고난의 과정이 민중문학으로서의 특징을 반영한 것이 된다. 두 작품은 모두 빼앗긴 시대, 억눌린 시대, 신(神)을 상실한 시대에 쓰여졌기 때문에 마치 판소리에서의 그것처럼 표면적인 내용과 심층적인 의미가 이중구조성을 지닐 수밖에 없다.

---

14) 김재홍,『한용운문학연구』(일지사, 1982), 99~107쪽.
15) 이 점에서는 장편시도 서사시와 마찬가지로 문학의 사회적·역사적 대응력을 발휘할 수 있는 기능을 가질 수 있는 것으로 이해된다.

특히 「국경의 밤」은 이러한 민족적 수난을 서사적 구조로써 웅전했다는 데 의미가 드러난다. 다양한 사건의 전개와 에피소드의 삽입, 인물의 적절한 배치, 역사적 사실에 대한 해석, 시적 형식에 대한 섬세한 배려 등을 통해서 보다 스케일이 큰 대형시의 한 기틀을 마련했다는 점에서 시사적 의미가 주어진다. 물론 낭송을 전제로 하지 않았다든지, 영웅을 대상으로 하지 않았다든지, 파란만장한 사건의 전개가 이루어지지 않았다든지 혹은 작자 자신의 서사시에 대한 기법이나 안목이 부족했다든지 하는 점에서는 완성된 서사시의 전범으로 볼 수 없을지도 모른다.16) 그러나 이 작품이 서구적인 서사시의 개념에 꼭 부합되지 않는다 하더라도, 수난의 시대에 고통받는 민중의 비극을 서사적 구조를 통해서 비교적 큰 스케일의 시로 형상화한 것은 주목하지 않을 수 없다.

1-4 「남해찬가」와 민족 수난 극복의 회원

김용호의 「남해찬가」는 임진왜란이 있은 지 360년 후인 1952년 임진년에 충무공 이순신 장군의 생애와 업적을 기려서 쓰여진 장편서사시이다. 따라서 영웅의 파란만장한 생애를 그렸다는 점에서는 영웅서사시에 가깝고, 임진왜란에서의 민족적 수난을 묘파했다는 점에서는 민족서사시의 범주에 속한다.

이 작품의 구성은 서시와 17장의 본시로 짜여있다. 서시는 조상의 얼과 조국에 대한 찬미로 시작된다. 다시 본시는 이순신의 출생부터 활약·수난·인간성 및 장렬한 죽음에 이르는 1~16장까지와, 에필로그에 해당하는 17장으로 구분된다. 이렇게 본다면 대체로 '서사-본사-결사'라는 세도막 형식으로

16) 김동환의 서사시로는 「국경의 밤」보다도 「승천하는 청춘」이 더 중요한 작품으로 이해된다. 이 작품이 당대 식민지 현실을 수용소 또는 묘지로 파악하여 이 속에서 산송장처럼 살아가는 당대 조선 민족의 참혹한 현실을 날카롭게 고발하고 있기 때문이다. 자세한 것은 김재홍, 「김동환론」, 『한국현대시인연구』(일지사, 1986) 참조.

짜여져 있음을 알 수 있다.

> 용비어천(龍飛御天)의 자랑은 시들고 줄어
> 나랄 사랑하기보담 내 한몸이 귀엽고
> 나랄 위하기보담 내 당파(黨派)를 앞세워
> 호령한 권세(權勢)와
> 살잡는 집권(執權)을 에싸고
> 날로 익고 달로 터지는
> 집안 싸움
>
> 보라!
>
> 꼬리에 꼬리를 물고
> 연달아 일어나는 피비린 사화(士禍)
>
> 옳음보다는 악이 돋보이고
> 참보다도 거짓이 힘을 얻고
> 자리다툼에 밤낮을 주려
> 나라 잊고 백성들 저바리고
> 구중궁궐(九重宮闕)에 벌어진 뉘우침없는 이싸움
> 때는 바야흐로 십육세기(十六世紀)의 중엽(中葉)
>
> ―1장에서

　주지하다시피 조선조의 역사는 끊임없는 전란과 당파 싸움의 연속이었고, 피비린내 나는 사화의 소용돌이에 사로잡혀 왔던 것이 사실이다. 바로 이러한 당쟁과 사화의 와중에서 권력층은 "나라 잊고 백성들 져바리고" 일신의 영화와 당파의 이익에만 급급하였던 나머지 왜적의 침입을 자초하는 결과를 빚고 말았던 것이다. 그것이 바로 1592년의 임진왜란이다. 이 참혹한 전쟁 속에서도 지배층은 동인과 서인으로 나뉘어 당쟁을 쉬지 않았으며, 그 결과 백성들은 도탄에 허덕이고 왜적의 살육에 희생물이 될 뿐이었다. 바로 이러한 국가와 민족이 위기에 처했을 때 사리사욕에 물들지 않고 풍전등화와 같은 조국의 운명을 구하기 위해 한평생을 바친 이순신 장군이야말로 진정한 구국영웅이 아닐 수 없었다. '조정의 돌봄이야 있곤 없곤/반남아 썩고 낡은 배를 고치고/한척 또 한척 새 배를 만들고/화살 다듬고/이름뿐인 수군을 가꾸고 길러' 왜적을 무찌르던 이순신 장군, 간신배들의 온갖 시기와 모함에도 불구하고 백의종군하면서까지 싸우다가 마침내 장렬하게 최후를 마친 이순신 장군의 생애야말로 민족의 귀감인 것이다. 따라서 이 서사시는 이순신의 탄생부터 죽음에 이르는 과정을 시간순 대로 상세하게 재구성하면서 그의 출중한 전략과 전술, 뛰어난 인품과 덕성, 원균 등과의 갈등과 대립, 고행과 충정을 예리하게 부각하는 데 중점을 두고 있다. 그러나 여기에서 중요한 것은 이순신 장군의 위대한 업적이나 탁월한 인간성에 대한 찬양 그 자체만이 이 시의 목표가 아니라는 점을 들 수 있다.

오히려 비중이 주어진 것은 개인적으로 볼 때 이순신이 겪은 고행의 과정이며, 민족적으로 볼 때 임진왜란이라는 역사적 수난의 과정이고 그에 대한 극복의 의지가 담겨있다는 점이다. 이 점에서 이 작품은 이규보의 「동명왕편」과 깊은 상관관계를 지니는 것으로 보인다. 고려조 이규보가 몽골 등 외적의 거듭되는 침탈과 무신정권의 전횡 하에서 건국 영웅 동명왕을 통해서 민족적 주체성과 자주성을 확립하고 내우외환의 국난을 극복하려는 의지를 보여준 것처럼, 김용호는 육이오라는 전대미문의 동족상잔의 비극 속에서 임진란의 구국 영웅 이순신 장군을 노래함으로써 민족의 불행을 표출하는 동시에 위기에 처한 국난극복의 의지를 형상화한 것으로 이해되기 때문이다. 실상 임진왜란의 비극은 6·25의 참극과 여러 가지 의미에서 대응된다. 선조가 왜적에게 쫓기어 의주로 도망치던 한 광경만 해도 서울사수를 외치면서 먼저 남으로 철수해버린 이승만 대통령의 모습처럼 6·25에서도 그 유사한 모습을 쉽게 찾아볼 수 있다.

> 경주(慶州)가, 상주(尙州)가
> 밀양(密陽), 청도(淸道)가, 경산(慶山), 대구(大邱)가
> 성창(成昌)이, 문경(聞慶)이 땅에 엎디자
> 조령(鳥嶺)—잿고개를 넘어서고
> 적(賊)은 서울을 향해 거침이 없었다.
> …(중략)…
> 무슨 슬픔이뇨 비는 나리고
> 가는 비
> 서울 장안에 소리없이 나리고
>
> 삶의 방팬양 백성들만 남겨두고
> 비나리는 어둔 밤을 헤쳐
> 임진강(臨津江) 저쪽으로 도망치는 선조(宣祖)
> 뒤따라가는 못난 신하(臣下)들
>
> —2장에서

비록 임진란과 6·25가 역사적 성격이나 상황 전개는 다르다 해도 민족의 거대한 시련이며 국가의 절체절명 위기임에는 하등 다를 바 없다. 바로 이 점에 「남해찬가」의 의미가 놓여진다. 시인이 표면적으로 말하려는 것은 물론 과거의 사실이며 이순신 장군의 위업이다. 그러나 이보다 더욱 중요한 것은 이 작품이 6·25라는 국난극복의 와중에서 쓰였다는 점이다. 1590년대의 상황은 1950년대의 상황과 여러 면에서 유사성을 지니는 것이다. 전쟁이라는 상황이 우선 그렇고, 파쟁 싸움이 그러하다. 더구나 동족끼리 서로 총을 겨누는 비극적 사실은 6·25가 지니는 비극적인 아이러니를 심각하게 드러내 준다. 오히려 이 작품에는 이러한 6·25의 불행에 국난극복의 위대한 영웅이 출현해야 할 것이라는 암유가 담겨있을 수도 있다. 김용호의 시집 후기는 이러한 민족

적 위기의 시대에 서사시가 쓰여질 수밖에 없던 사정을 잘 말해주고 있다.

> 올해는 임진년(壬辰年)입니다. 삼백육십년전(三百六十年前) 팔도강
> 산(八道江山)이 무너지던 바로 그 왜란(倭亂)의 그해입니다.…(중략)…
> 아시다시피 우리 시단에 아직도 이렇다할 민족적인 서사시(敍事詩)가
> 없습니다. 나는 재능의 부족과 노력의 미급(未及)함을 알면서도 감히
> 이 길을 택해 보았습니다. 그러나 사실 이 광대무변한 인간적, 민족적
> 대인격을 되려 욕되게 하지 않을까하고 몇 번이나 붓을 던지고 스스
> 로 탄(嘆)하고 망설인 때가 한두 번이 아닙니다. 그러므로 공과(功過)
> 는 독자의 판단에 맡길 밖에 없읍니다만 여러가지 의미에 있어서 임
> 진왜란(壬辰倭亂)에 못지않은 오늘날의 민족적 수난기에 있어서 성웅
> 이순신(李舜臣) 어른께 찬가를 드리는 동시에 그 정신을 만들어 우리
> 들의 거울로 삼아야 되겠다는 미의(微意)에서[17]…(하략)

이 글에서 볼 수 있듯이 이 「남해찬가」가 오히려 충격하기를 희망하던 것
은 과거의 사실보다도 현재의 상황에 대한 것임을 알 수 있다. 형식의 면에서
는 영웅서사시의 측면을 띠고 있지만, 내용에 있어서는 민족서사시의 속성을
강하게 지니고 있는 것이다. 물론 이 작품이 지니고 있는 단점도 결코 적은 것
은 아니다. 무엇보다도 지나치게 교훈적·설교적인 면을 드러내고 있는 점이
그러하며, 역사적 사실이 작가의 의도적인 재구성을 거치지 않고 도식적으로
나열되어 있다는 점이 더욱 그러하다. 바람직한 서사시는 역사적으로 잘 알
려진 사실을 바탕으로 하되, 작가의 상상력이 강하게 작용함으로써 사실과
상상력의 팽팽한 긴장력이 지속적으로 형상화돼야 한다는 점에서는 이 작품
이 미흡한 것이 사실이라 하겠다. 그러나 6·25라는 민족의 수난기에 처해서
역사 속에서 국난극복의 영웅인 이순신 장군을 찾아내어 그의 파란만장한 생
애를 서사로 형상화함으로써 민족적 수난 극복의 신념과 의지를 일깨워 주

---

17) 김용호, 『김용호전집』(대광문화사, 1983), 669~670쪽.

었다는 점은 소중한 일이 아닐 수 없다. 아울러 6 · 25 그 자체를 묘파한 것은 아니라도 이 시기를 바탕으로 하여 역사적 수난에 대한 한국시의 시적 응전력을 보여주었다는 점에서도 중요한 의미를 지닐 수 있을 것이다.[18]

1-5 「금강」 민중혁명정신 또는 분단극복 의지

신동엽의 「금강」은 1967년 펜클럽작가기금으로 쓰여져서 『한국현대신작전집』 제5권(을유문화사)에 발표된 서사시이다. 서화와 모두 26장으로 된 본시, 그리고 후화로 구성된 총 4,800여 행으로 구성된 장편서사시인 것이다. 우선 길이의 면에서만 하더라도 「국경의 밤」의 930여 행이나 「남해찬가」의 1,900여 행에 비해서 월등히 방대함을 알 수 있다.

먼저 이 작품은 구성방식으로 보아서는 김용호의 「남해찬가」와 유사하다. 즉 서사(프롤로그)와 본시, 그리고 결사(에필로그)로 구성되어 있다는 점에서 우선 그러하다. 또한 「남해찬가」가 이순신 장군을 주인물로 임진왜란을 배경으로 하고 있듯이, 「금강」도 전봉준을 주인물로 동학란을 구체적인 무대로 하고 있기 때문이다. 이 점에서는 「금강」도 일종의 영웅서사시적 측면을 지니면서, 동시에 민족서사시적인 속성을 지니는 것으로 이해된다. 다만 「남해찬가」가 다분히 이순신 장군의 위업에 초점이 모여 있는 영웅서사시적 측면이 강한 것에 비해서, 「금강」은 전봉준의 활약보다는 민중의 봉기에 더 비중을 두고 있기 때문에 민중서사시의 측면을 강하게 지닌다는 점이 크게 차이나는 점이다.

「금강」은 형식상으로 보아 서정시로서의 부분, 서사시 내지 설화시적인

---

18) 송옥의 장편시 「하여지향」이나 「해인연가」가 50년대의 혼란되고 타락한 현실에 대한 문학적 대응 양식으로 쓰여졌다는 점은 20년대의 「국경의 밤」과 연작장편시 「님의 침묵」과 유사한 상관성을 지니는 것으로 이해된다.

부분, 그리고 객관적으로 기술하는 부분 등 세 부분으로 나누기도 한다.[19) 그러나 필자 생각에는 서정과 서사 또는 객관과 주관이 복잡하게 얽혀 있어서 그것들을 확연하게 구별하기 힘들다는 점에서, 차라리 내용적인 관점에서 구분하는 것이 더욱 바람직한 것으로 보인다. 즉 각종 민란의 발생과 동학의 태동, 그리고 우리의 역사에 대한 소감과 60년대의 현실에 대한 비판 등이 서로 얽혀 있는 7장까지의 서사, 허구적 인물인 신하늬가 출생하고 실제 인물인 전봉준이 탄생하면서 동학혁명이 전개되며, 마침내 소멸되어 전봉준 등 동학 지도자들이 죽임을 당하는 23장까지의 본사, 그리고 전체적인 찬양시와 진아의 후일담 및 아기 하늬의 출생으로 마무리되는 결사의 세 토막으로 나누는 것이 보다 합리적인 것으로 판단된다는 점이다. 다시 말해서 「금강」은 서사시가 지녀야 할 형식적 요건보다는 작자가 작중인물과 사건들을 통해서 말하고자 하는 내용이 중요성을 지니는 것으로 이해된다는 점이다. 물론 서사시로서 부분적인 취약점은 지니지만 「금강」은 일정한 성격을 지닌 인물들이 등장하고, 일정한 구조 질서를 지닌 사건이 전개되고, 전체적 의미가 현실의 반영으로 파악되는 잘 알려진 이야기를 담고 있다는 점에서 전형적인 서사적 구조를 지니고 있는 것이 사실이다. 또한 노래체의 긴 시 형식으로 짜여있기 때문에 장편서사시의 범주에 속하는 것이 분명하다. 그리고 역사적 사실을 바탕으로 하면서 작자의 상상력을 마음껏 발휘하고 과거와 현재를 오가면서 종횡무진 비판을 가함으로써 역사와 상상력, 과거와 현재 사이에 팽팽한 긴장력을 강화한다는 점에서 「국경의 밤」이나 「남해찬가」의 약점인 구조적 평면성을 훨씬 뛰어넘는 것도 분명한 사실이다. 다만 객관적 시점을 견지해야 할 사건의 전개 과정에서 주관적인 작자 개입이 여러 차례 되풀이됨으로써 서사시로서의 견고한 구조형성에 실패한 것은 문제점이 아닐 수 없다. 이것은 시인 자신이 견고한 구조의 서사시 내지는 빼어난 서사시의 모델로서 이

---

19) 앞에서 든 염무웅의 논문이 그 대표적인 한 예이다. 염무웅, 앞글, 24~25쪽.

작품을 제시하고자 하는 의도보다는, 하고 싶은 이야기를 보다 많이 또한 효과적으로 서사라는 형식을 통해서 표출하고자 하는 의욕 과잉에서 기인한 의도의 오류에 해당하는 것인지도 모른다.

여하튼 이 「금강」은 형식미학의 측면보다는 내용적인 의미에서 보다 큰 문제점 또는 논의점을 내포하고 있는 것으로 받아들여진다. 무엇보다도 그것은 이 작품이 한국사에 대한 총체적 비판을 전개하고자 하는 의도를 담고 있다는 점에서 드러난다. 직접적으로 이 작품이 다루고 있는 것은 민중혁명으로서의 동학란의 전개 과정이지만, 시인은 이 동학혁명이라는 과거적 사실이 수천 년대 누적되어 온 한국사의 구조적 모순의 결과에서 비롯된 것이며, 동시에 그것은 해방 이후의 역사 전개와도 밀접히 대응되는 현재적 사건으로서의 의미를 지닌다는 점을 분명히 하고자 한 것으로 보인다. 다시 말해서 그가 말하고자 하는 것은 동학혁명의 타당성이나 고난의 전개 과정 또는 비극적인 결말 그 자체가 아니다. 오히려 그것은 동학혁명이라는 한 중요한 근대사의 사건을 통해서 우리의 지난날 잘못된 역사를 되돌아 비판해보고 현재의 여러 가지 모순과 문제점들을 조명함으로써 당대 한국사와 현실이 당면하고 있는 구조적 모순과 현실적 어려움을 극복하고자 하는 의지를 담고 있는 것으로 보인다. 이 점에서 「금강」은 신동엽의 역사의식과 문학의식이 첨예하게 부딪쳐서 예술적 형상화를 성취한 씨의 문학적 결산으로 판단된다.

이 작품에서 신동엽이 제기한 문제는 대략 다음 몇 가지로 정리될 수 있다. 첫째 그것은 한국사의 근원적 모순과 부조리에 대한 비판을 전개하고 있다는 점이다. 그것은 다시 외세 의존 세력에 대한 비판과 중앙집권제에 의한 권력 편중의 비판으로 요약된다. 삼국시대에 당나라를 끌어들여 신라가 통일을 이룬 것부터가 잘못된 것이며, 이러한 근원적 불행은 이 땅의 외세 의존도를 심화시켜 온 데서 비롯된다는 역사인식을 담고 있다.

신라(新羅)왕실이
백제, 고구려칠 때
당(唐)나라 군사 모셔왔지.

옛날 사람 욕할 건 없다.

우리들은 끄떡하면 외세(外勢)를
자랑처럼 모시고 들어오지.
팔·일오(八·一五)후, 우리 땅은
디딜 곳 하나 없이
지렁이 문자로 가득하다.
모화관(慕華館)에서 개성(開城)사이의 행길에 끌려나와
청(淸)나라 깃발 흔들던 눈먼 신하(祖上)들처럼,

오늘은 또, 화창한 코스모스 길
아스팔트가에 몰려나와,
불쌍한 장님들은, 대중도 없이 서양깃발만
흔들어댄다.

−6장에서

"신라왕실이/백제, 고구려 칠 때/당나라 군사를 모셔왔지", "우리들은 끄떡하면 외세를/자랑처럼 모시고 들어오지"라는 구절 속에는 신랄한 역사비판이 담겨있다. 이것은 또한 민족의 주체성과 자주적 역량 부족이 8·15 이후의 오늘날에도 가장 중요한 과제라는 점을 강조한 뜻이 담겨있는 것으로 이해된다.

아울러 오늘날의 남북분단의 비극을 극복하는 길이 실상은 이러한 민족의 단합된 힘과 자주적 역량을 역동화하는 데 있음을 강조한 것이 된다. "이조 오백년의/왕족/그건 중앙에 도사리고 있는/큰 마리 낙지/그 큰 마리 낙지 주위에/수십 수백의 새끼낙지/지방에오면 말거머리/마을로 장으로/꾸물거리고 다니는 건 빈대"(6장에서), "피기름 샘솟는/중앙 도시는 살찌고/농촌은 누우렇게 시들어가고 있다"(13장에서)라는 구절들에서는 이 땅에서의 과도한 중앙집권제의 병폐가 날카롭게 지적돼 있다. 또한 이것은 가진 자와 못 가진 자, 중앙에 있는 자와 변두리에 있는 자 등의 격차를 심화시킴은 물론 네 편과 내 편으로 갈라져서 파쟁을 일삼게 하는 중요한 요인으로 작용함으로써, 이 땅에서의 바람직한 역사 전개를 저해한 기본 원인으로 지적하고 있는 것이다. 물론 이것도 오늘날의 문제로 인식하고 있다는 점은 마찬가지이다. 오늘날 서울과 지방, 도시와 농촌의 격차, 가진 자와 못 가진 자의 대립 등의 사회적 모순과 문제점들은 중앙집권적 통치체제가 답습해 온 이 땅 역사의 구조적 모순에서 파생된 것이라는 역사인식이 담겨있는 것으로 이해된다.

두 번째는 첫 번째 항에서 잠시 언급한 바 있지만, 8·15 이후의 혼란 속에서 민족적 주체성을 확립하고 6·25 이후의 분단상황에 대한 극복의지를 담고 있다는 점에서 의미가 드러난다.

> 딸라의 냄새란 좋은 것
> 미나리처럼 쭉쭉 뻗은
> 코리아산(産) 여대생들
> 라이프지(紙) 끼고 그 근처와
> 온종일 빙빙 돌지.
> …중략…
> 갈라진 조국.
> 강요된 분단선(分斷線),
> 우리끼리 먹고 싶은 밥에
> 누군가 쇠가루를 뿌려놓은 것 같구나.
> 너와 나를 반목(反目)케 하고
> 개별적으로 뜯어가기 위해
> 누군가가 우리의 세상에
> 쇳가루를 뿌려놓은 것 같구나.
>
> —6장에서

이러한 구절 속에는 8·15 이후의 민족적 주체성 상실과 민족적 자존심 훼손에 대한 신랄한 야유가 들어 있는 것이다. 동학란 당시의 청·일의 진주와 해방 직후의 미·소의 진주가 근본적으로 다른 것은 아니라는 점에서 당대 현실의 비극성이 심화된다. 이 점에서 분단의 문제는 더욱 심각하게 인식된다. "갈라진 조국/강요된 분단선"이라는 한 구절이 내포하고 있는 조국분단, 민족 양단의 비극성은 그 어떠한 지난날의 역사적 비극보다도 뼈아픈 것이 아닐 수 없다. 실상 「껍데기는 가라」에서의 "한라에서 백두까지"라는 구절도 분단극복의 의지를 압축적으로 제시한 것은 물론이다. 이렇게 볼 때 「금강」이 강조하고자 하는 것은 역시 과거의 사실이 아니라 현재의 상황인 것으로 보인다. 실상 모든 문학의 궁극적인 목표도 항상 당대적 삶과 미래적 삶에 충격을 줌으로써 보다 바람직한 인간회복과 인류사회건설이라는 명제와 무관하지 않기 때문이다.

셋째로 「금강」은 민주주의 지향성 내지는 민중정신을 드러내고자 하는데 의미가 놓여진다. 실제로 「금강」이 쓰인 것은 4·19와 5·16이라는 역사적 사건을 직접적인 모티브로 한 60년대의 시대적 상황과 밀착되어 있다. 그것은 민주·민중혁명으로서 최초로 이 땅에서 성공한 4·19가 던져준 감동적인 충격과 그에 찬물을 끼얹은 군사정변으로서의 5·16에 대한 강한 반감이 복합적으로 작용하고 있음을 의미한다.

①우리들은 하늘을 봤다
1960년 4월
역사(歷史)를 짓눌던, 검은 구름짱을 찢고
영원(永遠)의 얼굴을 보았다.

— 서화·2

②4월달, 우리들, 밥은

익었었는데
누군가가 쇠가루 뿌려놓은 것 같구나.

연인(戀人)이여, 너와 나의 쌀밥에
누군가 쇠가루 뿌려놓은 것 같구나.

—6장에서

인용한 두 부분은 「금강」의 대조적 성격을 잘 반영한다. 먼저 그것은 민주
·민중혁명으로서의 4·19에 대한 찬양으로 나타난다. 특히 여기에서 '하늘'
은 중요한 상징성을 지닌다. 「금강」에서 지속적으로 나타나는 '하늘' 상징은
바로 이러한 영원한 자유민주주의 세상, 모든 사람들이 인간답게 살 수 있는
평화롭고 아름다운 세상을 향한 이념이며 동시에 이상의 표상인 것이다. 바
로 이 점에서 「금강」이 동학혁명을 골자로 하는 서사시이면서도 동시에 4·
19 이후 이 땅에서 지속적으로 모색되고 실천돼야 할 민족적 과제인 민족통
일과 자유민주주의·민중·민권운동의 소중함을 강조하고자 하는데 핵심이
놓인다는 점을 확인할 수 있다.

따라서 「금강」은 ②에서처럼 '쇳가루'라는 비유를 통해서 5·16군사정권
또는 무력에 대한 강력한 거부감과 반항의식을 표출하게 된다. 이것은 「껍데
기는 가라」에서의 '쇠붙이'와 마찬가지로 군사문화에 대한 강력한 거부의 상
징이면서 동시에 인본주의 정신 내지는 민본주의 사상에 대한 강한 지향성을
역설적으로 제시한 것이기 때문이다. 다시 말해서 「금강」은 동학혁명의 전개
과정과 비극적 결말, 그리고 민중들의 참혹한 패배의 과정을 서사시로 형상화
함으로써 이 땅에서 민주주의 실현과 정착이 얼마나 어려운 것이며 또 소중한
명제인가 하는 것을 4·19정신과의 연계성을 통해서 강조하고자 한데 참뜻이
놓여진다. 실상 「금강」이 영웅서사시의 측면보다는 민족서사시 내지는 민중
서사시의 측면이 강하다는 점도 여기에서 드러난다. 그것은 동학혁명이 상징

하는 민족적 수난과 고통의 비극적 과정이 이 땅 근대사의 비극성을 생생하게 인식하게 해주며, 새삼 이 땅의 주인이 한민족 스스로이며 민중 그 자체임을 소중하게 일깨워줬다는 점에서 「금강」의 참된 의미가 놓여지는 것이다.

　바로 이 점에서 「금강」이 서사시로서의 기준이나 문예 미학적인 성공을 뛰어넘는 그 너머, 즉 정신사적 의미영역에서 빛을 발할 수 있음을 확인할 수 있다. 이렇게 볼 때 「금강」은 해방 이후 특히 60년대 이 땅 역사가 당면한 문제점과 고민을 집약적으로 제시함으로써 문학의 역사적 응전력을 효과적으로 반영한 것으로 판단된다. 또한 이 점에서 서사시가 궁극적으로 역사적인 사실·사건·인물들과 대응되는 수난 극복의 문학 양식이며, 그렇기 때문에 서사시의 궁극적인 목표도 과거적 삶의 의미를 통해서 현재적 삶의 어려움을 극복하고 미래적 삶을 고양시키는 데 힘을 줄 수 있어야 한다는 점에 놓여진다는 것을 새삼 확인할 수 있는 것이다.

1-6 「오적」, 민족시의 길 민중시의 길

　김지하의 「오적」은 1970년 『사상계』 5월호에 발표된 모두 288행의 긴 시이다. 이 시는 발표 당시 '담시'라는 표제를 달고 있는데, 이것은 시인 자신이 의도적으로 붙인 이름으로 보인다. 왜냐하면 담시란 명칭은 서구의 발라드(Ballad)의 번역어일 수 있지만, 그보다는 우리의 전승 구비문학인 민담(民譚)에서 '담(譚)'자를 차용하여 이러한 민간전승의 이야기를 노래체의 율문으로 적었다는 뜻에서 담시라고 부른 것으로 보는 것이 적당하기 때문이다. 실상 시인 자신은 「풍자냐 자살이냐」(『시인』, 1970. 7), 「민족의 노래 민중의 노래」('민족학교' 1회강연초록, 1970. 11) 등의 글에서 우리의 구비문학을 올바른 방향에서 계승·발전시킨다면 현대적인 현실 내용의 날카로운 도전을 충분히 받아낼 수 있는 새로운 시 형식이 창조될 수 있을 것이라는 점을 누누이 강조하고 있는 것이다. 이 점에서 담시란 명칭[20]이 서구 것의 차용이라기보다는 전통문학으로부터 추출된 우리적인 새로운 시 형식을 일컫는다는 점을 알 수 있다.

그렇다면 이 담시란 어떠한 구조적 특징과 원리를 지니는가 하는 점이 문제가 될 것이다. 서구문학에서 발라드란 대체로 ①이야기이고 이를 이루는 요소들 중에서 사건이 가장 중요하고 ②노래로 불리어지고 ③내용, 문체, 의미가 민중적이고 ④단일한 사건을 집중적으로 다루며 ⑤비개성적이라는 특징을 지닌다.[21] 이것은 우리 문학에서 구비율문으로 된 구비서사시, 즉 서사무가, 서사민요, 판소리 중에서 특히 서사민요와 유사한 특징을 지닌다. 이렇게 본다면 김지하의 담시란 명칭은 서구적인 개념을 감안하였으되, 우리의 구비서사시인 서사민요를 현대적인 시 형식으로 변용·창작한 시 형식을 일컫는다는 점을 알 수 있다. 담시도 서사시이긴 하지만, 구비전승되던 서사민요와는 달리 담시는 현대적으로 변용된 개인창작 서사시에 속하는 것이다. 아울러 1항(장시와 서사시의 차이점)에서 얼핏 언급한 것처럼 담시는 서사시 중에서 비교적 짧은 형식에 속하는, 구비서사시를 창조적으로 계승한 단형서사시를 특히 지칭한다. 왜냐하면 담시는 단일한 사건을 집중적으로 다루는 짧은 길이의 서사적 구조를 지니고 있기 때문에 파란만장한 영웅의 생애나 민족의 운명을 총체적으로 다루는 본격적인 장형서사시와는 구별되기 때문이다.

이렇게 볼 때 이 담시 「오적」은 전통문학, 특히 서사민요, 서사무가 및 판

---

20) 담시란 명칭이 근대시사에서 처음 나타났던 것은 김상훈의 「소을」, 「북풍」, 「초원」, 「엽태기」 등 네 편에서였다. 『가족』(백우사, 1948.10) 그러나 여기에서의 담시란 명칭은 구비서사시의 전승과는 별로 상관없이 비교적 짧은 서사시라는 뜻으로 붙인 이름이었다.

21) M.Leach, 「Ballad」, Maria Leach ed. *Standard Dictionary Folkolre*, 조동일, 『서사민요 연구』, 51쪽 재인용. 이하 「오적」에 관한 논의는 조동일 교수의 조언과 여러 저서 내용에 힘입은 바 크다.

소리 등 구비서사시를 바탕으로 하여 70년대에 쓰여진 단형의 개인창작 서사시라고 할 수 있다. 이것은 담시가 개인창작 서사시이기 때문에 서구적 의미가 짙게 착색되어 있는 서사시(epic)라는 명칭을 사용하기도 어렵기 때문에 담시라는 명칭을 붙여본 것으로 이해된다. 따라서 이 「오적」은 서사민요의 구조적 특성과 원리를 크게 반영하고 있는 것으로 풀이된다.

　　그러면 「오적」의 전체적인 구성을 살펴보기로 한다. 「오적」의 구성은 「동명왕편」, 「국경의 밤」, 「남해찬가」, 「금강」 등과 마찬가지로 서사, 본사, 결사 등 세 부분으로 나누어져 있지만, 그들과는 크게 다르다는 점을 알 수 있다. 먼저 서화부터 「오적」은 특이하다.

> 시(詩)를 쓰되 좀쓰럽게 쓰지말고 똑 이렇게 쓰랸다.
> 내 어쩌다 붓끝이 험한 죄로 칠전에 끌려가
> 볼기를 맞은지도 하도 오래라 삭신이 근질근질
> 방정맞은 조동아리 손목댕이 오물오물 수물수물
> 뭐든 자꾸 쓰고 싶어 견딜 수가 없으니, 에라 모르겠다
> 볼기가 확확 불이나게 맞을 때는 맞더라도
> 내 별별 이상한 도둑이야길 하나 쓰겄다.

　　이러한 서화는 '북을 치되 잡스러이 치지말고 똑 이렇게 치랸다'로 시작되는 판소리 소설 「흥부전」의 서두와 흡사하다. 다시 말해 서화는 판소리 「흥부가」의 구성 양식을 차용하고 있는 것이다. 본화의 경우에는 대략 서사민요에서처럼 구성상의 큰 단위인 단락과 작은 단위인 소단락으로 구분할 수 있다. 다소 장황한 듯하지만 그 중요 부분을 단락별로 인용해보기로 한다.

　　가) 옛날 다섯 도둑이 모여 살았다.

　　남북간에 오종종종 판잣집 다닥다닥

게딱지 다닥 코딱지 다닥 그위에 불쑥
장충동 약수동 솟을대문 제멋대로 와장창
저 솟고 싶은 대로 솟구쳐 올라 삐까번쩍
으리으리 꽃궁궐에 밤낮으로 풍악이 질펀 떡치는 소리 쿵떡

예가 바로 재벌(狾猰), 국회의원(匊猲猂猿),
고급공무원(跍磔功無獐), ××, 장차관(瞕獚矔)22)이라 이름하는,
간뎅이 부어 남산만 하고 목질기기 동탁배꼽 같은
천하흉폭 오적(五賊)의 소굴이렸다.
사람마다 뱃속이 오장육보로 되었으되
이놈들의 배안에는 큰 황소불알 만한 도둑보가 겹붙어 오장칠보,
본시 한 왕초에게 도둑질을 배웠으나 재조는 각각이라
밤낮없이 도둑질만 일삼으니 그 재조 또한 신기(神技)에 이르렀겄다.

나) 어명이 떨어져서 포도대장이 오적을 잡으러 나선다.

① 힘없는 놈 아무나 잡아 족친다.

여봐라
게 아무도 없느냐
나라망신시키는 오적(五賊)을 잡아들여라
추상같은 어명이 쾅,
청천하늘에 날벼락치듯 쾅쾅쾅 연거푸 떨어져 내려 쏟아져 퍼붓
어쌓니
네이―당장에 잡아 대령하겠나이다, 대답하고 물러선다
포도대장 물러선다 포도대장 거동봐라
울뚝불뚝 돼지코에 술찌꺼기 허어옇게 묻은 메기 주둥이, 침은

---

22) 오적의 이름은 모두 동물명을 빗대어 한자로 차용하였는바 이것은 풍자의 효과를
살리며 구체적인 상징성을 강화하기 위한 기법이다. 그 근원은 민담에서의 동물담
이나 우화소설에서 영향받은 것으로 이해된다.

질질질

장비사돈네팔촌같은 텁석부리 수염, 사람여섯 잡아먹어 피가 벌

건 왕방울 눈깔

마빡에 주먹혹이 될때마다 털렁털렁

열십자 팔벌이고 멧돌같이 좌충우돌, 사자같이 으르르르룽

이놈 내리 훑고 저놈 굴비엮어

종삼 명동 양동 무교동 청계천 쉬파리 답십리 왕파리 왕십리 똥

파리 모두 쓸어 모아다 꿀리고 치고 패고 차고 밟고

꼬집어 뜯고 물어 뜯고 업어메치고 뒤집어 던지고 끈아 추스리

고 걷어 팽개치고

때리고 부수고 개키고 까집고 비틀고 조이고

꺾고 깎고 벳기고 쑤셔대고 몽구라뜨리고

직신작신 조지고 지지고 노들강변 버들 같이 휘휘낭창 꾸부러뜨

리고

…하략…

② 좀도둑 뇌수가 잡혀 고문을 당한다.

전라도 갯땅쇠 꾀수놈이 발발 오뉴월 동장군(冬將軍) 만난듯이

발발발 떨어댄다.

네놈이 오적(五賊)이지

아니요

그럼 네가 무엇이냐

날치기요

날치기면 더욱 좋다. 날치기, 들치기, 밀치기, 소매치기, 네다바

이 다 합쳐서

오적(五賊)이 그 아니냐

…중략…

애고 애고 난 아니요, 오적(五賊)만은 아니어라우, 나는 본시 갯

땅쇠로

농사로는 밥못먹어 돈벌라고 서울왔오. 내게 죄가 있다면은

어젯밤에 배고파서 국화빵 한개 훔쳐먹은 그 죄밖에 없읍넨다.
이리바짝 저리죄고 위로 틀고 아래로 따닥
찜질 매질 물질 불질 무두질에 당근질에 비행기태워 공중잡이
고추가루 비눗물에 식초까지 퍼부어도 싹아지없이 쏙쏙 기어나
오는건 아니랑께롱
한마디뿐이겄다.

③ 꾀수를 회유하여 오적이 있는 곳을 안다.
　　포도대장 할 수 없어 꾀수놈을 사알살 꼬실른다 저것봐라
　　오적(五賊)은 무엇이며 어디있나 말만하면 네 목숨은 살려주마
　　꾀수놈 이말듣고 옳다꾸나 대답한다.
　　오적(五賊)이라 하는 것은 狋猜豤(재벌)과 국회의원(㕦獢狫猿),
　　跰磔功無獐(고급공무원), ××, 장차관(矒猭矔)이란 다섯 짐승,
　　시방 동빙고동에서 도둑시합 열고 있오.
　　으흠, 거 어디서 많이 듣던 이름이다. 정녕 그게 짐승이냐?
　　그라문이라우, 짐승도 아조 흉악한 짐승이지라우.
　　옳다 됐다 내 새끼야 그말을 진작 하지
　　포도대장 하도 좋아 제무릎을 탁 치는데
　　어떻게 우악스럽게 처버렸던지 무릎뼈가 파싹 깨져 버렸겄다,

④ 오적을 잡으러 포도대장 출도한다.

　　네놈 꾀수 앞장서라, 당장에 잡아다가 능지처참한 연후에 나도
　　출세해야겄다.
　　꾀수놈 앞세우고 포도대장 출도한다
　　범눈깔 부릅뜨고 백주대로상에 헷드라이트 왕눈깔을 미친듯이
　　부릅뜨고
　　부릉 부릉 부르릉 찍찍
　　소리소리 내지르며 질풍같이 내닫는다
　　…중략…
　　시합장에 뛰어들어 포도대장 대갈일성,

이놈들 오적(五賊)은 듣거라
너희 한같 비천한 축생의 몸으로
방자하게 백성의 고혈빨아 주지육림 가소롭다
대역무도 국위손상, 백성원성 분분하매 어명으로 체포하니
오라를 받으렷다.
이리 호령하고 가만히 둘러보니 눈하나 깜짝하는 놈없이 제일에
만 열중하는데
생김생김은 짐승이로되 호화찬란한 짐승이라

다) 휘황찬란한 오적들의 잔치에 오히려 포도대장 기가 죽는다.

놀랠 놀짜로다
저게모두 도둑질로 모아들인 재산인가
이럴 줄을 알았다면 나도 일찍암치 도둑이나 되었을 걸
원수로다 원수로다 양심(良心)이란 두글자가 철천지 원수로다
이리 속으로 자탄망조하는 터에
한놈이 쓰윽 다가와 써억 술잔을 권한다
보도 듣도 맛보도 못한 술인지라
허겁지겁 한잔두잔 헐레벌떡 석잔녁잔
이윽고 대취하여 포도대장 일어서서 일장연설 해 보는데
안주를 어떻게나 많이 쳐먹었던지 이빨이 확 닳아 없어져 버린
아가리로
이빨을 딱딱 소리내 부딪쳐가면서 씹어뱉는 그 목소리 엄숙하고
그 조리 정연하기
성인군자의 말씀이라
만장하옵시고 존경하옵는 도둑님들!
도둑은 도둑의 죄가 아니요, 도둑을 만든 이 사회의 죄입네다
여러도둑님들께옵선 도둑이 아니라, 이 사회에 충실한 일꾼이니
부디 소신(所信)껏 그길에 매진, 용진, 전진, 약진하시길 간절히
간절히 바라옵고, 또 바라옵나이다.

라) 포도대장 오적에게 혼나고 오히려 꾀수만 잡아 감옥에 보낸다

포도대장 뛰어나가 꾀수놈 낚귀채어 오라묶어 세운뒤에
요놈, 네놈을 무고죄로 입건한다.
때는 노을이라
서산낙일에 객수(客愁)가 추연하네
외기러기 짝을찾고 쪼각달 희게 비껴
강물은 붉게 타서 피흐르는데
어쩔거나 두견이는 설리설리 울어쌌는데 어쩔거나
콩알같은 꾀수묶어 비틀비틀 포도대장 개트림에 돌아가네
어쩔거나 어쩔거나 우리꾀수 어쩔거나
전라도서 굶고 살다 서울와 돈번다더니
동대문 남대문 봉천동 모래내에 온갖 구박 다 당하고
기어이 가는구나 가막소로 가는구나
어쩔거나 억울하고 원통하고 분한 사정 누가 있어 바로잡나
잘가거라 꾀수야
부디부디 잘가거라.
꾀수는 그길로 가막소로 들어가고
오적(五賊)은 뒤에 포도대장 불러다가 그 용기를 어여삐 녀겨 저
희집 솟을대문
바로 그곁에 있는 개집속에 살며 도둑을 지키라하매, 포도대장
이말듣고 얼시구 좋아라
지화자좋네 온갖 병기(兵器)를 다가져다 삼엄하게 늘어놓고 개
집 속에서 내내 잘살다가
어느 맑게 개인날 아침, 커다랗게 기지개를 켜다 갑자기
벼락을 맞아 급살하니
이때 또한 오적(五賊)도 육공(六孔)으로 피를 토하며 꺼꾸러졌다
는 이야기. 허허허
이런 행적이 백대에 민멸치 아니하고 人口에 회자하여
날같은 거지시인의 싯귀에까지 올라 길이 길이 전해오겠다.

이상과 같이 본화에서의 사건은 비교적 단순하게 전개된다. 즉 오적들이 판치는 곳에 포도대장이 잡으러 가지만, 오히려 그들에게 녹아떨어지고 기가 죽어서 불쌍한 좀도둑 꾀수만 무고죄로 잡아서 감옥에 보낸다는 짤막하고 단순한 이야기인 것이다. 다만 비교적 단순한 사건 전개이지만, 그것이 극적 구성 방식을 취하고 있는 것이 특징이라면 특징이다. 등장인물은 오적, 포도대장, 꾀수 등이지만 특히 문제가 되는 것은 꾀수의 경우이다. "전라도 갯땅쇠 꾀수놈이 발발 오뉴월 동장군 만난듯이 발발발 떨어댄다"는 구절에서처럼 꾀수는 무력하고 보잘것없는 일상 인물인 것이다. 또한 오적과 꾀수 사이에 놓여있는 포도대장 역시 강자에게는 약하고 약자에게는 강한 상투적 인물상인 것이다. 다만 포도대장은 희화적으로 처리됨으로써 이 작품의 골계적인 특성을 드러나게 하는 촉매로 작용한 것이 특징이다. 따라서 꾀수가 불러일으키는 비애의 정서와 포도대장이 유발하는 해학이 함께 존재하게 되는 정서적 구조를 지닌다.

어휘 면에서는 일상생활에서 흔히 쓰이는 말들이 풍부하게 구사됨으로써 판소리의 그것을 연상케 한다. 후화 부분에 이르러서는 그 뒷이야기로서 사건의 휘갑을 친다. 즉 꾀수가 감옥에 가고 난 후 어느 날, 포도대장은 오적의 솟을대문 옆 개집 속에서 한동안 잘 살다가 갑자기 벼락을 맞아 급살하고, 오적 또한 육공(六孔)에서 피를 토하고 죽었다는 풍자적인 얘기로 대미가 처리되어 있다. 또한 이 후화에서는 3인칭 서술에다가, '인구에 회자하는 이야기로서 시로 써서 전한다'라는 1인칭 개입서술방식으로 작품을 마무리함으로써 판소리의 그것과 유사한 결구 방식을 취하고 있다. 이렇게 본다면 대략 서화가 후화로 연결되고, 그 속에 본화를 담고 있는 중층구조로 짜여져 있음을 알 수 있다. 그리고 대략 서화와 후화는 판소리의 구성 양식을 모방했고,[23] 본화는 서사민요의 구성 방법과 원리를 원용했다는 사실도 찾아낼 수 있다.

---

23) 강한영, 『신재효 판소리사설 여섯마당집』(형설출판사, 1982) 참조.

특히 「오적」은 앞에서 지적한 것처럼 서사민요의 구조와 원리를 직접 적용했다는데 중점이 놓여진다. 조동일에 따르면 서사민요의 특징은 대략 ①서사적 구조를 지니고 노래체의 율문으로 이어지는바, 서구의 발라드와 비슷한 구비서사시이다. ②인물은 일상적이고 평범한 인물인 경우가 대부분이다. ③문체는 규칙적이고 단순하다. ④사건은 단일사건이며 현실적이면서도 극적으로 전개된다. ⑤비애와 골계가 공존하되 구조나 내용은 비애를 지니고 이를 나타내는 문체는 골계스러운 경우가 많다. ⑥일반적으로 슬픔의 정서를 지니고 있다. ⑦효과는 골계가 비애를 차단함으로써 비판적 주제의 성립을 가능케 해주고 비판적 리얼리즘의 길을 열어준다[24]라는 점 등으로 요약할 수 있다. 이러한 조동일의 이론을 준거 틀로 삼아서 「오적」을 살펴본다면, 우리는 「오적」이 바로 서사민요의 구조와 방법적 원리를 거의 그대로 반영하고 있음을 확인할 수 있다. 여기에다가 부분 부분들이 각각의 세련을 추구하면서 또한 작품의 전체 흐름을 지배함으로써 정서적 긴장과 이완을 반복하는 판소리의 구조적 원리[25]와 문체를 결합하고 있는 것이다.

따라서 「오적」은 서사민요와 판소리의 특징[26]을 최대한 살림으로써 전통의 현대적 계승을 성취한 소중한 전범이 되는 것으로 판단된다. 실상 이 점이 이 작품의 내용이나 주제가 사회의 모순과 비리를 흑백논리 또는 단선적 시각으로 파악하여 일방적인 비판과 야유를 퍼붓는 데 집중되어 있다는 점에서의 이 작품이 내포한 취약점·비판점을 극복할 수 있게 해주는 원동력이 된다. 다시 말해서 가진 자들을 '오적'으로 묶어 통틀어 비판의 대상으로 삼는 일방적 시각은 이 작품이 예리한 지성과 부분적 진실까지도 섬세하게 포괄해

---

24) 이상은 조동일의 『서사민요연구』를 필요에 따라 정리한 것이다.
25) 김흥규, 「판소리의 서사적 구조」, 조동일 외 편, 『판소리의 이해』(창작과비평사, 1983), 125~126쪽.
26) 판소리가 표면 주제와 이면 주제의 이중구조로 되어있으며, 그 중심 사상이 억눌린 시대에 민중들의 경험적 갈등론을 제시하면서 기존사회의 허위와 불평등을 비판한 것이라는 점도 이와 관련된다. 조동일, 「판소리의 전반적 성격」, 위의 책, 26~28쪽.

야 하는 시적 상상력보다도 정치적 상상력이 우세하게 작용한 결과라는 점에서 부정적인 면이 있는 것이 사실이다. 그러나「오적」은 그러한 부정적 측면이 있음에도 불구하고 오늘날 이 땅의 명제가 참된 인간해방, 즉 자유와 평등의 진정한 실현에 있음을 강조한 데서 참뜻이 드러난다.[27] 이 작품에서 꾀수는 권력으로부터 소외되고 물신의 폭력 앞에서 형편없이 초라해진 이 땅 민중들의 비참하고 덧없는 실존을 표상한 것이 된다. 그러면서도 이 작품은 슬픔을 슬픔으로 나타내지 않고 도리어 우스꽝스럽게 나타냄으로써 슬픔이 지닌 의미를 한편으로 더욱 강조하면서 고난의 극복을 시도하고 있다는 점에서 주목을 끈다. 특히 라)의 마지막 구절들은 골계에 의해 비애를 차단함으로써 안타고니스트들에 대한 소극적 항거를 적극적 항거로 바꾼[28] 대표적 구절의 한 예가 된다. 다시 말해서 비판적인 리얼리즘의 길을 열고 있는 것이다. 바로 이 때문에「오적」이 예리한 비판의식과 저항의지를 담고 있으면서도, 그것이 단순한 야유나 적대 감정으로 가득 찬 저급한 정치시로 떨어지지 않고 예술적인 형상성을 견고하게 유지하게 되는 바탕을 마련한다. 또한「오적」이 70년대의 대표적인 풍자적 저항시로서 이 땅 서사문학이 나아가야 할 한 방향을 뚜렷하게 제시한 것으로 이해된다. 그것은 한 시대가 바로 어둠과 모순으로 가득 찼다면, 시도 그에 대한 예술적 응전력을 확보함으로써 삶과 시, 현실과 예술이 결코 유리되어서는 안 된다는 소중한 깨달음을 반영한 것이 아닐 수 없다. 이 점에서는 시인 자신의 다음과 같은 발언이 주목할 만하다.

우리말의 고유한 본질과 구조, 예술적 표현, 특히 풍자에 대한 그 적합성에 따라서 민예와 민요는 풍자와 해학을 그 주된 전통으로 창

---

27) 이것은 4·19이후 이 땅에서 지속적으로 문제가 되어왔던 자유민주주의 지향과 60년대 말부터 급격히 대두하기 시작한 파행적인 근대화가 야기한 사회구조의 모순과 부조리 특히 불평등의 문제에「오적」이 대응하고 있음을 말해준다.
28) 조동일, 『서사민요연구』, 123쪽.

조하였다. 서정민요, 노동요 등 광범한 단시들과 서사민요, 판소리의
풍자와 해학은 문학으로서의 탈춤대사 등과 더불어 현대 풍자시의 보
물창고이다. …(중략)… 민요는 아직도 강력한 효력을 민중속에 가지
고 있으며 이 효력은 한국시가 풍자와 해학에 눈뜰 때 말할 수 없이 크
게 확대될 것이다. 올바른 저항적 풍자와 민중적 해학의 시를 통하여
전통과 만나고, 전통 민요와 현대생활언어의 고양된 시적 통일을 통
하여 시의 효력과 민중에 대한 시정신의 에네르기가 강화되고 민중속
으로 폭발적인 힘을 가지고 확대되어 나갈 것이다. …(중략)… 시인이
민중과 만나는 길은 풍자와 민요정신의 계승의 길이다. 풍자, 올바른
저항적 풍자는 시인의 민중적 혈연을 강조한다. 풍자만이 시인의 살
길이다. 현실의 모순이 있는 한 풍자는 강한 생활력을 가지고, 모순이
화농하고 있는 한 풍자의 거친 폭력은 갈수록 날카로와진다.[29]

다소 길게 인용해 본 이 글에서 김지하는 '①우리 문학의 전통은 저항적 풍
자와 민중적 해학에 있다. ②민예와 민요 등은 현대 풍자시의 재원이기 때문
에 이것을 올바로 계승하는 데서 시 정신의 에네르기가 강화되고 민중적인
생명력이 분출된다. ③시인은 풍자와 민요 정신에 바탕을 둔 생명력 있는 민
중시를 써야 한다. ④수난과 모순의 시대일수록 시인은 풍자를 무기로 하여
현실적·사회적인 대응력을 길러야 한다'라는 점 등을 강조하는 것이다. 다시
말해서 우리의 전통문화 속에 담긴 민족정신의 발굴·계승 및 민족주체성의
확립을 강조했다는 점에서는 민족시의 올바른 방향을 일깨웠으며, 문학이 궁
극적으로 인간적인 삶과 밀착되어야 하며 민중적 생명력을 예술적으로 고양
시켜야 한다는 점을 강조했다는 점에서는 민중시의 참된 지향점을 제시한 것
으로 이해된다.[30] 특히 그것이 어디까지나 풍자와 해학 등 문학적인 방법을
통해서 성취되어야 한다는 점을 강조함으로써 문학의 예술성 또한 결코 경시

---

29) 김지하, 「풍자냐 자살이냐」, 『타는 목마름으로』(창작과비평사, 1982), 154~156쪽.
30) 김지하의 평론 「민족의 노래 민중의 노래」도 이와 비슷한 내용이다.

하고 있지는 않음을 분명히 하고 있다는 점이 주목을 요한다.

바로 이러한 점에서 김지하의 「오적」은 기존 서사시의 한계를 한 단계 뛰어넘은 것으로 판단된다. 「국경의 밤」 등 앞에서 논의한 서사시들이 각각 민족이 처했던 당대의 고난과 불행을 비극적인 것으로 노래했던 데 비해서, 「오적」은 전통문학에서 스스로 찾아낸 '해학에 의한 비극적인 것의 파괴'를 통하여 70년대 어두운 현실이 처한 수난과 고통의 극복을 시도하는 것이다. 기존의 서사시들이 민족이 겪은 수난과 고통을 슬픔으로 노래하여 소극적 저항을 보여주었다면, 「오적」은 풍자와 골계 등 여러 전통적, 문학적 방법을 다양하게 활용함으로써 시가 취할 수 있는 가장 적극적인 항거를 보여준 것으로 이해된다. 그것은 단순히 정신적인 것이라거나 방법적인 것만이 아니라 두 가지가 결합된 차원에서 두드러지게 기존 서사시의 한계를 뛰어넘은 것이다. 다만 아쉬운 것은 「오적」이 짤막한 담시형식에 머물고 말았다는 점이다. 그렇게 축소됨으로써 서사시의 이상적 목표인 당대 사회의 총체적 반영과 시의 역사적 대응력 확보라는 명제에서 볼 때는 「오적」이 다소 미흡한 것으로 평가될 수도 있기 때문이다. 서사민요와 판소리의 장점을 잘 살리고 있으면서도 정작 총체적 장르로서의 판소리의 스케일을 살리지 못하고 70년대 당대 사회 모순의 한 단면만을 단선적 틀로 제시하는 데 그친 것은 분명 아쉬운 점이 아닐 수 없다.

이 점에서 아직도 이 땅의 시사에 있어서 이상적인 전범의 서사시 출현은 미래완료형으로 남아있을 수밖에 없다. 80년대 이후 이 땅에서 활발하게 시도되고 있는 서사시들[31]은 이러한 김지하의 성공—전통문학의 창조적·주체

---

31) 80년대 중반에 들어서는 문병란의 『동소산의 머슴새』(일월서각, 1984), 정동주의 『논개』(창작과비평사, 1985), 배달순의 『성(聖)김대건』(문학세계사, 1985), 고은의 『백두산』(실천문학 연재 중) 등이 주목할 만한 예가 된다. 특히 신경림의 「남한강」, 「쇠무지벌」, 「새재」 등 연작서사시집은 매우 중요한 의미를 지닌다 하겠지만 지면 관계상 다음 기회로 넘기기로 한다.

적·비판적 계승으로 민족시·민중시의 가능성을 제시한 점—과, 실패—총체적 진실과 부분적 진실의 예리한 화합력 부족 및 정치적 상상력에의 편중—를 꿰뚫어 봄으로써 한 차원 더 도약해야 할 것으로 판단된다.

1-7 결론—한국 서사시의 지평

지금까지 살펴본 것처럼 아직 근대문학사에서 서사시의 올바른 개념과 그 바람직한 향방에 대한 논의는 부족한 실정이다. 이것은 어쩌면 이 땅에서 문학 이론과 실천비평 및 문학사연구, 그리고 인접 관련 학문이 각 부분별로 상당한 성과에 이르고 있으면서도 그것들이 유기적·총체적으로 통합되고 있지 못하고 있다는 사정을 반영하는 것일지도 모른다. 서사시에 대한 논의는 그러한 제 분야의 연구성과가 집약되는 데서 효율적인 해명이 기대될 수 있기 때문이다.

지금까지 소략하게 논의한 바에 따르면 다음의 몇 가지 사실을 확인할 수 있었다. 먼저 서사시에 대한 명확한 개념과 그 구조적 방법과 원리 및 갈래 체계가 정립돼야 한다는 점이다. 흔히 서사시는 장시와 혼동되어 사용되고 있는바, 서사시는 장르 명칭인 데 비해 장시는 길이 개념임이 확실히 구별되어야 한다. 다시 말해서 서사시는 기다란 장시 형식으로 되어 있지만, 서정시인 장시(필자의 명칭으로 '장편시')와는 근본적으로 다른 것이다. 즉 서정시가 개인적인 정서를 주로 주관적 시점에서 인상적으로 노래하는 시 양식인 데 비해서, 서사시는 영웅이나 민족 또는 민중의 고난에 찬 생활사를 서사적 구조를 통해서 객관적으로 형상화하는 시 양식인 까닭이다. 따라서 다음과 같이 가설적인 분류기준을 제시해 볼 수 있다.[32]

---

32) 여기에서의 '서정시', '서사시'는 각각 단형서정시, 장형서사시라고 불러야 하겠으나 적당히 줄여서 부르기 어렵고 또 이것이 각각 장르의 원형적 개념이기 때문에

서정시 - 장형서정시 – 장(편)시(복합정서, 관념적 통일성 내포)

연작서정시 – 연작시(부분적 독자성, 전체적 통합성)

단형서정시 – 서정시(단일 정서, 순간적 인상 중시)

서사시 - 장형서사시 – 서사시(총체적 사실, 복합적 서사구조)

중형서사시(장형서사시와 단형서사시의 중간형태)

단형서사시 – 담시[33](부분적 사실, 단선적 서사구조)

또한 서사시는 표기 면에서는 구비서사시와 기록서사시, 인물 면에서는 영웅서사시와 민중서사시, 제재 면에서는 역사서사시와 민족서사시, 풍물서사시 등으로 구분해 볼 수도 있을 것이다. 그 어떤 경우라도 서사시는 ①서사적 구조를 지니고 있을 것 ②역사적 사실과 연관·대응될 것 ③사회적 기능을 지니고 있을 것 ④집단의식을 바탕으로 할 것 ⑤당대 현실과 암유적 관계를 지닐 것 ⑥노래체의 율문으로 짜여질 것 ⑦길이가 비교적 길어야 할 것 등을 그 범주로 제시할 수 있다고 본다.

또한 우리의 서사시 몇 편을 고찰하면서 다음과 같은 사실을 알 수 있었다.

첫째, 우리의 서사시는 주로 민족이 수난을 겪고 있는 시기에 주로 쓰여졌으며, 따라서 그러한 역사적 수난 과정에 대한 문학적 응전양식으로서의 의미를 지니고 있다.

둘째, 그렇기 때문에 표면에서 전개하고 있는 사건은 영웅담이나 사랑 이야기 혹은 동물우화담 등일 수 있지만, 내면에서는 민족적 삶의 앙양이나 수난과 고통의 현실극복이라는 보다 큰 주제를 담고 있는 입체적 구조성을 지니게 된다.

그대로 서정시, 서사시라고 불러도 무방하리라 생각된다. 단 이럴 경우 이 명칭은 제한적일 수밖에 없을 것이다.

33) 이 경우도 호칭이 적당치 않다. 담시란 구비전승적 내용이나 방법을 계승한 단형서사시에는 적당한 명칭이나, 이광수의 「우리영웅」 등과 같이 구비전승되지 않고 창작된 단형서사시도 있을 수 있기 때문이다.

셋째, 과거의 잘 알려진 이야기를 객관적으로 펼쳐가는 방식이지만, 현재 상황과 주관 시점을 접합·교차시킴으로써 당대의 역사적·사회적 상황과 긴밀히 연결되어 있다.

넷째, 우리의 전통시에서도 「동명왕편」이나 서사무가 등 영웅서사시를 얼마든지 찾아볼 수 있으며, 서사민요, 판소리 등 구비·민중서사시도, 풍부하고 다양한 형태로 존재해 왔다. 다만 그러한 풍요로운 문학적 보물창고가 제대로 발굴되지 못하였으며 또한 근대서사시로 연결되지 못한 것이 아쉬운 점이다.

다섯째, 이 땅의 근대서사시는 「국경의 밤」에서 의도적으로 시도되었고, 「남해찬가」에서 실험되고 「금강」에 와서 하나의 틀을 마련하게 되었으며, 「오적」에 이르러서 비로소 전통의 현대적 계승을 부분적으로나마 성취했다는 점에서 바람직한 방향을 정립하게 되었다. 특히 「오적」은 민족·민중문학의 자산인 비애와 풍자 및 해학을 시의 구조로 상승시킴으로써 운동성과 예술성 사이의 창조적 접합을 이룩하여 이 땅 서사시의 나아갈 길을 올바로 제시하였다.

여섯째, 서사시는 영웅적이거나 민족적 또는 민중적인 삶을 포괄적으로 다루고 있다는 점에서 민족문학, 민중문학34)의 대표적 양식이라고 할 수 있다.

따라서 서사시는 한 민족 또는 시대정신의 총화 또는 정수라는 점에서 지속적·의식적으로 탐구되고 창작될 필요가 있다. 바로 이 점에서 서사시의 개념이 한국문학사 자체에서 추출된 정신사 및 예술사적 맥락에서 정립돼야 하며 그 나름대로의 갈래 체계와 준거 틀이 정치하게 마련되어야 한다.

---

34) 민중문학에 대한 개념도 올바르게 정립되어야 한다. '민중'이 지닌 경색된 개념은 지양되어야 하리라 생각된다. 가진 자 못 가진 자, 지배자 피지배자로서의 극단적 대립개념보다는 자유와 평등에 기초를 둔 인간다운 삶을 지향하는 모든 소외된 사람을 민중으로 불러야 하며, 또한 민중문학의 경우에 그것이 문학인 한에 있어서는 문학의 문학다움도 확보해야 할 것이다. 근래의 우리 주위에 팽배한 민중 프레미엄과 민중 콤플렉스 내지 민중 알레르기 현상이 극복되는 데서 바람직한 우리 문학의 지평이 전개될 것이다. 민중문학 논의는 다음 기회로 미룬다.

이 점에서 앞으로 이 땅에서 쓰여져야 할 서사시는 다음 몇 가지 점을 깊이 인식해야 할 것이다.

첫째, 전통문학에 뿌리를 두어야 한다. 그 속에 무진장하게 담겨 있는 한국적인 정신과 사상 및 정서를 심화하고, 다양한 문학적 방법을 계발하여 새로운 민족문학을 창조적으로 성취해 나아가야 한다.

둘째, 잘 알려진 역사적 대사건, 특히 수난을 극복하려는 민족의 의지와 저력을 깊이 있게 탐구하되 문학의 문학다움을 잃지 않아야 한다. 역사적 사실과 작가의 예술적 상상력이 팽팽하게 또 아름답게 긴장력을 형성하는 데서 서사시의 지평이 찾아질 수 있다는 점이 소중히 인식되어야 할 것이다.

셋째, 생생한 역사적 삶과 현실적 삶에 기초하여야 한다. 이것은 민족적 주체성과 자존심을 고양하는 민족적 삶, 자유와 평등이 실현되는 민중적 삶에 바탕을 두되 참다운 인간애의 실현으로서 인간해방과 인간구원에 목표를 두어야 한다.

마지막으로 서사시가 충격하기를 희망하는 것이 과거의 역사가 아니라 현재이며 미래라는 점이다. 따라서 역사를 총체적으로 날카롭게 통찰하고 현재를 정당하게 파악하고 비판하여 슬기로운 미래를 개척하려는 미래지향의 시정신이 무엇보다 절실하다. 이것은 이제부터 이 땅의 서사시가 본격적으로 쓰여져야 하는 현실적 필요성을 의미하는 동시에 문학사적 당위성을 지니고 있는 것으로 판단되기 때문이다.

『문예중앙』 1985년 가을호

2. 한국 현대시와 민중의식의 전개

2-1 기초적 고찰

1) '민중의 개념'

80년대 들어서서 가장 광범위하게 쓰이는 말 중의 하나가 아마도 '민중'이라는 용어일 것이다. 민중종교·민중문학·민중문화·민중극·민중시·민중미술 등과 같이 문화예술의 전 영역에 걸쳐 사용되다시피 하고 있는 이 용어에 관해서 이미 다양한 논의가 있었다.

지금까지 민중에 관한 논의는 주로 문학 혹은 예술 분야에서 활발하게 이루어지고 있으나 사회학·역사학·신학 쪽에서의 접근도 아울러 시도되고 있다. 그러나 거듭되는 논의에도 불구하고 '민중'의 개념, 즉 '민중이란 무엇이며 또 누구인가'라는 점은 아직 명확하게 제시되지 않는 실정이다. 이러한 논의의 어려움은 '민중'이란 개념 자체의 복합성에서 기인되는 것이지만, '민중'을 실천이념으로 끌어안고 그것을 운동 차원에서 파악하려는 속에서 자칫 빠지기 쉬운 '우상화' 현상과, 반대편에서 보여주는 민중 '불온시' 내지 '금기시' 태도 역시 올바른 논의를 어렵게 하기 때문이다. 이 글에서는 위와 같은 일방적인 논의를 가급적 지양하고, 기왕의 민중 논의를 수렴하여 이를 근거로 현대문학의 흐름 속에서 드러나는 민중문학과 민중문학론의 전개 양상을 특히 시를 중심으로 하여 개략적으로 살펴보기로 하겠다.

민중이란 무엇인가. 민중에 대응하는 서구어는 쉽게 발견되지 않는다. 민중이란 말이 흔히 대중(mass)이란 말과 유사한 듯하지만 양자는 구별된다. 민중이 우리 사회에서는 좀 더 자각적이고 적극적이며 행동적인 의미로 쓰이고 있음에 비해 대중은 단순히 양적인 의미로 사용되는 경우가 많기 때문이다. 또한 대중이란 말이 긍정적이라기보다는 부정적으로 사용되고 있는 것도 그 까닭이다. 그것은 대중이 지닌 무원리·무자각성 때문에 일종의 수동적 군중으로 파악되는 것이다. 그래서 대중문화가 가끔 이념의 정당화를 설득하는 수단으로 이용되기도 하며, 대중사회가 스스로 절대적인 지배를 자초하기도 한다.[1]

따라서 민중이란 말은 이와 같이 대중의 개념이 지닌 단순하며 부정적 의미의 양적 다수를 뜻하는 것이 아니라 양적 개념이면서 동시에 의식화로서의 질적 개념이며 일종의 실천 개념 내지 가치 지향적 의미를 띠고 있는 것으로 생각된다.

대중(mass)뿐만 아니라 '피플(people)', '파퓰러(popular)', '퍼블릭(public)', '시티즌(cityzen)', '폴크(volk)' 등등의 서구어들이 있지만, 어느 것도 우리말의 민중이란 말과 엄밀하게 부합되는 것 같지 않다. 그것은 위의 용어들이 대체로 서구의 민주사회의 발전과정에 따라 그 개념이 점진적으로 확립돼온 데 비해 '민중'은 다분히 한국사적 특수성에서 생성된 개념 혹은 제3세계적 개념이라고 여겨지기 때문이다.[2]

그런데 민중의 개념을 좀 더 뚜렷이 하자면 지금까지의 논의를 살펴볼 필

---

1) 박순영, 「대중사회와 대중문화」, 『현상과 인식』 2권 4호(1978).
2) 송건호 역시 민중을 동양적 개념으로 받아들이고 있다. 「민중의 개념과 실체」, 『월간대화』(1976) '좌담' 참조..

요가 있다. 민중의 성격과 개념을 규명하려는 작업은 여러 가지로 분류해 볼 수 있으나, 그 접근 태도에 따라 다음과 같이 나누어 보기로 한다.

첫째로, 정치·사회학적 관점으로, 이 관점을 대표하는 한 사람은 한완상이라 하겠는데 그는 정치·경제·문화의 피지배 집단 혹은 소외계층을 민중이라고 파악하고 있다.3) 따라서 민중에는 정치적 지배 관계에서 드러나는 정치적 민중과, 경제적 지배 관계에서의 경제적 민중, 문화적 지배집단에 대해서는 문화적 민중이 있게 되는 것이다.

둘째로, 경제학적 관점을 들 수 있는데 이에는 박현채의 견해가 대표적이다. 그는 민중이 경제적 의미에서 소외된 계층, 다시 말해 "경제적 관점에서 민중은 직접적 생산자이면서도 노동 생산의 결과, 즉 사회적으로 생산된 경제 잉여의 정당한 참여에서 소외된 광범한 사람들로 주로 구성된다"4)고 하였다.

셋째, 이만열의 소론과 같은 역사학적 관점이다. 이 교수는 한국사의 흐름 속에서 민중의 개념을 도출해내고 있는데, '민중'을 "한국사에 보이는 '민·농민·인민과 노비·노복·천민' 등의 피지배 계층을 망라하는 어휘"5)라고 풀이하였다. 한편 조동걸도 역사학적 관점에서 민중의 성격을 검토하고 있는데, 그는 '민중'을 근대 사회와 더불어 형성된 사회계층이라고 전제하고 있다. 즉, 봉건사회에서도 신분적 계급에 따라 서민이 있었지만, 그것은 사회계층으로서 역사 발전에 추진력을 발휘할 만큼 조직적이지 못했음을 지적하고, 민중이 나타나는 것은 이와 같은 서민이 사회 구조상의 모순을 의식하고, 자기 위치를 자각하여 그 모순에 도전하는 계층으로 성장했을 때이며, 역사적으로는 봉건사회의 붕괴와 근대사회의 형성이 진행되는 시기라고 주장하였다.6)

3) 한완상, 「민중의 사회학적 개념」, 『문학과 지성』(1978).
4) 박현채, 「민중과 경제」, 한국신학연구소 편, 『한국민중론』(한국신학연구소, 1984), 226쪽.
5) 이만열, 「한국사에 있어서의 민중」, 유재천 편, 『민중』(문학과지성사, 1984), 66쪽.
6) 조동걸, 「식민지 사회구조와 민중」, 한국신학연구소 편, 앞책, 180쪽.

넷째, 지금까지의 논의와 달리 민중을 성서신학적 입장에서 파악한 학자들이 있다. '민중은 민족사를 열 주체'로 파악하고 있는 서남동은, 다음과 같이 민중의 성격을 규정했다. ①인간성이나 인간적이라는 말 대신 민중이나 민중적이라고 쓴다. 민중은 집단적 개념이며 사회의 기본 단위이다. ②민중이란 말은 백성, 시민, 프롤레타리아와 구별된다. ③민중은 외세의 침략에 저항하면서 민족의 주체성을 찾으려고 투쟁한 제3세계의 세력이다.7) 서남동이 민중을 백성, 시민, 프롤레타리아와 구별된다고 강조한 점은 주목할 만하다. 여기서 그가 백성·시민과 민중을 구별하는 데는 납득할 수 있었지만, 프롤레타리아와 민중이 어떻게 다른가 하는 문제는 충분히 해명하지 못한 듯하다. 김용복도 기독교적 전통과 관점에서 민중을 이해하고 있는데, 그는 "민중은 항구적인 영원한(종말론적) 역사의 실체"8)이고, 또한 "민중은 역동적이고 변화하고 복합적인 살아있는 실체(nature)이기 때문에 그리 쉽게 설명되거나 정의될 수 있는 개념이나 대상이 아니다"라고 했다.9)

다섯째로는 전서암으로 대표되는 불교적 관점의 민중논의가 있다. 전서암 역시 김용복과 마찬가지로 민중은 다수이며 성격적으로 억압자 혹은 가진 자의 의도에 어느 정도 희생당하는 비특권 계층을 의미한다고 하고, 중생이 보살정신에 의해 적극적이고 행동주의적으로 나타나고 역사적 현실에서 구체화할 때 그것이 바로 민중이라고 하였다.10) 김지하의 경우는 엄격히 불교적 관점이라 할 수 없지만, 불교의 중생관과 민중종교의 후천 개벽사상 등의 관점에서 민중을 바라보고 있다. 그는 "민중이란 살아 움직이고 있는, 끊임없이 살아 움직이고 있는 생명체이므로 절대적 규정을 할 수 없다"11)고 했다. 다만

7) 서남동, 「'민중(씨알)'은 누구인가?」, 유재천 편, 앞책, 87~104쪽.
8) 김용복, 「메시아와 민중」, 위의 책, 105쪽.
9) 윗글, 같은 곳.
10) 전서암, 「민중의 개념」, 『월간대화』(1977).
11) 김지하, 「생명이 담지자인 민중」, 『밥』(분도출판사, 1984), 129쪽.

그가 말하는 '생명의 세계관'에 입각하여 생동성 있게 인식하고 '실천하는 모색 과정 가운데서 민중의 실체가 역동적으로 드러날 수 있다'고 하였다.12) 여기에서는 '생명'의 모호성이 문제로 남는다.

여섯째, 심우성,13) 김열규,14) 조동일 등에 의한 민속학적 접근이 있다. 특히 조동일의 '민중·민중의식·민중예술'은 민중이란 말이 어떤 역사적 변천 과정을 거쳐 왔는가를 치밀하게 검토하고 있어서 주목을 요한다. 그는 민중을 "소수의 집권층과 구분되는 다수의 예사 사람을 한꺼번에 지칭하면서 그 주체적 성향과 집단적 행동을 부각시키는 용어"로 정의하고, 구체적으로 "사회집단으로서의 민중은 원래 '농(農)'을 위시해서 '공상(工商)'이 포함되며 '사(士)'도 그 처지에 따라서 민중의 일원일 수 있다"고 하였다.15) 이는 기왕의 민중 논의에서 한 발짝 나아간 것임에 분명하지만, 오늘의 현실에서 볼 때 얼마만큼 유효성을 지닐까 하는 것이 과제로 남는다 하겠다.

마지막으로 문학 비평적 관점에서의 민중 논의를 들 수 있다. 70년대 이후 본격적으로 전개된 민중을 둘러싼 논의가 가장 활발한 기세로, 그리고 심각하게 이루어지고 있는 분야가 바로 문학비평 쪽이다. 이는 '민중'이란 용어를 본격적으로 제기한 쪽이 다름 아닌 문학 분야인 탓도 있지만, 시대정신의 중심 테마가 되고 있는 이 용어가 문학 이론, 비평이론의 깊은 영역에 침투해 있기 때문이다. 중견 비평가인 김주연은 민중이란 그 실체는 대중이고 사실상은 지식인의 관념의 그림자라고 하면서 민중의 실체성에 대해 회의를 표하고 있다. 때문에 그는 '대중'의 실체를 인정하고 '민중'을 실체 아닌 방법·정신으로 인정함으로써 문학의 민주화를 향한 정직한 방법론을 개발할 수 있으리라

---

12) 윗글, 같은 곳.
13) 심우성, 「민족문화와 민중의식」, 『뿌리깊은 나무』(1978. 6).
14) 김열규, 「한국민속과 민중」, 『한국의 민속문화 : 그 전통과 현대성』(한국정신문화연구원, 1979).
15) 조동일, 「민중·민중의식·민중예술」, 『한국설화와 민중의식』(정음사, 1985), 305쪽.

고 전망하고 있다.16)

이러한 논리는 발터 벤야민, 호르크하이머, 아도르노 등의 프랑크푸르트학파로 대표되는 '대중비관론'이 퇴조하고 콘 하우저(Konhauser) 같은 '대중낙관론'이 점증하고 있는 서구의 사조를 주된 바탕으로 하고 있는데, 한국적 상황에 대한 조명이 불충분한 듯하다. 그리고 '민중'을 지식인의 관념적 투영으로만 본 것 역시 문제점으로 남는다 하겠다.

이와 달리 염무웅은 이 시대가 다름 아닌 '민중의 시대'라 주장하고, "민중은 그 역사의 실체가 자신을 민중으로 각성하는 정도에 따라 내용이 주어지게 될 말"17)이라는 견해를 내놓았다. 또 "민중이 역사의 주인이라는 말이 아직은 역사적 현실의 표현이기보다는 가능성의 표현에 불과하다"18)고 함으로써 민중이란 개념 속에 가치 지향적 요소가 짙게 드리워져 있음을 시사하였다.

한편, 백낙청은 「민중은 누구인가」라는 글에서, "민중을 소수의 지도자 또는 지배자가 아닌 다수의 국민 정도로만 풀이해 놓으면 그 이상의 정의가 필요 없게 된다"고 하면서, 역사적 상황에서 민중이 실제로 처했던 위치를 면밀하게 살피면 민중의 실상이 드러날 수 있다고 하였다.19) 이러한 소박한 관점이 오히려 설득력을 지닐 수 있는 것은 지금까지의 일부 논의가 민중 현실—과거에 처했던 상황을 포함하여—을 도외시한 채 개념적인 파악에 급급하여 민중의 성격을 올바르게 이해하지 못하고 오히려 혼란만 불러일으킨 경우가 종종 있었기 때문이다.

이제 논의에서 민중의 윤곽이 어느 정도 드러났다고 할 수 있지만 여러 가지 정리되지 못한 문제점들이 남아있다. 우선, 민중을 개념적으로 정의하는

---

16) 김주연, 「민중과 대중」, 『한국민중론』, 38~39쪽.
17) 염무웅, 『민중시대와 문학』(창비사, 1979), 3쪽.
18) 위의 책, 4쪽.
19) 백낙청, 「민중이란 누구인가」, 한국신학연구소 편, 『한국민중론』(한국신학연구소, 1984).

것 자체가 불가능하거나 회의적이라는 의견이 있다. 여기에는 주로 종교적 관점에서 민중을 다룬 논자들이 포함된다. 그러나 결국 그들도 나름대로의 민중관을 피력하고 있으며, 사회과학 분야에서는 과학적 정의가 가능하다는 주장이 지배적이기 때문에 개념적 정의가 전혀 불가능한 것이라고 판단되지는 않는다.

둘째로, 민중은 실체가 아니라 관념이거나 이념적 합의에 불과하다고 주장하는 이도 있다. 이는 김주연의 주장에서 한 예가 드러나는 것인데, 자칫하면 지금까지의 민중 논의를 무기력화시키는 논리이다. 그는 "민중은 역사의 발전과정에서 오랫동안 소외당해 온 피지배 계층과 깊은 관계를 갖고 있는 사회적 연상으로서 떠오르고 있는 것"(가점 필자)20)이라고 했다. 그렇다면 역사상 소외되어 온 피지배 계층이란 현재에는 존재하지 않는, 그리고 한낱 '연상'에 불과한 것이 된다. 또 "시민혁명 이후 근대 자본주의 사회가 형성되면서 '민중'이라는 표현은 '시민'이라는 표현 속으로 함축되었다21)고 주장하고 있으나 그것은 서구의 예가 아닌가. 그는 '대중'이란 말이 지닌 실체성과 소위 '대중낙관론'을 강조한 탓으로 민중이란 말이 지니고 있는 '실체성'을 부정해버리고 있음이 지적된다. 대부분의 논의에서도 드러났듯이, 민중이란 실체를 지칭하는 동시에 거기에는 일종의 가치 혹은 이념이 부여된 개념으로 보는 것이 온당할 것이다.

셋째로, 민중을 자각된 주체로만 한정하느냐 않느냐 하는 문제이다. 이는 섣불리 단언하기 어려우나, 스스로 민중임을 자각하고 있지 못한 사람들도 일단 민중의 범위에 포함시켜야 될 것이라고 생각된다. 다만 민중 가운데서도 그 자각성 여부에 따라서 즉자민중(卽自民衆)과 대자민중(對自民衆)으로 나눈다거나,22) 조동일처럼 '생활로서의 민중'과 '의식으로서의 민중'23)으로

---

20) 김주연, 「민중과 대중」, 유재천 편, 『민중』(문학과지성사, 1984) 77쪽.
21) 윗글, 같은 쪽.
22) 한완상, 『민중과 지식인』(정우사, 1978), 15쪽.

나누는 것은 가능할 것이다. 과거 허균은 민중을 '항민(恒民)', '원민(怨民)', '호민(豪民)'[24]으로 나누기도 했다. 다만 이러한 분류는 민중의 성격을 좀 더 분석적으로 파악하기 위한 것이어야지, 어느 민중이 참 민중이라는 선민의식으로 나아가서는 아니 될 것이다. 왜냐하면 자각하지 못한 민중들의 몽매함 그 자체는 자각한 민중보다 심각한 소외의 결과일지도 모르기 때문이다.

넷째, 지식인도 민중인가 하는 문제이다. 이는 지식인 계층이 지닌 복합적인 성격에서 기인한다. 이 점에 대해 한완상은 지식인에는 지배 엘리트의 일부로 통합된 '지식기사'와 민중의 권익을 위해 노력하는 '지식인'이 있다고 하면서, '지식인'은 대자적 민중의 일부가 된다고 하였다. 또한 백낙청, 송건호, 박현채, 정창렬 등도 지식인을 민중의 일부로 보았다. 지식인이 매우 유동적인 성격을 지니고 있기는 하지만 지식을 반민중적으로 악용하거나, 민중을 억압하는 지배계층을 위해 직접·간접으로 기여하는 부류를 제외한 지식인, 즉 자신이 지닌 지식과 정보를 바탕으로 민중과 함께 사회적 모순을 시정하기 위해 노력하는 사람이라면 민중의 구성원으로 보아야 할 것이다.

마지막으로 민중을 계급적 개념으로 파악하고 이를 불온시하려는 태도가 있다. 이는 원형갑 등의 주장에서 드러나는바, 그는 "이론가로서의 마르크스가 내건 프롤레타리아의 개념보다도 혁명 정치가 레닌의 그것에 훨씬 가까운 민중개념을 보게 되었다"[25]고 하였는데 이는 논란거리가 아닐 수 없다. 물론 여러 민중론 가운데에는, 민중이 겪고 있는 억압과 소외를 강조하는 가운데 사회주의적 계급개념과 중복되는 요소가 나타날 수도 있을 것이다. 그러나 대부분의 논의는 민족·시민·대중·인민 등등의 여러 유사 개념을 포용하는 상위 개념으로 파악하고 있는 것으로 보이기 때문에, 민중개념을 그와 같이 좁은 의미로 받아들이는 태도는 납득하기 어렵다.

---

23) 조동일, 앞책, 같은 곳.
24) 허균, 『허균전집·11』(대동문화연구원, 영인).
25) 원형갑, 『월간문학』, 1986년 2월호의 토론 참조.

이제까지의 논의를 정리해 보자면, 우선, '민중'이라는 개념은 계급·민족·시민·대중 따위의 유사 개념을 포괄하는 유개념이라는 것과 '민중'이 곧 실체는 아닐지라도, 일종의 가치 혹은 이념이 부여된 실체라는 점을 전제로 하여,

① 민중은 민족을 구성하는 다수이며 민족사의 주체라는 점.
② 민중은 역사적으로 정치·경제·문화적 피지배 계층 혹은 소외 계층으로 존속해 왔다는 점 등을 제시할 수 있다.
③ 사회집단으로서의 민중에는 노동자·농민을 근간으로 하여 구성되며, 지식인도 포함될 수 있다는 점 등을 제시할 수 있다.

여기에서 보탤 것은 민중의 개념 속에 포함된 당위적 명제인데, 이는 ②상태의 회복을 지향하는 것이 될 것이다.

이처럼 이 시대의 중심 어휘가 되고 있는 '민중'이라는 개념을 소박하게 평가하자면, 이제까지 막연한 상태로 언급되던 소외계층의 모습을 좀 더 구체적인 모습으로 파악해 보려는 노력의 일환에 다름 아닌 것이다. 따라서 우리는 민중개념을 지나치게 편협된 관점으로 파악하려는 태도는 그것이 어느 쪽이든 경계하여야 할 것이지만, 그 개념이 지닌 긍정적인 부분은 적극적으로 수용해야 될 것이라고 생각한다.

2) 민중의식

민중문학이 무엇인가를 설명하기 위해서는 민중의식의 해명이 선결과제이다. '의식'은 단순한 감정이 아닌 명료한 지향 정신 현상을 지칭하는 것이다. '의식'이란 서구어 consciousness처럼 '어떤 일이나 대상에 대한 비교적 자각적인 생각'인 것으로 생각해 볼 수 있다. '역사의식'에서의 의식이 역사에 대한 올바른 생각을 의미하는 것으로 받아들여지고 있다는 것이 그 예이다.

그런데, '군인의식', '선구자의식'이라고 할 경우에는 군인 혹은 선구자라고 스스로 느끼는 생각과 군인·선구자가 마땅히 가져야 하는 생각이라는 의미가 동시에 부여된다. 민중의식이라는 말도 이와 같은 차원에서 이해할 수 있다. 즉, 민중의식이란 민중이 스스로 민중이라고 느끼는 생각이며, 마땅히 가져야 할 생각이라고 하는 것이다. 그러면 민중이 마땅히 가져야 할 생각이란 무엇인가. 그것은 물론 민중이 처하고 있는 현실에 대해 바르게 생각하는 것이 될 것이다.

그런데 모든 민중이 그러한 의식을 가지고 있다면 민중의 생각은 모두 민중의식이라고 부를 수 있겠지만, 현실적으로 모든 민중이 이 같은 민중의식을 갖고 있지 않기 때문에 문제가 생겨난다. 같은 민중의 생각임에도 불구하고 어떤 것은 민중의식이라 하고, 또 어떤 것은 민중의식이 아니라고 해야 될 것이기 때문이다.

참된 민중의식이 무엇인가를 알아보기 위한 방편으로서 민중의 각성 여부에 따라 갈라볼 필요가 있다. 민중을 갈라보는 것은 허균의 '호민론'에서도 발견된다.[26] 허균은 백성을 세 부류로 나누었는데, 항민·원민·호민이 그것이다. 항민이란 무식하고 천하며 자기 이익이나 권리를 주장하려는 의식이 없는 우둔한 민중이고, 원민이란 수탈당하는 계급이란 점에서는 항민이나 마찬가지인데도 스스로 착취 받고 있다는 사실을 깨닫고 그를 못마땅하게 여기는 민의 무리라고 했다. 이와 달리 호민은 자기가 받는 부당한 대우와 사회의 부조리에 과감하게 도전할 수 있는 무리라고 했다. 허균이 말하는 호민은 바로 각성된 민중이고 항민은 각성되지 못한 민중이다. 원민은 요즈음 말로는 '소시민'에 해당한다고 할 수 있는데, 그 각성이 분명하지 못하거나 잠재적인 상태에 놓여 있는 경우라 하겠다.

한편, 한완상은 민중을 '즉자민중'과 '대자민중'으로 구분해 보았다. 그가

---

26) 허균, 앞의 책.

말하는 즉자적 민중이란 "자기가 민중이란 자의식을 갖지 못한 채 기존 구조의 틀 속에서 숙명적으로 살아가는 사람들로서, 자기들이 억울하게 지배당해 왔음에도 불구하고 그것을 가슴 아프게 생각하여 극복하려고 애쓰지 않는 민중"이며, "자기가 부당하게 빼앗겨 왔고 눌려 왔고, 차별당해 왔음을 깨닫는다. 그리고 이 깨달음을 지연시켜준 지배 세력이 지닌 허위의식의 정체도 날카롭게 꿰뚫어 볼 줄 안다. 그뿐 아니라 잘못된 기존 질서를 변화시키기 위하여 행동에 나설 줄 아는 이들이 바로 대자적 민중"27)이라고 한다. 조동일의 '생활에서의 민중'이라는 말과 '의식에서의 민중'이라는 말을 사용한 것은 이와 같은 맥락에 있다. 이렇게 볼 때 민중의식이란 허균의 '호민', 한완상의 '대자민중' 그리고 조동일의 '의식에서의 민중'이 가지는 의식으로서, 당연히 모순이나 부조리를 비판하고 그것을 극복하려는 의지를 가리키는 것이라고 규정할 수 있겠다. 그러나 이러한 의식에는 이르지 못하였더라도, 민중 자신이 생활하면서 느끼는 꾸밈없는 감정 역시 넓은 의미의 민중의식에 포함시킬 수 있으리라고 본다.

3) 민중문학의 내용과 형식

박현채는 민중문학이란 '민중에 의하여 만들어지고 민중에 의해 읽혀지고 노래불려지고 전파되는 것이어야 하며, 민중을 위해 만들어지고 민중의 생활 감정을 반영한 것이어야 한다'28)고 했다.

이는 민중문학의 개념이라기보다는 그것이 성취해 나아가야 할 이념태에 가까운 것이다. 오늘날 이러한 요건을 한꺼번에 만족시키는 작품을 찾아보기란 어려운 형편이다. 물론 과거 구비문학적 유산, 예컨대 민요, 민담, 판소리

---

27) 한완상, 『민중과 지식인』(정우사, 1978), 5쪽.
28) 박현채, 「민중과 문학」, 『한국문학』 1985년 2월호.

등 쪽으로 눈을 돌린다면 사정이 달라질 것이다. 그러나 불행히도 그러한 양식들은 각종 제약에 의해 온전하게 계승되지 못한 탓으로, 현재 우리들이 접하는 문학이란 앞서 제시한 민중문학과 부합하기 어려운 것이다.

그래서 현실적으로 적용 가능한 민중문학의 개념을 제시하자면, '민중의식을 담은 문학'이라 하겠다. 이는 엄밀한 개념 규정에서 오는 불편함을 피하면서 현실적 효용성을 얻기 위함이다. 만약 민중이 창작 주체이어야 한다는 것과 민중적 친화력을 지녀야 한다는 명제를 강조하게 되면 대부분의 우수한 문학 작품들도 비민중적 문학이 되거나 '민중지향적'이라는 술어가 첨가되어야 하는 불편이 따른다.

그렇다면 문학에서의 민중의식은 어떻게 수용될 수 있을까. 문학에 담긴 민중의식 역시 우리가 흔히 말하는 역사의식과 같은 차원에서 이해된다. 다만 여기서 의식의 주체가 민중이라는 사실이 강조된다. 그것은 민중 자신이 처한 경제적·정치적 수탈과 억압 상태를 극복하려는 의지이다. 이러한 의식의 구체적인 모습은 다양할 것이지만, 다음과 같이 크게 범주화하는 것이 편리할 듯하다.

첫째, 농민과 농촌문제를 다루는 작품군을 들 수 있다. 농민은 생산 주체임에도 불구하고 언제나 수탈의 대상으로 남아 궁핍한 삶을 강요당해 온 대표적인 민중의 한 모습이기 때문이다.

둘째, 도시 빈민과 노동자 및 산업화의 진행으로 인한 소외현상을 다루는 작품군도 민중문학에서 높은 비중을 차지하고 있다. 도시 빈민과 노동자들은 대부분 농민 출신이지만 서구식 자본주의의 유입, 식민지 수탈의 강화, 급격한 산업화로 인하여 저임금과 열악한 생활 환경에 처한 소외계층으로 양적 증가추세에 놓여 있다.

셋째, 반봉건적 의식과 민주화를 지향하는 내용을 담은 작품군을 들 수 있다. 이 계열의 작품들은 민중 소외현상의 근본적인 원인이 사회구조의 모순,

즉 봉건적 잔재나 비민주성에 있음을 비판하게 된다.

넷째, 반외세와 민족자주의식을 담은 작품군이다. 이는 조선 말엽부터 오늘에 이르기까지 우리의 근대사가 동서 열강의 제국주의적 침략에 유린당해 왔으며, 그 직접적인 피해자는 바로 민중 자신들이었기 때문이다. 그래서 민중들이 즐겨 부르는 민요, 특히 「아리랑」 등에는 이러한 외세에 대한 증오감이나 경계심을 일깨우는 내용이 많이 나타남을 볼 수 있다.

다섯째, 분단의 아픔과 통일에의 염원을 내용으로 하는 작품군이다. 그것은 민중들이야말로 분단과 6·25로 인한 가장 직접적인 수난을 입은 사람들이며, 오늘날까지 그 상처가 치유되지 않고 있을 뿐만 아니라, 여전히 그로 인한 유형무형의 제약을 감수해야만 하는 사람들이기 때문이다. 그래서 이 작품들에는 분단으로 인한 민중들의 구체적인 상흔, 진정한 민족통일에 대한 소망을 담게 되며, 통일을 가로막고 있는 냉전 이데올로기에 대한 강한 거부감을 담게 된다.

그런데 여기에서 제시한 범주들은, 구체적인 작품 속에서는 여러 가지 형태로 결합되어 나타난다. 그 범주들은 독자적이라기보다는 어떤 형태로든 상호 인과관계를 맺고 있기 때문이다. 또한 위에서 제시한 범주들은 역사적 상황의 특수성에 따라 그 비중이 상대적으로 변동된다. 일제 초기에는 도시빈민 및 노동자 문제보다 농민·농촌 문제가 더 많이 다루어졌으나, 최근에는 그 위치가 역전되고 있는 것이 그 한 예라 할 수 있다.

위에서 살펴본 민중문학의 범주들은 시의 경우에도 별 수정 없이 적용될 수 있다. 다만 시의 경우에는 형식과 방법론의 문제가 남아 있다. 그것은 민중의식에 걸맞은 형식과 방법론이란 무엇인가 하는 문제이다. 우선 고려해 볼 수 있는 것은, 민족형식 가운데서 민중 자생적인 양식이면서 오늘날까지도 그 이월 가치가 인정되는 양식들과 그 양식들이 지닌 주된 미학 원리이다. 민요와 판소리, 그리고 근대민요 아리랑이 그 대표적인 예가 될 것이다.

따라서 진정한 민중시의 한 모델은 민중의식을 그 내용으로 하고, 민족(중) 형식과 그 미학 원리에 의해 형상화된 것이라 할 수 있겠다. 그러나 여기에는, 근대문학사 이후 서구의 문학 양식이 우리 문학의 각종 영역에 깊숙한 영향을 끼쳐왔다는 사실을 감안해야 한다. 다시 말해 이러한 서구문학 양식은 거부해야 할 대상이 아니라, 그것을 민족형식들과 함께 포괄해서 창조적으로 극복해내야 할 대상이라고 믿는다. 그리고 어떤 문화적 산물이건 그것을 지탱하고 있는 사회 문화적 환경과 유리될 때는 참된 생명력을 지니기 어렵다는 사실을 염두에 둬야 한다. 지금 우리가 접하고 있는 대부분의 민족형식들은 조선 후기 농촌 공동체 사회를 그 토대로 하는 양식들이다. 따라서 그것은 대부분 유려하면서도 안정감 있는 4음보의 가락을 바탕으로 한다. 또한 그것은 창으로 구연되거나, 집단 가무 혹은 각종 노동요의 형태로 불렸던 양식이란 점이다. 이러한 제반 조건들과 오늘날의 조건들 사이에 존재하는 차이점들을 진지하게 고려하지 않은 전통형식의 복원이란 그 의의가 감소될 수밖에 없을 것이다.

2-2 조선 후기의 근대적 각성과 민중의식의 성장

민중의식을 담은 문학을 민중문학이라고 한다면 그 연원은 역사적으로 훨씬 위로 소급될 수 있을 것이지만, 민중의 생활상과 민중의식을 적절히 형상화한 작품들이 뚜렷한 증대 현상을 보여주는 것은 조선 후기에 이르러서의 일이다.

이같이 문학에서 민중의식의 성장은 임·병자 양란을 경과하면서 주자주의 이데올로기에 의해 지탱됐던 조선 사회가 그 자체의 구조적 모순을 급격히 노정하는 과정과 그 맥락을 같이하고 있다. 이 무렵의 사회적 모순을 해결하기 위한 노력은 크게 두 갈래로 나누어 볼 수 있는바, 그 하나는 실학파로 대표되는 지배계층 혹은 귀족층 내부의 각성이며, 다른 하나는 동학으로 대표되는 하층계급의 움직임이다.

문학을 중심으로 한 조선 후기의 각종 예술 양식에도 그러한 자각 현상이 적절하게 반영되어 있다. 「홍길동전」, 「춘향전」과 같은 국문소설, 정약용의 여러 한시 작품들, 박지원의 한문 단편들, 그리고 사설시조, 판소리, 민요, 탈춤, 동학가사 등에는 당대 조선 사회가 처하고 있는 제 모순상, 그리고 그것을 풍자·비판하면서 극복하려는 민중적 의지가 담겨있음을 볼 수 있다. 오랫동안 양반 사대부들의 취미 생활이었던 문인화가 실경산수의 화풍으로 변모되는 미술계의 새로운 경향도 그러한 의식구조의 변천을 보여주는 증좌가 아닐 수 없다.

특히 「호질」, 「양반전」, 「광문자전」, 「예덕선생전」과 같은 박지원의 단편에는 걸인, 농민, 상인 등 당시 하층민이 작품의 주인공으로 등장하면서 양반 계층의 허위의식과 무위도식을 신랄하게 비판하고 있어, 재래적인 반상 개념에 대한 심각한 반성이 촉구되고 있음을 본다. 또 판소리 사설도 그 성격을 한 가지로 규정할 수는 없지만, 그것이 지닌 발랄한 수사를 바탕으로 갈등하고 있는 시대상을 드러냈다.

그런데 이 무렵에 이르러서는 과거 오랫동안 귀족문학의 중심적 위치를 차지해왔던 한시 장르에서조차 당시 민중이 겪고 있던 생활상을 숨김없이 반영하게 된다는 점은 주목할 만한 것이다. 이 같은 한문학의 성격 변화는 실학파와 방외인(方外人)[29]의 문학에서 두드러지게 나타나며 개화기와 일제하의 우국 한시에 연결되는 것으로 여겨진다.

그중 실학파의 대표적인 인물이었던 정약용(1762~1836)은 그가 처한 시대적 모순을 극복하려는 노력의 일환으로 정치, 경제, 사회 전반에 걸친 혁신적인 개혁이론을 제시하는 한편, 당대 민중의 수난상에 깊은 관심을 갖고 그

---

29) 임형택 교수의 용어임. 『한국문학연구입문)』(지식산업사, 1982), 244쪽.

것을 많은 수의 한시 작품으로 형상화하였다. 「용산촌의 아전」이 그 대표적인 한 예이다.

아전놈들 용산촌에 들이닥쳐서
소 뒤져 관리에게 넘겨주고는
소몰고 멀리멀리 사라지는데
집집마다 문에 기대어 보고만 있네
나으리 노여움만 막으려 하고
힘없는 백성의 고통 아는 자 없네
유월에 쌀을 찾아 바치라 하니
모질고 고달프기 수자리에 비할손가
기다리던 소식은 끝끝내 오지를 않고
만백성 서로 베고 죽을 판이네
구차하게 살자니 슬픈 일이고
죽은자가 오히려 팔자 편하네[30]

인용시는 문란해질 대로 문란해진 조선 후기의 조세제도, 지방관의 횡포, 가렴주구의 앞잡이 격인 아전들의 수탈행위 등등을 한꺼번에 드러내 주는 작품이다. 여기서 우리는 목숨처럼 중히 여기는 농우를 빼앗기고도 그저 "문에 기대어 보고만 있는" 농민들의 깊은 탄식을 들을 수 있다. 또한 "죽은자가 오히려 팔자 편하네"라는 시구를 통해 농민들의 이 같은 참상을 바라보는 다산의 연민과 깊은 분노를 엿볼 수 있다.

한편 김삿갓이라고 불리던 방랑시인 김병연(1807~1863)도 당시 사회 지배층의 병폐를 통렬하게 풍자하는 한시를 많이 남겼다. 특히 그는 종래의 한

---

30) 원시는 다음과 같다. 이타용산촌(吏打龍山村) 수우부관인(搜牛付官人) 구우원원거(驅牛遠遠去) 가가의문간(家家倚門看) 면새관장노(勉塞官長怒) 수지세민고(誰知細民苦) 육월새도미(六月塞稻米) 독통심정술(毒痛甚征戍) 덕음경부지(德音竟不至) 만명상침사(萬命相枕死) 궁생진가애(窮生儘可哀) 사자녕가의(死者寧可矣)(…)

시에서 찾아볼 수 없었던 비시적 요소, 즉 비속어와 음차표기, 언문풍월 등을 뒤섞음으로써 한시가 지녀온 고답적인 형식과 전통을 서슴없이 파괴하면서 독특한 문학세계를 보여주었다.

> 가죽신에 두둑한 비단버선을 신고
> 서리밟고 집나서면 저물녘에 돌아오네
> 연초록빛 두루마긴 치렁치렁 땅을 쓸고
> 진홍빛 당부채는 하늘을 가리는구나
> 한 권 책을 겨우 읽고 율시를 떠벌이고
> 천만금 다쓰고도 돈 쓸 데를 또 찾는다.
> 권문세가 찾아가선 종일토록 굽신굽신
> 촌사람만 만난다면 의기양양 하겠지[31]

「종일 머리를 조아린 손님(盡日垂頭客)」이라는 이 작품은 풍자와 야유를 통하여 양반의 허위에 찬 모습을 비판하고 있다. 시의 전반부에서는 치장과 외양이 그럴듯한 양반의 겉모습을 묘사하고, 뒷부분에서는 허위로 가득 찬 그의 실상을 대비시키고 있다. 즉 대단치도 않은 신분만을 내세워 행세하려는 양반의 허세를 노골적으로 야유함으로써 현실의 허위를 풍자하는 것이다.

다음 시는 동음이의어를 활용한 풍자에 해당한다.

> 日出猿生員　猫過鼠盡死
> 黃昏蚊簷知　夜出蠶席射

> 해돋자 원숭이 나오고

---

31) 원시: 당혜금말수근면(唐鞋錦襪數斤綿) 답진청상부모연(踏盡淸霜赴暮煙) 천록주의 장예지(淺綠周衣長曳地) 진홍당선반차천(眞紅唐扇半遮天) 시독일권능언률(詩讀一卷能言律) 재진천김상용전(財盡千金尙用錢) 주문진일수두객(朱門盡日垂頭客) 고대 향인의기전(苦對鄕人意氣全)

고양이 지나가니 쥐가 모조리 죽는구나
해질 무려에는 모기가 몰려오고
밤이 되니 벼룩이 나타나 자리를 문다

의심할 바 없는 양반 풍자의 시이다. 외견상으로는 원숭이, 고양이, 쥐, 모기, 벼룩이 등장하는 별 뜻이 없는 언어유희처럼 보인다. 그러나 음과 훈을 주의해서 살피면 숨은 의도가 곧 드러난다. 본래는 원생원(元生員), 서진사(徐進士), 문첨지(文僉知), 조석사(趙碩士) 등의 양반들을 '원생원(猿生員)', '서진사(鼠盡死)', '문첨지(蚊簷知)', '잠석사(蠶席射)'로 표현하여 동물로 비소화시킨 것이다. 이처럼 김립은 한시의 파격을 통해서 당대 사회의 잘못된 권위의식과 민중 수탈에 대한 부정과 비판의 자세를 보여주었다.

한편 19세기 중엽부터 조선 사회는 자체의 구조적인 모순뿐 아니라 외세의 침략에 무방비 적으로 노출됨에 따라 국가의 존립이 위태로운 지경에 이르게 된다. 일본과 청, 그리고 러시아를 비롯한 서구 열강의 경제적 침투는 국가재정의 궁핍과 농촌경제의 피폐화 현상을 가속화 하였다. 그중 일본 상인들에 의한 피해가 가장 막중한 것이었다. 물론 일본의 경제적 침략에 대한 대응조치로서 곡물의 수출을 금지하는 방곡령이 내려지기도 했지만, 일본 측의 강력한 항의로 효과를 거두지 못했다.

부패 관리에 의한 가렴주구, 그리고 외국 상인의 침투로 인하여 2중 3중의 착취에 시달리던 당시 민중의 분노는 동학농민혁명을 통해 표출되었다. 그와 같은 모순된 현실에 대한 분노와 일본 상인에 대한 적개심이 갑오년에 봉기한 동학농민군의 개혁요구가 '농민에 대한 부당한 경제적 수취를 중지할 것, 신분상의 차별대우 폐지, 일본과 내통하는 자를 엄정할 것' 등이었다는 데서 선명하게 드러났다. 비록 동학은 관군과 일본군에 의해 토벌되어 실패한 혁명으로 기록되고 있지만, 그 투쟁 과정을 통해 보여준 반봉건적 저항과 외세에 대항한 민족적 자각은 중요한 역사적 의의를 지니는 것으로 판단된다. 가까이는 갑오경장이 이 같은 동학혁명의 정신과 깊은 관련을 가지며, 3·1운동 역시 동학을 계승한 천도교 측 인물들을 주축으로 촉발되었다는 점에서, 동학의 정신과 긴밀하게 관련되는 것이다. 또한 동학농민군의 잔류세력은 을미년(1895) 이후의 의병 활동 혹은 독립군과 결합되어 항일구국운동의 굵은 흐름을 이루었다는 점에서도 그 영향의 지대함이 다시 확인되는 것이다.

이와 같은 조선 후기의 민족적 수난과 민중의식이 각성을 보여주는 문학적 유산으로는 이 시기를 전후하여 형성된 근대민요 「아리랑」을 들 수 있다. 아리랑의 기본적 성격은 민중 생활의 고통을 토로하거나, 현실을 풍자·비판하고 모순에 적극적으로 항거하는 내용을 담고 있다는 것이다.

① 부잣집 곳간에 쌀도 많고
　거리 거리에 거지도 많다.

② 산천에 올라서 들구경하니
　풀잎에 매두매두 찬이슬 맺혔네

①은 '많지 않아도 될 것'을 대비해 보이는 아이러니를 통해 사회 전체가 궁핍화하고 있음을 풍자한 노래이다. ②는 단순한 서정민요처럼 보이지만 실상은 엄청난 고통을 노래한 것이다. 극도로 절제된 표현인 셈이다. 이 노래에서 '들구경'이란 토지를 빼앗긴 농민이 피땀 어린 전답을 두고 떠나가는 순간에 마지막으로 뒤돌아보는 안타까운 광경이다. 또한 그가 본 풀잎에 맺힌 '찬이슬'이란 바로 쫓겨나는 농민 자신의 눈에 맺힌 '눈물'인 것이다.

이와 달리 '마구재 실갑에 양총메고/봉구재 고개로 접전가자'라든가 '할미성 꼭대기 진을 치고/왜병정 오기만 기다린다'와 같은 노래는 의병 전쟁 당시 민중들이 부른 노래로서, 소극적 저항이나 울분의 토로에서 그치지 않고 적극적인 항거와 투쟁의지를 담고 있다.

한편 다음과 같은 「서울 아리랑」은 구한말의 일그러진 역사의 흐름을 한 편의 노래 속에 압축적으로 반영한 것으로서, 이 시기 민중의 날카로운 현실 인식을 드러내 보이는 것이라 할 수 있다.

이씨(李氏)의 사촌(四寸)이 되지 말고
민씨(閔氏)의 팔촌(八寸)이 되려무나

남산(南山)밑에다 장춘단을 짓고
군악대(軍樂隊)장단에 받드러 총만 한다.

아리랑 고개다 정거장(停車場)을 짓고
전기차(電氣車) 오기만 기다린다

문전(門前)의 옥토(沃土)는 어찌되고
쪽박의 신세가 왼말인가

밭은 헐러서 신작로(新作路)되고
집은 헐러서 정거장되네

말깨나 하는 놈 재판소 가고
일깨나 하는 놈 공동산(共同山)간다

아깨나 낳을 년 갈보질하고
목도깨나 메는 놈 부역을 간다.

신작로 가장자리 아까시 낡은
자동차 바람에 춤을 춘다

먼동이 트네 먼동이 트네
미친놈 꿈에서 깨어 났네

①절은 왕족인 이 씨가 민씨 일파의 권세보다 못하다는 말이다. 이는 조선 왕조의 몰락을 예고하는 것으로써 그것이 민 씨의 세도정치에서 비롯됨을 풍자한 것이다. ②절은 "받드러 총만" 할 줄 알았지 정작 해야 할 외적 방비는 하지 못하는 명목뿐인 신식 군대의 모습을 희화화하였다. ③, ④, ⑤절에서는 신작로, 전기차 등과 같은 신문물들이 삶에 혜택을 주는 문명의 이기가 아니라 민중의 생활기반을 앗아가는 착취의 술책에 불과 하다는 사실, 즉 비자주적인 개화의 허구성에 대한 날카로운 깨달음을 보여주는 것이다. 그러한 허구적 개화는 필경 ⑥, ⑦절에서 나타나는 것처럼 뒤틀린 사회상을 초래하고야 만다. 그것은 가장 정상적이어야 할 사람들이 수난을 당해야만 하는 비극적인 사회상이다. 그런데 이러한 비극적 상황 속에서 이득을 취하는 부류가 있으니, 바로 '자동차 바람에 춤을 추는 신작로 가장자리의 아까시나무'이다. 이는 말할 나위도 없이 외세 추종 세력, 곧 친일파일 것이며 이 노랫말은 그것에 대한 비판인 셈이다. 마지막 절의 사설은 '미친놈의 꿈'과 같은 그릇된 현실을 극복하고자 하는 적극적인 자세로 반전되어 있다. 이는 민중 스스로 구한말에서 일제 초기로 이어지는 사회적 상황의 난맥상을 정확하게 깨닫고 있을 뿐 아니라 이를 극복해야 한다는 의지도 함께 갖추고 있음을 알려주는 것이다.

근대민요 「아리랑」의 항거와 저항의 양상은 개인적 소극적인 것으로부터 집단적 적극적인 것에 이르기까지 다양한 모습을 보여준다. 또 일제하에서는 '민중의 지하방송'32) 역할을 하였으며 오늘날까지 살아있는 민요 중의 하나이다.33) 「아리랑」이 구한말에서 오늘에 이르기까지 현실을 풍자하고 고발하는 민중의식의 그릇 역할을 할 수 있었던 것은 그것의 형식과 의식, 그리고 전파과정에서 나타나는 민족성, 민중성이다. 「아리랑」에 담긴 노랫말은 바로

---

32) 조동일의 용어이다.
33) 「광복군 아리랑」, 「통일 아리랑」 등이 대표적인 예이다.

민중의 삶 그 자체에서 우러나온 것이었으며, 노랫가락은 비록 단순했지만 우리 고유의 율격을 바탕으로 이루어진 것이었다. 이 때문에 아리랑은 누구라도 쉽게 부를 수 있었을 뿐만 아니라 새롭고 다양한 체험을 담아낼 수 있었으며, 또한 전민족의 애호를 받을 수 있었던 것으로 여겨진다.

2-3 민중문학론의 대두와 일제하 민중문학의 전개

1) 민중문학론의 대두와 신경향파의 민중시

앞장에서 살펴본 바와 같이 민중의식을 담은 문학적 전통은 이미 오래전부터 형성돼왔고, 그것은 내적·외적 요인에 의해 국가와 민족이 위기에 봉착하고 민중의 생존이 위협받는 시기에 이르렀을 때, 질적·양적 증대 현상을 보여주게 된다. 한편 민중이라는 용어가 쓰이기 시작한 것도 동학을 전후한 시기였다는 사실이다. 민중이라는 말은 과거에는 좀처럼 사용되지 않던 말이었다. 물론 당시부터 민중이라는 말이 오늘날과 같이 적극적인 의미를 지니고 있던 것은 아니라고 본다. 다소 동적인 뉘앙스가 가미되긴 했어도, 종래에 사용돼오던 유의어 '민서, 서민, 인민, 백성' 따위와 마찬가지로 쓰였을 것이다.

민중이라는 말이 각종 사회운동 혹은 예술의 가치 지향적 개념으로 수용되기 시작한 것은 3·1운동을 전후한 시기가 아닌가 한다. 3·1운동이 실패로 끝난 1920년대 초에는 각종 사회운동 및 문화운동이 활발하게 전개되는데, 이는 3·1운동의 좌절과 그에 따른 새로운 각성, 그리고 3·1 운동 직후에 취해진 조선총독부의 유화정책 등이 이러한 움직임의 계기가 된다. 또한 이 시기는 세계사적으로 볼 때, 1917년 러시아 혁명의 성공과, 1차대전 후의 불안한 상황으로 인해 마르크스주의가 현대사의 전면에 대두되고 세계 각국으로 전파되기 시작한 무렵이었다. 이때까지 우리 정신사를 지탱해오던 민족주의 사상과는 이질적인 사회주의 사상이 3·1운동 직후 급격히 수용되는 계기도 그러한 국내외적 상황의 변화와 밀접한 연관을 갖는다.

3·1운동이 실패한 후 20년대 초부터의 각종 사회운동은 지식인 위주로 전 개돼오던 종래의 성격에서 점차 벗어나, 생산 주체이면서 억압 소외받고 있는 농민·노동자와 같은 민중을 지향하려는 변모가 뚜렷해졌다. 또한 당시의 계급주의 사상에 고무된 민중운동은 봉건주의적 잔재의 청산이라든가 근대 자본주의 체제에서 소외된 다수의 국민을 옹호한다는 점에서 다분히 인도주 의적 명분을 지니고 있었다. 뿐만 아니라 이 시기의 민중운동은 식민체제에 항거하는 독립운동의 성격을 동시에 지니고 있었다. 실제로 농촌계몽운동, 여성운동, 형평운동 등과 같은 사회운동이 나중에는 일제를 대상으로 하는 항일 구국 운동화해 갔던 것이다. 1920년대에 민족주의와 계급주의가 잠정 적이나마 공존할 수 있었던 것도 바로 식민지 상태의 극복이 당시의 가장 시 급한 과제라고 인식하였기 때문이다. 신흥문학으로서의 신경향파문학과 프 로문학이 어느 정도 대중의 지지를 획득할 수 있었던 것도 이러한 조건들을 바탕으로 하는 것이다.

한국문학에서 민중문학론의 본격적인 전개는 계급주의 문학이 대두되기 시작한 1920년대 초반이라고 할 수 있다. 물론 문학 유파로서의 신경향파 출 현 이전에도 『개벽』(1920. 6), 『조선지광』(1922. 11), 『신천지』(1921. 7), 『신 생활』(1922. 7), 『신민공론』(1921. 5), 『공제』(1920. 10) 등등의 잡지들이 쏟 아져 나오면서 현실과 생활에 대한 전례 없이 깊은 관심을 보여주고 있었다. 특히 현철이 『개벽』지에 발표한 「문화사업의 급무로 민중극을 제창함」 (1921. 4)이라든가, 김억이 로맹 롤랑의 신극 운동론을 번역한 「민중예술론」 (『개벽』, 1922. 8~11)은 당시 문단의 분위기를 짐작케 하는 것이다. 당시 민 중문학론의 성격은 팔봉의 다음과 같은 주장에서 엿볼 수 있다.

생활(生活)은 예술(藝術)이요, 예술은 생활이어야만 할 것이다. 생활(生活)의 예술화(藝術化)가 되지 안흐면 안될 것이요, 예술(藝術)의 생활화(生活化)가 되지 안흐면 안될 것이다.……책상앞에서 맨들어낸 예술은 우리에게 무용(無用)한 것이다. 생명(生命)은 엄숙한 실재(實在)다, 우리는 이 실재(實在) 앞에 눈을 크게 떠야한다. 수음문학(手淫文學)의 붓대라는 붓대를 잘라 없애야 한다.[34]

이 같은 팔봉의 언급 속에서 프로문학의 초기에 나타나는 생활에 대한 관심과 민중의식의 고조, 그리고 종래의 문학에 대한 강도 높은 비판의 자세를 살필 수 있다. 이 같은 주장과 함께 팔봉은 지식계급이 민중으로 파고드는 것이 지식계급의 유일한 그리고 최종적인 임무임을 강조했다.[35] 팔봉이 러시아적 민중주의인 브나로드운동과 앙리 바르뷔스에 의해 제창된 클라르테 운동에 근거한 일련의 민중 지향적 평필을 휘두르자, 박영희 등이 이에 동조하면서 우리 문단의 커다란 세력권을 형성하게 된다. 이후 우리 문단에는 빈궁 계층을 다룬 작품이 무수히 쏟아져 나오게 된다.

소설로는 김기진의 「붉은 쥐」(『개벽』, 1924. 11), 조명희의 「땅속으로」(『개벽』, 1925. 3), 이익상의 「광란」(『개벽』, 1925. 3), 이기영의 「가난한 사람들」(『개벽』, 1925. 5), 주요섭의 「살인」(『개벽』, 1925. 6), 최학송의 「기아와 살인」(『개벽』, 1925. 6) 등이 이 무렵 신경향파 문학의 성격을 보여주는 것이다.

시에서는 이상화의 시작들이 당시 민중문학의 뚜렷한 성과로 평가될 수 있을 것이다. 그는 1920년대 중반에 이르러 초기 '백조파' 시절의 감상적 시풍에서 벗어나 조국과 민족의 현실에 대한 깊은 애정을 보여주게 된다. 이상화의 시작 가운데 후기작에 속하는 「빼앗긴 들에도 봄은 오는가」, 「비음」, 「통

---

34) 김팔봉, 「썰어지는 조각조각」, 『백조』 3호(1923).
35) 김팔봉, 「지식계급의 임무와 신흥문학의 사명」 『매일신보』(1924. 12. 4.).

곡」, 「가장 비통한 기욕」, 「조선병」, 「비를 다고」, 「도꾜에서」, 「구루마꾼」, 「엿장사」, 「거러지」, 「빈촌의 밤」 등은 저항시이자 민중시의 범주에 드는 작품들이다. 그중 「가장 비통한 기욕」은 식민치하의 민중의 삶에 대한 깊은 관심을 표현한 예이다.36)

아, 가도다. 가도다, 쪼처가도다
잊음 속에 잇는 간도(間島)와 요동(遼東)벌로
주린 목숨 움켜쥐고, 쪼처가도다
진흙을 밥으로, 햇채를 마서도
마구나 가젓드면, 단잠은 얽맬 것을
사람을 만든 검아, 하로일즉
차라리 주린목숨 쌔서가거라

아, 사노라, 사노라, 취해사노라
자폭(自暴)속에 잇는 서울과 시골로
병든목숨 행여갈라, 취해사노라
어둔 밤 말없는 듧을 안고서
피울음을 울드면, 설음은 풀릴것을
사람을 만든 검아, 하로일즉
차라리 취한목숨, 죽여바리라!

'간도 이민을 보고'라는 부제가 부어 있는 이 작품은, 이상화의 후기 작품 가운데서 식민치하의 참상을 가장 절실하게 나타낸 작품이다. 일제의 억압과 수탈을 견디다 못하여 북만주로 쫓겨나는 민족의 참상을 이 시에서 새삼 확인하게 된다. 한일합방 이후, 일본인들의 대대적인 국내 진출, 특히 동양척식회사를 앞세운 무자비한 토지 수탈과 그에 따른 소작농 및 이동의 급격한 증대 현상이 이 시의 배경을 이룬다.

---

36) 자세한 것은 김재홍, 「이상화론」, 『한국현대시인연구』(일지사, 1986) 참고.

극에 달한 당대의 비참한 현실과 궁핍상은 "진흙을 밥으로, 햇채를 마서도/마구나 가젓드면, 단잠을 얽맬 것을"이라는 구절로 제시하였다. 그것은 삶의 영위 수단과 기반을 송두리째 약탈당하고 마침내 쫓겨나는 자의 마지막 탄식이다. 첫째 연이 유랑민의 비참상이라면, 둘째 연은 이 땅에 남아서 부질없는 삶을 지속할 수밖에 없는 퍼스나의 통탄이다. 그것은 '취해' 사는 것이거나 '자폭' 속에서의 생명을 부지하는 것에 불과한 것임을 보여주고 있다. 더이상 감내할 수 없는 상황에서 터져 나오는 울분의 표현이 "차라리 주린목숨 쌔서 가거라"라는 자학적인 시어로 결구된다. 이 같은 절망과 자학은 이 작품의 한계로 지적할 수 있으나, 그것이 궁극적으로 자학이나 절망 자체에 머무르는 것이 아니라 현실에 대한 깊은 분노, 혹은 일제에 대한 강력한 항의를 담고 있다는 점으로 이해되어야 할 것이다. 이로 볼 때 이 작품은 당대 민중의 수난상에 대한 통탄과 가열한 저항의지를 형상화한 것이라 평가될 수 있을 것이다.

시 「구루마꾼」, 「엿장사」 등도 그러한 식민지적 삶에 대한 민중적 분노를 담고 있다.

① 날마다 하는 남붓그런 이짓을
　너의들은 예사롭게 보느냐고
　웃통도 버슨 구루마꾼이
　눈붉혀뜬 얼골에 땀을 흘리며
　안악네의 압흠도 가리지안코
　네거리우에서 소흉내를 낸다

　　　　　　　　　　　　　　　 ― 「구루마꾼」

② 네가 주는 것이 무엇인가
　어린애에게도 늙은이에게도
　즘생보담은 신령하단 사람에게
　단맛뵈는 엿만이 아니다

단맛넘어 그맛을 아는 맘

아모라도 가젓느니 잊지말라고

큰 가새로 목탁치는 네가

주는 것이란 엇재 엿뿐이랴

　　　　　　　　　　　　　　　　　―「엿장사」

　이처럼 상화의 후기작에는 걸인, 노동자, 행상인 등 빈궁한 소외계층에 대한 옹호의 시선이 두드러지게 나타난다. 이른바 소외계층에의 경사이다.

　시 ①은 구루마꾼의 비참한 모습을 묘사하고 있다. "웃통도 버슨 구루마꾼이/눈붉혀뜬 얼골에 땀을 흘리며"라는 구절 속에는 빈궁한 소외계층의 울분이 담겨있다. 특히 "네거리우에서 소흉내를" 내는 모습 속에는 식민지하에서 마치 마소처럼 혹사당하는 당시 우리 민족의 모습이 투영되어 있다. 이처럼 소 흉내를 내는 막노동자의 처절한 모습은 식민지하, 빼앗긴 자로서의 우리 민족의 대리 자아의 표상일 수 있기 때문이다.

　시 ②도 마찬가지이다. 엿장수라는 하층 행상인을 택한 것 자체가 당시 고조되고 있던 사회의식의 반영이다. 엿장수는 "즘생보담은 신령하단 사람에게" 단맛을 날라주는 단순한 상인이 아니다. 엿장수는 그의 땀과 눈물을 통해서 노동의 신성함과 삶의 소중함을 일깨워 주는 '목탁'의 역할을 수행한다는 강조적 의미가 담겨있는 것이다. "단맛넘어 그맛을 아는 맘"이 바로 그러한 휴머니즘 사상의 발현으로 이해된다. 여기에서 상화의 시를 계급의식의 고취로만 이해할 필요는 없다. 물론 상화는 이 무렵 카프와 관련을 맺고 '무산작가와 무산작품'[37] 등의 평론을 발표한 것이 사실이지만, 그의 작품에서 다루어지고 있는 빈궁자의 모습은 그것이 좌경 이데올로기에의 추종보다는 휴머니즘의 표현이라고 보는 것이 옳다고 판단된다.

　이것은 실상 한용운의 소설들에서 소작인, 농민 등이 당대 조선인의 표상

---

37) 『개벽』 64, 65, 68호(1926).

이며, 그들이 저항한 악덕지주, 자본가가 일제를 상징한 것과 대응되는 사실로 해석할 수 있기 때문이다.[38] 따라서, 상화의 시에 나타나는 소외계층의 비참한 생활상과 울분은 가진 자, 착취하는 자로서의 일제에 대한 저항의식의 표현이자, 민족의식 또는 민중의식의 표출로 이해하는 것이 옳을 듯하다. 이 점에서 상화의 시에 등장하는 하층 소외계층의 빈궁과 삶과 울분은 항일 민족의식 내지는 민중적 휴머니즘 정신의 한 표출이라고 여겨지는 것이다.

한편 이상화는 「비를 다고」(『조선지광』, 1928)와 같은 시편에서 수탈과 한발에 시달리는 농촌의 피폐상을 형상화하였다.

> 사람만 다라워진줄로 알앗더니
> 필경에는 밋고밋든 한울까지 다라워젓다.
> 보리가 팔을 버리고 달라다가 달라다가
> 이제는 고라진 몸으로 목을 대자나 빠주고 섯구나!
>
> 반갑지도 안흔 바람만 냅다부러
> 가엽게도 우리 보리가 달중이 든듯이 뇌랏타
> 풀을 뽑너니 이랑에 손을 대보너니 하는 것도
> 이제는 헛일을 하는가 십허 맥이 풀려만 진다.
> …중략…
> 다라운 사람놈의 세상에 몹슬 팔자를 타고 낫서
> 살도 죽도 못해 잘난 이짓을 대대로 하는 줄은
> 한울아! 네가 말을 안해도 짐작이야 못햇것나
> 보리도 우리도 오장이 다탄다 이리지 말고 비를다고!

보리는 일찍부터 민중들의 궁핍한 삶의 표상인 동시에 억센 생명력의 상징으로 받아들여져 왔다. 이상화는 그의 대표작에 해당하는 「빼앗긴 들에도 봄

---

38) 김재홍, 「소설론」, 『한용운문학연구』(일지사, 1982) 참조.

은 오는가」에서도 "고맙게 잘자란 보리밧아"라는 구절을 통해 이 같은 전통적 상징의 의미를 확인시킨 바 있다. 「빼앗긴 들…」에서의 '보리밧'이 겨울이라는 모진 시련 속에서도 꿋꿋하게 살아있는 민족혼 또는 민중적 생명력에 대한 깊은 감동의 표현이라면, 「비를 다고」에서의 '보리밧'은 식민통치라는 인위적 수탈과 한발이라는 천연적 재앙으로 인해 빈사의 상태에 이른 농촌의 모습을 형상화한 것이라고 여겨진다. 특히 이 시에서 주목되는 것은 시의 회자가 농민이라는 점, 다시 말해 농민의 시점으로 육화된 목소리라는 점이다. "보리도 우리도 오장이 다탄다 이리지 말고 비를다고!"라는 마지막 구절의 부르짖음은 바로 농민의 육성으로 들려온다. 이 점에서 이 시는 민중의 입장에서서, 민중의 고통과 슬픔을 민중의 언어로 형상화한 민중시의 전범이 된다.

상화의 이러한 자세는 그가 「시의 생활화」(『시대일보』, 1926. 6. 30)라는 글에서 밝힌 "시란 것은 생활 속에서 호흡을 계속하여야 하며, 현실의 복판에서 발효하여야 한다"라는 주장과 표리를 이루는 것이 아닐 수 없다. 이러한 사실은 상화의 시가 관념적인 주제와 도식적인 구호로 가득 차 있던 당대 프로시 보다 일층 깊은 감동을 줄 수 있는 근거가 된다.

이렇게 볼 때, 상화의 시는 소외계층으로서의 농민, 노동자 등 빈궁 계층의 고통스러운 삶을 폭넓게 다루고 있음을 알 수 있다. 그러면서도 그러한 소재들을 관념적으로 이해하는 오류를 범하지 않았으며, 위선적 포즈나 연민 혹은 단순한 동정심에 근거한 지식인의 센티멘털리즘과도 일정한 거리를 유지하고 있다. 오히려 농민과 노동자의 궁핍하고 고통스러운 삶을 있는 그대로 제시하고, 그들과 하나가 되어 그들의 분노와 울분을 가장 온전하게 형상화하였다는 데서 상화 시의 본령을 찾을 수 있다.

2) 국민문학파의 민중시

1920년대의 문학에 있어 '민중'이라는 가치가 오로지 신경향파와 프로문학 측의 전유물만은 아니었다. 이와 대척적인 위치에 있던 민족문학 진영 역시 '민중'을 지고의 가치로 여기고 그것을 작품화하려고 노력했기 때문이다.

주요한의 시집 『아름다운 새벽』(조선문단사, 1934)은 민족문학 진영이 이해하고 있는 민중문학관과 그 작품을 동시에 검토할 수 있는 예가 된다.

> 개렴(槪念)으로 노래를 부르려는 이가 잇습니다. 더욱이 민중예술을 주창하는 이, 사회 혁명적 색채를 가진이 중에 그런이가 잇습니다. …… 첫째는 내가 의식적으로 대까단티즘을 피한 것이외다. '나'와 '사회'는 서로 쩌나지 못할 것이외다. 그럼으로 엇던 한 적은 '나'의 행동이던지 '사회'에 영향을 주지 아늠이 업슬 것이외다. 나는 우리 현재 사회에 '데까단'덕 병덕 문학을 주기를 실혀합니다. …… 오직 건강한 생명이 가득한, 온갓 초목이 자라나는 속에 잇는 조용하고도 큰힘가튼 예술을 나는 구하엿웁니다.

> 둘째로 자백할 것은 이삼년래로 나의 시를 민중에게로 더 각가히 하기 위하야 의식덕으로 로력한 것이외다. 나는 우에서도 말한 바와 가치 '개렴'으로된 민중시에는 호감을 가지지 안엇스나 시가가 본질덕으로 민중에 각가을 수 있는 것이라 생각하며, 그러케 되려면 반드시 거긔 담긴 사상과 정서와 말이 민중의 마음과 가치 울리는 것이라야 될 줄 압니다. 그럼으로 이 책중에 '나무색이', '고향생각' 등에 모흔 노래는 이런 의미로 보아 민중에 각가히 가려는 시험이외다.[39]

여기서 살펴볼 수 있는 것은 민족문학 진영의 일원인 주요한이, 1920년대 초반에 이미 사회 혁명적 운동의 일환으로 민중예술을 부르짖는 주장이 강하

---

39) 주요한, 『아름다운 새벽』(조선문단사, 1924)의 발문.

게 대두되고 있다는 사실을 수긍하고 있다는 사실과 함께 다른 한편에서는 '사회'와 '개인'을 극단으로 분리하여 개인 속으로 함몰해 들어간 데카당스적 문학 역시 이 시기 문학의 큰 흐름을 형성하고 있다는 사실을 알 수 있다. 그 런데 주요한은 양자를 모두 부정하고 나섰다. 다만 그는 비록 '개념으로 된 민중시'는 부정하지만 시가는 본질적으로 민중에 가까울 수 있는 것이고, 그 자신도 민중에 다가가려는 시를 쓰기 위해 노력했다는 사실을 밝히고 있다. 그러면 주요한이 이해한 민중시란 어떠한 것이었을까. 그는 민중시란 "담긴 사상과 정서와 말이 민중의 마음과 같이 울리는 것이고 그것은 민요와 같이 간단한 어구에 많은 뜻을 포함하였고, 또 민중생활의 보편적 경험을 주제로 한 것"이라고 설명한다.40) 요컨대 그가 말하는 민중시란 민중적 정서와 민중적 감동을 지닌 것이라는 것이다. 주요한의 이러한 민중문학관은 서구 일변도로 전개돼오던 초기문단의 병적인 흐름에 비해서는 진일보한 것으로 여겨진다. 이러한 주장들이 실제로 주요한의 시에 어떻게 반영되고 있는가. 그의 작품들을 일별할 때, 대부분의 그의 시는 그의 시론과는 다소 유리된 것으로 나타난다. 특히 「늙은 농부의 한탄」, 「채석장」과 같은 작품들은 그의 이른바 '민중에 가까이 가기 위한' 시에 해당함에도 불구하고 올바르게 민중의식을 형상화하지 못한 것으로 여겨진다.

　① 팔자란 것이 잇느냐고
　　아들놈이 그러지만
　　업다는건 거짓말이

　　지난해 풍년들어
　　곡식발 남앗단것
　　팔아서 호미사니

────────────

40) 주요한, 「신시운동」, 『동광』 제12호(1927. 4).

호미갑시 더빗삿네
……중략……
핏집 볏집 로적가리
난데없는 불에타니
불은 웬불인가
이것이 팔자의 불

-「늙은 농부의 한탄」에서

②펑펑펑 최후의 일격이다. 준비는 다되었다.
폭약은 장치되었다. 불을 그어델 사람은 나오라, 위대한 승리에 취
할 사람은 나오라, 나오라, 나오라.
녀름날 자연은 모도가 잠잠하게 불붓는 광경 잠잠한 것은 힘세다.
오 잠잠한 합창의 소리
너는 듯느냐 그 소리를 최후의 일격이다. 준비는 다되엇다
노래하자 태양아. 나무숩아, 흐르는 시내야, 올라가자 선구자야, 쌔
트려라 새길을
우리에게 주라, 위대한 힘을, 마글자 업든 힘을

-「채석장」에서

시 ①은 어려운 농촌의 현실을 노래한 작품으로 주목되지만, 농촌 궁핍상
의 실상을 투시하지 못한 채 운명론적인 한탄으로 귀착되고 말았다. 또한 시
가 견고한 이미지로 구성되지 못하고 평면적인 스토리의 나열에 그치고 있음
도 지적돼야 할 것이다. 시 ② 역시 격앙된 감정을 감당해줄 구체적 상황의 제
시가 결여된 탓으로 시적 긴장력을 전혀 획득하지 못하고 있다.

이처럼 그의 작품들은 그 자신의 비교적 적절한 방향설정에도 불구하고 실
제에 있어서는 민중의 실상과 생활감정을 올바르게 담아내는 데 실패하고 있
음을 볼 수 있다. 물론 이러한 작품들이 병적이고 퇴폐적인 내용과는 거리가
먼 것이지만, 그가 말하는 민중적 정서와도 거리가 먼 것이다. 이는 「나무색

이」, 「고향생각」 등과 같은 민요풍의 작품에서도 마찬가지로 확인된다. 이들 작품에는 농촌과 전원의 모습이 제시되고 있지만, 그것은 물리적 배경에 지나지 않는다. 즉 민중의 생활상 혹은 객관적 상황에 대한 통찰이 배제된 추상적이고 낭만적인 현실인식만을 드러내고 있는 것이다. 이는 주요한이 본 당대의 민중적 현실과 민요의 정신이 퍽 피상적인 수준에 머물러 있었음을 짐작게 하는 것이다.

3) 석송과 소월의 민중시

우리가 1920년대의 민중문학을 고찰할 때, 민족주의, 계급주의로 대표되는 양대 흐름과 무관한 몇몇 민중시인을 살펴보아야 한다. 석송 김형원과 소월 김정식이 이에 해당된다. 한때 '파스큘라'에 관계한 적이 있지만, 실제로 석송은 경향파 혹은 계급주의 문학에 적극 동조하지도 않았으며, 그렇다고 민족주의 문학에 포함되지도 않은 시인이었음에도 불구하고 여러 모에서 민중적인 면모를 지닌 시인이었다. 그는 미국의 민중시인 월터 휘트먼의 시와 시작 태도에 영향을 받았던 것으로 보인다. 그의 작시 경향을 '민중적'이라고 부르는 것은 무엇보다 그가 반귀족주의, 평등주의, 그리고 동포애를 부르짖었기 때문이다.

> 예술(藝術)의 주인공(主人公)은 왕후장상(王侯將相)에 국한(局限)되고, 귀공자(貴公子)와 귀부인(貴婦人)사이의 열정(熱情)만이 서정시(抒情詩)로 읊어지던 종래(從來)의 귀족적(貴族的) 문예(文藝)는 그 제재(題材)부터도 극단(極端)의 배타적(排他的)인 동시(同時)에 인생(人生)의 일국부(一局部)만을 영탄(永嘆)·서술(敍述)함에 불과(不過)하였다.
> 그리하여 만인(萬人)에게 공감(共感)을 주어야할 문예(文藝)로 하여금, 일부(一部) 소위특권(所謂特權) 계급인물(階級人物)의 소일(消日)

거리를 만들고 말았고, 영겁(永劫)에 생동(生動)하여야 할 문예(文藝)
로 하여금 석양(夕陽)의 무지개같이 쓸쓸히 사라지게 하였다. 이제 예
(例)를 든다면 고금(古今)에 유명(有名)하다하는 사옹극(沙翁劇)을 볼
지라도, 제왕(帝王)이나 귀족외(貴族外)에는 극적(劇的) 운명(運命)을
가진이가 누구인가[41]

　석송이 여기서 힘주어 강조하고 있는 것은 "만인에게 공감을" 주는 반귀족
적인 문학이다. 그것은 곧 평등하고 민주적인 문학을 의미하는 것으로 우리
의 초기문단에서는 퍽 이채로운 주장이었다. 또한 그는 귀족주의를 인습주
의, 배타주의, 비민주주의와 대응시키고 있기 때문에 그의 시는 진보적, 상호
평등, 민주적인 특징을 지니게 된다. 시 「숨쉬이는 목내이」(『개벽』, 1922. 3)
는 인습적인 것에 대한 그의 분노를 잘 나타낸 것이다. 그런데 그의 시적 세계
관을 좀 더 구체적으로 보여주는 작품은 아마도 다음과 같은 작품일 것이다.

　　　아, 지금은 새벽 네시!
　　　나의 부모형제(父母兄弟)는 모다자고
　　　나의 친구, 나의 원수
　　　청년, 노년(老年), 남자(男子), 여자(女子),
　　　나와 꼴이가튼 모든 사람은
　　　비단이불에나, 거적자리에나,
　　　제 각각 달고 쓴 꿈을 꿀제
　　　……중략……
　　　아, 지금은 새벽 네시!

　　　장래의 닭은 새날을 선언(宣言)하고
　　　어데선지 갓난아이의 울음소리가 들린다.
　　　아, 새불! 새사람

<hr />

41) 김형원, 「민주문예소론」, 『생장(生長)』 5호(1925. 5), 56쪽.

새 생명(生命)의 춤터가 열니랴하는,
거룩한 새벽 네시!

—「아 지금은 새벽 네시」에서

이 시에서는 우선 '새벽'이라는 시간적 배경에서 석송의 정서가 과거로 향한 것이 아니라 미래 지향적임을 직감할 수 있다. 또, '친구/원수', '청년/노년', '남자/여자', '비단이불/거적자리'라는 현실의 대비는 한낱 외현적 대비일뿐 모두가 꿈을 꾼다는 점에서, 궁극적으로 동등한 개체임을 강조하고 있다. 그러나 이러한 석송의 평등주의 정신이 당대 역사의 수난 속에서도 적극적 의의를 지닐 수 있는 것은 아니다. 그것은 그의 평등주의와 민주 지향적 정신이 현격한 편차를 지니고 있기 때문이다. 당시 우리 민중은 기본권은 물론 최저의 생존권마저 위협받고 열악한 일제하 민족현실 앞에서의 '평등', '민주'와 같은 원론적인 소망은 무의미한 것일 수밖에 없는 것이다. 여기에 석송의 시적 한계가 있다. 석송이 사숙하던 휘트먼이 미국의 민중시인이라고 불렸지만, 석송이 한국의 참된 민중시인이라고 불릴 수 없는 것은, 이처럼 '석송이 본 민중'이 이 땅의 일제강점하에서 착취당하는 민중이 아니라 '미국의 민중'에 가깝기 때문일 것이다.

20년대 문단에 있어서, 민중문학의 한 빛나는 전범은 소월 김정식(1902~1934)의 시집『진달래 꽃』(매문사, 1925)에 실린 서정적 시편에서도 찾을 수 있다. 소월은 어떤 유파에 가담하거나 '민중'을 소리높여 외친 적이 없었지만, 그의 작품에 나타난 정서와 가락은 민중적 정감에 깊이 닿아있는 것이었다. 탁월한 현실인식과 역사 감각, 즉 민중의식 성취에도 불구하고 민중적 현실을 도외시하였다는 경향파 시인들의 과오, 민족주의 시인들의 몰역사성과 관념주의, 그리고 석송의 비현실적 민중의식 따위를 소월은 일거에 극복하였다. 지금까지의 소월 시에 나타난 주된 정서인 애상과 한이 개인적인 상실에만 연유하는 것으로 흔히 오독됐으나, 그의 전 작품을 면밀하게 검토할 때, 그것은 오히려 민족 공동체의 아픔, 즉 식민지적 상황에서 기인된 것으로 여겨진다. 소월 시에 대한 오해는 육화된 표현의 이면을 음미하지 않은 채, 그리고 그의 전 작품에 대한 총체적인 조망 없이 접근해 온 탓이라 하겠다.

공중에 떠다니는
저기 저 새여
네 몸에는 털있고 깃이 인지.

밭에는 밭곡식
논에는 물베
눌하게 익어서 숙으러졌네

초산(楚山) 지나 적유령(狄踰嶺)
넘어선다.

짐실은 저 나귀는 너 왜 넘니?
—「옷과 밥과 자유(自由)」

이 시는 소월의 현실인식을 보여준다. 이 짧은 한편의 가락 속에 소월은 당시의 현실을 이중의 아이러니로써 가장 적절하게 형상화하고 있다.[42] '공중에 떠다니는 새'를 보아도 '털과 깃'이 있고, 논밭에는 곡식이 풍성하기만 한데, 왜 짐을 싣고 떠나야만 하는가를 이 시의 퍼스나는 나귀에게 묻고 있다. 다시 말해 떠나가는 사람에 대한 반문을 통해, 옷과 밥이 있음에도 불구하고 자유가 없이 헐벗음, 궁핍함, 그리고 압박받는 일제강점하의 비참한 현실을 암묵적으로 상기시키고 있다.

자유와 옷을 가진 것은 '나' 아닌 '새'일 뿐이고, 논밭 곡식 역시 우리의 것

---

42) 이 점에 관해서는 유종호, 「임과 집과 길」, 『동시대의 시와 진실』(민음사, 1982) 및 필자의 『한국 현대시인 연구』(일지사, 1986) 참조..

이 아니기 때문에 떠날 수밖에 없다는 상황을 이같이 형상화한 것이다. 이러한 민족적 차원의 상실감이 그의 시를 관류하고 있는 정서이다. 소월은 그것을 서사적 진술에 의지하지 않고 대부분 고조된 서정적 호소나 독백에 의해 표현했던 것이다. 인용시 「옷과 밥과 자유」와, 「나무리벌 노래」, 「바라건데는 우리에게 우리의 보습대일 땅이 있었다면」, 「물마름」과 같은 작품에서는 일제의 강점과 약탈에 의해 삶의 기반을 빼앗긴 채 떠도는 민족의 운명을 비교적 명료하게 제시하고 있다.

한편, 시 「접동새」는 예부터 내려오는 접동새 설화를 시화한 것으로 시의 모티브는 전통적 가족구조의 모순 혹은 가난에서 비롯된 여성의 불행한 죽음에 관한 토속적인 전통과 접맥되어 있다.

접동
접동
아우래비접동

진두강(津頭江) 가람까에/살든누나는
진두강(津頭江) 압마을에
와서 웁니다

옛날 우리나라
먼뒤쪽의
진두강(津頭江) 가람까에 살든 누나는
이붓어미 싀샘에 죽엇습니다

누나라고 불너보랴
오오 불설워
싀새움에 몸이죽은 우리누나는
죽어서 접동새가 되엿습니다

아홉이나 남아되든 오랩동생을
죽어서도 못니저 참아못니저
야삼경(夜三更) 남다자는 밤이깁프면
이山 저山 올마가며 슬피웁니다

—「접동새」

그런데 우리는 이 시가 지닌 유장한 가락을 주목할 필요가 있다. 「접동새」
는 그의 많은 민요풍의 시와 마찬가지로 아름답고 친근감 있는 형식을 갖추
고 있다. 이 형식이야말로 소월 시가 오늘날까지 줄곧 대중적 친화력을 유지
할 수 있는 비밀스러운 요소 중의 하나이다. 그것은 우리 민요에서 흔히 발견
되는 3음보의 율격을 새로이 계승한 것이다. 이처럼 소월 시는 친숙한 소재와
향토적 정서, 그리고 전통적인 율격을 독특하게 조화시킴으로써 민족적, 민
중적 성격을 획득한 것이다. 이로 볼 때, 소월 시는 우선, 표면적으로는 그리
움, 슬픔, 한 등 비극적 사랑의 정감으로 충만해 있으면서도, 이면에는 이 땅
의 험난한 역사의 현실 속에서 삶의 어려움을 참고 견디려는 초극의 정신이
자리 잡고 있다는 점에서 형상화의 탁월성이 드러난다. 아울러 그는 서구편
향 혹은 의식 과잉의 초기 시단에서, 한국적 정감과 가락의 원형질을 새롭게
계승하여 그것을 그의 시적 정서와 성공적으로 결합시킴으로써, 민중시의 한
전범이 되었다고 여겨진다.

한편, 소월의 「밧고랑 우헤서」와 같은 작품은 노동의 신성함과 환희를 나
타낸 작품으로 우리 시사상 그리 흔치 않은 작품이다.

우리 두 사람은
키놉피가득자란 보리밧, 밧고랑우헤 안자서라.
일을 필(畢)하고 쉬이는 동안의 깃븜이어.
지금 두사람의 니야기에는 쏫치필때.

오오 빗나는 태양(太陽)은 나려쏘이며
새무리들도 즐겁은 노래, 노래불러라.
오오 은혜(恩惠)여, 사라잇는 몸에는 넘치는 은혜(恩惠)여,
모든 은근스럽음이 우리의 맘속을 차지하여라.

세계(世界)의 끗튼 어듸? 자애(慈愛)의 하눌은 넓게도덥혔는데,
우리두사람은 일하며, 사라잇섯서,
하눌과 태양(太陽)을 바라보아라, 날마다날마다도,
새라새롭은 환희(歡喜)를 지어내며, 늘 갓튼 쌍우헤서.

다시한번(番) 활기(活氣)잇게 웃고나서, 우리두사람은
바람에일니우는 보리밧속으로
호미들고 드러갓서라, 가즈란히 가즈란히,
거러나아가는 깃븜이어, 오오생명(生命)의 향상(向上)이어.
                                    — 「밧고랑우헤서」

　많은 소월 시가 저녁 혹은 밤이 배경으로 돼 있으며, 꽃, 새, 달, 비, 눈물, 낙엽, 무덤 등 부정적 하강적 분위기로 가득 차 있음에 비추어 이 시는 상이한 특색을 지닌다.

　우선 배경부터가 '보리밧'이며, 시간은 태양이 빛나는 한낮으로 되어 있다. 이같이 한낮이 배경으로 된 것은 그것이 감성이 아닌 이성, 또는 체념이 아닌 의지를 바탕으로 하고 있음을 말해준다. 든든한 대지사상과 정오의 사상이 어울린 노동에의 의지를 드러낸 것으로 이해된다. 일하는 것에의 만족, 노동에 기쁨을 느낄 수 있을 때 태양은 빛나며 노래가 즐거울 수 있고, 살아있음이 은혜로울 수 있는 것이다. "우리 두 사람은 일하며, 사라잇섯서"라는 구절 속에는 삶의 기쁨이 바로 노동의 기쁨에서 찾아진다는 확고한 신념이 담겨있는 것으로 보인다. "늘 갓튼 땅우헤서" 하늘과 태양을 새롭게 바라보면서 일하는 기쁨, 살아있는 기쁨을 추구하는 능동적인 자세야말로 대지에 뿌리박은 건강

한 노동의 사상이 아닐 수 없다. 제4연에서는 이에 대한 더욱 확고한 신념과 의지가 나타난다. "다시한번 활기잇게 웃고나서, 우리두사람은/바람에 일니우는 보리밧속으로/호미들고 들어갓서라, 가즈란히 가즈란히"라는 구절 속에는 노동의 사상이 더욱 구체적으로 표출되어 있다. 건강한 노동의 탄력과 흙의 서정, 그리고 목숨의 강인한 의지가 서로 어울려 인간과 자연의 교향시를 형성하는 것이다. 따라서 "거러나아가는 깃븜이어, 오오 생명의 향상이어"라고 하는 결구를 통하여 노동의 철학을 완성하게 된다.

노동을 통한 삶의 고양과 상승을 강조하는 이 건강한 노동의 사상, 향상의 철학이야말로 소월 시에서 간과하기 쉬운 부분인 것이다. 실상 이 땅의 험난한 역사를 슬기롭게 극복해 온 힘은 이러한 강인하고 굳센 노동의 사상에 뿌리를 둔 민중적 생명력이 아닐 수 없다.

4) 만해와 심훈의 시

식민지 시대의 시인들 가운데 만해와 심훈은 특히 주목할만한 인물들이다. 그것은 만해의 시집 『님의 침묵』이나 심훈의 시집 『그날이 오면』이 일제하 우리 시의 정점에 놓이는 것임에도 불구하고 당대 문단의 주목을 받지 못했을뿐더러 그들 스스로도 시인이라고 내세운 바가 없었기 때문이다.

만해의 경우는, 문인으로서 특별히 문단 활동을 전개하지 않았다. 『개벽』 등에 시조를 간간히 발표했을 뿐 문예지나 동인지 등에 일체 관여한 일이 없었다. 만해의 문학 활동으로는, 시집 『님의 침묵』이 시작 활동의 시초이자 결산에 해당하며 30년대에 조선일보 등에 「흑풍」 등의 장편소설을 연재한 것이 전부라 할 수 있다. 따라서 일제하에서 그에 대한 평론이나 연구는 거의 행해지지 않았던 것이다. 그는 문인이라기보다는 독립투사이자 민족운동가이고 진보적인 불교 사상가로서 받아들여졌다.

만해의 사상은 입체적이고 다면적이다. 그의 사상의 기저를 이루는 것은 불교사상이며, 이를 근거로 그의 독특한 독립운동이 전개되는데, 그의 독립사상은 자유사상, 평등사상, 민족사상, 민중사상, 진보사상 등의 갈래로 나뉘어 진다.[43] 그중 민중사상은 민족사상과 표리를 이루는 것으로서, 「불교유신론」이라는 글에서 그 일단을 살펴볼 수 있다.

> 불교는 사찰에 있는가, 아니다. 불교는 승려에 있는가, 아니다. 불교는 경전에 있는가, 또한 아니로다. 불교는 실로 각인의 정신적 생명에 존재하며, 그 자각에 존재하는 것이 아닌가. 이 자각을 불러일으켜 각인의 가치를, 광명을 인정하는 길이 둘이 아닌즉, 나는 불교가 참으로 그 큰 이치에 입각하여 민중과 접하여 민중과 더불어 동화하기를 바라는 것이다. 불교가 민중으로 더불어 동화하는 길이 무엇인가. 첫째 그 교리를 민중화함이며, 그 경전을 민중화함이며, 둘째 그 제도를 민중화함이며, 그 재산을 민중화함이다…중략…이제 불교가 실로 진흥하고자 할진대 권력계급과의 관계를 단절하고 민중의 신앙에 세워야 할지며, 진실로 그 본래의 생명을 회복하고자 할진대 재산을 탐하지 말고 이 재산으로써 민중을 위하여 법을 넓히고 도를 전하는 실제적 수단으로 삼아야 할 것이다.[44]

「불교 유신론」이라는 제목의 이 논설은 조선불교의 침체와 타락 원인을 극명하게 비판한 데서 출발한다. 그것은 불교가 권력과 결탁하고 부호에 영합하였기 때문에 생명력을 잃은 것이며, 그렇기 때문에 진정한 '민중을 위한', '민중에 의한', '민중의' 불교가 되는 길만이 불교중흥의 길이라는 주장을 담고 있다. 사실 불교의 근본 사상도 평등, 구세사상을 기반으로 하여, 삶의 질곡에서 민중을 구원하고 해탈케 하는 데 있는 것이다. 만약 인간의 현실적인

---

43) 만해의 독립사상에 관해서는 김재홍, 「만해의 문학과 사상」, 『문학사상』, 1985년 10월호 참조.
44) 한용운, 「조선불교 유신론」, 『한용운 전집』 2권(신구문화사, 1973), 133쪽.

삶, 민중의 인권에 기초를 두지 않은 종교가 있다면 그것은 문자 그대로 혹세무민의 비난을 면하기 어려울 것이다. 그래서 만해는 심산 오지에 위치한 사찰을 세간으로 끌어내려야 하며, 난삽한 한문 경전을 쉬운 한글로 번역하여 대중화해야 한다고 역설한 것이다.

이러한 불교적인 정신에 바탕을 둔 민중사상은 그의 독립사상과 문학사상에도 그대로 연결된다. 즉 만해는 조선독립이 일부 지식인이나 독립군에 의해서만이 쟁취되는 것이 아니라 전민중의 조직화, 집단화와 그러한 힘이 역동화할 때 성취될 수 있으며, 또 그렇게 돼야 마땅하다고 생각하였다. 실상 3·1운동이 그러하며 「조선 독립의 서」의 기본정신이 민중이 주체가 되는 독립운동이자 항일운동인 것이다.

문학에 있어서도 그것은 두 가지 방향으로 나타난다. 그 하나는 '없는 자', '무력한 자' 등 소위 노동자, 농민으로 표상되는 민중의 항쟁운동이며, 또 다른 하나는 민중적인 정서와 민중적인 언어 감각(『님의 침묵』)의 계발과 적극적인 활용이 그것이다. 특히 그의 소설에 나타나는 민중 항쟁운동과 혁명의지의 표출, 그리고 시에 나타나는 민중 정서와 민중 언어의 구사는 바로 만해 문학사상의 뿌리가 민중사상에 근거하고 있음을 선명히 드러낸 것이 아닐 수 없다.

시집 『님의 침묵』에 수록된 여러 작품들에는 그러한 만해의 민중사상을 담고 있다. 그중 다음과 같은 작품에서는 그의 사상이 투철한 현실인식에서 비롯되었음을 보여준다.

당신이 가신뒤로 나는 당신을 이즐수가 업습니다.
까닭은 당신을 위하나니보다 나를 위함이 만슴니다.

나는 갈고심을 쌍이 업슴으로 추수(秋收)가 업슴니다.
저녁거리가 업서서 조나 감자를 꾸러 이웃집에 갓더니 주인(主人)

은 「거지는 인격(人格)이 업다 인격(人格)이 없는 사람은 생명(生命)이 업다 너를 도아주는 것은 죄악(罪惡)이다」고 말하얏습니다.

그 말을 듯고 도러나올 때에 쏘더지는 눈물속에서 당신을 보앗습니다.

나는 집도업고 다른 까닭을 겸하야 민적(民籍)이업습니다.

「민적(民籍)업는 자(者)는 인격(人格)이업다 인격(人格)이 업는 너에게 무슨 정조(貞操)냐」하고 능욕(凌辱)하랴는 장군(將軍)이 잇섯습니다.

그를 항거(抗拒)한 뒤에 남에게대한 격분(激憤)이 스스로의 슯음으로 화(化)하는 찰나(刹那)에 당신을 보앗습니다.

아아 왼갓 윤리(倫理), 도덕(道德), 법률(法律)은 칼과 황금(黃金)을 제사(祭祀)지내는 연기(煙氣)인줄을 아럿습니다.

영원(永遠)의 사랑을 바들까 인간역사(人間歷史)의 첫페이지에 잉크칠을 할까 술을 마실까 망서릴 쌔에 당신을 보앗습니다.

　　　　　　　　　　　　　　　　　　－「당신을 보앗습니다」

　이 작품은 만해의 현실인식을 잘 보여준다. 그것은 기본적인 면에서 부정적 현실인식의 태도이며, 비극적 세계관에 기초를 두고 있다. "님이 가신뒤", "당신을 봄"이라는 대립 명제 속에는 부재와 실재가 불러일으키는 모순과 갈등이 드러나 있다. 먼저 현실의 모습은 '없음'으로 파악된다. "땅도 업고", "추수도 업고", "인격도 업고", "생명도 업고", "민적도 업고", "인권도 업다"라는 구절 속에는 부정적인 현실인식이 담겨있는 것이다. 이것은 '님이 가신 것'에 연유하는 절망적 현실에 대한 인식이며 확인인 것이다. 따라서 현실은 슬픔과 고통으로 가득 찬 비극적 세계상으로 받아들여진다. 여기에는 님의 의미가 선명히 드러난다. 님이 없이 홀로 선 '나'의 모습은 생의 현실적 바탕을 잃어버린 '거지'와 다름없다. 현실적 생활 근거의 상실은 인격의 상실을 의미하며, 그것은 생명조차 없는 빈껍데기로의 전락을 의미하는 것이다. 님의 상실은 인간적 주체성과 존엄성을 동시에 상실하는 생의 파멸로서 받아들여지는 것이다. 바로 이 순간에 님의 의미가 새롭게 발견된다. "그 말을 듯고 도러나 올 째에 쏘더지는 눈물 속에서 당신을 보앗슴니다"라는 구절 속에는 절망과 고통 속에서 새롭게 떠오르는 구원의 표상으로서 널리 받아들여지고 있음이 나타나 있다. 님은 내가 인간적 주체성과 존엄성을 확보함으로써 나의 생존에 의미를 확인시켜주고 생을 가능케 해주는 구원의 표상이자 희망의 상징인 것이다. 그리고 그러한 실체로서의 님의 절대성은 님의 부재에서 비로소 확실하게 다가오는 것이다.

이러한 님의 의미에 대한 깨달음은 마지막 연에서 더욱 확실하게 드러난다. 그것은 "집도 업슴"에서 "민적이 업슴"으로의 점진적 전이에 바탕을 둔다. 인격이나 생명이라는 개체적 사실을 넘어 인권이 상징하는 보편적 사실로의 전환인 것이다. 님을 잃은 나의 비참함은 마침내 인권과 정조까지도 무시당해야 하는 처참한 상황에 직면하게 된다. 인권은 인간에게 있어 기본적, 근원적 권리이며, 정조는 지고지순의 덕목이자 최후의 재산이다. 이것들을 잃게 되는 상황은 바로 인간성의 파멸을 의미한다. 장군이 상징하는 현실적·무력적 폭력에 항거하여 이러한 인권·정조를 지키기 위해 분투하는 눈물겨운 순간에 님은 또다시 새롭게 발견된다. 이 순간에 님은 불의와 폭력에 대해 저항할 수 있는 힘을 주는 원동력으로서의 의미를 지닌다. 님은 자아를 새롭게 발견하고 확인시켜주는, 구원과 희망의 표상인 동시에 현실적인 삶의 어려움을 헤쳐나갈 수 있는 용기와 신념을 불어넣어 주는 힘의 표상으로 다가오는 것이다. 바로 이 점에서 이 시가 당대 현실과의 암유적 관계를 지니게 된다. 그것은 '님을 잃은 나'와 '주권을 잃은 조국'과의 대응 관계이다. '님을 잃은 나'의 절망은 바로 '조국을 잃은 민족'의 절망인 것이다. 따라서 님의 발견과 회복이 나의 인간적 존엄성을 확보할 수 있게 하는 길이 되듯이 조국 광복의 꿈과 갈망이 조국의 상실에 따르는 절망적 상황을 극복하게 하는 원동력이 된다.

실상 이러한 현실에 대한 절망과 그에 따른 부정적 세계관이 '없음'의 문제로 표상된 것이다. 이 '없음'으로서의 현실인식은 일제강점하의 당대를 님이 부재하는 시대, 침묵하는 시대, 신이 숨은 시대로 파악하는 만해의 민중적인 역사의식을 반영하는 것이 된다. 또한 정조를 능욕하려는 장군에 대한 항거와 그에 대한 격분은 당대 일제의 폭력에 대한 저항정신을 반영한 것으로 보인다. 그렇기 때문에 "온갖 윤리, 도덕, 법률은 칼과 황금을 제사 지내는 연기인 줄을" 알게 되는 것이다. 자유와 진리와 정의 앞에서 인간의 온갖 현실적 규범과 인위적 척도는 한낱 부질없는 것일 수밖에 없기 때문이다. 그러면서도 님이 부재하는 상황에 대한 절망은 끊임없는 현실적 절망을 불러일으킨다. 그것은 영원한 사랑에 대한 믿음에 헌신하는가, 아니면 삶의 무의미성에 절망한 나머지 끝내 인간과 역사를 부정해 버리고 마는가, 혹은 현실과 적당히 타협하거나 그 속에 빠져들고 마는가 하는 따위의 갈등에 사로잡히게 되는 것이다. 이때에도 '나'는 그러한 갈등과 절망에서 님의 모습을 봄으로써 구원받게 된다. 님은 '나'를 그러한 갈등에서부터 해방되어 님이 없는 상황에서도 '나'를 신념 있게 살게 하는 정신의 푯대 역할을 하는 것이다.[45]

이렇게 볼 때 님은 '나'의 삶을 구원하고 가능케 해주며, 완성시켜 주는 현실적 힘의 표상인 동시에 이념적 지표로서의 의미를 지닌다. 이처럼 이 시에는 어려운 시대일수록 그 시대 상황이 강요하는 억압과 고통을 싸워서 이겨나가는 데서 참된 생의 의미가 발견되고 올바른 역사 전개가 이루어질 것이라는 확신이 담겨있는 것으로 보인다.

한편, 심훈 역시 당대에는 그의 시작 활동이 거의 알려지지 않았던 시인이다. 그의 시집『그날이 오면』은 원래 1933년에 간행될 계획이었지만, 일제의 혹독한 검열로 인하여 이루어지지 못하고, 해방 이후인 1949년에 이르러 그의 유족에 의해서 비로소 빛을 보았기 때문이다. 그의 유고시집 간행 이후에

---

45) 김재홍, 『한국현대시인연구』(일지사, 1986), 7~28쪽 참조.

도 그의 시작에 관한 논의와 평가는 퍽 미미한 수준에 머물러 있었다. 심훈의 시가 본격적인 논의의 대상이 된 것은 극히 최근의 일이다.

그의 시적 출발은 「항주유기」, 「북경의 걸인」, 「현해탄」 등의 작품에서 보이듯 망국의 한과 강렬한 항일 적개심을 바탕으로 한다. 그 후 그는 불모의 식민지적 현실에 대한 선명한 자각을 보여주게 된다.

그의 시 「밤」, 「잘있거나 나의 서울이여」 등은 그 대표적인 예로서 심훈이 당대 조선을 불모의 땅으로 인식하고 있음을 살펴볼 수 있다. 또한 「박군의 얼굴」, 「밤」 등의 작품에선 한층 날카로운 현실인식을 볼 수 있는바, 그것은 식민지적 현실을 '유형의 땅', '죽음의 시대'로 파악하는 것이었다. 이러한 예리한 현실인식은 마침내 항일 저항시의 한 극점이자 기념비적 작품에 해당하는 「그날이 오면」으로 이어진다.

　　　　그날이 오면 그날이 오며는
　　　　삼색산(三角山)이 일어나 더덩실 춤이라도 추고
　　　　한강(漢江)물이 뒤집혀 용솟음칠 그날이
　　　　이 목숨이 끊기기 전에 와주기만 하량이면,
　　　　나는 밤하늘에 날으는 까마귀와 같이
　　　　종로(鍾路)의 인경을 머리로 드리받아 울리오리다.
　　　　두개골(頭蓋骨)은 깨어져 산산(散散) 조각이 나도
　　　　기뻐서 죽사오매 오히려 무슨 한(恨)이 남으오리까

　　　　그날이 와서 오오 그날이 와서
　　　　육조(六曹) 앞 넓은 길을 울며 뛰며 딩굴어도
　　　　그래도 넘치는 기쁨에 가슴이 미어질 듯하거든
　　　　드는 칼로 이몸의 가죽이라도 벗겨서
　　　　커다란 북을 만들어 들처메고는
　　　　중 여러분의 행렬(行列)에 앞장을 서오리다
　　　　우렁찬 그 소리를 한번이라도 듣기만 하면

그 자리에 꺼꾸러져도 눈을 감겠소이다.

-「그날이 오면」

우리는 이 작품이 3·1운동이 일어난 지 꼭 11년 후인, 그것도 3·1운동 이래 최대의 민족적 저항운동인 광주학생사건을 겪은 얼마 후에 쓰였다는 점에 주목하지 않을 수 없다. 3·1운동은 심훈의 생애에 있어서 어떤 의미를 갖는가? 그것은 가정적으로 비교적 유족하고 체질적으로는 로맨티시스트이며 일류학교 학생이던 심훈으로 하여금 고통스러운 감옥체험을 겪게 하고, 그로 말미암아 퇴학당하여 중국으로 망명하게 함으로써 그의 생애를 불연속적인 것으로 이끌어 가게 만든 운명적인 모멘트가 된 바 있다. 이처럼 3·1운동으로 인해 불연속적인 삶을 살아가게 됐던 심훈으로서는 온갖 현실의 수난과 시련을 겪을 즈음 다시 목도하게 된 광주학생사건과 그 전국적인 확산은 마침내 심훈으로 하여금 장엄한 저항혼의 불길을 타오르게 만든 것이다.

그의 회상기에도 나타나듯이 3·1운동은 심훈에게 있어 신성감과 황홀감이 교차하는 민족사와 생애사에 있어서 최대의 사건에 해당한다. '붓을 들매 손이 떨리고 눈물이 앞을 가릴' 정도의 경건한 감격과 뜨거운 환희가 솟아 나오게 하는 생명의 근원적 충격이자 생의 운명적 소용돌이로서의 의미를 지니는 것이다. 바로 이러한 신성에 가까운 충격과 감동이 오랫동안 내재해 있다가 광주학생사건에 의해 촉발되어 활화산으로 솟아오르게 된 것이 바로 「그날이 오면」인 것이다.

따라서 이 시에는 정상적인 논리나 이성을 뛰어넘는 초월적인 상황과 사건이 제시된다. 첫 연의 "그날이 오면 그날이 오면은/삼각산이 일어나 더덩실 춤이라도 추고/한강물이 뒤집혀 용솟음칠 그날"과 같이 그날이 오면 산천초목까지도 감격과 환희로 들끓을 것 같은 환각이 제시된다. 아울러 이 지점에서 죽음의 초극이 일어나게 된다. "이 목숨이 끈기기전에 와주기만 하량이면,/나는 밤하늘에 날으는 까마귀와 같이/종로의 인경을 머리로 드리받아 울리오리다/두개골은 깨어져 산산조각이 나도/기뻐서 죽사오매 오히려 무슨 한이 남으오리까"라고 하는 구절 속에는 죽음을 넘어선 지점에서 비로소 성취될 수 있는 비극적 황홀의 신성체험이 담겨있는 것으로 보인다. 그만큼 국권상실의 절망이 참담한 것이었으며, 식민지 치하의 삶이 고통스러운 것이었음을 말해주는 것이 된다. 실상 우리는 앞에서 심훈이 당대의 절망적 상황을 죽음의 시대로 파악하고, 그 속에서의 삶을 산송장으로 인식하고 있었음을 살펴본 바 있음에 비추어, 죽음이란 혹은 죽음을 넘어선다는 일은 '그날'이 와서 맛보게 되는 환희에 비한다면 대수로운 일이 아닐 수도 있다는 점을 깨닫게 된다. 그날이 감격스럽고 환희로울 수 있는 것은 바로 이러한 무수한 죽음을 넘어서서 비로소 그것이 성취되는 것이며, 또 될 수 있기 때문임이 분명하다.

그렇다면 '그날'이란 무엇인가? 바우라(C.M.Bowra)의 적절한 지적에서처럼, '그날'이란 온갖 민족적인 수난과 저항 끝에 죽음을 넘어서서 마침내 획득하게 되는 광복의 그날이며 독립의 그날을 의미한다.46) 그리고 그것은 겨울이 모질고 길수록 봄의 생명력과 그 환희가 아름답고 눈부신 것처럼 죽음의 시대를 넘어선 곳에서 다가온 것이기에 더욱 감동적이고 환희로울 수밖에 없는 것이다. 그렇기 때문에 "인경을 머리로 드리 받아 울리오리다"라는 불가능에 가까운 환각체험이 현실적으로 아무렇지도 않게 받아들여질 수 있다. '그날'이란 죽음을 넘어서라도 꼭 와야 할 민족의 지상 명제일 수밖에 없다는 당위적 깨달음과, 꼭 오고야 말리라는 전민족적인 신념이 이러한 논리적 모순과 초논리를 오히려 자연스러운 것으로 수긍하게 만드는 것이다. 이것은 뒤연에서 더욱 강렬하게 표출된다. 실상 "몸의 가죽을 벗겨서 북을 만든다"라는 충격적인 표현은 정상적인 논리의 차원에서는 전혀 불가능한 일이다. 더구나 그것을 "들쳐메고 행렬의 앞장에 선다"라고 하는 것은 말도 되지 않는 일, 즉

---

46) C.M.Bowra, 『시와 정치』, 김남일 역(전예원, 1983), 155~156쪽.

언어도단에 속한다. 그럼에도 그렇게 하겠다는 것은 무엇을 말하고자 하는 것인가. 광복의 환회가 그만큼 크고 감동적인 것이라는 의미일 뿐이겠는가. 물론 이 두 가지는 다 옳은 말이다. 그러나 그것을 뒤집어 보면 '그날'이 오기 전, 즉 식민지 치하에서 산송장으로서 죽음의 시대를 살아가고 있는 당대의 삶이 얼마나 고통스럽고 절망적인가를 역설적으로 강조하는 뜻이 예리하게 담겨있는 것으로 해석할 수 있다. 실상 이 시가 자학적인 요소를 내포하고 있는 사실도 그날이 쉽게 다가올 수 없는 머나먼 미래의 일 또는 환각적인 것으로 예감하는 데서 연유하는지도 모른다.

이렇게 볼 때 이 시의 강렬성은 바로 현실 극복의지의 가열함을 반영한 것이며, 동시에 절망과 상황에서 자기초극을 성취함으로써 열린 삶을 향해 나아가려는 심훈의 예언자적 지성의 면모를 반영한 것으로 해석할 수 있다. 이러한 가열한 현실극복 의지와 열린 삶을 향한 자기 초극의 의지가 때마침 분연히 솟구쳐 오른 광주학생사건을 접하면서 3·1운동의 그것과 섬광적으로 연결된 데서 바로 이 「그날이 오면」이 쓰이게 된 것이다. 따라서 이 시가 불러일으키는 비장미와 숭고미는 바로 일제하의 절망적인 상황하에서 목숨을 걸고 활화산처럼 일어선 민족혼과 민중의식이 구체적인 현장성을 확보하고, 이것이 미래의 역사적 비전을 성취한 데서 우러나온 것으로 판단된다. 이 「그날이 오면」이야말로 당대의 현실적 구체성이 이념적 환각성과 섬광적으로 결합함으로써 심훈의 저항의식과 민중의식이 비극적 황홀로 상승되면서 총체적 조망을 획득할 수 있게 한 항일 저항시의 기념비적 작품인 것이다.47)

---

47) 김재홍, 『한국현대시인 연구』(일지사, 1986), 105~138쪽 참조.

2-4 분단시대의 문학적 상황과 민중문화

1) 해방공간과 전후의 문단 상황

갑작스레 8·15를 맞이한 우리 민족의 반응은 무조건적인 감격이었다. 당시 해방의 진정한 의미가 무엇인가를 따져본다는 것은 우리 민족에게 무의미한 일이었으며 그럴 겨를도 없었다. 그것은 저 악몽과 같은 일제 식민통치 기간을 돌이켜 본다면 당연한 일이었는지도 모른다. 당시의 넘치는 기쁨을 어느 문인은 다음과 같이 노래했다.

> 아이도 뛰며 만세
> 어른도 뛰며 만세
> 개 짖는 소리 닭 우는소리까지
> 만세 만세
> 산천도 빛이 나고
> 초목도 빛이 나고
> 해까지도 새빛이 난듯
>
> — 「눈물고인 노래」에서

이 같은 환희는 비단 벽초만의 감격일 수 없었으리라. 그것은 을유년에 발간된 『해방기념시집』(중앙문화협회, 1945)에 수록된 대부분의 시편들이 이러한 광복의 기쁨을 노래하고 있다는 사실에서도 드러나는 것이다.

그러나 이러한 기쁨은 이내 사라지고 만다. 그것은 38선으로 표상되는 국토의 분단, 그리고 남북한에 각각 진주한 미군과 소련군에 의해 민족해방의 의미는 전혀 예기치 못한 상황으로 치달아 갔기 때문이다. 국토의 지리적인 양단보다도 우리 민족이 일찍이 겪어보지 못했던 민족 내부의 갈등, 다시 말해 좌·우 이데올로기의 첨예한 대립 양상과 정치적인 소용돌이가 되풀이되었다. 물론 신간회나 상해임시정부의 노선 다툼과 분열 과정이 드러난 것도 사실이지만, 양대진영은 일본 제국주의라는 공통의 적 앞에서 때로는 연대할 수 있다는 모습을 보여주었다. 뿐만 아니라 해방 직후 여러 정치 세력들이 내건 슬로건은 좌·우를 불문하고 '식민잔재의 청산과 진정한 민족국가의 수립'으로 나타났던 것이다. 당시 주목의 대상이 되었던 좌·우 합작의 기류 역시 그러한 민족적 여망을 반영하고 있었다. 그러나 신탁통치안을 둘러싸고 벌어진 좌·우의 선명한 대립은 두 진영이 추구하는 '민족국가'의 실체가 상이함을 극명하게 드러내 주었다. 좌파의 활동이 남한 내에서 불법화되고 중도통합노선을 추구하던 몽양이 암살로 타계하자, 남한에는 이승만 정권이 수립된다. 이로써 완전한 통일 정부를 갈망하던 국민의 여망은 무산되고 한 국토 내에 두 개의 정부가 수립되는 불행한 결과를 초래하였다.

문학계에 있어서도 이러한 분단은 동일한 과정을 밟게 된다. 여기에서 해방 직후의 문단 동향을 간략하게 살펴보도록 하자.

해방 직후 맨 먼저 결성된 문인단체는 '조선문화건설중앙협의회'(약칭 '문건')였던 바, 여기에는 구 카프 계의 지도적 논객이었던 임화를 비롯하여 일제하 순수문학의 대표 자격이었던 김기림·정지용·이태준이 참가하였으며, 이들뿐만 아니라 국민문학파의 중심인물 가운데 하나였던 이병기까지 가세한 광범위한 문인단체였다. 당시 이러한 광범위한 문인 조직이 가능하였던 것은, 임화로 대표되는 구 카프 계의 문사들이, 1920년대에는 그들 스스로가 부인했었던 '민족문학'의 건설을, 해방 직후에는 가장 시급한 과제로 내세웠기 때문이다. 그것은 임화가 '전국문학자대회'(1946. 2. 8~9)에서 행한 「조선민족문학건설에 관한 일반보고」에 소상히 나타나 있다.

조선문학(朝鮮文學)의 발전(發展)과 성장(成長)의 가장 큰 장애물(障碍物)이었던 일본제국주의(日本帝國主義)가 붕괴(崩壞)된 오늘 우리 문학의 일로부터의 발전(發展)을 방해(妨害)하는 이러한 잔재(殘滓)의 소탕(掃蕩)이 이번엔 조선문학(朝鮮文學)의 온갖 발전(發展)의 전제조건(前提條件)이 되는 것이다. 그럼으로 이것의 제거(除去)없이는 엇더한 문학(文學)도 발생(發生)할 수도 없고 성장(成長)할 수도 없는 현실(現實)이다. 그러면 이러한 장애물(障碍物)을 제거(除去)하는 투쟁(鬪爭)을 통(通)하야 건설(建設)될 문학(文學)은 엇더한 문학(文學)이냐? 하면 그것은 완전(完全)히 근대적(近代的)인 의미(意味)의 민족문학이외(民族文學以外)에 있을 수가 없다. 이러한 민족문학(民族文學)이야말로 보다 높은 다른 문학(文學)의 생성(生成), 발전(發展)의 유일(唯一)한 기초(基礎)일 수가 있는 것이다.[48](방점 인용자)

이 보고에서 그는 과거 민족문학이 안고 있었던 국수주의적 성격과 봉건성을, 그리고 계급문학의 공식주의적 오류를 다 함께 지적하고 나서, 당시 문학이 성취해야 할 최우선의 과제는 "완전히 근대적인 의미의 민족문학 이외에는 있을 수 없다"고 결론짓는다. 이러한 주장은 그 자체로 보자면 매우 설득력을 지니는 것이었겠다. 그러나, 지하세력으로 남아 있던 윤기정·홍구·박세영 등과 같은 구 카프에 비해 소파 문인들은 '조선프롤레타리아예술연맹'(약칭 '예맹')을 결성(1945. 9. 30)하고, '문건' 측의 민족문학론을 투항주의적, 반혁명적이라고 비판하고 오로지 계급문학의 건설만이 진정한 과제가 되어야 한다고 주장하였다. 이로써 좌익 문인들의 강·온 대립이 노골화된 셈이다. 한편, 김광섭, 이하윤, 김진섭 등의 해외문학파를 중심으로 한 우파 문인들도 '중앙문화협회'를 결성(1945. 9. 18)하여 좌익 문인단체에 대응하였는데, 이는 후일 '조선문필가협회'로 개칭(1946. 3)되지만 그 활동은 미미했다. 따라서 해방 직후의 문단은 우익의 '문필협', 극좌의 '예맹', 중도좌익의 '문건'으로 나뉘어 3파전의 양상을 띠게 된다. 그러나 각기 다른 노선을 걷고 있던

---

48) 임화, 「조선민족문학건설에 관한 일반보고」, 『건설기의 조선문학』(백양당, 1946), 28~42쪽 참조.

'문건' 측과 '예맹'이 통합하여 '조선문학가동맹'(약칭 '문맹')을 결성(1945. 12)하고, 이듬해에는 '문맹' 주최로 '전국문학자대회'를 개최함으로써 문단을 장악할 듯한 기세를 떨치게 된다. 이러한 '문맹'의 독주에 대응하기 위하여 '문필협' 측에서는 서정주, 김동리, 조지훈 등을 주축으로 한 '청년문학가협회'를 결성하고(1946. 4), 1947년에 이르러서는 이 두 단체가 통합하여 '전국문화단체총연합회'(약칭 '문총')를 결성하게 된다.

그리하여 문단은 1920년대의 프로문학과 국민문학이 대결한 양상과 흡사하게 '문맹'과 '문총'의 양대진영으로 갈라지게 되었다. 그러나 급변하는 정치상황은 이러한 양립을 깨뜨리게 된다. 우선 좌우의 대립 속에서 합작을 추구하던 시도가 실패로 돌아갔다. 또 백범 암살을 기점으로, 통일 정부를 열망하던 민족적 기대와는 달리 분단의 징후가 뚜렷해지게 된 것이 그것이다. 따라서 좌파의 정치적 활동이 완전히 불법화하게 되자, '문맹' 측 인사들이 대거 월북하는 사태를 맞게 되었다. 이로써 문단도 남과 북으로 완전히 재편성되었다. 이후 6 · 25라는 미증유의 비극을 경험하면서 민족의 분단은 한층 경화되어 긴 냉전 상황으로 접어들어 오늘에 이른다고 하겠다.

민중의식의 관점에서 볼 때, 해방공간과 6 · 25 동란을 전후한 시기는 일제 치하에 못지않은 격동과 시련의 시대였음에도 불구하고, 주목할 만한 작품들이 쓰이지 못했던 것으로 여겨진다. 특히 시 장르에 있어서 그러한 현상은 우심한 것으로 나타난다. 해방 직후에는 벅찬 감동만 부각되었을 뿐 민중 현실은 도외시되었다. 좌 · 우익 문학론의 대립으로 비평적 작업은 어느 정도 누적되고 있었으나 창작의 구체적 성과는 퍽 미미한 것으로 나타난다. 그 후 6 · 25 동란 중에 많은 작품들이 쓰이지만, 대부분 병사들의 전투의지를 선무하기 위한 종군시였다. 때로 전장시 가운데에서는 전란의 참혹함과, 전란으로 인하여 죽어가는 사람을 애도하지만, 그것은 반공의식과 승전의욕을 고취하기 위한 것이다.[49] 또 대부분의 작품들은 전란의 진정한 피해자가 민중 자신이라는 사실을, 그리고 그러한 맹목적인 분노와 증오 즉 비인간화된 이데올로기가 가해자 중의 하나일 수도 있다는 사실 따위는 돌아보지 않았다. 민중수난의 시기에 민중시의 빈곤을 본다는 것은 아이러니가 아닐 수 없다. 이 무렵에 이루어졌을 것으로 짐작되는 「아리랑」의 한 구절이 당시의 시들이 성취하지 못한 민중적 정서를 대변해 준다.

> 사발그릇/깨어지면/두셋쪽이 나지만//
> 삼팔선/깨어지면/하나가 되지요//

짧고 단순해 보이기만 하는 단 두 행으로 된 노랫말이지만, 비길 데 없는 감동을 준다. 깨어져서 분열되는 것과 통합되는 것이 무엇인가를 삶 그 자체에서 경험하지 않고서는 이처럼 지혜로운 대구를 구사하기 어려울 것이다. 이는 근대민요 아리랑이 한말의 전환기와 일제 하라는 수난기를 통과하면서 민족정서를 대변하는 가락이었을 뿐 아니라 오늘날까지도 공동체의 염원을 훌륭히 담아낼 수 있다는 가능성을 시사하는 것이 아닐까 한다.

50년대 시단의 빈곤상에도 불구하고, 폐허가 된 전후의 풍경과 비극적 상황을 다양한 변주를 통해 제시하고 있는 구상의 연작시 「초토의 시, 1-15」는 주목된다.

> <1>
> 판자집 유리딱지에
> 아이들 얼굴이
> 불타는 해바라기마냥 걸려 있다.
>
> 내리쪼이던 햇발이 눈부시어 돌아선다.

---

49) 김재홍, 『한국전쟁과 현대시의 응전력』(평민사, 1978) 참조

나도 돌아선다.
울상이 된 그림자 나의 뒤를 따른다.

어느 접어든 골목에서 걸음을 멈춘다.
잿더미가 소복한 울타리에
개나리가 망울졌다.

저기 언덕을 내리 달리는
소녀의 미소엔 앞니가 빠져
죄 하나도 없다.

나는 술 취한 듯 흥그러워진다.
그림자 웃으며 앞장을 선다.

　연작시 「초토의 시」에는 '판잣집', '흑인혼혈아', '양공주', '매춘', '창녀', '상이군인'으로 대표되는 동란 이후의 온갖 상흔을 비교적 사실적으로 제시하면서, 그 같은 비참한 상황에서 구원으로 향하고자 하는 극복의지를 형상화한 작품이다. 위에 인용한 <1>은 바로 그러한 동란 후의 비참한 생존 현상을 제시한 작품이다. '판잣집(원시에는 하꼬방)'과 '잿더미', 그리고 '앞니가 빠진 소녀의 미소'를 통해서 전쟁이 몰고 온 현실의 비극상을 여실히 볼 수 있다. 그런데, '나'라는 이 시의 화자가 작품 속으로 들어감으로써, 이 시는 직설적인 탄식에서 벗어나 의외의 객관성을 얻고 있다. 또, <1>에서는 구체적으로 드러나지 않지만, 그의 시는 현실의 절망적 인식을 개인적으로 파악하기보다는 민족적 차원의 그것으로 이끌어 올린다. 즉 많은 전쟁시들이 직설적 상황 묘사, 조국애의 고취로 상투화되어 있음에 비해, 구상의 시들은 절망적 현실을 보다 객관적으로 인식하고 동시대적 아픔으로 받아들이면서 그의 시적 정서를 극복으로 향해 열어 두는 것이다.

아울러 박봉우는 「휴전선」 등의 시를 통해서 전후에 6·25로 인해 더욱 공고화된 분단의 아픔을 고발하면서 민족통일에 대한 염원을 노래하였다.

　　산과 산이 마주 향하고 반응이 없는 얼굴과 얼굴이 마주 향한 항시
　　어두움 속에서 꼭 한번은 천둥같은 화산이 일어날 것을 알면서 요런
　　자세로 꽃이 되어야 쓰는가.
　　　　　　　　　　　　　　　　　　　　　　　　　　　—「휴전선」에서

　박봉우는 전후의 분단 현실에 대한 날카로운 응시와 함께 그에 대한 극복 의지를 보여줌으로써 전후시에 민중의식을 투영시킨 대표적 인물로 꼽힌다.
　그러나 대부분의 한국인들에게 2차대전의 마무리 전쟁이자 민족적 자해행위인 6·25의 비극적 체험은 혹심한 좌절감을 강요하는 것이었다. 전후의 문예 사조로 열병처럼 번져왔던 실존주의는 당시의 패배주의적 허무주의를 근거로 하는 것이다. 또한 6·25 체험은 민족 상호 간의 적대감을 심화시키고 냉전 이데올로기를 강화시키는 불행한 결과를 초래하였다.

2) 4·19와 민중정서의 회복

　전후의 시가 허무주의와 냉전 이데올로기의 긴 터널을 벗어나 민중적 정서를 회복하게 되는 것은 4·19 이후의 일이다. 4·19는 비록 뒤이은 5·16군사 정변에 의해 미완의 혁명이 되고 말았지만 그 파급은 컸다. 그것은 우선 정치적 탄압과 부정부패에 대한 저항의지, 그리고 참다운 자유와 진정한 민권을 확보하려는 민권 수호 의지의 가능성을 열어줬다는 점이다. 또한 4·19는 문학 특히 시에 있어서 시의 본질과 기능에 대한 근본적인 반성과 비판, 그리고 그에 따른 첨예한 논쟁을 촉발하는 중요한 계기가 되었다.[50] 따라서 4·19 이후 두드러지게 나타난 시단의 경향은 시와 현실과의 상관관계에 대한 급격

한 관심의 대두였다. 시는 현실의 모순과 부조리를 비판하고 고발하는 사회적 기능을 회복하여야 하며, 시인은 사회의 선도적인 비판적 지성이 돼야 한다는 주장이 크게 설득력을 갖게 된 것이다. 이러한 60년대의 시단에서 가장 주목받아 마땅한 시인은 김수영과 신동엽이다. 이성부와 조태일 등도 4 · 19로 인하여 그 돌파구가 열린, 시와 현실과의 만남을 각각 개성적인 목소리로 형상화하였다.

모더니즘의 세례를 받으면서 시작 활동을 전개해왔던 김수영은 4 · 19를 기점으로 확연히 변모된 모습을 보여주게 된다.

풀이 눕는다
비를 몰아오는 동풍에 나부껴
풀은 눕고
드디어 울었다
날이 흐려서 더 울다가
다시 누웠다

풀이 눕는다.
바람보다도 더 빨리 눕는다.
바람보다도 더 빨리 울고
바람보다 먼저 일어난다.

날이 흐리고 풀이 눕는다.
발목까지
발밑까지 눕는다.
바람보다 늦게 누워도
바람보다 먼저 일어나고
바람보다 늦게 울어도

---

50) 김재홍, 「4 · 19의 시적 수용과 문제점」, 『한국문학』(1985년 4월호).

바람보다 먼저 웃는다.
날이 흐리고 풀뿌리가 눕는다.

인용시 「풀」은 김수영 자신의 대표작이자 60년대 시사에서 빼놓을 수 없는 문제작에 해당된다. 또한 이 작품으로 말미암아 김수영은 그 자신의 초기에 깊숙이 침윤되었던 모더니즘적 요소와 소시민적 요소를 극복하기에 이르렀다는 평가를 받을 수 있었다.[51] 이 작품은 외견상 극도로 단순화된 언어의 반복을 통해 구조화되어 있다. '바람-풀'이라는 체언의 대립과, '운다-웃는다' '눕는다-일어난다'라는 용언의 대립이 이 시의 기본 골격을 이루고 있다. 여기에서 '풀'과 '바람'은 각각 민초로서의 민중과 그것을 억누르는 힘으로서의 지배 세력을 뜻한다고 할 수 있다. 특히 '풀'이 눕고 일어나는 그리고 울고 웃는 반복행위의 심화 과정을 우리는 주목해야 한다.

제1연은 상황의 제시에 해당한다. 바람이 불고 날이 흐리면 풀은 눕는다. 그리고 그저 울뿐이다. 제2연에 이르면, 그러한 '풀'의 동작이 가속화됨을 볼 수 있다. '더 빨리'와 '먼저'라는 부사에 유의하자, 제1연에서의 동작이 수동적이었다면, 제2연에서의 풀의 동작은 다분히 능동성을 띠고 있다는 점이다. 그것이 "바람보다 더 빨리 눕는다", "바람보다 더 빨리 울고"로 나타나며, "바람보다 먼저 일어난다"로 표현되어있는 것이다. 제3연에서의 동작은 한층 심화된다. 풀이 눕는 행위의 심화된 모습을 "발목까지/발밑까지 눕는다"로 제시한다. 그러나 '풀'은 여전히 일어난다. 그것도 바람보다 먼저 일어난다. 시의 마지막이 "날이 흐리고 풀뿌리가 눕는다"로 결구되어 있다. 그것은 '풀'이 능동성을 획득함에 못지않게 상황의 치열성이 역시 가속화됨을 의미하는 것인지도 모른다. 그럼에도 불구하고 그 구절은 풀이 다시, 그리고 당연히 일어나고 웃으리라는 확연한 가능성을 우리에게 남겨준다. 이는 단순히 미래지향적

---

51) 염무웅, 「김수영론」, 『창작과 비평』(1976년 겨울호).

이라고 일컬어지는 심정적 희망의 표백과 다르며, 현실을 담보하지 않은 예언적 발언과도 다른 것이다. 그러면서도 그것이 단순한 반복도 아님을 알 수 있다. 김수영의 「풀」이 보여주고 있는 확실한 가능성이란, 추상적으로 이야기하자면, 당위와 존재, 다시 말해 '그러해야 함'과 '그러함'이 하나가 되는 공간에 놓여 있다. 그러한 공간 속에서 김수영의 '풀'은 눕고 '일어나는' 것이리라.

신동엽의 시 정신의 중심은 선명한 반외세적 민족주의이다. 그는 우리의 것과 우리의 것이 아닌 것 사이에 분명한 선을 긋는다. 그 단순함은 때때로 그의 시가 입체성을 획득하는데 장애요소로 작용하기도 한다. 또한 그의 민족주의는 농촌 공동체나 원시공동체에로의 향수로 변하거나, 아나키적 성향을 노정하기도 한다. 그로 인하여 그의 시는 '현실타개의 신중성이 결여된 감상주의적이며 이상주의적'[52]이라는 평가를 받기도 한다. 그러나 그의 시 「껍데기는 가라」를 60년대 참여시의 한 정점에 자리매김하는 것을 부인하지는 못한다.

> 껍데기는 가라
> 사월(四月)도 알맹이만 남고
> 껍데기는 가라
>
> 껍데기는 가라
> 동학년(東學年) 곰나루의, 그 아우성만 살고
> 껍데기는 가라
>
> 그리하여 다시
> 껍데기는 가라
> 이곳에선, 두 가슴과 그곳까지 내논
> 아사달 사아녀가

---

52) 최하림, 「60년대의 시인의식」, 『현대문학』(1974년 10월호).

중립(中立)의 초례청 앞에 서서
부끄럼 빛내며 맞절할지니

껍데기는 가라
한라(漢拏)에서 백두(白頭)까지
향그러운 흙 가슴만 남고
그, 모오든 쇠붙이는 가라
　　　　　　　　　　　　　　　－「껍데기는 가라」

　이 짧은 한 편의 시 속에는 미완으로 끝난 4월혁명과 동학농민혁명에 대한
아쉬움과 그 정신의 알맹이에 대한 집착, 그리고 분단 현실의 극복을 갈구하
는 시인의 간절한 소망이 담겨있다. 그것은 온몸으로 껴안아야 할 '알맹이'와
구축되어야 할 대상인 '껍데기'라는 두 이미지의 선명한 대응과 "껍데기는 가
라"라고 하는 힘찬 구호의 반복을 통해서 확인된다.[53] 이 작품이 60년대 시
의 한 정점이라고 일컬어질 수 있는 것은 바로 60년대의 역사, 사회적 상황에
대한 시인의 자세를 극명하게 드러내 주면서, 그것을 한 편의 시 속에 용해시
킬 수 있었던 형상화의 탁월성에 기인하는 것이라고 여겨진다.
　이성부 역시 개인의 삶이 사회와의 연대 관계 속에서 비로소 참된 의미와
힘을 지닐 수 있음을 민중의식으로서 확실하게 보여준 시인이다.

벼는 서로 어우러져
기대고 산다.
햇살 가까워질수록
깊이 익어 스스로를 아끼고
이웃들에게 저를 맡긴다.

53) 김재홍, 「4·19의 시적 수용과 문제점」, 『한국문학』(1985. 4).

서로가 서로의 몸을 묶어
튼튼해진 백성들을 보아라.
죄도 없이 죄지어서 더욱 불타는
마음들을 보아라. 벼가 춤출 때,
벼는 소리없이 떠나간다.

벼는 가을 하늘에도
서러운 눈 씻어 맑게 다스릴 줄 알고
바람 한 점에도
제 몸의 노여움을 덮는다.
저의 가슴도 더운 줄을 안다.

벼가 떠나가며 바치는
이 넓디 넓은 사랑,
쓰러지고 쓰러지고 다시 일어서서 드리는
이 피묻은 그리움,
이 넉넉한 힘……

— 「벼」

　　이성부의 대표작 중의 하나인 시 「벼」는 '벼'라는 상징을 통해 개인의식이
어떻게 '우리'라는 공동체 의식으로 역동화(mobilization)될 수 있으며, 또 그
렇게 돼야 하는가를 예리하게 제시해준다. "죄도 없이 죄지어서 더욱 불타는/
마음"을 지니며 살아온 이 땅의 민중, "쓰러지고 다시 일어서서" 끈질기게 참
고 견뎌 온 이 땅 농민들의 가열한 생명력과 울분의 힘이 '벼'로 표상된 것이
다. 따라서, 좌절과 울분으로만 일관돼 온 민중 개개인의 허약한 실존은 "서
로가 서로의 몸을 묶어/튼튼해진 백성들"과 같이 공동체 의식을 획득함으로
써 역사추진의 주체이자 원동력으로서의 민중적인 힘의 의미를 지닌다.54)

---

54) 김재홍, 『시와 진실』(이우출판사, 1984), 384쪽.

'벼'로 상징된 이성부의 공동체 의식에 바탕을 둔 비판적 시 정신은 공소한 구호와 관념적인 주장으로 도식화되기 쉬운 민중시에 대한 자기반성이 되는 동시에 이후 민중시의 갈 길을 구체적으로 제시한 소중한 예에 해당한다고 하겠다.

3) 민족문학론의 대두와 민족형식에의 탐구

4·19로 인하여 건강한 삶의 문학으로 향하는 길을 찾은 우리 문단은, 이즈음 문학이 지녀야 할 사회적 역사적 책임에 관한 논의도 비로소 재개하게 된다. 이른바 '참여문학 논쟁'이 그것이다. 이러한 흐름은 70년대로 넘어오면서 한층 활발한 양상을 띠게 된다. 물론 70년대의 정치·사회적 상황은 60년대에 비해 일층 악화되고 있었다. 70년대 초부터 3선개헌과 유신헌법을 둘러싸고 정치 상황은 극도로 긴장되었으며, 경제적으로는 성장 우선 정책을 강행함으로써 갖가지 모순과 부조리가 야기되었다. 졸속한 산업화로 인한 여러 계층 간의 갈등과 소외, 경화된 정치 현실과 그것을 열어보려는 민주화 운동의 첨예한 대립 현상이 70년대의 기류였다. 여기에서 문인들은 이러한 사회 전반의 갈등과 소외를 날카롭게 의식하면서 민중에 대한 애정과 신뢰를 부여하려는 시대적 소명의식을 전례 없이 강하게 표출하게 된다. 이와 함께 70년대에 새롭게 대두된 '민족문학론'은 60년대의 '참여문학론'을 뛰어넘으면서, 우리 문학이 지녀야 할 이념적 지표를 제시하였다.

70년대에 제기된 '민족문학'은 1920년대의 국민문학 혹은 민족주의문학과는 엄연히 구분되는 것이며, 해방 직후 좌·우익이 공히 주장했던 표리부동한 민족문학과도 구별되는 것이다. 실상 해방 직후의 민족문학이란 그 외피만 민족문학이었을 뿐, 내용상으로는 한편은 계급문학이었고 다른 한편은 순수문학이었을 따름이다.

70년대에 제기된 민족문학도 단순한 것은 아니다. 다양한 논의들을 수렴할 때 그 구체적인 모습이 떠오른다는 사실에서 그것이 지닌 자발성과 생산성을 짐작할 수 있었다. 70년대 초반에 민족문학을 옹호하고 나선 김용직은, 새로운 민족문학론이 민족의 독자성을 보장하는 데 기여함과 동시에 예술의 자율성도 함께 고려되어야 할 것이라는 견해를 내놓았다.[55] 또한 염무웅은 근대적 의미의 민족개념이 민주 및 민중개념과 결합한다고 주장함으로써 추상적으로 전개돼오던 민족문학론에 구체성을 부여했다.[56]

이러한 민중문학론은 김병걸[57], 임헌영[58], 천이두[59], 백낙청[60]등과 같은 여러 논자들에 의해 더욱 구체화되어 80년대 민중문학론의 모태가 된다. 백낙청은 70년대의 민족문학론이 국수주의적 문학론과 혼돈될 소지를 배제시키면서 '진정한 민족문학'의 개념을 제시하였던바, 그에 따르면 "진정한 민족문학이란 오늘날 우리 민족이 처한 극단적 위기를 올바로 의식하는 문학인 동시에 모든 일급 문학에서 요구되는 보편성과 세계성을 지닌 문학"이라는 것이다.[61]

이러한 민중문학론은 문단 내의 광범위한 반향을 불러일으켰으며, 70년대가 저물 때까지 지속적으로 논의되면서 점차 예각화되어 갔다. 그것은 민중지향적 성격을 더욱 뚜렷이 해나가는 과정이라 할 것이다.

그런데 그러한 비평계의 움직임과 궤를 같이하여 창작 활동에서도 강력한 민족의식의 고취와 민중적 각성을 보여주게 되었다. 김지하를 비롯한 신경

---

55) 김용직, 「민족문학론」, 『현대문학』(1971. 6).
56) 염무웅, 「민족문학 이 어둠속의 행진」, 『월간중앙』(1972. 3).
57) 김병걸, 「작가와 민족연대의식」, 『문학사상』(1972. 11).
58) 임헌영, 「'민족문학', 명칭에 대하여」, 『한국문학』(1973. 11).
59) 천이두, 「민족문학의 당면과제」, 『문학과지성』(1975).
60) 백낙청, 「민족문학의 개념 정립을 위해」, 『월간중앙』(1974. 7).
61) 백낙청, 「예술의 민주화와 인간회복의 길」, 『민족문학과 세계문학』(창작과비평사, 1978), 298쪽.

림, 조태일, 이성부 등이 60년대에 이어, 주목할만한 작업을 계속하였다. 그들은 역사의 그늘 속에서 억눌려온 민중의 아픔과 슬픔을 날카로운 비판이나 풍자를 통해, 혹은 따뜻한 울림을 지닌 목소리로 노래했다.

신경림은 산업화의 진행과는 역비례로 피폐해 가는 농촌 현실과 가난한 농민의 삶에 집중적인 관심을 보여준 대표적 시인이다. 그의 시 「농무」는 바로 그러한 농민들의 가난과 슬픔 그리고 분노로 얼룩진 표정을 그린 70년대 최대 작품 중의 하나이다.

> 징이 울린다 막이 내렸다
> 오동나무에 전등이 매어달린 가설무대
> 구경꾼이 돌아가고 난 텅 빈 운동장
> 우리는 분이 얼룩진 얼굴로
> 학교앞 소줏집에 몰려 술을 마신다.
> 답답하고 고달프게 사는 것이 원통하다
> 꽹과리를 앞장세워 장거리로 나서면
> 따라 붙어 악을 쓰는 건 쪼무래기들뿐
> 처녀 애들은 기름집 담벽에 붙어 서서
> 철없이 킬킬대는구나
> 보름달은 밝아 어떤 녀석은
> 꺽정이처럼 울부짖고 또 어떤 녀석은
> 서림이처럼 해해대지만 이까짓
> 산구석에 처박혀 발버둥친들 무엇하랴
> 비료값도 안나오는 농사따위야
> 아예 여편네에게나 맡겨두고
> 쇠전을 거쳐 도수장 앞에 와 돌 때
> 우리는 점점 신명이 난다
> 한 다리를 들고 날나리를 불꺼나
> 고개짓을 하고 어깨를 흔들거나
>
> —「농무」

'농무(農舞)'는 농민들의 춤이다. 인용시 속에서 춤추는 농민들의 표정은 슬픔과 원통함이다. 그 같은 슬픔과 분노가 '어디에서 비롯되는가'하는 의문은, "비료값도 안나오는 농사"라는 한 구절에서 금방 확인할 수 있다.

그런데 이 작품을 지탱하고 있는 아이러니를 주목해 볼 필요가 있다. 그것은 답답하고 고달픈 농민들의 삶에 대한 슬픔과 분노가 고조되면서 징 소리와 춤 역시 더욱 신명 나게 어우러지고 있다는 모순적인 정서의 대립구조이다. 이는 "쇠전을 거쳐 도수장 앞에 와 돌 때/우리는 점점 신명이 난다"라는 구절에서처럼, 바로 죽음의 도수장 앞에 이르러 농민들의 신명이 최고조에 달하고 있다는 사실에서도 확인되는 것이다. 이는 시의 아이러니가 아니라 '농무' 그 자체의 아이러니이다. 한편 그것은 이 땅의 농민들이 오랜 세월에 걸쳐 터득한 지혜이자, '한풀이'라는 전통적 정서와 닿아있는 비장미의 슬픔이라 할 것이다. '농무'를 통해 그들은 한(恨)과 분노를 발산시키고 해소시키는 것이다. 물론 그것이 단순한 감정의 자기 해소처럼 폐쇄적인 회로 속에 갇혀 있는 것만은 아니다. 당연히 그 같은 정서는 정당한 분노의 표출과 신명 난 유희 과정을 통해, 좌절이 아닌 새로운 삶의 의지로 옮겨가야만 하는 것이다.

이처럼 신경림은 20년대에 이상화가 마치 그랬던 것처럼 「농무」를 통해 농민 자신들이 오랜 체험을 통해 터득하고 있는 정서를 깊이 이해하고 있는 시인임을 보여주었다. 또한 그의 시에 자연스럽게 담긴 민요 리듬 역시 민중 정서와 민중의식에 대한 구체적인 인식에서 비롯된 것임을 알 수 있다.

70년 초에 등단한 김지하는 그의 시론이자, 70년대 민족문학론의 가장 구체적인 논의에 해당하는 「풍자냐 자살이냐」를 발표함으로써 민중시 창작방법론의 수립에 중대한 기여를 하였다. 그는 "시인이 민중을 전면적으로 신뢰하는 방향을 택하는 것이 당연한 일"이라고 하면서, 민중으로부터 초연하려고 들 것이 아니라 민중 속에 들어가 그들과 함께 생활하는 자신을 확인하고 스스로 민중으로서의 자기 긍정에 이르러야 할 것이라고 강조하였다. 또 민중으로서의 시인은 민중들을 사랑하고 민중들의 사랑을 받는 가수이자 동시에 민중을 교양하며 민중들의 존경을 받는 교사가 되어야 한다는 것이다. 그는 또한 그 글에서 그러한 민중의 시인이 되기 위해서는 풍자와 민요 정신을 계승하여야 한다고 주장한다.62)

> 민중은 시인의 시를 모른다. 민중은 자기 자신의 시, 민요를 가지고 있는 것이다. 시인이 민중과 만나는 길은 풍자와 민요정신 계승의 길이다. 풍자, 올바른 저항적 풍자는 시인의 민중적 혈언을 창조한다. 풍자만이 시인의 살길이다. 현실의 모순이 있는 한 풍자는 강한 생활력을 가지고, 모순이 화농하고 있는 한 풍자의 거친 폭력은 갈수록 날카로와진다.63)

이러한 김지하의 창작방법론은 민족문학에 대한 논의가 채 무르익기도 전에 이루어졌다는 사실에 비추어 볼 때 퍽 흥미롭다. 그것은 70년대의 민족문학론이 다분히 교조적인 모습으로 전개되었던 일제하 프로문학 논쟁과는 달리 자생적인 토양과 에네르기에 의해 배태되고 전개되었음을 증거하는 것이기도 하다. 또한 김지하의 「풍자냐 자살이냐」는 자신의 「오적」(1970), 「비어」(1972), 「앵적가」(1972), 「분씨물어」(1974) 등과 같은 담시들은 물론이거니와, 70년대에서 80년대로 이어지는 공간에서 여러 시인들이 시도하고 있는 형식 탐구와 일정한 관련을 맺고 있다는 점에서도 그것이 지닌 능동적인 생산성을 짐작할 수 있는 것이다.

다음은 「오적」의 첫머리이다.

> 시를 쓰되 좀스럽게 쓰지말고 똑 이렇게 쓰랏다.
> 내 어쩌다 붓끝이 험한 죄로 칠전에 끌려가

---

62) 김지하, 「풍자냐 자살이냐」, 『시인』(1970년 7월호).
63) 윗글, 같은 부분.

볼기를 맞은지도 하도 오래라 삭신이 근질근질
방정맞은 조동아리 손목댕이 오물오물 수물수물
뭐든 자꾸 쓰고 싶어 견딜 수가 없으니, 에라 모르겠다.
볼기가 확확 불이나게 맞을 때는 맞더라도
내 별별 이상한 도둑이야길 하나 쓰겠다.
옛날도 먼옛날 상달 초사홋날 백두산 아래 나라선 뒷날
배꼽으로 보고 똥구멍으로 듣던 중에 으뜸
아동방(我東方)이 바야흐로 단군이래 으뜸
으뜸으로 태평 태평 태평성대라

—「오적」

이러한 담시 계열의 주요한 형식원리는 판소리 사설과 서사민요 및 탈춤의
재담 등에서 배워 온 것이다. 이러한 형식원리는 그 자신이 제기한 방법론이
자, 동시에 민예의 미학인 풍자와 해학에 의해 지탱되고 있다. 판소리, 민요와
같은 민족 고유의 양식적 유산을 지속적으로 변용시켜보려는 그의 시도는 적
절한 것이다. 그러나 풍자 일변도의 전투적 어투는 자칫하면 희화화되어 가
열한 현실로부터 독자의 의식을 차단시키는 부작용을 야기할지도 모른다. 또
한 담시 계열에서 빈번히 드러나는 지리하고 현학적인 느낌마저 드는 언어유
희와, 과도한 한자 사용(때때로 그 필요성이 인정되지만) 역시 어떠한 방법으
로든 극복되어야 할 요소이다. 그리고 구연자와 관객이 한자리에서 직접적인
소통을 하는 전달양식인 각종 민예의 미학 원리가, 오로지 활자 매체에만 의
존하는 시 장르로 곧바로 이월될 수 있는가에 대해서도 질문을 게을리하지
말아야 할 것이다. 그럼에도 불구하고 김지하의 전통정신이 전통적인 비판정
신과 저항정신으로서 민중 정신의 맥락을 계승하고 있으며, 오늘의 시가 지
닌 가능성과 문제점을 동시에 제시했다는 점에서, 민중시사의 관점뿐 아니
라, 우리 정신사에서 중요한 의미를 지니는 것으로 판단된다.[64]

64) 김재홍, 「한국근대서사시와 역사적 대응력」, 『문예중앙』(1985년 가을호) 참조.

70년대의 많은 시인들은 김지하의 경우처럼 판소리·민요·무가 등 우리 구비문학적 유산들의 형식을 통해 민중 시의 미학 원리를 수립하려는 시도를 지속적으로 보여주었다. 그러는 한편으로는 산업화로 인해 소외되고 있는 도시 빈민과 근로자 문제, 농촌 문제에 집중적인 관심을 쏟았다. 또한 현실적으로 우리의 삶을 곳곳에서 제약하고 있는 분단문제와 외세문제 역시 70년대 시의 중심적인 테마를 이루는 것이었다.

　　정희성과 이동순은 이 시대가 안고 있는 어둠과 고통을 적절히 보여준 바 있다. 정희성은 감정이 억제된 담담한 지사적 토운으로 시대의 아픔을 제시한다. 그는 주로 노동의 세계에 관심을 기울였는데, 그의 시 「저문강에 삽을 씻고」 역시 노동을 마치고 귀가하는 어느 노동자의 심경을 시화한 것이다.

> 흐르는 것이 물 뿐이랴
> 우리가 저와 같아서
> 강변에 나가 삽을 씻으며
> 거기 슬픔도 퍼다 버린다
> 일이 끝나 저물어
> 스스로 깊어가는 강을 보며
> 쭈그려 앉아 담배나 피우고
> 나는 돌아갈 뿐이다.
> 삽자루에 맡긴 한 생애가
> 이렇게 저물고, 저물어서
> 샛강바닥 썩은 물에
> 달이 뜨는구나
> 우리가 저와 같아서
> 흐르는 물에 삽을 씻고
> 먹을 것 없는 사람들의 마을로
> 다시 어두워 돌아가야 한다.
> 　　　　　　　　　　―「저문강에 삽을 씻고」

이러한 유형의 시들은 흔히 깊은 분노나 증오의 정서를 동반하는 것이지만, 여기에서는 그저 담담한 서러움만 드러내 보이고 있다. 그러나 그 서러움마저 "강변에 나가 삽을 씻으며/거기 슬픔도 퍼다 버린다"는 시구에서 확인되듯이, 가능한 한 배제해 버리려 한다. 정희성은 이처럼 극도로 절제된 감정 처리를 통해 고단한 노동자의 귀갓길을 그린 이 시를 고전적 품격의 작품으로 이끌어 올리고 있다. 혹자는 이 시에서 패배주의나 순응주의의 결점을 지적할지도 모른다. 그러나 "먹을 것 없는 사람들의 마을로/다시 어두워 돌아가야 한다"라는 마지막 구절은 시적 화자가 삶의 현장이나 공동체적인 연대감을 망각한 것이 아님을 증거해 보이는 것이라 하겠다.

한편 이동순은 분단으로 인하여 민중들이 감내해야만 하는 아픔과 갖가지 구조적 모순에서 비롯된 삶의 소외현상에 지속적인 관심을 경주하는 시인이다. 그는 「개밥풀」, 「올챙이」, 「죽은 연못」과 같은 작품을 통해 삶의 기반이 황폐해가는 모습과 그로 인해 소외된 이웃들의 어두운 초상화를 제시한다. 특히 그의 시 「내 눈을 당신에게」는 분단이라는 민족사적 비극의 사례와 그것의 극복을 향한 안간힘을 제시한 작품이다.

> 내 눈을 당신에게 바칠 수 있음을 기뻐합니다.
> 이 온전한 기쁨을 누릴 수 있도록 도와주신 하느님
> 그리고 내 이웃들에게 감사드립니다.
> ……중략……
> 몸을 주고 받는 사랑이란 바로 이런 것입니다.
> 물에 빠진 자식을 구하려고 깊은 소로 뛰어든
> 일가족 죽음의 뜻을 이제야 알겠읍니다.
> ……중략……
>
> 죽기전에 소원이 있다면 꼭 한가지
> 대대로 이어진 나와 당신의 작은 눈이나마

영영 꺼지지않는 이 나라의 불씨가 되어
북녘고향 찾아가는 벅찬 행렬을
두 눈이 뭉개지도록 보고 또 보았으면 하는 것입니다.
　　　　　　　　　　　　－「내눈을 당신에게」에서

「내눈을 당신에게」는 '어느 실향민의 유서'라는 부제에서 드러나듯 통일
에의 갈망을 유서형식으로 형상화한 작품이다. 여기에서는 자기의 눈을 남에
게 기증하는 숭고한 행위가 바로 불구자인 이웃을 돕는 행위인 동시에 자신
의 소망을 실현하는 계기도 될 수 있다는 안타까운 믿음이 표백되어 있다. 유
서라는 글이 흔히 지니기 쉬운 슬픔, 한, 비장감들이 한 발짝 뒤로 물러나고
고마움과 벅찬 기대로 가득 차 있는 원인은 무엇인가? 그것은 바로 눈을 주는
행위와 통일의 그날 자신의 고향을 찾아볼 수 있다는 소망이 절묘하게 결합
된 모티브의 독특성에서 비롯되는 것이다. 그리하여 이 작품은 고도의 정서
적 균형을 획득하여 실향민의 비장한 한을 서정적으로 전환하는 데 성공하게
된다. 이 점에서 「내눈을 당신에게」는 이동순의 작품 가운데서 우수한 한 작
품이자 분단 극복의지로서의 민중의식을 잘 형상화한 우리 시 가운데서 한
가작에 속한다 하겠다.

2-5 결론

지금까지 필자는 조선 말기로부터 일제하와 해방공간을 거쳐, 1970년대에
이르는 기간 동안 우리 현대시에 나타난 민중의식과 민중문학론의 전개 양상
을 개략적으로 검토해 보았다.

'민중', '민중의식'이라는 용어가 사용돼 온 것은 비교적 오래전부터의 일이
지만, 한 시대의 첨예한 문제적인 용어로 급격히 부상한 것은 오늘날의 일이
다. 본론의 전반부에서 언급했듯이, '민중'이라는 용어를 사용하거나 개념적

인 정리를 시도할 때 그것을 지나치게 편협된 관점에서 파악하려는 자세는 가급적 지양해야 할 것임은 물론이다.

필자가 보건대 민중문학론과 민중시가 우리 문학에 기여한 의의는 다음과 같이 요약할 수 있다.

우선 민중시는 참된 의미의 휴머니즘을 지향한다는 점이다. 그것은 소외받고 있는 이웃에 대한 따뜻한 애정, 그리고 그들을 소외시킨 부당한 힘에 대한 정당한 분노를 주된 내용으로 삼았기 때문이다.

둘째, 민중시는 삶을 관념적으로 인식하지 않고 객관적 삶의 현장에 근거한 구체적 현실인식 자세를 강조하고, 건강한 생명력을 환기해 줬다는 점이다.

셋째, 우리 문학이 서구 사조에 무분별하게 경사되었던 오류에 반성을 촉구하였으며 난해시의 극복에도 주목할 만한 기여를 했다는 점이다.

넷째, 민중문학론과 민중시인들은 전통의 현대적 변용이라는 문학사적 과제를 깊이 인식하고, 이를 실천적으로 탐구하려 노력하였다는 점이다.

이러한 의의와 별도로 민중시는 몇 가지 문제점들을 지니고 있는데, 그중 다음 사항을 지적해두고자 한다.

우선 민중시는 그 이념의 당위성에도 불구하고 아직은 민중의 시가 되지 못하고 있다는 점을 반성해야 할 것이다. 즉 대부분의 민중시는 여전히 지식인이나 학생들의 독서물로 존재할 뿐, 당대 민중들과는 먼발치에 있다. 물론 이 문제는 문학 외적인 여러 상황과 관련되는 것이겠지만, 민중시가 해결해야 할 우선적인 과제가 아닐 수 없다. 이 점에서 대중화 문제에 따른 논의와 실천적인 시도가 요청된다 하겠다.

둘째, 민중시의 민족형식 탐구가 시의 복제품화 현상을 야기할 위험성을 지적해두고자 한다. 구비문학적 유산의 시적 변용에 따르는 제반 조건에 대한 진지한 검토를 결한 채 민요 리듬이나 판소리의 사설을 기계적으로 답습하고 있는 현상이 늘어나고 있다. 물론 양적인 확산 없이 새로운 질적 비약이 이루어지지 않겠지만, 자칫하면 그러한 현상은 독서 대중으로 하여금 전통형식에 대한 식상함을 안겨줄 수도 있기 때문이다.

셋째, 민중시는 난해시를 거부하고 쉬운 시가 되고자 한다. 그것은 여러 가지 면에서 설득력과 타당성을 지닌다. 그러나 우리는 그 쉬움이 말 그대로의 단순함이라든가 평면성 혹은 도식성을 의미하는 것으로 받아들이지 않는다. 특히 구호에 접근하고 있는 시들이 지닌 문제는 과소평가할 수 없다. 시란 최소한의 형상성을 갖추지 않고서는 성립될 수 없다. 양보하여 시라는 문학 양식을 빈 선전일지라도, 그것은 선전의 효과를 달성하지 못하게 될 것이라고 여겨진다. 그것은 시가 아니기 때문에 당연히 문학의 영역에서 벗어나게 되며, 그것의 평가 역시 다른 영역에서 이루어져야 할 것이다.

넷째, 최근 서사시와 연작 장시 그리고 산문시들이 민중시인들에 의해 다양하게 시도되고 있으며, 양적으로 급증추세에 놓여 있음을 볼 수 있는바, 이에 관한 문제점을 지적하고자 한다. 이러한 추세는 오늘의 시로 하여금 단순한 서정의 세계 또는 노래의 영역에 머물게끔 하지 않는 사회적 배경에서 기인하는 것으로 보인다. 즉 80년대의 제반 충격적인 사건과 상황들이 시인으로 하여금 아름다운 이미지를 조형하고 서정적인 울림을 절제된 양식으로 표현하기보다는, 산문적으로 기술하거나 현실의 제반 모순과 부조리를 나열함으로써 독자들에게 고통스러운 신음을 전달하고자 하는 의도를 강하게 지니고 있다. 그러나 시는 언어의 절제를 미덕으로 하는 문학 양식이다. 요컨대 고통스러운 현실을 사설체로 열거하는 것보다는 그것을 과감히 절제하고 극기함으로써 보다 높은 서정의 차원으로 상승시키지 못할 때는 시적 감동과 설득력을 확보하기 어려울 것이라는 사실이다. 그것은 표현의 시와 전달의 시, 긴 시와 짧은 시, 이야기하는 시와 상징하는 시를 효과적으로 교차함으로써 시적 긴장을 지속시킬 수 있다는 판단에 근거한 것이다.

마지막으로, 이 땅의 민중시는 80년대 중반 이후 하나의 전환점에 접어들고 있는 것으로 판단되는데, 이는 80년대 초의 요란스러움에서 벗어나 이제 내적 성숙의 바탕을 마련하고 있는 것이 아닌가 짐작된다. 도시 빈민들과 농민의 척박한 삶을 노래하면서도 그것이 전투적인 구호와 적개심만을 드러내는 차원을 넘어서서 보다 큰 의미에서의 자유와 평등, 평화의 사상을 시적 형식으로 담는 데 성공하기 시작한 것으로 여겨지는 것이다.

사실 민중시는 무엇보다도 도식적인 소재와 제재 그리고 동어 반복에 떨어진 공허한 분노와 저항의 목소리를 지양하면서, 진정한 인간애의 길, 자유에의 길을 향한 자기반성과 자기 극복의 몸부림을 보여주어야 할 것이다.

우리는 문학 행위가 열린 정신을 탐구하는 것이자 인간답게 사는 길을 추구하는 길, 즉 휴머니즘 완성에의 길이라고 믿고 있다. 따라서 문학은 다양한 가치들을 포용할 수 있는 것이 되어야만 하는 것이다. 이 점에서 우리 문학계에 미만해 있는 편협된 민중 알레르기 현상과 함께 과장된 민중 프레미엄 현상은 냉철하고 진지한 자기성찰이 촉구된다고 하겠다.

(1985년)

참고문헌

1. 자료

구   상,『구상시집』, 청구출판사, 1951.
구   상,『초토의 시』, 청구출판사, 1956.
권영민 편,『한국 현대문학 비평사』, 단국대 출판부, 1981.
권영민,『해방 40년의 문학』1 · 2 · 3 · 4, 민음사, 1985.
권영민,『해방직후의 민족문학운동연구』, 서울대 출판부, 1986.
김근수 편,『한국 개화기 시가집』, 태학사, 1985.
김용직 편,『김소월전집』, 문장, 1981.
김정식,『진달내 꽃』, 매문사, 1925.
김지하,『오적』, 동광출판사, 1985.
신경림,『농무』, 창작과 비평사, 1973.
신경림,『새재』, 창작과 비평사, 1983.
신경림 편,『4월혁명기념 시전집』, 학민사, 1983.
『신동엽 전집』, 창작과 비평사, 1976.
오세영 편,『김소월 전집 · 평전』, 문학세계사, 1981.
이기철 편,『이상화 전집』, 문장사, 1982.
이동순,『개밥풀』, 창작과 비평사, 1980.
이동순,『물의 노래』, 실천문학사, 1983.
이응수 편,『김립시집』, 학예사, 1939.
정희성,『답청』, 샘터사, 1974.
정희성,『저문강에 삽을 씻고』, 창작과 비평사, 1978.
조선문학가동맹 편,『조선시집』, 아문각, 1947.
주요한,『아름다운 새벽』, 조선문단사, 1924.
『해방기념시집』, 중앙문화협회, 1945.
『카프시인집』, 집단사, 1931.

2.단행본

강만길 외,『해방전후사의 인식』2, 한길사, 1985.

구중서,『민족문학의 길』, 새밭, 1979.

김용직 외,『한국현대시사 연구』, 일지사, 1983.

김윤식,『한국근대문예비평사 연구』, 일지사, 1984.

김윤식 · 김현,『한국문학사』, 민음사, 1973.

김재홍,『한국전쟁과 현대시의 응전력』, 평민사, 1978.

김재홍,『한국 현대시인연구』, 일지사, 1986.

대동문화연구소 편,『한국인의 생활의식과 민중예술』, 대동문화연구소, 1983.

백낙청,『민족문학과 세계문학』, 창작과비평사, 1978.

서준섭 외,『식민지시대의 시인연구』, 시인사, 1985.

송건호 외,『해방전후사의 인식』, 한길사, 1979.

신동욱 편,『이상화의 서정시의 그 아름다움』, 새문사, 1981.

염무웅,『민중시대의 문학』, 창작과비평사, 1979.

오세영,『한국 낭만주의 시연구』, 일지사, 1980.

유재천 편,『민중』, 문학과지성사, 1984.

임헌영 편,『문학논쟁집』, 태극출판사, 1977.

임형택,『한국문학사의 시각』, 창작과비평사, 1984.

조남현,『일제하의 지식인 문학』, 평민사, 1978.

조동일,『서사민요연구』, 계명대 출판부, 1983.

조동일,『한국문학통사』3 · 4, 지식산업사, 1984, 1986.

최원식,『민족문학의 논리』, 창작과 비평사, 1982.

최원식 · 임형택 편,『전환기의 동아시아 문학』, 창작과 비평사, 1985.

한국신학연구소 편,『한국민중론』, 한국신학연구소, 1984.

한승헌 편,『역사발전과 민주문화의 좌표』, 문학예술사, 1985.

한완상,『민중과 지식인』, 정우사, 1978.

홍일식,『한국 개화기의 문학사상연구』, 열화당, 1982.

3.논문

김기진,「썰어지는 조각조각」,『백조』3호, 1923.

김기진,「지식계급의 임무와 신흥문학의 사명」,『매일신보』, 1924. 12. 14.

김병걸,「작가와 민족 연대의식」,『문학사상』, 1972. 11.

김용직, 「민족문학론」, 『현대문학』, 1971. 6.

김지하, 「풍자냐 자살이냐」, 『시인』, 1970. 7.

김정환, 「민중문학의 전망에 대한 몇가지 생각」, 『한국문학』, 1985. 2.

김형원, 「민주문예 소론」, 『생장』 5호, 1925. 5.

박상천, 「민중문학론 검토」, 『문예진흥』, 1985. 6.

박순영, 「대중사회와 대중문화」, 『현상과 인식』, 1978. 가을호.

박현채, 「민중과 문학」, 『한국문학』, 1985. 2월호.

백낙청, 「시민문학론」, 『창작과 비평』, 통권 14호.

백낙청, 「민족문학의 개념정립을 위해」, 『월간중앙』, 1974. 7.

신경림, 「문학과 민중」, 『창작과 비평』, 27호.

염무웅, 「민족 문학이 어둠속에 행진」, 『월간중앙』, 1972. 3.

염무웅, 「김수영론」, 『창작과비평』, 1976. 겨울호.

유종호, 「임과 집과 길」, 『동시대의 시와 진실』, 민음사, 1982. 11.

임헌영, 「'민족문학', 명칭에 대하여」, 『한국문학』, 1973. 11.

임 화, 「조선민족문학 건설에 관한 일반보고」, 『건설기의 조선문학』, 백양당, 1946.

전서암, 「민중의 개념」, 『월간대화』 1977. 10.

전영태, 「민중문학에 대한 몇가지 의문」, 『한국문학』 1985. 2.

조동일, 「민요와 현대시」, 『창작과 비평』 16호.

조동일, 「민중 · 민중의식 · 민중예술」, 『한국설화와 민중의식』, 정음사, 1985.

주요한, 「신시운동」, 『동광』 제12호, 1927. 4.

천이두, 「민중문학의 당면과제」, 『문학과 지성』, 1975 겨울호.

채광석, 「민중문학의 당위성」, 『한국문학』, 1985. 2월호.

최하림, 「60년대의 시인의식」, 『현대문학』, 1974. 10월호.

한완상, 「민중의 사회학적 개념」, 『문학과 지성』, 1978. 가을호.

홍정선, 「신경향파 비평에 나타난 생활문학의 변천과정」(서울대 석사 논문, 1981).

로맹롤랑, 「민중예술론」, 김억 역, 『개벽』 26~29호.

3. 6 · 25와 한국의 현대시

3−1 서론

육이오는 한국민족 모두에게 가장 무서운 비극적 체험으로 남아 있으며, 아직도 우리 생활과 의식의 배후에서 생의 명암을 지배하는 고통스러운 요인이 되고 있다. 해방공간의 무질서와 혼란 속에서 사상적인 갈등에 시달리던 한국인은 또다시 육이오라는 동족상잔의 비극에 의해 무자비한 역사의 수레바퀴에 깔려 버리고 말았다. 육이오의 비극적 체험은 한국인 모두에게 인간 존재의 어려움과 그 무의미성에 대한 뿌리 깊은 허무와 절망을 심어주었으며, 일제 36년의 강점기 체험 이상으로 허무주의와 패배주의를 심화해 주는 결정적 계기가 되었다. 한민족이 암흑의 나날 아래서 갈망하던 해방이 진정한 우리의 것이 될 수 없었던 비극은 바로 육이오라는 보다 큰 비극을 낳는 씨앗이 되었으며, 일제치하와는 다른 또 다른 패배의식과 식민지적 피지배의식을 형성하는 계기가 되었다.

일제강점하에서 "어둠을 짓는 개는/나를 쫓는 것일 게다/가자가자/쫓기우는 사람처럼 가자/백골 몰래/아름다운 또 다른 고향에 가자"(윤동주, 「또 다른 고향」에서)라는 구절은 "어디로 가는 것이냐/누구를 찾아 간다는 게냐/모다 보따리를 짊어지고/찬바람에 쪼기우며 불리우며/눈덮혀 허이힌/광야를 걸어가는 우리의 동족들/눈물마저 얼어 붙었느냐/아모말 없이/오늘도 피난민의 대열은 흘러간다"(장만영 「피난민의 대열」에서)라는 구절로 이어져, 일제하 빼앗긴 자로서의 강박관념과 패배의식이 그대로 육이오의 쫓기는 자로서의 허무주의와 패배주의로 연결되고 있음을 볼 수 있다. 실상 이것은 식민지 체험과 해방 체험, 그리고 육이오 체험이 의식구조에 있어 근원적 동일성을 지니고 있음을 시사해 주는 것이 된다. 그렇기 때문에 격심한 사회변동에 따른 생활방식과 의식구조의 변모 속에서 한국사의 근본적 모순들이 첨예하게 그 본질과 현상을 드러내었으며 전쟁이라는 폭력적 수단을 통한 급진적 근대화라는 엄청난 역사의 아이러니를 노정할 수밖에 없었던 것이다. 아울러 민족과 국토분단이라는 민족사 최대의 비극을 연출한 데서 그 비극성이 드러난다.

이러한 육이오 체험은 시사적 공간에서도 지배적인 영향을 미치게 된다. 역사와 현실, 개인과 사회, 시대와 공간의 역학적 대응 관계에서 시도, 새로운 수용과 응전방식을 스스로 마련하지 않으면 안 됐기 때문이다.

전쟁 체험은 의식의 첨단을 살아가는 시인들에게 있어서 혹자는 참전과 종군이라는 적극적 대응방식을 취하게 했으며, 혹자는 풍자와 역설의 비판 정신을 예각화하였으며, 또한 센티멘털리즘이나 폐쇄적인 자아 속으로 굴절해 들어가는 등, 다양한 정신의 개인적 편차를 드러내게 만들었다. 이 땅의 시들은 육이오라는 가혹한 시련 속에서 다양한 시사적 문제점들을 노출시켰으며, 새삼 현대시로서의 여러 가지 난제들을 도출할 수밖에 없게끔 강요당하였다. 그러므로 전후시에 관한 올바른 해명은 과거의 한국시를 올바르게 진단하고 오늘날의 시를 명확히 파악하며 아울러 미래의 한국시를 효과적으로 전개하는 데 매우 유효한 노력이 될 수 있는 것이다.

육이오가 불과 40년 가까이밖에 지나지 않았음에도 불구하고 이 시대의 시에 관한 연구자료는 풍부히 찾아볼 수 있는 편이 못 된다. 전시에 나온 단편적인 연감과 『보도자료 연간시집』(문성당, 1953) 및 개인시집들이 남아 있을 뿐 많은 자료가 산실되어 쉽게 구해볼 수 있는 자료가 많지 않다. 이에 관한 연구 또한 『전후문제시집』(신구문화사, 1961)을 비롯한 각종 사화집의 개요나 단평 그리고 개인시집의 후기 또는 발문 및 잡지나 신문에서의 단편적인 논급이 대부분으로 아직 문학사적 연구의 각도에서 연구나 정리가 진행되지 못하고 있는 실정이다.

이러한 전후시에 관한 연구는 학문적 대상으로 삼기에는 시기상조의 느낌이 없지 않다. 그럼에도 불구하고 해방공간에서 50년대에 이르는 전후문학은 식민지 시대 문학과 60년대의 문학을 연결시켜 주는 문학사적 고리가 되는 동시에 해방 이후 한국인의 정신사적 변모와 굴절을 보여주는 가장 중요한 단서가 된다는 점에서 진지하면서도 지속적인 연구가 이루어질 필요성이 있다. 실상 전후시에 대한 연구는 분단비극을 체험하며 살아가는 이 땅 험난한 시대의 역사와 민족을 확인하고 개인을 발견할 수 있게 하는 중요성을 내포하고 있다는 점에서 간과할 수 없기 때문이다. 무엇보다도 날로 가속화하는 민족분단의 비극적 현실을 극복하기 위한 하나의 노력으로서라도 이 시기 문학에 대한 진지한 탐구는 절실한 일이 아닐 수 없다.

본론에서 논의 대상이 되는 시인은 식민지하에서 탄생하고 자라서 해방기의 혼란 속에서 시의 눈을 키워 갔으며 육이오의 비극적 체험을 전후해서 시작을 발표하기 시작한 40년대 내지 50년대 초기 시인들, 즉 해방으로부터 1950년대 중반까지 데뷔한 시인을 기준으로 하였다. 그러나 해방 전 시인이나 50년대 후반의 시인이라도 전후시로서의 특성을 강하게 지닌 것은 논리 전개의 필요상 부분적으로 논급하였으며, 또한 이 시기에 등장하였어도 50년대 초반에 문학 활동 내지는 특성이 현저하지 않거나 그 특색이 60년대 이후에 크게 변모한 시인들은 다음 기회로 유보하였다. 특히 본론이 전쟁이라는 현대사 초유의 폭력적 상황에 대한 한국시의 전력 내지는 정신사적 굴절을 탐구하는 데 중심 목표를 두었기 때문에 시사적 정리나 평가는 부분적인 계선(界線)에서 머물렀음을 밝혀둔다.

3-2 상황과 응전

1) 전쟁, 그 현장의 노래

육이오는 대량살육, 대량파괴를 기본으로 하는 전면적인 물량 소모전의 양상을 지닌다. 삼팔선 전역에서 돌발 된 공산군의 전면적인 남침은 불과 사흘도 못 되어 서울을 점령하고는 이어서 한국 전역을 전장화하고 말았다.

공포와 절망의 전투 상황에서, 거대한 전장의 사신 앞에서 문학은 아무런 예술적 표현을 얻지 못한다. 인간의 평화스러운 상상력과 언어는 거대한 전쟁의 테러리즘 앞에서 참혹하게 파괴되고 만다. 죽음을 결하는 목숨의 첨단에서 언어는 끊어지고, 죽고 죽이는 본능적인 절규와 동작만이 남아 후세 작가들의 표현 대상이 될 뿐이다. 일제 삼십육 년의 식민지 체험에서 막 벗어나 어리둥절한 해방공간의 와중에서 이 땅의 시인들이 전쟁을 직접 수용할 만한 정신적 응전력과 예술적 표현을 쉽사리 얻지 못할 것은 너무도 당연한 일이다.

그러므로 전쟁 체험의 현장에서 쓰여진 시들은 직설적인 상황묘사와 인위적인 절규 및 감탄사의 나열로 채워진 것이 대부분이다.

> 오만분지일에서 머리 들고
> 우러러보는 푸른 하늘 가엔
> 흰구름 한점만 침묵 안어
> 한가히 떠가고
>
> 으례 묻혀질 이역(異域) 땅을

총안(銃眼)만 숨겨
「바리켙」 야박하게도 파고
숙명의 농중(籠中)에 들어앉은 원수

여명(餘命)의 질식을 발악하여
또 건너 산마루에
꾸물거리며 출현하는
오랑캐 셋

지형 정찰 끝나고
땀이 배어 터져있는
「포케트」 속 화랑담배
다듬어 피워물면
연기 흐터져 머리 위에 사라지고

피곤(疲困)한 병정(兵丁)
가안(假眼) 숨결소리
가슴에 자저드는……
우거진 갈대밭에 즐거운
일분간 휴식

—김순기, 「일분간 휴식」

『용사의 무덤』, 『이등병』 등의 전쟁 시집을 갖고 있는 김순기의 시는 대부분 전투의 현장 체험을 다루고 있다. "수류탄이 생각나/우뚝 멈춘/거리에서/낙엽진 오랑캐의 시체수를 몰라"(「야간 척후병」), "저주…/악 물고/북쪽하늘 횡단하는/Z기"(「낙하산」) 등의 시에서 볼 수 있듯이 「일 분간 휴식」에서도 "총안만 숨겨/꾸물거리며 출현하는/오랑캐 셋"과 "땀이 배어 터져있는/「포케트」 속 화랑담배"의 콘트라스트를 통해 전장의 절박한 분위기와 팽팽한 죽음의 긴장을 읽을 수 있는 것이다.

또한 현역군인이던 장호강의 시도 이러한 절박한 현장 체험을 묘사하고 있다.

> 격전의 날―
> 마침내 최후 승리를 결판지워야 할
> 돌격의 신호가 오를 제
>
> 총아!
> 너는 네 몸이 불덩어리로 녹을 때까지
> 원수들의 피를 마셔라
>
> 검아!
> 너는 네몸이 은가루로 부서질 때까지
> 원수들의 살을 삼켜라.
>
> 오! 내 가슴에도 원수의 총알이 쏟아져오면
> 내 사랑하는 조국의 여윈 제단 앞에
> 몸소 방울방울 깨끗이 드리오리니
>
> ―장호강, 「총검부(銃劍賦)」에서

장호강의 시도 현장 체험을 주로 형상화하고 있다. 단순하고 직설적인 묘사와 감탄부호의 남발, 그리고 관념적인 조국애의 시어가 비록 예술성을 저해하는 요소가 되긴 하지만, 이러한 단순하고 직설적인 시상의 전개는 전쟁을 알몸으로 수용·체험한 무인의 기상을 그대로 드러내 주는 시적 절실성을 지니고 있다. 전장의 거대한 비극을 직접 체험하면서도 아무런 비극적 제스처를 취하지 않고 오히려 상황과 의지의 직서(直敍)를 통하여 비극을 뛰어넘으려는 결연한 자세가 행간마다 짙게 깔려있는 것이다. 전쟁에 참여한 모든 무명용사들은 모두 이러한 현장 체험을 절규하던 시인이 될 수 있었다. 실상 참혹한 전장에서 한 송이 들꽃처럼, 이슬처럼 사라진 이 땅의 모든 젊은 병사들은 그들의 가슴 속 마다 사랑과 눈물의 시심(詩心, poésie)을 간직하고 있던 것이다. 비록 탁월한 문학적 표현을 남기지는 못하였지만, 화랑 담배 연기 속에서, 구슬픈 군가 소리 속에서, 죽음의 외마디 소리 속에서 그들은 절절한 조국애와 사랑의 시를 무명의 산야 버려진 녹슨 철모 속에 남겨 놓았던 것이다.

이영순의 시집 『연희고지』는 전장 체험의 현장에서 목숨의 험열함을 치열하게 묘사한 대표적 작품이다.

그러나 저 고은 별나라 보다도
피아(彼我)의 유탄이 밤에 베프는
전장의 향연이 더욱 아름답다

적이 콩 볶는듯한
방정맞은 다발총소리
금속성 음향을랑 남기고
뽀푸라 가로수에 낙열(落裂)하는
칠십오밀리의 순발탄(瞬發彈)

백오고지를 점령한
우군이 적소굴을 소탕하는
화염방사기의 줄기찬 광채
그리고 불똥이 만무(滿舞)하여
환히 비치는 서대문지구의
거리 거리와 큰집 작은집들

아차
누가 어디서 부상했는지
저 아래 언덕길을
분주히 달려가는 담가대(擔架隊)
서로 날으는 탄환들이

야옥단(夜玉緞)의 비단을 짜듯
화염
광채
폭음
그리고 폭풍과 함께
콩콩, 우수수 땅을 덮치는
돌멩이 흙덩이 소리

……중략……

때리고
또 때리고
또 다시 때리는데만 몸을 바쳐서
무념 무상으로 총을 쏘다가
총끝에 칼을 꽂고 백병전으로!
살려는 애착도 없고
죽는단 공포도 없이
다만 청춘의 불꽃을 발산하면서
싸워 나갈 뿐이다
　　　　　　　　　　　　─이영순, 「연희고지 · 4」에서

　시집 『연희고지』는 장호강의 「총검부」, 김순기의 「용사의 무덤」 등과 더
불어 육이오 현장 체험을 형상화한 대표적 작품의 하나가 된다. '다발 총소
리', '순발탄', '화염', '광채', '폭음', '폭풍', '화염방사기', '백병전'의 수라장 속
에서 "살려는 애착도 없고/죽는단 공포도 없이" 총을 쏘아대는 이 땅의 젊은
병사들의 모습이 적나라하게 형상화되어 있는 것이다. 삶의 애착과 죽음의
공포를 뛰어넘은 생명의 극점에서 바로 육이오 전쟁 체험이 비로소 "고운 별
나라 보다도/피아의 유탄이 밤에 베프는/전장의 향연이 더욱 아름답다"는 처
절한 문학적 표현을 얻을 수 있게 된 것이다. 이러한 생명 초극의 정신적 불꽃

은 육이오 전쟁 체험이 한국 시의 자폐적 세계에 새로운 열림의 가능성을 부여하는 외재적 계기를 마련하였다. 죽음의 공포와 절망을 초극하려는 인간의 근원적 몸부림은 인간성의 전면적 붕괴를 체험하고 그것을 뛰어넘으려는 절망의 지점에서 진정하게 드러나는 것이기 때문이다. 전란의 거대한 테러리즘은 어떠한 전쟁시도 불가능하게 하였음에도 불구하고 죽음과 삶의 극한 상황에서 몇몇 시인들은 허무의 불꽃을 일구면서 스스로의 살아있음을 증거하고 죽음을 초극하려 몸부림쳤던 것이다.

2) 또 다른 목적시

한편 전쟁이 발발하자 문학인들은 각 개인의 사정 여하에 따라 다양한 행동의 편차를 보여주었다. 문학인들은 총대를 잡고 선무공작을 벌이거나 혹은 지하로 숨거나 한강을 건너서 남으로 피난하는 등 전란의 어두운 혼란 속에서 갈피를 잡하지 못하였다.

문총의 고희동, 모윤숙 등은 시민들의 동요를 진정시키려는 국방부 정훈국의 권유로 중앙방송을 통해 시민 위안 시국 강연을 하였고 김윤성, 공중인 등은 격시를 낭독하는 등 즉각적인 대응을 보여주었다. 차츰 전세가 불리하기 시작하자 시인들은 대부분 대구·부산·광주 등지로 흩어지기 시작하였다. 피난길에 조지훈, 서정주, 김송, 박목월, 이한직 등은 '문총구국대'를 결성하여 정훈국 소속 하에 활동을 개시하였다. 이들은 대구 부산으로 내려가서는 종군작가단을 조직하여 적극적으로 전장을 따라다니며 격시(檄詩)를 낭독하는 등 선무와 위안으로 승전의식을 고취하는 데 앞장섰다. 육군종군작가단(1951. 5. 16)은 최상덕, 최태응, 조영암, 김송, 정비석, 장덕조, 김진수, 박영준, 정운삼, 성기원, 박인환, 방기환 등이, 해군종군작가단에는 안수길, 윤백남, 염상섭, 이무영, 이헌구 등이, 공군문인단에는 마해송, 조지훈, 최인욱, 최정희, 곽하신, 박두진, 박목월, 김윤성, 유주현, 이한직, 이상노 등이 각각 참가하여 총과 칼 대신 펜과 마이크를 잡고 일선 종군과 보고 강연, 문학의 밤, 문인극, 시국 강연, 벽시운동, 시화전, 군가 작사 등 광범위한 시국 문학 활동을 전개하였다. (『해방문학20년』, 정음사, 1966)

또한 구상, 선우휘, 조지훈 등 적극적으로 종군하여 국군을 따라 북쪽까지 진격해간 몇몇 시인 작가들이 있는가 하면 많은 작가 시인들은 대구, 부산의 판자촌과 다방 그리고 술집을 전전하며 그들 나름의 생애사적 어려움과 문학적 방황을 반추하고 있었다. '밀다원', '에덴다방', '야자수다방', '금강다방'을 무대로 많은 작가 시인 들은 전쟁의 뒤안길에 서성거리며 통음(痛飮)과 방황, 그리고 실연과 자살 등으로 시대고를 감당하려는 비극적 제스처를 연출해 내고 있었던 것이다. 많은 시인들은 가난과 무기력, 좌절과 실의의 와중에서 피난살이 설움을 유행가 가락으로 달래었다. 전시체제의 피난민살이는 일제하 식민지 체험 이상으로 이 땅 시인들의 삶과 시를 견고하게 생명 속에 뿌리 박지 못하도록 만들었다. 누구나 아웃사이더로서 '다방문학', '주점문학'의 퇴폐적 징후와 소외의 분위기만을 즐기고 있었던 것이다. 소설 쪽에서 「밀다원시대」, 「곡예사」, 「요한시집」 등의 중량 있는 업적과 대비할 때 시단의 업적은 상대적으로 경미한 것이 사실이다.

이러한 와중에서도 모윤숙, 조지훈, 유치환 등 해방 전 데뷔 시인들은 활발하게 시작을 전개하였다. 모윤숙은 적(赤) 치하의 지하 생활에서 풀려나자 더욱 전쟁의 가렬한 상황을 현장과 근접한 거리에서 적극적으로 노래하기 시작하였다.

  —나는 광주 산곡을 헤매다가 문득 혼자 죽어 넘어진 국군을 만났다.

  산옆 외따른 골짜기에
  혼자 누워있는 국군을 본다

아무말 아무 움직임 없이
하늘을 향해 눈을 감은 국군을 본다

누른 유니폼 햇빛에 반짝이는 어깨의 표지
그대는 자랑스런 대한민국의 소위였고나
가슴에선 아직도 더운 피가 뿜어 나온다

장미 냄새보다 더욱 짙은 피의 향기여!
엎드려 그 젊은 주검을 통곡하며
나는 듣노라! 그대가 주고간 마지막 말을……

나는 죽었노라 스물 다섯 나이에
대한민국의 아들로
나는 숨을 마치었노라
질식하는 구름과 바람이 미쳐 날뛰는 조국의 산맥을 지키다가
드디어 드디어 나는 숨지었노라
내 손에는 범치 못할 총자루, 내 머리엔 깨지지 않을 철모가 씌워져
원수와 싸우기에 한번도 비겁하지 않았노라
그보다도 내 핏속에 더 강한 대한의 혼이 소리쳐
나는 달리었노라, 산과 골짜기, 무덤 위와 가시숲을
이순신 같이, 나폴레옹같이, 시이저 같이
조국의 위험을 막기 위해 밤낮으로 앞으로 앞으로 진격! 진격!
원수를 밀어가며 싸웠노라
나는 더 가고 싶었노라 저 원수의 하늘까지
밀어서 밀어서 폭풍우같이 모스크바 크레믈린탑까지
밀어 가고 싶었노라

내게는 어머니 아버지, 귀여운 동생들도 있노라
어여삐 사랑하는 소녀도 있었노라
내 청춘은 봉오리지어 가까운 내 사람들과 함께
이 땅에 피어 살고 싶었었나니

아름다운 저 하늘에 무수히 나르는
내 나라의 새들과 함께
나는 자라고 노래하고 싶었노라
나는 그래서 더 용감히 싸웠노라 그러다가 죽었노라
아무도 나의 죽음을 아는 이는 없으리라
그러나 나의 조국, 나의 사랑이여!
숨지어 넘어진 내 얼굴의 땀방울을
지나가는 미풍이 이처럼 다정하게 씻어주고
저 하늘의 푸른 별들이 밤새 내 외롬을 위안해 주지 않는가?

나는 조국의 군복을 입은 채
골짜기 풀숲에 유쾌히 쉬노라
이제 나는 잠시 피곤한 몸을 쉬이고
저 하늘에 나르는 바람을 마시게 되었노라
나는 자랑스런 내 어머니 조국을 위해 싸웠고
내 조국을 위해 또한 영광스리 숨지었노니
여기 내 몸 누운 곳, 이름 모를 골짜기에
밤이슬 나리는 풀숲에 나는 아무도 모르게 우는
나이팅게일의 영원한 짝이 되었노라

바람이여! 저 이름 모를 새들이여!
그대들이 지나는 어느 길 위에서나
고생하는 내 나라의 동포를 만나거든
부디 일러다오, 나를 위해 울지 말고 조국을 위해 울어 달라고.
저 가볍게 나르는 봄나라 새여
혹시 네가 나르는 어느 창가에서
내 사랑하는 소녀를 만나거든
나를 그리워 울지말고 거룩한 조국을 위해
울어 달라 일러다고

조국이여! 동포여! 내 사랑하는 소녀여!

나는 그대들의 행복을 위해 간다
내가 못이룬 소원, 물리치지 못한 원수
나를 위해 내 청춘을 위해 물리쳐다오

물러감은 비겁하다, 항복보다 노예보다 비겁하다
둘러싼 군사가 다 물러가도 대한민국 국군아! 너만은
이 땅에서 싸워야 이긴다 이 땅에서 죽어야 산다
한번 버린 조국은 다시 오지 않으리라 다시 오지 않으리라
보라! 폭풍이 온다, 대한민국이여!
이리와 사자떼가 강과 산을 넘는다.
내 사랑하는 형과 아우는 시베리아 먼 길에 유랑을 떠난다.
운명이라 이 슬픔을 모른 체 하려는가?
아니다, 운명이 아니다, 아니 운명이라도 좋다
우리는 운명보다는 강하다 강하다
이 원수의 운명을 파괴하라, 내 친구여!
그 억센 팔다리 그 붉은 단군의 피와 혼
싸울 곳에 주저말고 죽을 곳에 죽어서
숨지려는 조국의 생명을 불러 일으켜라
조국을 위해선 이 몸이 숨길 무덤도 내 시체를 담을
작은 관도 사양하노라
오래지 않아 거친 바람이 내 몸을 쓸어가고
저 땅의 벌레들이 내 몸을 즐겨 뜯어가도
나는 즐거이 이들과 벗이 되어 행복해질 조국을 기다리며
이 골짜기 내 나라 땅에 한 흙이 되기 소원이노라

산 옆 외따른 골짜기에
혼자 누운 국군을 본다.
아무말 아무 움직임이 없이
하늘을 향해 눈을 감은 국군을 본다
누른 유니폼 햇빛에 반짝이는 어깨의 표지
그대는 자랑스런 대한민국 소위였고나

가슴에선 아직도 더운 피가 뿜어나온다
장미 냄새보다 더 짙은 피의 향기여
엎드려 그 젊은 주검을 통곡하며
나는 듣노라 그대가 주고간 마지막 말을.
                    ─ 모윤숙, 「국군은 죽어서 말한다」

대표적인 6·25 시의 하나인 이 시는 도도한 율문 속에서 전쟁의욕 고취와 적개심 도발을 통하여 승전의식을 고양하려는 적극적인 목적의식을 노출하고 있다. 이 작품은 비교적 단순하게 반공 애국정신을 강조하고 적개심을 고취했다는 점에서 참된 휴머니즘을 형상화했다고 보기는 어렵다. 또한 분단 현실과 동족애를 민족의식의 각도에서 바람직하게 묘파한 것은 아니다. 그렇지만 "국군아……너만은 이 땅에 싸워야 이긴다/이 땅에서 죽어야 산다/싸울 곳에 주저말고 죽을 곳에 죽어서/숨지려는 조국의 생명을 불러 일으켜라"라는 절규는 애국심을 고취하고 승전의욕을 북돋우려는 반공정신을 의도적으로 일깨워줌으로써 6·25 목적문학으로서의 한 표본을 보여주었다.

한편 유치환도 적극적인 전쟁 참여시를 발표하였다.

      1
    신음과 매리(罵詈)와 원차(怨嗟)와 또 노호(怒號)와─이십 리 주변의 청초호*를 끼고 이제 포효하는 총포화의 향연이 베풀린 여기는 피아 대치선의 한 신작롯가 발두던 그늘
    이미 모색은 하마 절명할 긴박을 내포한 채 허위스리도 아득히 사면으로 내려, 꿰매듯 수수밭 수수잎 사이로 헤여 가는 예광탄(曳光彈)이 긋는 꼬아리 빛 탄도(彈道)의 테─푸가 한량없이 곱기만 한데 뱀처럼 배를 땅에 붙이고 엎드린 위로 은밀히 귀속대듯 숨어오는 총알이 머리 위의 뽕나무 잎새를 튀긴다. 토실토실 모이처럼 눈앞의 콩잎에 떨어지기도 한다.

2

나를 두고 지금 무수히 에워 노려 있을 보이잖는 집요한 적은 대체 내게서 무엇을 강요하는 것인가—나의 지체인가

3

나는 나의 적에게 조금치도 증오라든가 분노 같은 감정은 느끼지 않는다

차라리 청징(淸澄)으로 청징으로 파문 끼치고 번져 가는 사유! 1미리의 오차의 과실로도 일순 나의 육체를 날리고 말 현재의 정확(精確) 무비(無比)한 위치에서 나는 나를 조준한다.

4

실로 적이 내게서 강요하는 것은 무엇인가—생명?

그것은 기실 나와 나의 육체(—우선 나의 육체라 부르기로 하자)가 합의 설정한 한갖 가설에 지나지 않는 것이니 나의 육체라 부르기로 한 이 육체인즉 실상 누구의 것인지를 나는 모른다 그러나 이제 머리 위의 뽕잎을 튀기던 그의 것도 아니요 모이처럼 떨어지던 그의 것도 아니었던가부다

5

그러므로 그 어느때 절대한 뉘가 돌연 나타나 그의 권리를 주장하는 순간 나와의 설정은 소멸되고 그 가설—생명이란 것은 꽁지 잘린 잠자리처럼 뱅뱅이 치며 허공으로 사라지고 말 것이며 그리고 그 자리 지상에 남는 것은—

6

그러므로 신음하는 적이여 우습게도, 자네들이 내게 강요하는 것이 이 지체인가

—그때에는 나는 이미 정착**되어 영원의 보고 속에 거두어 들리고서 거기에는 부재할 것이니

* 청초호(靑草湖)=강원도(江原道) 속초남방(束草南方)에 있음
**정착(定着)=사진용어(寫眞用語), 원판(原板)이나 인화(印畵)의 현상
  (現像) 도중(途中) 적당(適當)한 진행(進行)을 보아 인상(印像)을 고정
  (固定)시키는 작업(作業)

—유치환,「전선에서」

악몽이었던 듯
어젯밤 전투가 걷혀 간 자리에
쓰러져 남은 적의 젊은 시체 하나
호젓하기 차라리 한 떨기 들꽃 같아.

외곬으로 외곬으로 짐승처럼 너를 쫓아
드디어 이 문으로 몰아다 넣은 건
그 악착스런 삶의 폭풍이 스쳐간 이제
이렇게 누운 자리가 얼마나 안식하랴

이제는 귀도 열렸으리
영혼의 귀 열렸기에
묘막(渺漠)히 영원으로 울림하는
동해의 푸른 구빗물 소리도 은은히 들리리

—유치환,「들꽃과 같이」

　유치환의 전쟁시는 전문시인으로서의 예술적 밀도나 진폭을 지니면서, 전쟁의 비극성에 대한 예리한 응시와 비판을 보여주고 있다. 모윤숙의 시가 다분히 격정적인 선동성 내지 목적성을 지니고 있는데 비해 유치환의 시는 오히려 전쟁의 비극적 상황을 싸늘한 응시자로서 묘사함으로써 전쟁으로 인한 비극정신을 고양하는 데 힘쓰고 있다. 시집『보병과 더불어』(1951)는 가열한 전장을 '바라보는 자', '응시하는 자'로서 종군하며, 전쟁의 비극성을 드러냄으로써 자유를 수호하기 위한 어려움을 역설한 대표적 시집이다. 유치환의

시는 현장 시인들의 폭발적 격정이나 목적시로서의 절규보다는 그 속에 감춰진 인간 비극과 허무를 직시하는 차가운 지적 응시를 보여주었다는 점에서 시적 가치를 상승시키고 있다. 이러한 유치환 전쟁시의 지적 직시와 응시의 시선은 「칼을 갈라」, 「뜨거운 노래는 땅에 묻는다」 등 후기 시에 이르러 치열한 비판의식으로 이행되어 사회 비판적인 참여시를 형성시키는 밑바탕이 되었다.

조지훈의 「다부원에서」는 전장의 참혹한 광경을 통해서 "죽은 자도 산 자도 다함께/안주의 집이 없고 바람만 분다"와 같이 자유 수호의 어려움과 함께 진정한 인간애 및 그 전쟁의 허망성을 예리하게 파헤치고 있다는 점에서 특기할 만하다.

한 달 농성(籠城) 끝에 나와 보는 다부원(多富院)은
얇은 가을 구름이 산마루에 뿌려져 있다.

피아(彼我) 공방(攻防)의 포화(砲火)가
한 달을 내리 울부짖던 곳

아아 다부원(多富院)은 이렇게도
대구(大邱)에서 가까운 자리에 있었고나.

조그만 마을 하나를
자유(自由)의 국토(國土)안에 살리기 위해서는

한해살이 푸나무도 온전히
제 목숨을 다 마치지 못했거니

사람들아 묻지를 말아라
이 황폐(荒廢)한 풍경(風景)이

무엇 때문의 희생(犧牲)인가를……

고개 들어 하늘에 외치던 그 자세(姿勢)대로
머리만 남아 있는 군마(軍馬)의 시체(屍體)

스스로의 뉘우침에 흐느껴 우는 듯
길 옆에 쓰러진 괴뢰군(傀儡軍) 전사(戰士)

일찌기 한 하늘 아래 목숨 받아
움직이던 생령(生靈)들이 이제

싸늘한 가을 바람에 오히려
간 고등어 냄새로 썩고 있는 다부원(多富院)

진실로 운명(運命)의 말미암음이 없고
그것을 또한 믿을 수가 없다면
이 가련한 주검에 무슨 안식(安息)이 있느냐.

살아서 다시 보는 다부원(多富院)은
죽은 者도 산 者도 다 함께
안주(安住)의 집이 없고 바람만 분다.
— 조지훈, 「다부원(多富院)에서」

　이 시는 격렬한 포화 뒤의 폐허와 부취(腐臭)를 응시하면서 자유를 위한 투쟁에서 잃어버린 목숨의 소중함과 허망함을 밀도 있게 묘사하고 있다. 그럼으로써 전쟁의 폭력이 어떻게 인간성을 말살하는가 하는 휴머니즘에서 우러난 비판 정신을 심화하고 있는 것이다. 특히 단순한 반공애국의 구호시·목적시로서가 아니라 전쟁의 비극이 "죽은 자도 산 자도 다함께/안주의 집이 없고 바람만 분다"처럼 분단비극에서 기인하는 것이며, 있어서는 안 될 인류의 죄에 해당한다는 깨달음을 제시하고 있어서 주목된다. 이 점에서 이 시는 참혹한 전쟁 체험이 휴머니즘의 차원에서 예술적 형상화를 획득한 6·25시의 가장 소중한 전범이 된다 하겠다.

이처럼 해방 전에 활약하던 여러 전문 시인들은 6·25라는 거대한 폭력 속에서 참여시를 쓰는 한편 그 속에 감춰진 인간비극의 허무와 절망을 통해 분단비극을 고발하고 휴머니즘을 고양하고 있는 것이다.

3) 초토의 시

해방 후 원산에서 동인지『응향』필화 사건으로 월남한 구상 역시 직접 종군하면서 전쟁의 비극과 전장의 폐허를 적극적으로 형상화하였다. 그의 연작시「초토의 시」는 전쟁 체험의 혐열함과 함께 전후의 비극적인 상황을 형상화한 성공적인 작품이다.

> 오호 여기 줄지어 누웠는 넋들은 눈도 감지 못하였겠고나.
> 어제까지 너희의 목숨을 겨눠
> 방아쇠를 당기던 우리의 그 손으로
> 썩어 문들어진 살덩이와 뼈를 추려
> 그래도 양지바른 드메를 골라
> 고히 파묻어 떼마저 입혔거니
> 죽음은 이렇듯 미움보다도 사랑보다도
> 더 너그러운 것이로다.
>
> ……중략……
>
> 손에 닿을 듯한 봄 하늘에
> 구름은 무심히도

북으로 흘러가고
어디서 울려오는 포성 몇발
나는 그만 은원(恩怨)의 무덤 앞에
목놓아 버린다.
          —구상, 「초토의 시·8, 적군묘지에서」에서

조국(祖國)아, 심청(沈淸)이 마냥 불쌍하기만 헌 너로구나.

시인이 너의 이름을 부르량이면
목이 멘다.

······중략······

원혼(怨魂)의 나라 조국(祖國)아,
너를 이제까지 지켜온 것은 모두
비명(非命) 뿐이었지,
          —구상, 「초토의 시·15, 휴전협상(休戰協商) 때」에서

　구상의 시는 전쟁 체험이 몰고 온 현실인식의 비극성에 특히 초점을 두고
있다. "죽음은 이렇듯 미움보다도 사랑보다도/더 너그러운 것이로다"라는 절
규는 전쟁 비극의 극한 상황에서 강요된 비극적 인간인식이다. 그의 시는 현
실의 절망적 인식을 개인의 비극으로 파악하기보다는 "조국아, 심청이 마냥
불쌍한 너로구나"와 같이 민족적 차원에서의 비극으로 이끌어 올린다. 또한
이러한 개인적 비극의 공적 차원으로의 상승화는 "원혼의 나라/이제까지 지
켜온 것은 모두/비명 뿐이었지"라는 역사인식까지도 비극적인 것으로 만들
어 버리게 된다. 많은 전쟁시인들이 직설적인 상황묘사와 조국애의 고취에
열을 올린 데 비해 구상의 시들은 절망적 현실을 보다 심도 있게 인식하고 동
시대적 아픔으로 극복하려는 치열한 비극정신을 보여줌으로써 시의 보편성

을 획득하는 데 성공하고 있다. 또한 "내가슴 무너질 터전에 쥐도 새도 모르게/솟아난 백련 한떨기"(「백련」), "이제 흘러가는 남의 세상 속에서/홀로 깨어 있는가/아무렇지도 않는가"(「구상무상」)와 같이 현실의 어두움 속에서 피어나는 한 송이 꽃을 통해 참된 생명을 옹호하고 현실적 절망을 넘어서려는 담담한 시 정신은 바로 이러한 전쟁 체험과 시적 형상화 간에 인식의 심도를 유지하려는 구상의 예리한 비평 의식으로 풀이된다. 시인 자신이 말하듯 "운명은 정서로 감응하는 피조자의 노래"(『한국전후문제시집』, 신구문화사, 1961)로서의 구상의 시는 전쟁 체험의 가열함 속에서 인간성과 시를 지키기 위한 예술가로서의 실존적 몸부림이었던 것이다. 이 점에서 한국 전쟁시를 시로서 성공적으로 형상화할 수 있는 가능성의 한 모서리가 드러나는 것이다.

김종문의 시도 전쟁 체험의 예화(銳化)된 감수성을 보여준다.

폐허 길에
타다 남은 두터운 집

거믈고
습기에 젖은 주막방안
공기를 찢듯
착탄(錯彈)된 혼성

탄적(彈跡) 자욱히 난
싸늘한 벽
구멍 하나 뚫린
동그란 볕
동그란 하늘빛과

호흡이 가 닿는 곳
폐허를 토파 가야할

머언 길

                                                             - 김종문, 「벽」

　직접 참전한 군인시인으로서 김종문은 전장의 비참함이나 치열함 그 자체를 묘사하기보다는 예리한 시각으로 전장의 폐허를 바라보고 있다. "탄적 자욱히 난/싸늘한 벽"을 통하여 구멍 난 인간의 실존을 "구멍뚫린 동그란 볕/동그란 하늘 빛"으로 상징화하는 것이다. 이러한 시적 대상에 대한 미시적 형상화는 외부로만 발산되던 전쟁시의 발언적 요소를 보다 내적으로 심화하는 데 이바지한 것으로 판단된다. '벽'과 '폐허'는 50년대 초 전쟁 체험이 이 땅의 시인들에게 강요한 비극과 절망의 정신사적 상징어가 될 수 있는 것이다.

　조영암도 전장의 포연을 추적하여 현실에 민감하게 감응하는 전쟁시를 남기고 있다.

> 금성훈장도 은성훈장도
> 적포(弔砲)도 통곡도 소복한 소녀도
> 빛나는 영광도 녹슬은 비명도
> 아무것도 없는데
>
> 다못 들국화 소란한 향내가
> 외로운 주검위에 풍겨온다
> 조촐티 조촐한 하 젊은 생명
> 사뭇 구원과 통하는 어두운 길목에
> 길 잃은 파랑새 되어
> 길 잃은 파랑새 되어
>
> 지금 마악
> 은은한 포성이 첩첩한 산맥을 넘어간 뒤
> 무덤을 두고 떠나는 내마음

또 하나

길 잃은 파랑새 되어

　　　　　　　　　－조영암, 「무명전사의 무덤」에서

　이 작품은 전쟁의 포연 자욱한 폐허에서 무명전사의 외로운 죽음을 「길잃은 파랑새」로 비유하고 그 생명의 무상함을 "내마음 또 하나 파랑새 되어"와 같이 감정 이입시키고 있다. 이러한 "곱디곱은 근화판도를/오랑캐 붉은 피로 물들게 하라/흰눈 내리는 허허 벌판위에/무수한 백골이 딩굴게 하라"(「열도」)와 같이 조영암은 시집 『시산을 넘고 혈해 건너』 등을 통해서 주로 반공의식을 강조하는 시를 썼다.

　청년은 이십세기 전쟁 회생물로 산에 묻히었다. 문명 문화를 한껏 누리려던 혼은 께름한 안락 속에서 구역질나게 긴 명을 다 산 할아버지 혼 옆에서 비웃어 주었다.

　그의 애인은 연지를 물고 일하며 산 판국이라. 청년이 없어도 일을 일대로 치뤄야 해서 살림은 삶대로 살아야 해서 또 다른 무릎에서 추파를 던져 죽음을 미워한 것은, 그 죽음이란 놈이 청년을 빼앗아간 원인에서 노여워!
　이럴 바에야 그 호화판인 꽃을 복사하여 G·I의 황금을 노려 아쉰 호사를 홍청심이 멋져

　이를 탄 한 동료가 자살을 했다. 나보다 시를 잘 썼을지는 모르지만 나는 코로 웃었다. 음독보다는 깨깨 굶어 혀를 깨물고 죽었어야 했고 그보다도 조물준 놈을 애당초 안 만들어야 했을 것이 아니냐.
　　　　　　　　　－김영삼, 「우리들의 무덤은 없다」에서

김영삼의 시도 전쟁의 비극적인 상흔과 폐허를 초토의식으로 형상화하고

있다. 시적 탄력성이나 응축의 긴장미 같은 예술적 심미 가치는 결여하고 있지만 적나라한 묘사와 직선적인 서술로써 사실감을 부여하는 데는 성공하고 있다. 그의 이러한 초토의식은 이후 시집『푸른섬』(1953), 『North Korea』, 『아란의 불』,『대동강이 아즐가』 등에서 반공의식으로 전개됨으로써 반공문학의 한 패턴을 형성하게 된다.

이처럼 일군의 전쟁시인들이 전쟁의 폐허에서 전쟁의 험열함을 겪고 감지하면서 반공애국시로서의 목적시를 창작하는 한편에서 또 다른 시인들은 그 전쟁의 참혹상과 분단의 비극성을 드러내고 자유의 소중함을 새삼 확인하려는 노력을 보여주었다.

4) 분단비극의 인식

휴전이 성립되자 남과 북의 긴장 관계는 휴전선이라는 냉엄한 분단의 철조망을 굳게 드리우게 되었다.

미국은 인천상륙작전의 성공에 따라 유리해진 군사적 우위성에도 불구하고 한반도에 대한 주변 열강의 이해관계를 고려하여 국제연합군의 북한 진입 작전을 소극적인 차원에서 전개하였다. 실상 미국과 소련 중공 등 3개국의 이해와 세력이 맞닿는 한반도가 단일국의 지배 아래 들어갈 것을 염려한 결과 미국은 한반도의 전쟁을 대소 봉쇄작전 내지는 대중공 봉쇄작전의 일환이라는 관점에서 더이상 전쟁을 확대하지 않고 적당한 선에서 마무리 지으려 시도했던 것이다.

한국 통일의 실현이라는 민족적, 정치적 목표는 다만 군사작전의 결과에 따라 우연히 달성될 수 있는 목표(a target of opportunity)에 불과할 뿐 그 자체가 군사작전 수행을 통해 달성되어야 할 군사적 목표는 결코 아니었던 것이다. 따라서 민족적인 휴전협정 반대에도 불구하고 1953년 7월 27일에 미국과 중공 그리고 북한의 주도 아래 휴전협정이 조인되고 민족과 국토는 휴전선이라는 철조망으로 인해 두 동강이가 나는 비극에 떨어지고 말았던 것이다.

1956년 전후 세대의 한 사람인 박봉우의 「휴전선」은 이러한 분단비극의 상징인 휴전선을 노래함으로써 분단비극을 통렬하게 고발하면서 전후 민족의 아픔을 대변해 주었다.

산(山)과 산(山)이 마주 향하고 믿음이 없는 얼굴과 얼굴이 마주 향한 항시 어두움 속에서 꼭 한 번은 천동 같은 화산(火山)이 일어날 것을 알면서 요런 자세(姿勢)로 꽃이 되어야 쓰는가.

저어 서로 응시하는 쌀쌀한 풍경(風景), 아름다운 풍토(風土)는 이미 고구려(高句麗) 같은 정신도 신라(新羅) 같은 이야기도 없는가. 별들이 차지한 하늘은 끝끝내 하나인데…… 우리 무엇에 불안한 얼굴의 의미는 여기에 있었던가.

모든 유혈(流血)은 꿈같이 가고 지금도 나무하나 안심하고 서있지 못할 광장(廣場). 아직도 정맥은 끊어진 채 야위어 가는 이야기뿐인가.

언제 한 번은 불고야 말 독사의 혀같이 징그러운 바람이여, 너도 이미 아는 모진 겨우살이를 또 한 번 겪으라는가 아무런 죄(罪)도 없이 피어난 꽃은 시방의 자리에서 얼마를 더 살아야 하는가. 아름다운 길은 이뿐인가.

산(山)과 산(山)이 마주 향하고 믿음이 없는 얼굴과 얼굴이 마주 향한 항시 어두움속에서 꼭 한 번은 천동같은 화산(火山)이 일어날 것을 알면서 요런 자세(姿勢)로 꽃이 되어야 쓰는가.

　　　　　　　　　　　　　　　　　　　　　　　−박봉우, 「휴전선」

이 시에서 전란의 참혹한 체험은 "모든 유혈/너도 이미 아는 모진 겨우살이"로 상징화되어 있다. 분단의 비극적 상황은 "믿음이 없는 얼굴이 마주 향한 항시 어두움속"으로 표상되어 있으며 "언제 한번 불고야 말 독사의 혀같이 징그러운 바람/꼭 한 번은 천동같은 화산이 일어날 것"이라는 또 다른 전쟁의 불길한 예감을 유발시키는 동인(動因)이 되고 있다. 따라서 "아무런 죄도 없이 피어난 꽃"이라는 휴전선에 대한 고발적인 상징 속에는 강대국의 세력 각축과 이데올로기 싸움의 틈바구니에서 어쩔 수 없이 서로 죽고 죽여야만 하는 한민족의 참혹한 비극이 제시되어 있는 것이다. "시방의 자리에서 얼마를 더 살아야 하는가"라는 질문은 바로 분단의 비극이 우리 민족 자신의 뜻에서 우러나온 것이 아님을 말해주는 동시에 믿을 수 없는 분단 현실에 대한 저항의 몸짓을 말해주는 것이 된다.

이러한 분단의 상황은 「나비와 철조망」에서 더욱 비극적인 것으로 받아들여지고 있다.

모진 바람이 분다.
그런 속에서 피비린내 나게 싸우는 나비 한 마리의 상채기. 첫 고향의 꽃밭에 마즈막까지 의지할려는 강렬한 바라움의 향기(香氣)였다.

앞으로도 저 강(江)을 건너 산(山)을 넘으려면 몇 「마일」은 더 날아야 한다. 이미 날개는 피에 젖을 대로 젖고 시린 바람이 자꾸 불어간다. 목이 바싹 말라 버리고 숨결이 가쁜 여기는 아직도 싸늘한 적지(敵地).

벽(壁), 벽(壁)…… 처음으로 나비는 벽(壁)이 무엇인가를 알며 피로 적신 날개를 가지고도 날아야만 했다. 바람은 다시 분다 얼마쯤 나르면 아방(我方)의 따시하고 슬픈 철조망(鐵條網) 속에 안길,

이런 마지막 「꽃밭」을 그리며 숨은 아직 끝나지 안했다. 어설픈 표시의 벽(壁), 기(旗)여……

— 박봉우, 「나비와 철조망」에서

"모진 바람이 부는/그런 속에서/피비린내 나게 싸우는 나비 한 마리"는 참혹한 전란 육이오를 겪은 분단 상황하 한민족의 슬픈 모습이며, "피에 젖을 대로 젖은 날개/목이 바싹 말라 버리고/숨결이 가쁜"이라는 극한 상황은 전란의 소용돌이에 지치고 지친 한민족의 숨 가쁜 현실을 제시한 것이다.

그러므로 한민족은 "피로 적신 날개를 가지고도 날아야만 하는" 비극적 운명의 주인이 될 수밖에 없는 것이다. 또한 "벽, 벽"이 상징하는 절망적 현실은 바로 "슬픈 철조망"으로 가로막힌 휴전선이 우리 민족에게 강요한 분단의 비극을 대변한 것이 된다. 이러한 분단비극에 대한 날카로운 응시와 비판은 전쟁을 불러일으킨 세력에 대한 분노의 한 표현이라 할 수 있으며, 아울러 민족분단을 넘어 하루속히 통일을 염원하는 애끓는 소망을 표출한 것이라고 하겠다. "「꽃밭」을 그리며 숨은 아직 끝나지 안했다. 어설픈 표시의 벽, 기여"라는 구절 속에는 이러한 민족통일의 염원이 담겨있는 것으로 볼 수 있기 때문이다. 이처럼 전쟁의 가렬한 불꽃은 전후 분단상황의 한국 시단에 거대한 비극적 충격과 상흔을 남기며 분단 극복시의 가능성에 대한 한 모서리를 제시한 데서 의미를 지닌다. 반공문학으로서의 전쟁시, 목적시의 홍수 속에서 많지 않은 몇몇 시인들이 험열한 전장의 그림자를 추적하며 분단의 역사적 비극을 인식하고 극복하고자 하는 소망을 문학적으로 형상화하는 데 성공하고 있는 것이다.

육이오는 근대사 초유의 가장 비극적인 문학적 원체험이자 현장 체험으로서 이 땅의 모든 인간과 시인들에게 일제강점하 식민지 체험 이상으로 패배주의와 허무주의를 짙게 드리워 주었다는 점에서 이후의 한국시사에 굵은 획을 짙게 그려 주었다.

3-3 방법과 정신

1) 모더니즘의 공과

전쟁이 가열해감에 따라 불안과 공포 그리고 무질서는 더욱 심각하게 이 땅의 민족 개개인을 짓누르기 시작했다. 직접 전선에 종군하여 전선을 뛰어다니던 시인들뿐 아니라 부산, 대구 등 지방으로 피난했던 시인들 모두에게도 전쟁이라는 절대적 폭력은 뿌리 깊은 허무와 삶의 어려움을 절감케 해주었다. 이러한 격동하는 현실 속에서 부산으로 피난한 일군의 시인들이 모여 현대시 연구회 '후반기' 동인을 조직하여 새로운 에스프리를 내세우고 모더니즘의 시 운동을 전개하였다.

조향, 김경린, 박인환, 이봉래, 김차영, 김규동 등이 중심으로 모인 이 '후반기' 동인들은 1930년대 김기림, 정지용, 장만영, 김광균 등이 추구하던 모더니즘 시의 방법과 정신을 계승한다는 취지에서 현대문명의 메커니즘과 그 그늘을 형상화하는 데 주력하였다.

　　태양이
　　직각으로 떨어지는
　　서울의 거리는
　　「프라타나스」가 하도 푸르러서
　　나의 심장마저 염색될까 두려운데

　　외로운
　　나의 투영을 깔고
　　질주하는 추럭은
　　과연 나에게 무엇을 가져 왔나.

……중략……

손수건처럼
표백된 사고를 날리며
황혼이
전신주처럼 부풀어오르는
가각(街角)을 돌아
「프라타나스」처럼
푸름을 마시어 본다.
　　　　　　　　— 김경린, 「태양이 직각으로 떨어지는 서울」에서

오늘도
성난 타자기처럼
질주하는 국제열차에
나의
젊음은 실려가고

보랏빛
애정을 날리며
경사진 가로에서
또다시
태양에 젖어 돌아오는 벗들을 본다.

옛날
나의 조상들이
뿌리고 간 설화(說話)가
아직도 남은 거리와 거리에

불안과
예절과 그리고
공포만이 거품 일어

꽃과 태양을 등지고
가는 나에게
어둠은 빗발처럼 내려 온다.

또다시
먼 앞날에
추락하는 애정이
나의 가슴을 찌르면

거울처럼
그리운 사람아
흐르는 기류를 안고
투명한 아침을 가져 오리.

　　　　　　　　　－김경린, 「국제열차는 타자기처럼」

　김경린의 시들은 "태양이/직각으로 떨어지는/서울", "황혼이/전신주처럼 부풀어오르는", "성난 타자기처럼/질주하는 국제열차" 등과 같이 평이하고 직설적인 비유를 사용하여 현대문명의 표면을 묘사하고 있다.

　이 시들은 1930년대 김기림의 "명상을 주무르고 있던 강철의 철학자인 철교"(「북행열차」), "가을의 태양은 게으른 화가입니다"(「가을의 태양은 폴라티나의 연미복을 입고」)와 같은 시적 발상 및 이미지 전개방법에서 그 방법적 연원을 두고 있다. 김기림의 시들이 단순한 비유의 평면적 구도로 인해서 실패한 것처럼 김경린의 시들도 현대인의 복합적 정서를 시각적 영상을 통하여 함축적으로 표현함으로써 새로운 언어와 정서의 가치를 창조하려는 모더니즘의 기본 원리와는 상당히 거리가 먼 것이었다.

　김경린의 시들은 현대문명의 피상적인 관찰과 비유의 평면성으로 인해서 참다운 예술적 정서 가치를 획득하는 데는 실패하고 있는 것이었다. 그러나 김경린의 시는 비유적 표현에만 골몰하던 김기림과는 달리 "질주하는 추력은/과연 나에게 무엇을 가져왔나"하는 것처럼 전쟁의 어두운 상흔을 부분적으로나마 현실적인 것으로 수용하고 있다는 점에서는 보다 현실 감각을 지닌 것으로 판단된다.

가로수(街路樹) 골짝위에 아슴히 덮여진 파아란 하늘은 멋진 투시화법(透視畫法)이다.
거기에 놓여진 하늘에의 하얀 「에스카레터」.
그 꼭대기 한점에 내가 서 있다.

……중략……

낡은 필름에서처럼 해쓱해진 조선(祖先)들의 군상(群像).
휘영거리는 영구차(靈柩車)의 행렬(行列)
만가(輓歌)는 처량한 <비올롱>이다.

느닷없이 앞으로만 자빠져 있는 길이 보인다.
후반기(後半紀)의 황홀한 판화(版畵)위에
바람처럼 호탕히 쓰러지는 나의 그림자!

내장외과(內臟外科)와 소녀(少女)와 원양항로(遠洋航路)와……
　　　　　　　　　　　－조향, 「1950년대의 사면(斜面)」에서

조향의 작품 역시 '에스카레이터', '낡은 필름', '영구차', '내장외과', '원양항로' 등의 시어를 통하여 현대문명의 암면을 직설적으로 묘사해 주고 있다. 그러나 조향은 보편적인 모더니즘 취향에서 한 걸음 더 나아가 새로운 실험 기법을 시도하고 있다.

낡은 아코오뎡은 대화(對話)를 관 뒀습니다.

－여보세요!
＜뿐뿐다리아＞
＜마주르카＞
＜디젤·엔진＞에 피는 들국화.
－왜 그러십니까?

모래밭에서
수화기(受話器)
여인(女人)의 허벅지
낙지 까아만 그림자
……중략……

나비는
기중기(起重機)의
허리에 붙어서
푸른 바다의 층계를 헤아린다.

— 조향, 「바다의 층계(層階)」에서

  이 작품은 슈르레알리즘적인 전치법을 사용하여 자유로운 이미지의 결합
으로 시적 의미와 형태를 개신하려는 실험을 보여주고 있다. '디젤엔진'과 '들
국화', '모래밭에서/수화기/여인의 허벅지'와 '낙지 그림자' 등 돌발적인 이미
지를 종합함으로써 평면적 시 의미를 파괴적인 이미저리로 전치 시키는 슈르
레알리즘의 기법을 시도하고 있는 것이다. 돌발적인 이미지들을 충돌시켜 새
로운 형상의 신기함을 추구함으로써 브르통(André Breton)의 시 방법을 시인
자신이 말하듯 데페이즈망(dépaysement)의 미학으로 실험하고 있는 것이다.
그러나 이러한 실험 역시 자체의 필연성에서 육화된 표현을 얻지 못하고 다만
형태주의적 실험의식에 사로잡혀서 신기한 것만 추구하는 퇴영적 요소를 지
니고 있다는 점에서 실패한 것으로 보인다. 이러한 정도의 실험은 이미 30년

대에 이상(李箱)의 시 속에서 시사적 사명을 다한 것으로 판단되기 때문이다.

　　　살아 있는 것이 있다면
　　　그것은 나와 우리들의 죽음보다도
　　　더한 냉혹(冷酷)하고 절실(切實)한
　　　회상(回想)과 체험(體驗)일지도 모른다.

　　　살아있는 것이 있다면
　　　여러 차례의 살육(殺戮)에 복종(服從)한 생명(生命)보다도
　　　더한 복수(復讐)와 고독(孤獨)을 아는
　　　고뇌(苦惱)와 저항(抵抗)일지도 모른다.

　　　한걸음 한걸음 나는 허물어지는
　　　정적(靜寂)과 초연(硝煙)의 도시(都市) 암흑(暗黑)속으로
　　　명상(瞑想)과 또 다시 오지 않을 영원(永遠)한 내일(來日)로……
　　　살아있는 것이 있다면
　　　유형(流刑)의 애인(愛人)처럼 손잡기 위하여
　　　이미 소멸(消滅)된 청춘(靑春)의 반역(反逆)을 회상(回想)하면서
　　　회의(懷疑)와 불안(不安)만이 다정(多情)스러운
　　　회멸(悔蔑)의 오늘을 살아간다.
　　　……하략……

　　　　　　　　　　　　　ー 박인환,「살아있는 것이 있다면」에서

　　　아무 잡음(雜音)도 없이 도망(逃亡)하는
　　　도시(都市)의 그림자
　　　무수(無數)한 인상(印象)과
　　　전환(轉換)하는 연대(年代)의 그늘에서
　　　아, 영원(永遠)히 흘러가는 것
　　　신문지(新聞紙)의 경사(傾斜)에 얽혀진
　　　그러한 불안(不安)의 격투(格鬪)

함부로 개최(開催)되는 주장(酒場)의 사육제(謝肉祭)
흑인(黑人)의 트럼펫
구라파(歐羅巴)의 신부(新婦)의 비명(悲鳴)
정신(精神)의 황제(皇帝)!
내 비밀(祕密)은 누가 압니까?
체험(體驗)만이 늘고
실내(室內)는 잔잔한 이러한
환영(幻影)의 침대(寢臺)에서.

회상(回想)의 기원(起源)
오욕(汚辱)의 도시(都市)
황혼(黃昏)의 망명객(亡命客)
검은 외투(外套)에 목을 굽히면
들려 오는 것
아 영원(永遠)히 듣기 싫은 것
쉬어 빠진 진혼가(鎭魂歌)
오늘의 폐허(廢墟)에서
우리는 또 다시 만날 수 있을까
1950년(一九五〇年)의 사절단(使節團),

병(病) 든 배경(背景)의 바다에
국화(菊花)가 피었다
폐쇄(閉鎖)된 대학(大學)의 정원(庭園)은
지금은 묘지(墓地)
회화(繪畫)와 이성(理性)의 뒤에 오는 것
술취한 수부(水夫)의 팔목에 끼여
파도(波濤)처럼 밀려 드는
불안(不安)한 최후(最後)의 회화(會話)
　　　　　　　　　　　―박인환, 「최후(最後)의 회화(會話)」

박인환의 시들은 '도시의 그림자', '신문지의 경사', '흑인의 트럼펫', '구라파 신부' 등과 같이 이국정조의 도시 문명과 그 어두운 면을 형상화하고 있다. '회상의 기원', '오욕의 도시', '황혼의 망명객'과 같은 '의'은유 (genitive 「of」 metaphor)에 의한 구상화는 1930년대의 김광균의 시 방법과 많은 공통점을 가지고 있다. 그의 이러한 도시 문명의 그늘에 대한 응시의 시선은 「살아있는 것이 있다면」, 「검은신화」, 「밤의 미매장」 등에서 더욱 심화된 인상을 보여준다. "살아있는 것이 있다면/죽음보다도 더한 냉혹 하고 절실한 회상과 체험일지도 모른다/복수와 고독을 아는 고뇌와 저항일지도 모른다"와 같이 모든 대상을 부정하고 세계를 회의적으로 바라본다. "회의와 불안만이 다정스러운/모멸의 오늘을 살아가는" 박인환의 현실 파악과 순응의 자세는 바로 전란에 의한 모든 인간적 존엄성 파괴에 대한 전면적 부정에서 비롯된 것이다. 이러한 시대 상황적 절망과 회의의 짙은 그림자는 '후반기'의 모더니스트에게도 도시 문명의 밝은 그림자보다는 그 속에 자리 잡고 있는 근원적 비극과 절망을 현상적으로 묘사하고 영탄하게끔 만든 것이다. 실상 이러한 점이 시적 형상화 기법에 있어서는 1950년대 모더니스트들이 30년대 모더니스트 시인들의 그것에 미치지 못하지만, 정신적 위상과 그 지향만은 훨씬 현실 감각을 획득하고 있는 것으로 파악된다. 파괴된 도시 문명의 그늘에서 불안과 공포, 절망과 허무감으로 방황하는 인간의 비극이 박인환의 시에서는 비극적 인식의 지적 드라마로 형상화되어 있다.

다른 모더니스트들과 달리 박인환의 시는 도시 문명의 허울을 묘사하는 데 중점을 둔 것이 아니라 전쟁으로 인해 떠나는 모든 것들, 죽어가는 것들에 대한 슬픔을 근원적인 인간의 비극으로 치환하여 모더니스트들의 파행적인 센티멘털리즘을 가까스로 절제하는 한 가능성을 보여주었다는 점에서 다소 긍정적으로 평가될 수 있다.

현기증 나는 활주로의
최후의 절정에서 흰 나비는
돌진의 방향을 잊어버리고
피묻은 육체의 파편들을 굽어본다.

기계처럼 작열하는 작은 심장을 추길
한모금 샘물도 없는 허망한 광장에서
어린 나비의 안막을 차단하는건
투명한 광선의 바다뿐이었기에—

—김규동, 「나비와 광장」에서

김기림의 「바다와 나비」를 연상케 하는 김규동의 이 시도 '현기증', '활주로', '돌진', '파편', '기계', '광장', '안막', '광선' 등의 시어에서 볼 수 있듯이 일상어 중에서도 과학적 시어를 많이 활용하여 현대문명을 가시적인 것으로 묘사하고 있다. 특히 이 시는 "기계처럼 작열하는 작은 심장" 등과 같은 이미지를 통하여 현대문명 속의 가냘픈 한 마리 나비처럼 살아가는 인간의 힘겨움을 '기계'와 '심장'의 등가로서 파악하고 있는 것이다. 그러나 도시와 문명의 가시적 세계만을 성급한 비유의 조작으로 묘사하여 모더니즘 시의 본질과는 거리가 있었던 김기림의 시처럼 김규동의 시 역시 문명의 형해만을 김기림적 수법으로 모방하는 모더니즘의 표면적 추구에 그친 감이 없지 않다. 그럼에도 불구하고 그는 「현대시와 매커니즘」, 「현대시의 실험」, 「초현실주의와 현대시」 등의 시론을 전개하여 '후반기' 동인을 중심으로 한 50년대 모더니즘 시 운동의 이론적 근거와 방향을 제시하는 데 주력하였다.

이러한 모더니즘 시운동은 그들 스스로가 인정하듯이 당대 대부분의 기성 시인들로부터 무시당하였다. 그렇지만 그들은 험열한 전쟁의 와중에서 그들 나름으로 시를 문화사적 단위 인자로 의식하여, 전시 체제하에서 반공문학의 목적시 일변도의 상황에서 벗어나, 순수시적인 지향을 보여주었다는 점에서 시사적 의미가 놓여진다. 실상 시사적으로 볼 때 이들이 직접적으로 반발한 것은 분단 후 남쪽 문단의 주류를 형성하기 시작한 청록파를 중심으로 한 보수적 경향의 전통시에 대한 것이었다.

> 이와 같이 오늘날 한국 시단의 선진적 주류를 형성하여 나가고 있는 계층을 새로운 시인 즉 모더니스트들의 활약이라고 본다면 이와 정반대로 현실의 암흑을 피하여 지나간 과거의 낡은 전통속에서 쇄잔한 회상의 울타리 안으로만 움츠려 들려는 유파들이 또 하나 다른 흐름을 형성하고 있다는 사실은 한국시단만이 가지는 슬픈 숙명인 동시에 참을 수 없는 비극이 아닐 수 없다. '청록파'를 중심으로 한 시인들의 소위 순수시 운동이 그것이었다.
> ─ 김규동, 『새로운 시론』(산호장, 1959), 151쪽.

이와 같은 김규동의 '청록파' 비판은 당시의 캐치프레이즈로서는 매우 설득력 있는 것이 된다. 그러나 청록파 등이 현실도피라고 하여 매도하던 그들 스스로가 모더니즘 시라는 구호 아래 시대 상황을 외부적, 감각적 사실로만 기술함으로써 진정한 현실인식을 결여하고 또 다른 내용의 허무주의와 도피주의로 빠져들고 마는 자가당착을 빚고 말았다는 점에서 '후반기' 동인들의 한계가 드러난다고 하겠다.

이들의 시는 역사와 현실에 대한 준열한 대결 정신으로 삶의 어려움을 추구하려 노력했다기보다는 단지 절망적인 도시 주변의 어두운 풍경에 대한 영탄과 묘사만을 표피적 감각으로 형상화하는 데 그친 것이다. 바로 이런 점에서 이러한 모더니스트 시 운동이 시사적 이념지향의 현실적 설득력을 지니고 있으면서도 구호로서의 시 내지 반항적 시운동으로서 그치고만 시사적 실패를 가져온 것으로 판단된다. 실상 50년대 모더니즘 시운동은 전란으로 인한 전면적 사회변동에 의한 문화가치의 변이현상으로서, 서구적 문화 감각에 무방비적으로 노출되기 시작한 한국 사회의 병적 징후를 대변하는 한 상징으로도 해석될 수 있다. 결국 모더니즘 시운동은 거대한 전쟁 체험을 직접 감당할 수 없었던 한국어 내지는 한국시가 스스로 취할 수밖에 없었던 위기의식의 자폐현상으로 판단할 수밖에 없는 것이다.

2) 고전지향의 의미

전쟁은 낙동강 전투를 정점으로 아군의 인천상륙작전에 의해 전세를 달리하기 시작하였다. 9·28수복은 분단됐던 조국의 재통일을 목전에 보이게 했지만 중공군의 개입으로 또다시 후퇴를 초래하고 말았다. 밀고 밀리는 전란의 와중에서도 전라도로 피난한 서정주는 재래의 『화사집』, 『귀촉도』와는 거리가 있는 새로운 시 세계를 탐구하기 시작하였다. 한때 김천 지구의 종군으로 정신착란 증세까지 보였던 서정주는 전장시나 반공시 또는 모더니즘 등 당대의 조류와는 전혀 다른 방향에서 시적 변모를 보여준 것이다.

천년 맺힌 시름을
출렁이는 물살도 없이
고운 강물이 흐르듯
학이 나른다.

천년을 보던 눈이
천년을 파다거리던 날개가
또한번 천애에 맞부딪노나.

산덩어리 같아야 할 분노가
초목도 울려야 할 서름이
저리도 조용히 흐르는구나.

보라, 옥빛, 꼭두선이,

보라, 옥빛, 꼭두선이,
누이의 수틀을 보듯
세상은 보자.

누이의 어깨 넘어
누이의 수틀 속의 꽃밭을 보듯
세상은 보자.

울음은 해일
아니면 크나큰 제사와 같이

춤이야 어느 땐들 골라 못추랴.
멍멍히 잦은 목을 제 쭉지에 묻을 바에야
춤이야 어느 술참 땐들 골라 못추랴.

긴 머리 자진 머리 일렁이는 구름 속을
저, 울음으로도 춤으로도 참음으로도 다하지 못한 것이
어루만지듯 어루만지듯
저승결을 나른다.
                                             —서정주, 「학」

저 눈부신 햇빛속에 갈매빛의 등성이를 드러내고 서있는
여름 산같은
우리들의 타고난 살결 나고난 마음씨까지야 다 가릴 수 있으랴.
……중략……

어느 가시덤불 쑥굴형에 뇌일지라도
우리는 늘 옥돌같이 호젓이 무쳤다고 생각할 일이요.
청태(靑苔)라도 자욱이 끼일 일인 것이다.
                                             —서정주, 「무등을 보며」에서

  서정주의 시는 험열한 전쟁 속에서 밖으로 향하던 시선을 내면으로 전환시키는 데 주력하고 있다. 불타는 현실의 절망과 허무를 "우리들의 타고난 살결/타고난 마음씨"와 같은 고전 정신의 내면세계로 시적 관심을 집약하고 심화해간 것이다. "쑥굴형에 놓일지라도/우리는 늘 옥돌같이 호젓이 묻혔다고" 생각하는 정신세계로의 정적 수렴은 전통시들에 반동하던 모더니즘시나 목적시들과는 일체의 대화를 거부해 버린 데서 생성된 자기 도피 행위로 판단된다. "누이의 어깨너머/누이의 수틀 속의 꽃밭을 보듯/세상을 보자"(「학」)라는 시구는 현실 체험의 즉물화라는 당대 시의 기본 흐름과는 커다란 간극이 놓여진다. "수틀 속의 꽃밭을 보자"라는 서정주의 시적 세계관은 가혹한 현실의 질곡에 저항하는 시인으로서의 자기 위안적 안간힘 내지는 정신적 보상의 몸부림을 뜻한다. 현실을 뛰어넘는 피안의 세계, 정신과 생명의 내면으로 자맥질해 들어감으로써 시를 통한 현실 상황의 극복을 시도한 것이다. 그러므로 현실 도피적인 서정주의 정신응집은 쉽게 고전적인 생명 감각으로 연결된다. "향단아 그네를 밀어라/머언 바다로/배를 밀듯이/향단아"(「추천사」)와 같은 고전지향은 실상 참혹한 전쟁의 공포에 대한 역반응으로 해석된다. 고전정신 지향이라는 자기보상 행위에 의해 서정주는 실존적인 존재의 근거를 획득한 것이다.

이렇게 볼 때 현실도피 내지 패배적인 고전정신 지향은 실상 그것이 50년대의 탈시대적인 성격을 지닌다 할 수 있다. 그러나 거시적인 관점에서 볼 때 한국시의 전통적인 가락과의 접맥을 형성하게 된다는 점에서는 의미를 부여할 수 있을 것이다. 이러한 고전회귀 내지 고전적 정신세계 지향은 전후 한국시에 여러 갈래의 파장을 형성하였다.

> 향미사야.
> 너는 방울을 흔들어라.
> 원(圓)을 그어 내 바퀴를 뻥뻥 돌어라
> 요령(搖鈴)처럼 너는 방울을 흔들어라.

나는 추겠다. 나의 춤을!
사실 나는 화랑(花郎)의 후예(後裔)란다.
장미 가지 대신 넥타이라도 풀어서 손에 늘이고
내가 추는 나의 춤을 나는 보리라.

달밤이다.
끝없는 은모랫벌이다.
풀 한 포기 살지 않는 이 사하라에서
누구를 우리는 기다릴 거냐.

향미사야!
너는 어서 방울을 흔들어라.
달밤이다.
끝없는 은모랫벌이다.

─이원섭, 「향미사(響尾蛇)」

　　이원섭은 6·25 직전 「언덕에서」, 「길」, 「손」 등의 작품으로 『문예』지의 추천을 통해 데뷔한 이래 「기산부」, 「죽림도」 등 속세를 초탈한 듯한 노장 풍의 동양적 정감을 형상화하는 데 주력하였다. 6·25의 거센 폭풍 속에서도 이원섭은 「에밀레종」, 「향미사」 등의 작품처럼 전설적이면서도 환상적인 고전적 세계를 탐구하는 데 몰두하였다. 그러나 이러한 신비적 정감 속에서 "너는 방울을 흔들어라/나는 추겠다. 나의 춤을/풀 한포기 살지 않는 사하라에서/누구를 우리는 기다릴거냐"와 같은 현실적 고뇌의 응어리가 짙게 깔려있음은 간과할 수 없다. 서정주의 말대로 "병약의 관념 세계를 초탈하려 노력하는 점─저 고고 수척한 노장적 관념 세계에서 혈액과 인류를 돌이키려고 애쓰는 점"이 전쟁 체험을 통하여 생명의 꿈틀거림으로 변모되는 것이다. '화랑의 후예'로서 '내가 추는 춤을 내가 보는' 이원섭의 시적 아이러니는 바로 고전지향의 시 정신이 6·25의 참혹한 현장 체험과 충돌할 때 필연적으로 굴절될 수밖에 없는 시사적 비극의 한 희화인 것이다. 이원섭의 동양적 고전 정서추구는 6·25의 현장 체험에 의해 현실적 비애가 스며들기는 했지만 「내가 가는 길」, 「족보」, 「탈」, 「전야」 등의 전후시에서도 그 중심 세계를 이어가고 있다.

비! 비! 비! 비! 비!
우러러 목이 쟁긴 소쩍새.

돌아보아야
무잿불을 올릴 풀 한 포기 없고

청동(靑銅) 불화로가 이글대는 모래밭에
소피를 뿌려 쇠도록 징을 울립니다.

이 실낱 같은 사연 구천(九天)에 서리오면
미릿내(은하,銀河)의 봇물을 트옵소서.

이제 말끔히 머리를 빗고 사나운 발톱을 밀어
저마다 제자리에 들어 허물을 벗사오니
신명(神明)은 어여 노염을 거두시압.
　　　　　　　　　　　　─이동주, 「기우제(祈雨祭)」에서

「황혼」, 「새댁」, 「혼야」 등의 『문예』의 추천작품으로 등장한 이동주도 한국인의 전통적 정서에 그 시의 태반을 두고 있다. 그와 제일 가까운 향리 근처 사람들의 온갖 선미한 생활감정에 대한 공감과 연민으로 시작되는 그의 초기 시는 전쟁 체험의 열풍에도 불구하고 한국인의 전통적 생활양식 내지는 한국어의 미감을 발굴하는 데 주력하고 있다. "여울에 몰린 은어떼/삐삐꽃 손들의 둘레를 달무리가 비잉빙 돈다/목을 빼면 설움이 솟고/열두발 상모가 마구돈다"(「강강술래」)와 같은 민속의 형상화는 전통 시어의 미감을 유미적으로 확대시키고 있다. 「꽃」과 같은 역설적인 현장시 한두 편을 제외하면 그의 시는 「해녀」, 「서귀포」, 「우주엽신」, 「산조」, 「한」 등 향토색 짙은 한국의 전통적 정서를 주된 오브제로 다루고 있다. 특히 그의 시는 "학도 쭉지를 접지 않는/ 원통한 강산/울음을 얼려/허튼 가락에 녹혀보다"(「산조」), "나의 길은 저승보 다 머언 눈물"(「한」)처럼 애한과 눈물의 짙은 정감으로 온통 물들어 있다. 한 국시가의 전통적 정서의 주류인 애(哀)·원(怨)·한(恨)의 가락은 이동주의 전 후시에서도 구체적으로 드러나고 있는 것이다. 이러한 이동주의 한의 정서는 역시 현실 패배적인 수동적 정서로 매도될 수 있다. 그러나 이러한 전후시의 한은 "아무래도 우리의 시정신은 한이다. 한이란 잘라 말해서 하고자하는 바 람이요 욕심이다. 한은 생존의 의욕이 아니라 보다 나은 인생에의 열원(熱願) 이다. 가장 당당하고 착한 Humanity다"(「작가는 말한다」, 『전후시집』)라는 시인 자신의 주장처럼 현실적 어려움을 극복하려는 몸부림에서 우러나온 정 신적인 방법으로 해석된다. 실상 고전 시가의 기본 정서인 애·원·한의 정서 표출이 버림받은 자, 소외된 자들이 어려운 시대를 살아가면서 체험하게 되 는 정신적 상처를 이겨내려는 현실극복 노력을 반영하는 것이라고 생각할 때 비극적 현실 상황에 대한 정신적 극복 노력의 일환으로서 한국인의 비극적 정서의 형질인 한의 모습이 드러날 수 있을 것이다.

육이오라는 전면적 인간 부정의 테러리즘에서 생존의의를 발견할 수 있는 것은 현실에 대한 적극적 참여나 저항일 수 있다. 그러나 운명적인 것들에 대 한 긍정을 통한 한의 카타르시스(catharsis)도 소극적인 것이긴 하지만 효과적 인 응전방식이 되기 때문이다. 이러한 고전 정신 지향과 전통적 정서에 대한 회귀는 그것이 현실도피라는 비판에도 불구하고 전후에 나타나는 신인들에 게 커다란 영향을 미쳤다.

박재삼의 시는 전후 신진시인의 고전 정서와 한의 가락을 특징적으로 보여 주고 있다.

임생각이 얼마였길래
내 목숨은 그래
구멍난 피리라.

그리 아프던 일도
이 한 때 구름 거둔 하늘로
막막한데

저것 보아요
달빛 깔린 누리를
그냥이야 어찌 지내겠어요.

모처럼 고향온 셈치고
임의 피리불던 솜씨가
이 밤에 되살아

눈감기듯 내 목숨에
닿아나 줬으면
풀리겠네 한(恨) 풀리겠네.

―박재삼, 「피리」

    이 시는 서정주적인 한의 정서를 바탕으로 조지훈의 고전적 리리시즘의 내밀한 가락이 혼융된 느낌을 준다. "임 생각", "피리", "구름 거둔 하늘", "한" 등의 시적 결합은 서정주의 『귀촉도』의 한의 가락에 닿아있으며, "달빛 깔린 누리", "모처럼 고향 온 셈치고/임의 피리 불던 솜씨가/이 밤에 되살아"라는 구절은 조지훈적인 고전 정신 부활과 은근히 연결된 것으로 분석되기 때문이다. 1950년 작으로 되어있는 이 시에는 전쟁으로 인한 외상은 찾아볼 수 없지만 한의 정서에 기반을 둔 고전적 허무주의만이 중심 내용을 이루고 있다. 이러한 박재삼의 고전 정서는 「춘향이 마음 초」에서 보다 구체적인 실체로서 자리 잡게 된다.

    집을 치면, 정화수(精華水) 잔잔한 우에 아침마다 새로 생기는 물방
울의 신선한 우물집이었을레. 또한 윤이 나는 마루의 그 끝에 평상(平
床)의, 갈앉는 뜨락의, 물내음새 창창한 그런 집이었을레, 서방님은 바
람같단들 어느 때고 바람은 어려올 따름, 그 옆에 順順한 스러지는 물
방울의 찬란한 춘향이 마음이 아니었을레.

    하루에 몇번쯤 푸른 산 언덕들을 눈아래 보았을까나. 그러면 그때
마다 일렁여오는 푸른 그리움에 어울려, 흐느껴 물살짓는 어깨가 얼
마쯤 하였을까나. 진실로 우리가 받들 산신령(山神靈)은 그 어디 있을
까마는, 산과 언덕들의 만리같은 물살을 굽어보는 춘향(春香)은 바람
에 어울린 수정(水晶)빛 임자가 아니었을까나.
—박재삼, 「1. 수정가(水晶歌)」

    참말이다. 춘향(春香)이 일편단심(一片丹心)을 생각해 보아라. 원
(願)이라면, 꿈속에 훌륭한 꽃동산이 온전히 제것이 되었을 그것이다.
그리고 그것을 가꾸는 슬기 다음에는 마치 저 하늘의 달에나 비길 것
인가, 한결같이 그 둘레를 거닐어 제자리 돌아오는 일이나 맘대로 하
였을 그것이다. 아니라면, 그 많은 새벽마다를 사람치고 그렇게 같은
때를 잠깨일 수는 도무지 없는 일이란 말이다.
—박재삼, 「4. 화상보(華想譜)」

  박재삼의 고전 정신의 특색은 단순히 고전 정신의 재현 그 자체에 목적이
있지 않다는 점이다. 오히려 고전 정신을 바탕으로 그것을 현대적인 모습으
로 내면화하고 창조적인 리리시즘으로 계승하려는 데 그 세계의 특징이 선명
히 드러난다. 서정주적인 세계의 단순한 영향만도 아니고 청록파의 전원적
리리시즘의 영향만도 아닌, 두 가지가 보다 내밀히 결합되고 응집된 정신의
독자성과 감각의 청신함이 엿보이는 것이다. 또한 그의 시에 나타나는 리리

시즘은 단순한 서정의 아름다움에 목표를 둔 것이 아니라 그것이 인간의 본질적인 허무의식과 은밀히 맞닿아 있다는 점에서 정신적 깊이와 형상력의 가능성을 추출해낼 수 있다.

이 시 외에도 「한」, 「추억에서」, 「밤바다에서」, 「남강가에서」, 「울음이 타는 가을강」 등 전후에 발표된 많은 초기 시들에서 고전 정신을 바탕으로 한 리리시즘이 인간의 근원적 허무와 연결되어 있음에 비추어 볼 때, 박재삼의 고전 정서의 지향 역시 전쟁의 가혹한 폭력과 질곡에 대응하는 정신 방법에 그 뿌리를 두고 있음을 알 수 있다.

이러한 고전적 정신의 지향은 험난한 역사를 살아온 한국인에게 있어서 육이오로 인한 정신적 파산을 보상하고 위안할 수 있는 효과적인 현실극복의 방법이 됐던 것이다. 고전 정서의 시 정신은 서구적 모더니즘의 홍수에 무방비적으로 노출되기 시작한 한국 현대시에 자기반성을 가함과 동시에 전후시에 전통적인 정서의 소중함을 재인식하게 하는 계기가 됐다는 점에서 시사적의미가 놓여진다.

3) 실존과 역설

한편 전쟁 체험의 현장을 노래하거나 혹은 모더니즘의 시사적 구호를 외치거나 고전적 정감으로 현실의 어려움에 대응하려는 시도와는 달리 현실 자체를 역설적으로 의식화함으로써 사회현상을 비판적으로 수용하려는 주지적인 경향이 나타났다. 이들은 전쟁이 몰고 온 인간 부정을 적나라하게 희화화하고 풍자화함으로써 상황적 절망을 극복하려는 정신의 수사법을 발굴하고 있다.

먼저 이러한 시인으로 김구용이 있다.

거리마다 총탄이 어지럽게 날라 공포의 음향에 휩쓸려 방속 나의
혼은 파랗게 질린 채 압축되었다. 한벌 남루(襤褸)의 세계지도에 웅크
린 내 피그림자마저 무서웠다.

생사의 양극에서 발가벗은 본태는 전혀 사고와 역사성이 없었고 상
상이 미지앞에 꾸러 엎드렸던 바로 그 자세였다. 그러나 모든 지식과
과학이 인간을 부정함에 만질 수 없는 용모 보이지 않는 구호(救護)를
힘 없는 입술이 불렀다.

……중략……

피투성이의 현실을 외면하고 진리의 길은 없었다. 진동하는 벽(壁)
넘어 끔찍스레 생명이 서로 죽어 가는 시가전이 열화(熱化)되자 이런
환상은 신은 제절로 없어져 버렸다.

우리의 손으로 만들어지지 아니한 무기들은 불비를 쏟고 죽음이 늘
비허니 쓰러져 도시는 타오르며 거듭 적색(赤色)으로 변질하였다.

……중략……

무사히 남으로 탈출한 것은 능력이 아니며 우연과 요행이었다. 생
각하는 갈대는 없었다. 거치른 기상에 빙결한 갈대를 밟으며 도중에
서 죽지 아니한 것은 돈이 종교 이상이었음을 실증한데 불과하였다.

나는 이 항도(港都)에 온 후 교회앞을 지나가기 싫어한다. 십자가가
사람들에게 피살된 정의의 시신(屍身)으로 보여 매시꼬움을 느낀 까
닭이다.

……중략……

오늘날의 괴멸(壞滅)에서 나는 오늘날의 사람과 똑같은 나다. 음모
다. 생활이었다.

……하략……

— 김구용, 「탈출」에서

이 시에는 전쟁 체험의 비극적 상황을 살아가는 개인적 삶의 초라함과 어

려움 그리고 물질이 지배하는 현실에 대한 날카로운 비판과 풍자가 짙은 니힐리즘을 바탕으로 하여 묘사되고 있다. 또한 인간과 신에 대한 근본적 부정과 회의가 직설적인 산문의 난삽한 구문 속에서 대담하게 노출되어 있다. "거리마다 총탄이 어지럽게 날라" "나의 혼은 파랗게 질린 채 압축되었다", "진동하는 벽넘어 끔찍스레 생명이 서로 죽어가는 시가전이 열화되자 이런 환상은 신은 절로 없어졌다", "우리의 손으로 만들어지지 아니한 무기들은 불비를 쏟고 죽음이 늘비하니 쓰러져 도시는 타오르며"와 같이 전쟁의 거대한 폭력은 전면적으로 한 개인의 실존과 신의 절대 세계에 대한 믿음을 무위한 것으로 만들어 버리고 만다. "생각하는 갈대는 없었다"와 같은 적나라한 인간 부정, "피투성이의 현실을 외면하고 진리의 길은 없었다"라는 처절한 현실인식의 절규, "돈이 종교 이상이었음을 실증"과 같은 직설적인 현실 고발, "십자가가 사람들에 피살된 정의의 시신으로 보여"와 같은 담대한 야유, "오늘날의 괴멸에서 나는 오늘날의 사람과 똑같은 나다. 음모다. 생활이었다."라는 자기 모멸과 자조의 신랄함은 험열한 시대를 살아가는 정신적 지주로서의 시인 자신에 대한 강경한 저항과 반동에서 비롯된다. 김구용은 재래시의 전통적 수사법과 형식을 거부하고 현실적인 일상어를 대담하게 산문시적인 구성으로 개방함으로써 인간을 부정하고 상상력을 말살하는 전쟁의 거대한 폭력에 대해 정신적인 저항을 시도한 것이다. 시 「탈출」뿐 아니라 「관음상」, 「서제」, 「제비」, 「뇌염」, 「시각의 결정」 등 김구용의 많은 산문시는 전쟁 체험에 따른 실존적 어려움과 인간적 고통 그리고 절망적 현실을 시 속에 정면으로 수용해 들이는 데 있어 생기는 시적 한계성을 감쇄해 보고자 하는 안간힘으로 풀이된다. 또한 과감한 일상어의 도입, 애매한 산문의 난삽성, 그리고 생경한 관념과 이미지의 전격적 결합으로 이루어진 김구용의 산문시는 보다 적극적으로 인간의 참혹한 현실을 비판하고 실존의 어려움을 풍자함으로써 전쟁의 전면적 인간 부정에 대항하여 인간의 존재의의와 가치를 옹호하려는 집요한 휴머니즘의 노력인 것이다. 시에 대한 종래의 개념을 근본적으로 파괴한 김구용의 이러한 대담한 산문시들이 난해시 속에 현실수용의 영역과 방법에 대한 가능성을 확대시킨 것은 사실이다.

그러나 김구용의 시들은 현실에 대한 적나라한 비판과 풍자에 의해 인간성을 옹호하고 시적 가능성을 확대한 성과와는 상대적인 입장에서 시라는 형식에 대한 근본적인 반성을 요구하게 되었다. 대담한 일상어와 전면적인 산문형식의 채용이 내포하고 있는 시적 미의식의 결여가 한국어의 산문시적 가능성에 대한 의문과 함께 '시란 과연 무엇인가?'라는 원론적인 문제를 새삼 제기한 것이다.

이러한 질문에 비교적 효과적인 응답을 제공한 사람은 송욱이다.

송욱의 시 세계는 데뷔작인 「장미」, 「비오는 창」, 「꽃」 등에서 볼 수 있듯이 전통적인 서정에 뿌리박은 생명의 몸부림을 형상화하는 데서 출발하고 있다.

> 장미밭이다.
> 붉은 꽃잎 바로 옆에
> 푸른 잎이 우거져
> 가시도 햇살 받고
> 서슬이 푸르렀다.
>
> 벌거숭이 그대로
> 춤을 추리라.
> 눈물에 씻기운
> 발을 뻗고서
> 붉은 해가 지도록
> 춤을 추리라.
>
> 장미밭이다.
> 핏방울 지면

꽃잎이 먹고
푸른잎을 두르고
기진하며는
가시마다 사이 묻은
꽃이 피리라.

— 송욱, 「장미」

장미가 지닌 모순의 몸부림은 바로 시인 자신의 실존이 내포하고 있는 생의 모순과 몸부림을 반영한다. 「가시」와 「꽃잎」으로 표상되는 원죄적 모순의 보조관념을 통하여 생의 본질적 양면성과 그 존재의 어려움을 서정적으로 드러내고 있는 것이다.

송욱의 이러한 생명에 대한 치열한 탐구의 시선은 전쟁 체험을 통하여 사회 현실에 대한 적극적인 풍자와 직접적인 비판으로 변모된다.

고독이 매독처럼
꼬여박힌 8자(字)면,
청계천변 작부(酌婦)를
한 아름 안아 보듯
치정(痴情)같은 정치가
상식이 병인양하여
포주(抱主)나 아내나
빚과 살붙이와
현금이 실현하는 현실 앞에서
다달은 낭떠러지!

— 송욱, 「하여지향(何如之鄕)·5」에서

바다
아뢰야식(阿賴耶識)
억만 포기 가슴들이

거울처럼
나를 비추는 물결!

숨
틈이 쉬지 않고
송장
불타는 재가
쌀을 섬기면,
찌꺼기가
대소변 두 길을 트고,
걸어온 너와 나
여자와 남자.
폭류가 폭풍처럼
숨 가쁘게 숨 가쁘게
종자(種子)를 굴리고,
……중략……
열 스물 서른살 때
지나 스쳐 가다 오간
전쟁 전쟁이
더럽힌
세대 연대 시대가
총알이 박힌 시간
아아 시무간(時無間)이다!

　　　　　　　　　　　　　－송욱, 「해인연가(海印戀歌)·4」에서

　　인용한 송욱의 두 시에 공통되는 것은 시적인 언어를 배제하고 일상어를
과감하게 활용함으로써 적극적인 현실 비판과 위트있는 풍자를 시도하고 있
다는 점과, 산문적인 시어를 자유자재로 구사함으로써 시적 행간 속에 독특
한 지적 울림을 부여하는 실험을 보여주고 있다는 점이다.

'매독', '청계천변 작부', '포주', '현금'(「하여지향」), '송장', '찌꺼기', '대소변', '종자', '시무간'(「해인연가」) 등과 같이 현실 생활의 암면을 직접적으로 제시하는 비시적 일상어를 대담하게 시 속에 이끌어 들임으로써 재래시의 일상적인 조사법을 파괴하고 시에 대한 종래의 보편적 개념을 근본적으로 수정하고자 시도하는 것이다. 아울러 "치정 같은 정치", "현금이 실현하는 현실"과 같은 리얼한 현실 고발은 전후의 무질서한 비리를 비판하고 전쟁이 말살한 휴머니즘에 대한 각성을 요구하는 적극적인 현실 비판을 보여주고 있는 것이다. 이러한 현실비판과 풍자적 고발은 「해인연가」에서 "아뢰야식", "불타는 재가/쌀을 섬기면/찌꺼기가/대소변 두길을 트고", "전쟁전쟁이/더럽힌/세대 · 연대 · 시대가/총알이 박힌 시간/아아 시무간이다"와 같은 구절처럼 더욱 메타포리컬하게 노출된다. 이러한 인유적인 현실 노출 속에는 전쟁으로 난파된 인간들의 모습에 대한 신랄한 자조와 탄식이 깃들어 있음을 간과할 수 없다.

또한 송욱은 이러한 시들에서 산문적인 시어가 갖기 쉬운 저급한 산문으로의 비시적 전락을 극복하고 그 속에 음악성을 부여하는 미묘한 시어적 실험을 보여주고 있다. '고독', '매독', '치정', '정치', '현금', '현실'과 같은 비슷한 음의 교묘한 결합, 그리고 '처럼', '보듯', '같은', '인양'같이 직유적 계사(繫辭, copula)의 다양한 활용, 그리고 '8자면', '낭떠러지'와 같은 명사적인 종지법의 활용은 김구용의 시가 결여하고 있는 내면적인 울림의 획득에 성공하고 있는 것이다. 더구나 「해인연가」에서처럼 "숨/틈이 쉬지 않고/송장/불타는 재가", "여자와 남자./폭류가 폭풍처럼/숨가쁘게 숨가쁘게", "지나 스쳐가다 오간/전쟁 전쟁이" "세대 연대 시대" 등과 같이 유사한 음상의 교차, 비약적인 행 구분, 동일어의 반복, 의미의 점층적 반복 등의 자유자재로운 조직과 결합은 의미(signification), 음상(sonorité)의 미묘한 충돌로 인해 시의 음악성을 유발하고 있다.

이처럼 송욱은 그의 시에서 비시적으로 보이는 현실적인 과감한 시어의 도입과 교묘한 배열 및 조직에 의하여 음악적 울림을 형성시킴으로써 결과적으로 한국어의 시어적 가능성을 크게 확대하였다.

> 나는 한국어의 무한한 가능성을 믿는다. 나의 모국어가 어떤 외국어에도 못지 않다고 생각한다. ‥‥중략‥‥‥ 한국어는 나의 또 다른 육체이다. 나는 이 육체로써, 보고 웃고 울려고 한다. 나의 모국어는 나의 법신(法身)이다. 한국어는 나의 조국이다.
>
> ―『하여지향』, 「서문」에서

이와 같은 송욱의 한국어에 대한 신뢰의 발언 속에는 재래적인 시의 일반적 통념에 대한 전면적인 회의와 저항이 자리 잡고 있음을 간과해선 안 된다. 그의 시가 시적 표현의 껄끔거림을 지니고 있다는 점, 비판과 풍자의 과도한 노출로 인한 심미적 절제와 상징의 깊이가 결여되었다는 점, 그리고 편내용으로 인한 의미구조의 난삽성과 그에 따른 시적 균형미의 언밸런스에도 불구하고 그의 시는 30년대 이상의 난해시 실험이 한국 현대시로 하여금 현대적 전환을 이룩하는 데 소중한 계기를 형성했던 것처럼 전후 한국시의 개념과 방법을 확장하는 데 있어 자기비판과 성찰을 보여주었다는 점에서 시사적 의미를 인정받을 수 있다.

이렇게 볼 때 김구용의 대담한 산문적 개방이 6·25전쟁의 전쟁 폭력에 대한 정신적 저항에서 비롯됐듯이, 송욱의 주지적 실험과 모색은 전쟁의 회오리바람이 몰고 온 재래시에 대한 문화사적 반항의 상징으로서 이해할 수 있는 것이다.

전영경의 시도 전후 현실에 대한 시니컬한 풍자와 역설을 보여주고 있다.

느티나무 위에 금속분처럼 쏟아지는
하늘이 있었고,
깨어진 석기와 더부러, 그 어느 옛날
옛날이 있었
고,
금속분처럼 파아랗게 쏟아지는 햇 속에서 무고하게도
학살을 당한 것은 당신과 같은
흡사 당신과도 같은
포승 그대로의 주검이 있었
고,
느티나무 더부러, 그 어느 옛날이
있었
고,
지도자가 있었
고,
깨어진 석기, 석기속에 말없이 흩어진
이얘기와,
그 어느 조문과
그 누구의 남루한 직함과
때묻은 족보가 있었
고,
꿈이 있었다
몇포기의 화초를 가꾸다가
느티나무와 더부러, 그 어느 옛날에
서서,
세상을 버린 것은
금속분처럼 파아랗게 쏟아지는
하늘을 향해
황수가 움메⋯⋯, 하고 울었기 때문이다

　　　　　　　　　　　　　　　　　－전영경, 「선사시대」

이 작품은 "무고하게도/학살을 당한", "포승 그대로의 주검이 있었/고"와 같이 전쟁의 비극을 테마로 하고 있다. 그러나 전쟁의 비극이 비극 자체로서 표출된 것이 아니라 "느티나무 위에 금속분처럼 쏟아지는/하늘", "황소가 움매하고 울었기 때문"과 같이 평화스러운 선사시대와 대비됨으로써 역설과 풍자성을 지니게 된다. 그의 시는 인간이 전쟁의 허무와 비극성에 대응할 수 있는 방법이 현실을 역설적으로 수용하는 데서 한 가능성을 찾을 수 있다는 점을 제시해 주고 있는 것이다. 그의 시가 「소녀는 배가 불룩했읍니다」, 「봄소동」, 「사본 김산월여사」, 「인생이 무엇인가 묻는 주책없는 청년에게」 등과 같이 대담한 풍자와 야유 그리고 조소와 역설로 이루어져 있는 것도 바로 그 때문이다.

송욱과 김구용, 그리고 전영경 등으로 이어지는 한국어의 시어적 가능성에 대한 실험과 모색은 다분히 실험적인 모습으로 끝나고 말았지만, 한국시가 전후의 혼란 속에서 주지적 비판정신을 획득하고 시 방법을 현대적인 것으로 다양화하는 데 중요한 계기가 됐다는 점에서 의미가 놓여진다.

4) 존재와 언어

한편 전쟁의 냉혹한 현실에서 눈을 돌려 사물의 존재론적인 탐구를 통하여 시에 대한 새로운 인식을 시도하는 일군의 시인들이 나타났다.

김춘수는 시적 대상으로서의 존재의 문제와 그의 언어적 형상화에 대한 개성적인 성찰을 보여주었다.

모든 것은
내 눈앞을
그냥 스쳐간 버린 것이 아니다.

산마루에
피었다 사라진
구름 한조각,

온 하루를
내 곁에서 울고 간
어느 날의 바람의 그 형상

그것들은 지금
나의 속에서
하나의 모습으로 자라가고 있다.

전지(戰地)에로 가는
병정들의 눈
무서운 눈

꽃이 지면 열매를 맺듯이
그것들도 어디로
그냥 떨어져가는 것이 아니다.

그것들은 지금
세계의 가슴속에
잊지 못할 하나의 눈짓을 두고 간다.
　　　　　　　　　－김춘수, 「눈짓」

　이 시는 먼저 전반부에서 '구름'과 '바람'이라는 보조관념을 사용하여 존재
의 소멸과 생성에 대한 의미론적 연관성을 추구하고 있다. "피었다 사라진/구
름 한조각", "울고 간" "바람의 형상"을 통하여 존재의 변모와 의미의 심화에
대한 미세한 통찰을 보여주고 있다. "그것들은 지금/나의 속에서/하나의 모습

으로 자라가고 있다"라는 구절 속에는 소멸을 생성과의 유기적 관련에서 파악하고자 하는 사물에 대한 존재론적 인식 태도를 표출하고 있다. 이러한 존재의 의미에 대한 상징적 형상화는 후반부에서 구체화된다. 후반부의 초점은 '병정'과 '꽃'의 인유(allusion)적 대응 관계에서 존재의 소멸과 생성에 대한 인식을 예리하게 보여주고 있다. "전지(戰地)에로 가는/병정들의 눈/무서운 눈" 은 "꽃이 지면 열매를 맺듯이" "그냥 떨어져 가는 것이 아니다."라는 보조 심상을 통하여 소멸과 생성의 변증법적 관계를 표출해 주고 있는 것이다. 그러므로 그것들은 지금 "세계의 가슴 속에/잊지 못할 하나의 눈짓을 두고 간다" 라는 시적 결구를 통하여 전쟁으로 인해 이름 모를 들꽃처럼 사라져간 병사들의 죽음이 결코 무위의 것이 아니라 살아남은 인간들을 위해 값진 헌신이며 그들의 가슴 속에 불멸의 의미를 생성한다는 존재 인식과 그 의미에 대한 확신과 염원을 상징적으로 형상화한 것이다.

이러한 실존 방식에 대한 존재론적 탐구와 언어적 형상화에 대한 미세한 통찰은 「별」, 「꽃」, 「꽃을 위한 서시」 등의 작품에서 더욱 선명히 드러난다.

> 내가 그의 이름을 불러주기 전에는
> 그는 다만
> 하나의 몸짓에 지나지 않았다.
>
> 내가 그의 이름을 불러 주었을 때
> 그는 나에게로 와서
> 꽃이 되었다.
>
> 내가 그의 이름을 불러준 것처럼
> 나의 이 빛깔과 향기에 알맞는
> 누가 나의 이름을 불러다오.

그에게로 가서 나도
그의 꽃이 되고 싶다.

우리들은 모두
무엇이 되고 싶다.
너는 나에게 나는 너에게
잊혀지지 않는 하나의 의미가 되고 싶다.

　　　　　　　　　　　　　－ 김춘수, 「꽃」

　이 시는 부재와 존재의 관계에 대한 존재론적 인식에 근거를 두고 있다. '하나의 몸짓에 지나지 않던' 그의 존재는 나의 인식론적 관여에 의한 존재적 기투로 인해 무(無)로부터 존재로 이끌어져 올린다. 이러한 존재개명(存在開明)은 사물의 본질에 대한 끈질긴 응시와 탐구에 의해 성취되는 것으로서 무와 존재의 변증법적 갈등을 전제로 한다. 즉 없음과 있음은 존재의 표리를 이루면서 항상 새로운 인식론적 기투와 관여에 의해 본질과 현상을 넘나드는 것이다. 이러한 넘나듦은 전후의 폐허로부터, 그 허무로부터 인간 존재 질서의 새로운 회복을 갈망하는 실존적 고뇌에서 비롯된 것으로 해석된다. "우리들은 모두/무엇이 되고 싶다.", "잊혀지지 않는 하나의 의미가 되고 싶다."라는 존재에의 갈구, 살아있음에의 소망은 바로 전쟁의 상처, 그 깊은 허무의 심연으로부터 인간구원과 그 의미 부여를 성취하기 위한 시적 형상화의 안간힘에 해당한다. 전후 인간 존재의 허망성에 대한 근원적 불안과 부정을 통해서 비로소 참다운 존재 방식과 만날 수 있게 된 것이다.

　이렇게 볼 때, 김춘수의 시는 전쟁의 와중에서도 사물과 존재, 존재와 시, 그리고 상상력과 언어적 형상력에 대한 깊이 있는 탐구를 지속함으로써 한국 시에 시적 대상과 언어화의 문제에 대한 암시의 미학이라는 새로운 존재론의 바탕을 마련하였다는 점에서 의미를 지니게 된다.

　김춘수의 사물과 인간의 존재에 대한 깊이 있는 응시는 「부다페스트에서의 소녀의 죽음」에서 보다 구체적인 휴머니즘의 양상을 지니게 된다.

다늎강에 살얼음이 지는 동구(東歐)의 첫겨울
가로수 잎이 하나 둘 떨어져 뒹구는 황혼(黃昏)무렵
느닷없이 날아온 수발의 소련제 탄환은
땅바닥에
쥐새끼보다도 초라한 모양으로 너를 쓰러뜨렸다.
순간
바쉬진 네 두부(頭部)는 소스라쳐 삼십 보 상공으로 튀었다.
두부를 잃은 목통에서는 피가
네 낯익은 거리의 포도를 적시며 흘렀다
―너는 열세살이라고 그랬다.
네 죽음에서는 한 송이 꽃도
흰 깃의 한 마리 비둘기도 날지 않았다.

……중략……

음악에도 없고 세계지도에도 이름이 없는
한강의 모래사장의 말없는 모래알을 움켜 쥐고
왜 열 세 살 난 한국의 소녀는 영문도 모르고 죽어 갔을까,
죽어 갔을까, 악마는 등뒤에서 웃고 있었는데

……중략……

부다페스트에서의 소녀의 내던진 죽음은
죽음에 떠는 동포의 치욕에서 역(逆)으로 싹튼 것일가,
싹은 비정(非情)의 수목들에서 보다
치욕의 푸른 멍으로부터
자유를 찾은 소녀의 뜨거운 피 속에서 움튼다.
싹은 또한 인간의 비굴 속에 생생한 이마쥬로 움트며 위협하고

한밤에 불면의 염염(炎炎)한 꽃을 피운다.
인간은 쓰러지고 또 일어설 것이다.
그리고 또 쓰러질 것이다. 그칠 날이 없을 것이다.
악마의 총탄에 딸을 잃은
부다페스트의 양친과 함께
인간은 존재의 깊이에서 전율하며 통곡할 것이다.
······하략······
　　　　　　－김춘수, 「부다페스트에서의 소녀의 죽음」에서

이 시는 부다페스트 소녀와 한강 소녀의 죽음을 통하여 전란의 참혹성과 자유와 정의의 소중함을 함께 보여주고 있다. '느닷없이 날아온 소련제 탄환에 아무 죄도 없이 참혹하게 목숨을 잃은' 부다페스트 소녀의 죽음은 '한강의 모래사장의 말 없는 모래알을 움켜쥐고 영문도 모르고 죽어 간' 한국 소녀의 죽음과 대조되어 '동포의 가슴에로 짙은 빛깔의 아픔으로' 젖어 드는 것이다. 이러한 전쟁의 비극은 '일본 동경 세다가야서 감방에 불령선인으로 수감되었던' 젊은 시인의 가슴을 무참히 짓밟음으로써 인간 존재의 근원적 비극성을 확대 심화하고 있는 것이다. 그러나 참혹한 비극 속에서도 "인간은 쓰러지고 또 일어설 것이다", "인간은 존재의 깊이에서 전율하며 통곡할 것이다"와 같이 인간의 존엄성과 근원적 자유에 대한 확고한 신념과 소망을 형상화하고 있다. 이 시는 한 소녀의 죽음을 통하여 전란의 참혹성을 상대적으로 드러냄으로써 자유를 위한 투쟁과 인간성의 옹호를 "뜨거운 피 속에서" "생생한 이 마쥬로 움트며"와 같이 휴머니즘의 차원으로 상승시키려 하고 있다는 점에서 대표적인 전후시의 하나로 인정된다. 다만 이 시는 크게 연관성이 없는 헝가리 의거와 한국전쟁을 함께 대비함으로써 일률적인 반공의식을 의도적으로 고취한다는 점에서 주제의 상투성 내지는 의도의 단순성이 엿보인다는 점이 흠이라 할 수 있다.

이러한 김춘수의 시는 「나목과 시」에서 하나의 시론을 획득하게 된다.

겨울하늘은 어떤 불가사의(不可思議)의 깊이에로 사라져가고
있는듯 없는듯 무한(無限)은
무성하던 잎과 열매를 떨어뜨리고
무화과나무를 나체로 서게 하였는데
그 예민한 가지끝에
닿을 듯 닿을 듯 하는 것이
詩일까,
언어는 말을 잃고
잠자는 순간,
무한은 미소하며 오는데
무성하던 잎과 열매는 역사의 사건으로 떨어져 가고
그 예민한 가지 끝에
명멸(明滅)하는 그것이
시일까

—김춘수, 「나목(裸木)과 시(詩)」

이 시는 나목의 존재론적 탐구를 통하여 시적 형상화의 내밀한 메커니즘을
드러내 주고 있다. '불가사의의 깊이 무한'의 탐구가 바로 시라는 인식은 "예
민한 가지 끝에" "닿을 듯 닿을 듯 하는 것이 시일까"와 같이 시인의 예리한
감수성과 시적 대상과의 충돌을 유발하게 된다. 이러한 감수성과 시적 대상
의 충돌은 "언어는 말을 잃고/잠자는 순간,/무한은 미소하며 오는데" "그 예
민한 가지 끝에/명멸하는 그것이/시일까"와 같이 상상력과 언어의 만남을 통
하여 시적 의미를 지닌 시어의 생명화를 이루게 되는 것이다. 이러한 시적 형
상화의 전개 과정은 사물에 대한 김춘수의 존재론적 탐구에서 시적 실체를
획득하게 되며, 바로 이러한 사물의 존재론적 탐구의 노력이 김춘수 시에서
하나의 입점(立點)이 되는 것이다.

김춘수와 아울러 신동집도 존재와 언어에 대한 깊이 있는 성찰을 보여주
었다.

많은 사람이
여러 모양으로 죽어 갔고
죽지 않은 사람은
여러 모양으로 살아 왔고
그리하여 서로들 끼리
말못할 악수(握手)를 한다.
죽은 사람과
죽지 않고 남은 사람과,

악수(握手)란, 오늘
무엇을 말하는 것이냐,
나의 한편 팔은
땅속 깊이 꽂히어 있고
다른 한 편 팔은
짙은 밀도의 공간(空間)을 저항한다,
죽은 사람이 살았을 때를
그리워하며
살은 사람이 죽어갈 때를
그리어 보며……

—신동집, 「악수(握手)」

　　신동집의 시는 인간의 실재적 의미에 대한 질문과 존재 방식의 양면성에 대한 깨달음을 보여주고 있다. '죽음과 삶', '죽은 자와 산 자'의 대화를 통하여 실재의 무의미성을 뛰어넘으려 한다. 산 자와 죽은 자의 만남은 '악수'라는 화해의 접합점에서 이미 일상적 의미를 상실하고 시적 의미로 상승하게 된다. "한편 팔은/땅속 깊이 꽂히어 있고/다른 한편 팔은" "공간을 저항한다"는 실존에 대한 이율배반적 인식은 바로 전후인(戰後人)들의 특징적 사고방식의 하나가 된다. 그러므로 "죽은 사람이 살았을 때를/그리워하며/살은 사람이 죽어갈 때를/그리어 보며'라는 현실 긍정의 자세를 취할 수밖에 없는 것이다. 대웅은 '악수'라는 만남의 현장에서 현실 감각을 획득하게 된다. 실존에 대한 부재의 파악은 바로 전후인들의 내적 갈등을 표출한 것으로 파악된다.

> 참으로 많은 표정(表情)들
> 가운데서
> 나도 일종(一種)의
> 표정(表情)을 지운다,
>
> 네가 좋아하던 나의 표정(表情)이
> 어떤 것인지
> 내가 좋아하던
> 너의 표정(表情)이 어떠한 것인지
> 다 잊어버렸다고 하자,
>
> 우리에게 남은
> 단 하나의 고백(告白)만은
> 영원히 아름다운
> 약속(約束) 안에 살아 있다,
>
> 풍화(風化) 하지 않는
> 어느 얼굴의 가능(可能)을 믿으며
> 참으로 많은 표정(表情)들 가운데서
> 나도 임의(任意)의 표정(表情)을 지운다,
>
> 표정이 끝난 시간을랑
> 묻지를 말라,
> 창살 속에 갇히인
> 나의 노래를 위하여.
>
> —신동집, 「표정(表情)」

이 시는 '잊어버림'과 '살아있음', 즉 망각과 기억의 이중적 대응 관계에서 발생하는 정신적 에너지를 핵심으로 구성되어 있다. 시 「악수」가 인간 실존의 양면성을 드러내고 있다면 「표정」은 시간의 소멸과 생성에 따른 인간 실존의 변모를 응시하고 있다. 전쟁의 참혹한 파괴는 끊임없는 시간의 흐름 속에서 지워지지 않는 상흔을 남기게 되지만 인간은 그 잃어버린 시간의 굴레 속에서 "영원히 아름다운/약속 안에 살아 있"을 새로운 가능성을 찾아 나설 수밖에 없는 것이다. 시간의 끊임없는 소멸과 생성 속에서 존재의 의미 또한 소멸되고 새롭게 생성되면서 변모해가는 것이다. 신동집 시의 이러한 시적 소멸과 생성의 변증적 화해 과정은 자신의 시관에서도 잘 나타나고 있다.

> 시인에게 있어서 시란 시 행위의 내면적 과잉 그 자체라면—즉 시란 하나의 지속의 정신이라면—나는 오랫동안 시를 지속 정신의 한 소산이라고 생각해 왔으며 지금은 더욱 그러하다. 시인은 끊임없이 자기를 붕괴시켜야 하며 또한 붕괴된 그 터전에서 자기를 재인식해야 한다. ……중략……이 자기 붕괴와 자기 재조직은—전자를 원심력이라 할 때 후자는 구심력의 작용이 될 것이다—긴밀히 결합 수행될 때 그는 보다 넓어지는 생의 체험과 더불어 완전에 가까운 시인으로 근접해 갈 것이다.

이상과 같은 신동집의 시관은 바로 그의 시의 핵심을 잘 묘파한 것이다. 그의 시는 존재의 소멸과 생성과정, 즉 의미의 붕괴와 재조직의 변증법적 지양 속에서 전후 현실의 비극적 상황이 극복될 수 있다는 자신의 신념을 형상화한 것으로 해석된다. 떠남과 만남, 회상과 동경이 상징하는 소멸과 생성의 내밀한 갈등과 화해 관계는 인간 존재에 대한 현실적 좌표의 재인식으로 귀결되기 때문이다.

이처럼 김춘수와 신동집은 전쟁의 가열한 상황을 내면으로 치환시켜 인간 존재의 실존에 대한 존재론적 인식을 추구하고 이러한 인식을 통해 존재와 언어의 문제, 즉 한국어의 시적 형상력에 관한 문제를 집중적으로 탐구함으로써 암시의 미학을 제시했다는 점에서 그 시사적 중요성이 인정된다.

3-4 존재와 서정

1) 전후 리리시즘(lyricism)의 형성

1946년 간행된 『청록집』은 1948년 간행된 『하늘과 바람과 별과 시』와 함께 해방공간의 정치적 혼란과 사회사적 격동 속에서 방황하는 이 땅의 젊은 이들에게 정신적인 위안과 감동을 제공하였다. 특히 『청록집』은 자연이라는 공동의 이데아를 탐구함으로써 상실의 시대를 살아오고 또한 격동의 시기를 방황하던 한국인들에게 잊혀진 정신의 고향을 되찾을 수 있게 해 주었다.

박목월의 향토적 리리시즘과 조지훈의 동양적인 선(禪)감각 및 역사의식, 그리고 박두진의 기독교적 갈망이 착색된 '자연'은 단순한 시적 대상으로서의 자연이 아니라 삶의 현장이며 동시에 고향이며 이데아였던 것이다. 그러므로 해방 후 데뷔한 대부분의 시인들은 『청록집』의 자연과 리리시즘을 의식하지 않을 수 없었으며, 작든 크든 간에 직접·간접으로 영향을 받지 않을 수 없었다. 실상 모더니즘을 표방하고 나선 신진세력의 대표 격인 50년대의 '후반기' 동인들의 캐치프레이즈가 청록파에 대한 반발에 근거를 두고 있었던 것은 저간의 상황을 잘 반영한 것이 된다.

그러나 청록파 세 시인의 지배적인 영향에도 불구하고 이러한 자연을 바탕으로 한 리리시즘은 전후시에 그다지 큰 반향을 얻지 못한 것이 사실이다. 이것은 남북문단 재편성 이후 남쪽 문단에서 세 시인의 시와 시단에서의 위치가 지나치게 독보적인 것으로 성장해 버린 데서도 그 원인을 찾을 수 있지만, 그보다 전쟁이라는 거대한 폭력이 참다운 리리시즘의 심화와 확대의 가능성을 폭살해버렸기 때문인 것으로 해석된다.

이형기는 『문예』의 추천으로 데뷔해서 전후의 서정적 리리시즘을 추구하였다.

> 풀밭에 호올로 눈을 감으면
> 아무래도 누구를
> 기다리는 것 같다.
>
> 연못에 구름이 스쳐가듯이
> 언젠가 내 가슴을 고이 스쳐간
> 서러운 그림자가 있었나 보다.
>
> 마치 스스로의 더운 입김에
> 모란이 뚝뚝 져버리듯이
> 한없이 나를 울렸나 보다.
>
> 누구였기에
> 누구였기에
> 아아 진정 누구였기에
>
> 풀밭에 호올로 눈을 감으면
> 어디선가 단 한번 만난 사람을
> 아무래도 기다리고 있는 것 같다.
>
> ─이형기, 「초상정사(草上靜思)」

이 시의 주요 소재는 '풀밭', '연못', '구름', '모란' 등과 같은 서정적인 자연을 배경으로 하고 있다. 자연 그 자체를 주제로 한 것은 아니지만, 자연 속에서 촉발되는 인간의 내면적 외로움을 무심히 흘러가는 구름의 그림자로서 묘사함으로써 생의 뿌리 깊은 고독과 외로움을 투영해 주고 있는 것이다.

적막강산(寂寞江山)에 비 내린다.
먼 산 변두리를 슬며시 돌아서
저문 창(窓)가에 조용히 머물 때
저바린 일상(日常)
으늑한 평면(平面)에
가늘고 차운 것이 비처럼 내린다.
나직한 구름자리
타지 않는 일모(日暮)……
……중략……
풍경(風景)은 정좌(正座)하고
산은 멀리 물러앉아 우는데
적막강산(寂寞江山)……
내 주변(周邊)은 이렇게 저무는가
살고 싶어라
사람 그리운 정(情)에 못이겨
차라리 사람없는 곳에 살아서
청명(淸明)과 불안(不安)
대기(待期)와 허무(虛無)
천지에 자욱히 가랑비 내린다.
아, 이 적막강산(寂寞江山)에 살고 싶어라.

— 이형기, 「비」에서

이 시에는 뿌리 깊은 삶의 외로움이 '적막강산'과 '비'로서 상징화되어 있다. 전쟁의 소용돌이는 '적막강산'이라는 상징 속에 "가늘고 차운 것이 비처럼 내린다."라는 구절처럼 아픈 상흔과 비애로서 남아있을 뿐, 시의 전면에 자리 잡고 있지 않다. 오히려 삶의 깊은 허무와 고독이 "산은 멀리 물러앉아 우는데"와 같이 객관화의 의지로 표상되어 "살고 싶어라/사람 그리운 정에 못이겨"라는 인간애의 시선으로 변모되어 있는 것이다. "천지에 자욱히 가랑비 내린다./아, 이 적막강산에 살고 싶어라"라는 구절 속에는 '가랑비'라는 서정적 매체로서 대지의 고독과 인간의 삶의 의지를 연결함으로써 청록파의 전

원적 리리시즘과는 또 다른 각도에서 전후의 서정적 리리시즘을 가능케 하고
있는 것이다.

　　눈비가 오려나
　　호지일모(胡地日暮)

　　먼 산자락 넘어
　　구름은 가고

　　정(情)은 만리(萬里)
　　청(靑)노새 울음

　　호지일모(胡地日暮)에
　　눈비 오려나

　　저녁 바람 분다
　　빈 들에 홀로

　　　　　　　　　　　　　　　　－이형기, 「빈들에 홀로」

　　그러나 이형기의 서정적 리리시즘은 근원적으로 청록파로부터 밀접히 영
향받고 있는 것이 사실이다. '산자락', '구름', '청노새', '저녁 바람', '일모', '빈
들'과 같은 오브제는 이미 청록파의 시 속에서 체험된 것이었으며, 그러한 시
를 관류하는 시 정신 역시 자연과 인간의 교감이라는 차원에 뿌리박고 있기
때문이다. 다만 이형기의 시는 자연을 목적으로 추구하기보다는 자연에 감응
하는 인간의 고독과 허무를 내면적인 리리시즘으로 형상화하려는데 비중을
두고 있다는 점에서 그 대비적 차이가 드러날 뿐이다.
　　한성기의 시 역시 리리시즘 속에서 생의 의미를 조명하려는 시도를 보여주
고 있다.

시골에 살면서 나는 조곰씩 밭에 나가 일을 했습니다. 얼마간의 땅을 삽으로 파 일구어 보았습니다. 한참을 온몸에 힘 주었다가 푹 쉬는 쾌적, 이것을 나는 알았읍니다. 두둑을 만들고 씨앗을 뿌린 다음 나는 그 일정한 면적이 나의 영역이나 되는 것 같이 찾아 나섰읍니다. 봄배추, 가지, 오이, 토마토 등속을…… 그것들이 싹트면서 하루하루를 자라나는 것을 바라보는 일은 그지없이 기쁜 일이었읍니다. 단순한 데서 지리하지 않으려는 것. 이것이 시골에서 찾은 나의 위로였읍니다. 어쩌면 무미하고 아무것도 아닌 것 같은 것과 친근해 가면서 하루하루를 살아 가노라면 미처 깨닫지 못했던 뜻이 거기 풀섶에나 또랑가에 뒹굴고 있는 것입니다. 더구나 계절이 바뀔 때마다 자연(自然)이 주시는 말씀. 나는 「말씀」이 무엇인지를 비로소 들은 것 같습니다. 조용하면서 당당하고 나직하면서 또렷또렷한 말씀……. 이런 것이 시골에서는 카랑카랑 들려 오는 것입니다.

—한성기, 「낙향이후」

이 시는 대자연 속에 내재한 생명력과 설득력을 깨달아가는 인간의 겸허한 몸가짐을 보여주고 있다. 살아있는 것들에 있어 생명의 근원이며 터전으로서 자연을 외경하는 마음이 "자연이 주시는 말씀", "조용하면서 당당하고 나직하면서도 또렷또렷한 말씀"으로 형상화되어 있는 것이다. 자연을 단순한 자연 자체로서 혹은 리리시즘으로 추구하기보다는 인간적 삶의 근원으로서 자연과 인간의 친화력을 기본적인 시 세계로 삼고 있는 것이다.

하루를 소중히 보내고 싶다.
뜰로 내려 서면
시야로 들어 오는 산(山)
그 산을 잊지 않고
살고 싶다.

언제부턴가

조용한 주위가 좋았다.
조용해서 모두 정이 드는 시골
가까운 마을이며
머언 비탈

뜰로 내려 서듯이
시골로 내려 온 십년
쓸쓸히 생각하며
돌아보고 싶다.
인사(人事)는 흐려가고
산하(山河)만은 내내 새롭구나.

하루를 소중히 보내고 싶다.
언제부턴가
조용한 주위가 좋았다.
십년을 삼켜서
비로소 보이는
먼 산(山)

―한성기,「산」

한성기의 이러한 자연과 인간의 친화력에 대한 탐구는 살아갈수록 깊어가는 삶의 허적을 대자연의 끊임없는 변화와 생명력으로 극복하려는 자세를 보여준다. 주어진 삶의 분량, 목숨의 외로움을 화해하고 순응하려는 자연 친화의 리리시즘을 형성하게 되는 것이다. "인사는 흐려가고/산하만은 내내 새롭구나"라는 인간과 자연의 대응을 통해서 "하루를 소중히 보내고 싶다"라는 삶에 대한 뜨거운 소망과 신념을 이룩하게 되는 것이다. 이 점에서 전후시의 리리시즘이 현실 도피적인 요소를 지니면서도 삶의 소망과 신념을 확인하고 인간적 체온을 지속시켜주는 휴머니즘적 요소를 지니는 것으로 인정된다.

박성룡의 시도 전원적인 리리시즘 속에서 삶의 외로움을 정화하고 있다.

< I >

무모(無毛)한 생활에선 이미 잊힌지 오랜 들꽃이 많다.
더우기 이렇게 숱한 풀버레 울어예는 서녘 벌에
한알의 원숙한 과물(果物)과도 같은 붉은 낙일(落日)을 형벌(刑罰)
처럼 등에 하고
홀로 바람외진 들길을 걸어보면
이젠 자꾸만 모진 돌틈에 비벼피는 풀꽃들의
생각밖엔 없다.

멀리 멀리 흘러가는 구름 포기
그 구름 포기 하나 떠 오름이 없다.

< II >

풋물같은 것에라도 젖어 있어야 한다.
풀밭에 꽃잎사귀
과일밭엔 나뭇잎들,
이젠 모든 것이 스스로의 무게로만 떨어져 오는
산과 들이 이렇게 무풍(無風)하고 보면
아 그렇게 푸르기만하던 하늘, 푸르기만 하던 바다, 그 보다도
젊음이란 더욱 더 답답하던 것,

한없이 더워 있다, 한없이 식어가는
피비린 종언(終焉)처럼
나는 오늘 하루
풋물같은 것에라도 젖어 있어야 한다.

< III >

바람이여,

풀섶을 가던, 그리고 때로는 저기 북녘의 검은 산맥을 넘나들던
그 무형(無形)한 것이여,

너는 언제나 내가 이렇게 한낱 나뭇가지처럼 굳어 있을 땐
와 흔들며 애무했거니,
나의 그 풋풋한 것이여.
불어다오,
저 이름없는 풀꽃들을 향한 나의 사랑이
아직은 이렇게 가시지 않았을 때
다시한번 불어다오, 바람이여,
아 사랑이여.

―박성룡, 「교외(郊外)」

이 시에는 풀꽃의 풋풋한 내음이 물씬 풍기고 풀벌레 소리 황량한 전원 속을 홀로 걸어가는 인간의 쓸쓸함이 형상화되어 있다. '들꽃', '풀벌레', '과물', '낙일', '바람', '들길', '풀꽃', '구름' <Ⅰ>이나 '풋물', '과일밭', '나뭇잎', '산과 들', '푸른 하늘' <Ⅱ>처럼 서정적인 자연의 존재들이 결합되어 전원적인 리리시즘을 형성하고 있는 것이다. 그러나 이러한 전원적 서정은 전원 그 자체로서 의미를 지니기보다는 삶의 깊이 속에 이끌려 들어서 생의 외로움을 정화시켜주는 외부적 상관물로 존재한다. 그러므로 <Ⅲ>에는 "바람이여//풀섶을 가던, 그리고 때로는 저기 북녘의 검은 산맥을 넘나들던/그 무형한 것이여,"와 같이 분단 현실의 어두운 그림자가 스며들어 있으며, 이러한 그림자는 "너는 언제나 내가 이렇게 한낱 나뭇가지처럼 굳어있을 땐/와 흔들며 애무했거니,/나의 그 풋풋한 것이여."라는 구절처럼 인간 상실을 위무하고 감싸주는 전원과 만남으로써 목숨에 대한 사랑으로 치환될 수 있게 된다. 그러므로 "저 이름없는 풀꽃들을 향한 나의 사랑"은 바로 전원의 리리시즘 속에서 스스로의 삶의 의미를 드러내고 그 뿌리 깊은 허무와 고독을 극복하려는 박성룡의 대지적 사랑을 확인해 주는 것으로 해석된다.

이처럼 전후의 리리시스트들은 전원 그 자체를 시의 목적 내지 이데아로 생각했던 청록파들의 영향을 받으면서도, 생의 체취가 물씬 풍기는 전원적

리리시즘 속에서 자연과 인간의 친화력을 탐구하는 데 몰두함으로써 전쟁의 상처를 전원의 생명력 속에서 치유하려는 노력을 보여주었다.

이러한 전원적 리리시즘의 탐구는 이후의 한국시에서 자연과 인간의 공존을 테마로 하는 박용래, 고은, 이성교 등의 베리에이션을 통해서 다양한 파장을 형성하게 된다는 점에 그 시사적 의미가 놓여지게 된다.

2) 전후 서정의 향방

전봉건의 시는 전쟁의 상흔을 정감적으로 수용하여 그 애환의 센티멘털리즘을 형상화하고 있다. 그의 시 「은하를 주제로한 봐리아시옹」은 그의 특색을 선명히 드러내 준다.

　　　저
　　　피문은 유월(六月) 이래
　　　나의 목적
　　　나의 의미와
　　　모든 희망의 하늘에서 나의
　　　사랑 나의 귀여운 토끼와 더불어 사라지고 없었던
　　　은하(銀河)
　　　……중략……
　　　─어느 아침 필
　　　해바라기의 이슬일까─나의
　　　눈시울의 무수한 탄흔(彈痕)을
　　　씻으며
　　　　　　　　　　　　　　　　　　　　　─전봉건, 「노래」에서

이 시는 전쟁으로 인한 인간 상실과 상흔을 서정적으로 묘사함으로써 정신의 질서를 회복하려 노력하고 있다. "피문은 유월 이래" "사라지고 없었던/은하"와 같이 그의 시는 전쟁으로 인한 상실을 시의 모티브로 삼고 있으며, "해바라기의 이슬", "나의/눈시울", "탄혼을/씻으며" 등과 같이 짙은 애상의 그림자를 서정적으로 드러내 주고 있다. 이러한 전쟁으로 인한 인간성 상실은 「라이너마리아 릴케에 대하여, 전쟁과」에서 서정의 붕괴에 대한 갈등과 아울러 인간의 모순성에 대한 의문으로 심화되고 있다.

> 진달래 같은 은하가
> 씀바귀 미나리 노래하며 메랑 달래랑 캐던 냇가와 언덕
> 에 비는 내리고
> 포탄(砲彈)은 쏟아지고, 나는 외인 부대라는 <필립>하사
> 와 <껌>을 씹으며
> 장난을 치며
> 찢어 헤어진 사월의 파편속에 인간을 사냥하고 그러나
> 포연이
> ……중략……
> 라이너 마리아 릴케
> 단 한사람, 장미의 가시에 찔리어서 죽은 수목과 같이
> 자라나는 목소리의 당신은 누구일까
> 오늘 시를 쓰는 나는 무엇일까
> ─전봉건, 「라이너 마리아 릴케에 대하여, 전쟁과」에서

이 시는 "씀바귀 미나리 노래하며 메랑 달래랑 캐던 냇가와 언덕/에" "포탄은 쏟아지고"와 같이 전쟁의 포연 속에 파괴되어가는 서정의 비극을 "<필립>하사/와 <껌>을 씹으며/장난을 치며"로서 회화시키고 있다. 그러나 "찢어 헤어진 사월의 파편속에 인간을 사냥하고 그러나/포연이"라는 구절 속에는 서로 죽고 죽여야만 하는 전쟁의 참혹한 모순에 대한 적나라한 응시가 나타나 있다. 이러한 인간적 모순성에 대한 깨달음은 라이너 마리아 릴케를 통

하여 인간 존재의 근원적 모순 양태에 대한 투시로 심화되어 있다. 실상 "장미의 가시에 찔리어서 죽은" 릴케는 이 시 전반에 걸쳐 등장하는 은하와 같이 전쟁의 거대한 충격과 인간의 모순성에 대한 갈등을 화해하고자 하는 완충적인 상징물로서 파악할 수 있는 것이다. 따라서 「파아란 눈동자」는 전쟁의 폐허에서 소생하는 새로운 몸짓을 보여주고 있다.

> 어름은 풀리고
> 고목(枯木)이 서고
> 강(江)물은 흐르고
> 햇볕이 따스하다.
>
> 우리의 폐허에 우리의 흰 빨래는 <백지의 가능>처럼 널리이고
> 네 사랑이 더 높은 보람위에 건축될 것을 네가 약속하는데
> 우유빛 약손가락의 태양이 깃들어 반짝이는 한없이
> 동구란 금빛
>
> 그리고 이것은 따사한 햇볕이고 부드러운 맑음이고 그속에 풀리이는
> 어름 또 저 고목은 전쟁의 날피 흐르는 창유리에 불타서
> 죽은
> 사랑과 꼭같은 것이며
>
> 그리고 흐르는 강물,
> ……그리고 흐르는 강물은
> 파아랗게 거기에 가만히 귀를
> 기울이면 파아란 강
> 가엔 우리들이 이름 모르는 꽃과
> 꽃들의 어린 새싹들이 가득히
> 트이고 있는 것이 보일 것이라고
> ……하략……
>
> ─전봉건, 「파아란 눈동자」에서

전쟁의 참혹한 파괴와 인간성 말살은 인간의 근원적 모순에 대한 투시를 통해서 사랑의 약속과 서정의 회복이라는 새로운 가능성을 지니게 되는 것이다. '은하의 파아란 눈동자 속에는 꽃들의 어린 새싹들이 가득히 트일 수' 있는 새로운 소생과 희망이 담기게 된 것이다.

1950년 6월이
울밑에 사살된 풀잎과 풀잎과 함께
아침을 잃어버린 산맥에 피고 도로와
해안에 피어오르고
……나의
후회와 기도와 희망이 목욕하는
오 태양이 결혼하는 아지랑이가……
……중략……
비는 나리고
장난감처럼 반가운 남쪽 거리에 오는가
비가 내리면 너의
눈시울 검은 속눈썹이 가리운 어디
거기에 은하 나의 정거장에 내가 내리면
＜베에제＞가 또렷한 웃음지며 아롱지는
너와 나의 즐거운 눈물속에서, 아 사랑하는 인간 보다도
아름다운 더한
아름다움은 없음을 나에게 확신케 하는 너의 눈동자
……중략……
비는 나린다.
은하, 한없이
부드러운 청색과 녹색에서 비는
나리고 나리는 빗발속에 빛나는 체온
나리는 빗발속에 자꾸 맑아지는 수 없이
많은 여인들의

대화…… 은하
나의 전부에 4월의
비가 나린다.
　　　　－전봉건, 「전쟁있는 사월의 빗속의 너의 눈동자」에서

　이 「전쟁있는 사월의 빗속의 너의 눈동자」는 참혹했던 전쟁의 상흔을 달래듯 내리는 빗속에서 사랑에 대한 확신을 이루며 이러한 사랑의 가능성 속에서 잃어버린 인간성을 맑은 서정으로 정화시키고 있다. 이 끝없이 나리는 비는 전후인 모두의 메마른 가슴을 적셔주며 새로운 소생의 원천을 마련해주는 상징물이라는 점에서 바로 전후 서정의 객관적 상관물로 해석할 수 있는 것이다.

　잃어진 것은 없었다.

　나무와
　나무가지마다 서리인 전사자(戰死者)의
　아직도 검은 외마디 소리들을 위하여
　수액은 푸른 상승을 시작하고
　무인지대의
　155<마일>의 철조망 속에서도
　새들의 노래와 꽃송이의 중심이
　바라는 하늘과
　푸름은 변함이 없었다.
　하늘과 푸름은

　잃어진 것은 없었다.
　……중략……
　그것은
　눈물이었다.

나의 핏자죽이 검은 1950년 6월의 전차(戰車)가 녹쓰는
나의 눈시울에 따시한 그것은
눈물이었다.

2월은 오고 3월은 오고
무너진 다리에 4월은 오고
강물은 흐르고

너의 곁에서
  　　　　　　　　　　　－전봉건, 「강물이 흐르는 너의 곁에서」에서

　이 시에서 '수액의 푸른 상승', '새들의 노래', '하늘과 푸름', '눈시울에 따시
한 눈물', '강물은 흐르고'와 같은 자연과 인간의 서정적 콘트라스트는 전쟁의
비극적 상흔을 극복하는 원동력으로서 제시되고 있다. 이 시 이외에도 「장미
의 의미」, 「희망」 등의 많은 시편들은 전쟁의 어두운 그림자를 사랑의 갈구
와 서정적인 세계에 대한 추구와 확신으로써 극복하려 노력하고 있다. 이러
한 전봉건의 사랑과 센티멘털리즘에의 몰두는 전쟁으로 인한 자기파산에서
스스로의 인간과 시를 구원받으려는 정신적 노력으로 해석할 수 있으며, 따
라서 그의 시의 애상적 특질은 전후 서정의 중요한 한 특색이 자기 위안과 만
족으로서의 서정이라는 점을 제시해준 것으로 판단된다.

　조병화의 시는 전봉건의 애상적 서정과는 조금 다른 각도에서 전후 서정의
한 패턴을 제시하고 있다. 그의 초기의 시는 다분히 과거적 상상력에 기초를
두고 있다. "잊어버려야 한다/진정 잊어버려야만 한다/오고 가는 먼 길가에서/
인사없이, 헤어진 지금은 누구던가/그 사람으로 잊어 버려야만 한다/온 생명
은 모두 흘러가는데 있고"(「하루만의 위안」)와 같이 덧없는 세월의 흐름 속
에서 잊혀진 시간의 의미를 추구하는 회상의 미학을 지니고 있는 것이다. 이
러한 과거적 상상력의 애상적 정서는 그의 전후시에 이르러 현실 긍정과 자

기 위안의 애상적 정서로 변모되어 나타난다.

> 하얀 패각(貝殼) 속에서 수업을 한다.
> 산머루처럼 익어가던
> 까만 눈알들이
> 따발총에 혼떼어
> 파란 해협의 어란(魚卵)처럼 맑다.
> ……중략……
> 아내와 싸우고 나온 기억을 잊어버린다.
> 수평선에 뜬 병원선을 바라다 본다.
>
> 비내리는 날이면
> 나의 임해교실은
> Holiday―
>
> ―조병화, 「임해교실」에서

　　조병화의 시에 전후 현실의 참혹한 그림자가 능동적으로 드러나고 있지는
않다. 그의 시에는 소시민적인 애환이 평범한 시어 구성으로 담담하게 전개
되고 있다. 전쟁의 아픈 상흔을 노래하기보다는 현실을 긍정하며 사는 평범
한 도시인의 애달픈 서정이 드러나 있는 것이다. 이러한 평범한 도시인으로
서의 서정은 "소녀와 목련이/흡사 그 어느 유명하지 않은/소설집 같이, 놓여
있는데"(「목련화」)나 "이렇게 될 줄을 알면서도/당신이 무작정 좋았습니다/
인생이 걷잡을 수 없이 허무하다 하더라도/나는 당신을 믿고 당신과 같이 나
를 믿어야 했습니다"(「이렇게 될 줄을 알면서도」)와 같이, 혹은 "오 페파민트,
푸른 숲이여 밤의 기항(寄港)이여/밤을 몽땅 잡혀도 모자라는 사랑이여 외로
움이여/차지 않는 마음이여"(「빠카 레리오」) 등처럼 인생파적인 애상의 성향
을 지니게 된다. 이러한 애상적 감수성은 쌀롱, 빠, 술집, 명동 등 현실의 변두

리를 방황하면서 전후의 허무와 상처를 '쪼니 · 워어카', '레디스 엔드 젠틀멘', '썸머타임' 등처럼 직설적인 외국어 표현으로 노래하여 더욱 인생파적인 세속화를 빚어내게 된다.

> 향원은 좋은 술을 주는 집이다.
> 향원은 즐거운 우리 벗들이 술을 나누러 가는 곳이다.
> 향원은 명동 외떨어진 곳에 호올로 있는 집이다.
> ……중략……
> 술을 들자 가뭄이 낀 인생의 한 여름 떡갈나무 잎새 아래
> 고운 약수와 같은 우리 술을 들자, 시인의 이야기와
> 향원은 좋은 술을 주는 집, 향원 부인은 혼자서 노는 학(鶴)이다.
> —조병화, 「향원(鄕苑) — 명동소묘」에서

이러한 인생파적 비애의 정서는 전쟁으로 인해 젊음을 빼앗기고 사랑을 잃어버린 전후 세대들이 필연적으로 빠져들어 갈 수밖에 없던 절망과 허무로부터 자연 발생적으로 우러나온 것이다. 전후의 젊은이들은 명동의 밤을 근거지로 잃어버린 젊음과 낭만을 술과 연애와 애상 속에서 위안받으려 하였으며 니힐리즘과 패배주의로 도피함으로써 시대적 어려움에서 구원받으려 노력한 것이다.

> 나는 먼저 쓸쓸하여서 시를 읽었다. 나는 먼저 고독하여서 시를 읽었다. 그리고 쓸쓸한 나를 지키고 고독한 나를 응시하기 위하여 시를 읽었다. 나는 이러한 어둠 속에 둥둥 떠 있는 나를 위안시키기 위하여 그 위안이 되는 말을 찾아서 시의 세계를 방향도 없이 방황을 했던 것이다. 이렇게 나는 무엇보다도 <위안>으로부터 시를 찾게 되었다. 무엇보다도 자기 해결을 위해서 시라는 인간정신의 서부로 뛰어들었다.
> —『전후문제시집』, 「후기」에서

이러한 조병화의 술회는 그의 애상이 전후의 어두운 시대 풍속에서 스스로의 실존을 구원받고 시를 옹호하려는 정신적 암투의 일단임을 밝혀주는 것이된다. 실상 이러한 낭만적 정서는 패배주의 내지는 도피주의라는 비판을 면할 길 없지만, 전쟁이 강요한 인간 부정과 실존적인 어려움 속에서 인간적 체온을 유지함으로써 당대 젊은이들의 정신적 파산을 보상해줄 수 있었던 효과적인 한 방법이라는 점에서 본다면 오히려 긍정적인 요소를 지닐 수밖에 없는 것이다.

유정의 시도 전후 현실의 비극적 정황을 애상적으로 노래하고 있다.

> 뇌병원은
> 이중 살창안
> 종내 옛 전우를 몰라보는 채
> 무서운 헛고대만 중얼거리는
> 검은 동공의 벗은 진정 가슴 막히었는데
> 그보다도
> 소녀 같은 부인이 고개 수그리며
> 흰 볼에 한줄기 빛난 것을 감출 때
> 일시에 등덜미를 엄습하여 오는 것
> 꽃새암같은 것에
> 황급히 모자를 눌러쓰고 돌아선
> 상이(傷痍)의 나는
> 하마 어느것들은 펄펄펄 날리기 시작한
> 꽃 사태의 인가(人家) 속을 홀로이 지나면서
> 아아 차라리
> 우리들 생사조차 촌탁할 겨를이 없던
> 그날의 비바람 치던 전야(戰野)가
> 콧날이 뜨겁도록 그리워 지는 것이다.
>
> ─유정, 「꽃새암」

석웆내 서린 골짜구니
뽀얀 안개속
홀로 울고 가는
가냘픈 네 뒷모습이 아른거린다.
전쟁이 너를 데리고 갔다 한다.
내가 갈 수 없는 그 가물가물한 길은 어디냐.
안개와 같이
끝내 뒷 모습인 채 사라지는 내 그리운 것아.

—유정, 「램프의 시 1」에서

유정의 시는 전장의 처절했던 모습에 대한 회상과 함께 상혼으로 남겨진
현실의 어둠을 비극적 서정으로 형상화하고 있다. "무서운 헛고대만 중얼거
리는/검은 동공의 벗"과 "흰 볼에 한줄기 빛나는 것을 감"추는 "소녀 같은 부
인"의 대조는 전쟁의 상혼을 단적으로 표출하고 있다. 또한 "홀로 울고 가는/
가냘픈 네 뒷모습", "전쟁이 너를 데리고 갔다 한다./내가 갈 수 없는 그 가물
가물한 길은 어디냐."와 같은 구절 속에는 전쟁으로 인한 아픈 상처가 인간의
내면적 허무 의식과 깊이 연결돼 있음을 말해주는 것이 된다. "홀로 웃고 가
는/가냘픈 네 뒷모습"은 실상 폐허 속을 걸어가는 전후인 모두의 서글픈 자화
상일 수도 있는 것이다.

홍윤숙의 「환별」도 전쟁으로 인한 사랑의 결별을 노래하고 있다.

총대도 탄환도 없이 오르는 장도에
주먹과 가슴팍과 그리고 불타는 젊음만이
하나의 무기라고 웃음짓던 너—

낙엽도 목숨처럼 쌓이고
목숨도 낙엽처럼 쌓이는
높은 산마루엔

청춘이 한묶음 꽃처럼 뿌려지리

너 가거던……
옳은 것이 그리워 너 가거던
부디 사랑과 같은 것은
조그마한 이름으로 불러두어라
………백설이 휘날리고 얼음이 깔리련다
밤마다 하늘은 포성에 무너지고……

아! 나는
얼어붙은 창밑에 손끝을 녹이며
너 돌아오는 날
개선의 새벽까지 살아야겠다.

　　　　　　　　　　　　　　　　－홍윤숙, 「환별」

　　홍윤숙의 시는 전쟁과 사랑의 비극적 갈등을 "얼어붙은 창밑에 손끝을 녹이며", "개선의 새벽까지 살아야겠다"와 같이 기다림과 신념의 자세로 극복하고 있다. 이러한 기다림과 소망은 「흐르는 창변에」, 「낙엽」 등에서 짙은 센티멘털리즘의 양상을 지닌다.

헤어지자…… 우리들 서로
말없이 헤어지자.
달빛도 기울어진 산마루에
낙엽이 우수수 흩어지는데
산을 넘어 사라지는 너의 긴 그림자
슬픈 그림자를 내 잊지 않으마,
……중략……
너는 별을 가리켜 영원을 말하고
나는 검은 머리 베어 목숨처럼 바친

그리움이 있었다. 혁명이 있었다.

─홍윤숙, 「낙엽의 노래」에서

'이별', '달빛', '낙엽', '슬픈 그림자', '영원', '목숨', '그리움' 등의 시어는 50년대의 전형적인 센티멘털리즘을 반영하고 있다. 홍윤숙의 전후시들은 대부분 이러한 여성적 애상을 기본 내용으로 구성되어 있으며, 이러한 애상의 정서는 전쟁이라는 가혹한 남성적 폭력에서 스스로를 구원받기 위한 안간힘으로서의 방법적 애상으로 해석할 수 있다.

지금까지 살펴본 것처럼 이들 인생파들은 전쟁으로 인해 잃어버린 인간성을 구원받고 빼앗긴 젊음을 보상받기 위해서 설익은 서구적 유행의 포즈 속에서나마 시대 풍속의 어두운 뒷골목을 방황하였다. 따라서 이들의 시는 술과 연애 감정과 인간적 애상에 몰두함으로써 삶의 어려움과 시대적 고뇌를 이겨 나아가고자 노력함으로써 전후 서정을 짙은 애상의 방향으로 전개해 간 것이다.

3) 휴머니즘의 탐구

애상적인 서정이 전후인들의 자기 위안과 구원의 정신적 방편이라는 소극적 의미를 지닌다면, 이와는 조금 달리 독자적인 각도에서 순수 서정을 탐구함으로써 생명적인 것에 도달하려는 일군의 시인들이 나타났다.

정한모는 '아가'와 '나비'라는 상징을 통해서 전쟁으로 인해 상실된 인간성을 옹호하고 순수의식을 고양하려는 독자적인 노력을 보여주었다.

바람은 산 모퉁이 우물 속 잔잔한 수면에 서린 아침 안개를 걷어 올리면서 일어났을 것이다.
대숲에 깃드는 마지막 한 마리 참새의 깃을 따라 잠들고 새벽 이슬잠 포근한 아가의 가는 숨결 위에 첫마디 입을 여는 참새소리같은 청청한 목소리로 하여 깨어났을 것이다.

……중략…… 그러나 언제든 하나의 체온(體溫)과 하나의 방향과 하나의 의지만을 생명하면서 나뭇가지에 더운 입김으로 꽃을 피우고 머루넝쿨에 머루를 익게 하고 은행잎 물들이는 가을을 실어온다.

솔잎에선 솔잎 소리 갈대 숲에선 갈대잎 소리로 울며 나무에선 나무 소리 쇠에선 쇠소리로 음향하면서 무너진 벽을 지나 허물어진 포대 어두운 묘지를 지나서 골목을 돌고 도시의 지붕들을 넘어서 들에 나가 들의 마음으로 펄럭이고

……중략……

바람이여
새벽 이슬잠 포근한 아가의 고운 숨결 위에 첫마디 입을 여는 참새소리 같은 청청한 목소리로 하여 깨어나고 대숲에 깃드는 마지막 한 마리 참새의 깃을 따라 잠드는 그런 있음으로만 너를 있게 하라.
산 모퉁이 우물 속 잔잔한 수면에 서린 아침 안개를 걷으며 일어나는 그런 바람속에서만 너는 있어라.

—정한모, 「바람속에서」에서

'바람', '우물', '안개', '대숲', '새벽', '이슬잠', '솔잎 소리', '갈대잎 소리', '참새 소리' 등과 같은 순수 서정의 시어들은 '아가의 고운 숨결'과 조화되어 동화의 세계, 순수의 세계를 지향하는 정한모의 시 정신을 잘 보여주고 있다. '무너진 벽', '허물어진 포대', '어두운 묘지' 등과 같은 삶의 어두운 세계와 '아가의 고운 숨결', '아침 안개'와 같은 밝은 세계의 대응은 전후의 어려운 현실 속에서 순수 세계를 갈망하는 이념적인 자아의 모습을 형상화한 것이다. 그의 이러한 순수 세계에 대한 이념적 지향은 '아가'라는 상징을 통해 시적 정서의 건강성을 획득함으로써 전후 서정의 형이상적 가능성의 한 모서리를 제시해준다.

맑은 햇빛으로 반짝반짝 물들으며
가볍게 가을을 날으고 있는
나뭇잎
그렇게 주고 받는
우리들의 반짝이는 미소로도
이 커다란 세계를
넉넉히 떠받쳐 나갈 수 있다는 것을
믿게 해 주십시오.

흔들리는 종소리의 동그라미 속에서
엄마의 치마 곁에 무릎을 꿇고
모아쥔 아가의
작은 손아귀 안에
당신을 찾게 해 주십시오.

……중략……

달에는 은도끼로 찍어낼
계수 나무가 박혀 있다는
할머니의 말씀이
영원히 아름다운 진리임을
오늘도 믿으며 살고 싶습니다.

　　　　　　　　　－정한모, 「가을에」에서

　이 시는 가을날을 '죽음', '이별', '슬픔' 등 어두운 애상으로 받아들이는 당
대의 보편적 정감과는 달리 가을을 맑고 밝게 노래함으로써 전후의 짙은 애
상을 여과시키고 있다. "맑은 햇빛으로 반짝반짝 물들으며"라는 투명한 정서
와 "가볍게 가을을 날으고 있는/나뭇잎"이라는 경쾌한 율감은 "반짝이는 미
소로도/이 커다란 세계를/넉넉히 떠받쳐 갈 수 있다는 것을/믿게 해 주십시

요."라는 인간성 회복에 대한 소망과 갈구에 그의 시적 모티브가 있음을 말해준다. 이러한 인간성 회복에 대한 염원과 갈구는 '종소리', '엄마', '아가', '당신'과 같은 객관적 상징물의 결합과 경어체 문장의 구사로 인해 착한 것, 약한 것, 어린 것, 아름다운 것 등 순수 세계에 대한 염원과 기도의 시적 경건성을 획득하게 된다. 그의 시는 '달', '은도끼', '계수나무', '할머니 말씀' 등과 같은 순수 세계, 동화적 세계를 추구함으로써 전후의 혼란과 허무주의 그리고 패배의식을 극복하고 휴머니즘을 회복하려 노력한 것이다. 실상 이러한 동심지향을 통한 현실극복의 노력은 윤동주의 그것과 맥락을 같이 하고 있는 것으로 볼 수 있다.

> 어머님 나는 별 하나에 아름다운 말 한마디씩 불러 봅니다. 소학교때 책상을 같이 했던 아이들의 이름과 패(佩)·경·옥 이런 이국 소녀들의 이름과 벌써 애기 어머니가 된 계집애들의 이름과 가난한 이웃 사람들의 이름과, 비둘기, 강아지, 토끼, 노새, 노루, 프랑시스 쟘, 라이너 마리아 릴케 이런 시인들의 이름을 불러 봅니다.
>
> 어머님
> 그리고 당신은 멀리 북간도에 계십니다.
>
> —윤동주, 「별헤는 밤」에서

윤동주의 시는 투명한 지성과 맑은 정서를 바탕으로 '어머니'가 상징하는 영원한 것, 절대적인 것으로서의 모성 회귀 속에서 '패·경·옥', '가난한 이웃 사람', '비둘기', '강아지', '토끼', '노새', '노루' 등 동화적인 세계, 그 순수 서정의 세계를 추구함으로써 식민지적 비극을 극복하려 시도함과 아울러 휴머니즘의 회복을 지향하고 있다. 이와 같이 정한모의 시 역시 맑고 건강한 정서를 기반으로 '아가'라는 순수 세계의 상징과 동화적 정감의 추구를 통해서 전쟁의 폭력과 그 비극적 상흔을 휴머니즘으로 고양하려 한다는 점에서 윤동주의 시와 정서적 공유형식을 지닌다. 윤동주 시가 식민지적 상실의 극복을 '어머니'라는 과거 지향적 상상력에 바탕을 둔 데 비해, 정한모는 6·25의 절망과 허무를 '아가'라는 미래지향 속에서 극복하려 했다는 점에서 차이가 드러날 뿐이다. 정한모의 시는 그의 시가 탄력 있는 구성을 결여하고 있다거나 혹은 소극적인 정서의 섬약함을 보여준다는 비판에도 불구하고 생명의 세계, 그 휴머니즘의 독자적 세계를 개척했다는 점에서 시사적 중요성이 인정된다.

김남조는 전쟁의 험열함 속에서 목숨과 사랑에 대한 간절한 소망과 염원을 종교적인 기도의 자세로 형상화하였다.

> 아직 목숨을 목숨이라고 할 수 있는가 꼭 눈을 뽑힌 것처럼 불쌍한
> 산과 가축과 신작로와 정든 장독까지
>
> 누구 가랑잎 아닌 사람이 없고
> 누구 살고 싶지 않은 사람이 없고
> 불붙은 서울에서
> 금방 오무려 연꽃처럼 죽어갈 지구를 붙잡고
> 살면서 배운
> 가장 욕심없는 기도를 올렸습니다.
>
> 반만년 유구한 세월에
> 가슴 틀어박고 매아미처럼 목 태우다 태우다 끝내 헛되이 숨져간
> 이건 그 모두 하늘이 낸 선천(先天)의 벌족(罰族)이드래도
>
> 돌맹이처럼 어느 산야에고 굴러 그래도
> 죽지만 않는 그러한 목숨이 갖고 싶었읍니다.
>
> — 김남조, 「목숨」

이 시는 목숨을 "'목숨이라고 할 수 있는가 꼭 눈을 뽑힌 것처럼 불쌍한",

"누구 가랑잎 아닌 사람 없고", "연꽃처럼 죽어갈 지구", "목 태우다 태우다 끝내 헛되이 숨겨간"과 같이 짙은 허무 의식을 배경으로 하고 있다. 또한 "불 붙은 서울", "선천의 벌족"이라는 구절은 전쟁의 험열한 상황에서 "돌맹이 처럼 어느 산야에고 굴러"라는 구절처럼 목숨을 이어가는 한 민족의 운명적 서 글픔을 노래하고 있는 것이다. 그러나 그의 시는 이러한 운명적인 비극을 "가 장 욕심없는 기도를 올렸습니다.", "그래도/죽지만 않는 그러한 목숨이 갖고 싶었읍니다."와 같이 종교적인 갈망과 기도로써 극복하려는 자세를 보여준 다는 점에서 특징을 지닌다.

앙제뤼스의 기도시간
흰 석계(石階) 위에 성촉(聖燭)의 화심(火心)이 번져나고
아아 얼마나 많은 영혼의 명멸들이 이 세찬 빛발 속에 수정져간다 지요.
— 김남조, 「만종」에서

죄(罪)야 아니었었지 진실로 죄야 아니었었지 사슴처럼 외롬에 길 들이던 끝산불마냥 헤픈 불길이 가슴에 몰려 꼭 한번 인간을 두고 오 히려 신(神)의 명목하심을 바래었음도
— 김남조, 「묵주(默珠)」에서

찾아 주옵소서 차마 무엇으로 내 마음 더 굳셀 수가 있겠습니까 못 다 감은 눈 이밤에 마저 감고 죽어야함에라도 정녕 오늘 밤이사 어느 하나님께도 굽힐 수가 없사옵니다.
— 김남조, 「기다리는 밤」에서

벌하지 마시옵소서
진실로 그들을 벌하지 마시옵소서
당신 앞에 내가 잘못했음에 비하면
그들 내앞에서 잘못했음이 너무도 적사옵니다.

주 그리스도
내 넋의 아비이신 이여
······중략······
주여! 이 목숨 불살라
한줌 재 되게 하시옵소서
다만 죄없는 한줌 재 되게 하시옵소서
주 그리스도
영생을 가르치신 이여.

— 김남조, 「죄」에서

　이들 인용시에서 볼 수 있듯이 김남조의 시 정신은 인간적인 사랑의 오뇌
를 종교적인 신앙의 갈구와 기도로서 이끌어 올림으로써 목숨의 의미를 확인
하고 영혼의 구원을 성취하고자 하는데 바탕을 두고 있다. 그의 시는 '소녀',
'성당', '사랑', '아픔', '외로움', '고독', '눈물', '기다림', '운명' 등의 시어처럼 소
녀적인 감수성의 애상적 정서를 바탕으로 하고 있다는 점에서는 전후시의 일
반적 센티멘털리즘과 다를 바 없다. 그러나 그의 시는 정한모가 '아가'라는 상
징을 통하여 정신의 구원을 갈구하듯이 '그리스도'를 부르고 기도함으로써
그 속에서 전쟁의 비극과 허무 의식을 초극하려 했다는 점에서 그 정신적 지
향의 독자성이 드러난다. 대부분의 전후시들이 전쟁의 상흔을 바탕으로 인간
의 피 냄새를 짙게 드리우고 있는 데 비해 그의 시는 다분히 소녀적이고 피상
적이기는 하나 종교적 경건성을 갈망하고 있다는 점에서 전후시의 또 다른
가능성을 엿볼 수 있게 한다. 실상 인간적 사랑의 추구와 종교적 신앙의 갈구
는 그의 시에서 등가를 이루는 시 정신으로서 모윤숙, 노천명 등 해방 전 여류
시인들의 시 작업을 진일보시키고 있는 것으로 판단되기 때문이다.
　한하운은 전쟁의 험열함을 생명의 몸부림으로 전치시킴으로써 전후시의
비극성을 고조시키고 있다.

가도 가도 붉은 황톳길
숨막히는 더위 뿐이더라.

낯선 친구 만나면
우리들 문둥이끼리 반갑다.

천안 삼거리를 지나도
쑤세미같은 해는 서산에 남는데

가도 가도 붉은 황톳길
숨막히는 더위속으로 쩔룸거리며
가는길…….

신을 벗으면
버드나무 밑에서 지까다비를 벗으면
발가락이 또 한개 없다.

앞으로 남은 두개의 발가락이 잘릴 때까지
가도 가도 천리 먼 전라도 길.
  ─한하운, 「전라도 길─소록도(小鹿島)로 가는 길에─」

　한하운의 시는 문둥병이라는 운명적 형벌에 대한 저주와 체념 및 자기 학
대로부터 시작된다. "가도 가도 붉은 황톳길/숨막히는 더위"와 같은 암담한
현실 상황에서 "쩔룸거리며" 사는 목숨의 저주스러움이 "발가락이 또 한개
없다"라는 강한 절망과 자학으로 처리되고 있다. 그러므로 그의 삶은 "여기
있는 것, 남은 것은 벌이요, 죄이다. 문둥이다."(「삶」)와 같이 운명의 가혹한
형벌로 받아들여지며, 언제나 "그래도 살고 싶은 것은 살고 싶은 것은/한번
밖에 없는 자살을 아끼는 것이요"(「봄」)와 같이 죽음과 직접 맞닿아 있게 된
다. 이러한 짙은 허무와 죽음의 그림자는 "눈물은 속될진저 오리오리 슬픈 사

연을 감아 넘기자"(「추야원한」)나 "참다 못하야 부서질 듯이 돌아서면서 흐
느껴 눈물로 옷깃을 적시는가"(「추야일기」)처럼 전후시의 보편적인 애상과
연결되어 있지만, 그의 애상이 운명적 형벌이라는 보다 개인적인 몸부림에
연원한다는 점에서 체험적 비극성을 한층 고조시키고 있다. 이러한 한하운의
운명적 형벌에 대한 저주와 자학의 몸부림은 마치 1930년대 서정주가 젊음
의 원죄적 모순에 대한 강렬한 몸부림을 보여줌으로써 한국시의 육체성을 생
명적 전율의 미학으로 확장했던 것과 같이, 전후의 시대적 절망을 개인의 생
명 속에 이끌어들임으로써 전후 한국시에 생명과 육체의 험열함에 대한 공포
와 전율을 새롭게 창조하였다는 점에서 시의 개성이 드러나게 된다. 한하운
의 시는 문둥이라는 개인적 운명의 비극성을 처절하게 인정하고 자학적으로
개방함으로써 운명의 형벌을 극복하고 스스로의 생명을 구원받으려는 인간
힘이었던 것이다.

앞에서 살펴본 것처럼 정한모는 '아가'라는 순수 생명의 지향을 통해서 김
남조는 사랑과 종교의 등가적인 형상화를 통해서 이념적 생명의 원상에 도달
하려 노력하였으며, 한하운은 운명적 업고를 짊은 자학과 저주로 통곡함으로
써, 이들은 전쟁의 비극성을 초극하고 생명을 옹호하려는 휴머니즘 정신을
독자적으로 개척하였다는 데서 그 시사적 의미를 인정할 수 있을 것이다.

4) 소시민 의식의 대두

육이오는 한국인의 현실 생활을 무참히 유린함과 동시에 언어와 상상력마
저도 가혹히 파괴하고는 시간 속으로 서서히 사라져가기 시작했다. 전후 소
설에서 한국인이 인간의 존엄성을 상실한 '잉여인간'이나 '오발탄'으로서 상
징되듯이 현실에 밀려가며 살아갈 수밖에 없는 비극을 겪어야만 했다. 부상
을 당한 상이군인, 직업이 없는 제대군인과 떠돌이 위안부들, 그리고 버려진
고아들의 내일 없는 생활이 소설의 전면을 지배한 것이다. 50년대 전후 소설
은 그 누구도 주인이 될 수 없는 현실에서 모두가 아웃사이더로서 뿌리 뽑힌

자로서의 삶을 실존주의라는 외래 사조로 풀이하는 데 많은 노력을 기울였던 것이다. 이러한 일상적 삶의 어려운 현실을 평범하게 받아들이며 살아가는 소시민적인 생활을 묘사한 시작 태도가 나타난 것도 소설 쪽의 아웃사이더 인간상의 탐구와 대응되는 각도에서 비롯된 것으로 볼 수 있다.

김수영의 시는 이러한 소외된 실존의 문제 또는 소시민 의식을 서술적인 언어로 표현해 주고 있다.

> 남의 일하는 곳에 와서 아무 목적없이 앉았으면 어떻게 하리
> 남의 일하는 모양이 내가 일하고 있는 것보다 더 밝고
> 깨끗하고 아름답게 보이면 어떻게 하리
>
> 일한다는 의미가 없어져도 좋다는 듯이
> 구수한 벗이 있는 곳
> 너는 나와 함께 못난 놈이면서도 못난 놈이 아닌데
> 쓸데 없는 도면위에 글자만 박고 있으면 어떻게 하리
> 엄숙하지 않은 일을 하는 곳에 사는 친구를 찾아왔다
> 이 사무실도 늬가 만든 것이며,
> 이 많은 의자도 늬가 만든 것이며
> 늬가 그리고 있는 종이까지 늬가 제지(製紙)한 것이며
> 청결한 공기조차 어지러웁지 않은 것이
> 오히려 너의 냄새가 없어서 심심하다.
>
> 남의 일하는 곳에 와서 덧없이 앉았으면
> 비로소 서러워진다.
> 어떻게 하리
> 어떻게 하리
>
> —김수영, 「사무실(事務室)」

김수영의 시는 어려운 표현이나 상징을 사용하지 않고 직접적인 언어를 담

담하게 서술하는 무기교의 기교를 지니고 있다. 일견 어눌한 것 같으면서도 그런 담담한 어눌 속에 강인하게 살아있는 정신의 대담성 같은 것이 숨겨져 있다. "남의 일하는 곳에 아무 목적없이 앉"아 있는 "엄숙하지 않은 일을 하는 곳에 사는 친구를 찾아"온 소시민의 평범한 삶의 모습 속에는 오히려 "남의 일하는 곳에 와서 덧없이 앉았으면/비로소 서러워진다."와 같이 삶의 페이소스가 강렬한 퓨리터니즘으로 응결돼 있다. "너는 나와 함께 못난 놈이면서도 못난 놈이 아닌데/쓸데 없는 도면위에 글자만 박고 있으면 어떻게 하리'"라는 구절 속에는 실존의 어려움을 뛰어넘으려는 강한 기백이 오히려 평범한 시어를 통해 위악적인 제스처로 표현된 것이다.

> 고색(古色)이 창연한 우리집에도
> 어느덧 물결과 바람이
> 신선한 기운을 가지고 쏟아져 들어왔다.
>
> 이렇게 많은 식구들이
> 아침이면 눈을 부비고 나가서
> 저녁에 들어올 때마다
> 먼지처럼 인색하게 묻혀가지고 들어온 것
>
> 얼마나 장구한 세월이 흘러갔던가
> 파도처럼 옆으로
> 혹은 세대를 가리키는 지층의 단면처럼 억세고도 아름다운 색갈—
>
> 누구 한사람의 입김이 아니라
> 모든 가족의 입김이 합치어진 것
> 그것은 저 넓은 문 창호의 수많은 틈 사이로
> 흘러들어오는 겨울 바람 보다도 나의 눈을 밝게 한다.
> ……중략……

거칠기 짝이 없는 우리 집안의
한없이 순하고 아득한 바람과 물결—
이것이 사랑이냐
낡아도 좋은 것은 사랑 뿐이냐

—김수영, 「나의 가족」에서

이 시 역시 평범한 가족들의 먼지 묻은 일상생활을 소재로 그 속에 숨겨진 삶의 동력으로서 생명력의 강인함과 가족적인 사랑의 힘이 묘사되어 있다. "모든 가족의 입김이 합치어진 것"으로서의 강한 생명력과 사랑은 전후 현실의 어려움을 살아가는 소시민들의 실존적 응전력을 표현한 것으로 해석된다. 그러므로 "흘러들어오는 겨울 바람 보다도 나의 눈을 맑게 한다."와 같이 번득이는 정신의 투명함을 획득할 수 있게 되는 것이다. "거칠기 짝이 없는 우리 집안의/한없이 순하고 아득한 바람과 물결/이것이 사랑이냐/낡아도 좋은 것은 사랑 뿐이냐"라는 구절 속에는 가족주의적인 사랑의 소중함에 대한 확신만이 어려운 현실을 극복할 수 있다는 소시민적 자기애 또는 방어의식이 잠재해 있다. 실상 김수영의 「적」, 「잔인의 초」, 「푸른하늘을」, 「기도」, 「하, 그림자 없다」 등 60년대 초의 현실 참여시의 근저에는 신뢰할 수 없는 현실과 비정한 사회의 압력에 대응하는 개인적 실존의 무력성에 대한 비판 정신과 자기방어 의식이 동시에 깔려있음을 간과할 수 없기 때문이다. 이렇게 볼 때 김수영의 전후 시는 전후 현실의 허망성에 대한 소시민으로서의 본능적 방어의식에 뿌리를 두고 있으며, 이러한 개인적 대응방식이 공적 차원으로 상승되는 지점에서 60년대 초에 이르러 날카로운 비판 정신과 저항의 대사회적 응전력을 획득하게 된 것으로 판단할 수 있는 것이다.

김윤성의 시도 일상적 현실에 담담하게 순응하는 소시민 의식을 표출하고 있다.

낮잠에서 깨어보니
방안에 어느새 전등불이
켜져 있고,
아무도 보이지 않는데
어딘지 먼 곳에서 단란한
웃음소리 들려온다.

눈을 비비고
소리 나는 쪽을 찾아보니
집안 식구들은 저만치서
식탁을 둘러앉아 있는데
그것은 마치도 이승과 저승의
거리만치나 멀다.

아무리 소리질러도
누구 한사람 돌아다 보지 않는다.
그들과 나 사이에는 무슨 벽이 가로 놓여 있는가
안타까이 어머니를 부르나
내 목소리는 산울림처럼
헛되이 되돌아 올 뿐.

갑자기 두려움과 설움에 젖어
뿌연 전등불만 지켜보다
울음을 터트린다.
어머니 어머니
비로소 인생의 설움을 안
울음이 눈물과 더불어 한없이 쏟아진다.
                                    ─김윤성, 「추억에서」

김수영의 시가 일상의 담담한 묘사 속에 강한 정신의 번득임을 지니고 있는데 비해, 김윤성의 시는 평범한 일상을 담담하게 묘사하는 가운데 오히려 소외된 자로서의 두려움과 안타까움을 직접적인 이미지로 형상화하고 있다. "아무도 보이지 않는데/어딘지 먼 곳에서 단란"하게 들려오는 가족들의 웃음 소리는 현실의 중심에서 벗어난 자로서의 소외의식이 밑바탕에 자리 잡고 있 음을 말해준다. 그렇기 때문에 "집안 식구들은 저만치서/식탁을 둘러앉아 있 는데/그것은 마치도 이승과 저승의/거리만치나 멀다"와 같이 가족들과도 단 절감 내지는 거리감을 느끼게 되는 것이다.

거리에서 우연히 아내를 만난다.
나는 일부러 모른 척하고 지나간다.
아내는 등 뒤에서
「여보, 여보」하고 좇아온다.
그래도 나는 모른 척하고 지나간다.
「내가 인정하지 않는 한 어째서 저 여자가 내 아내란 말인가.」

저녁상을 가운데 놓고 아내와 마주 앉았다.
갑자기 서베이어 1호처럼
난데 없이 사뿐 착륙하는 얼굴
「바로 저 얼굴이다.」
「뭐가 저 얼굴이에요?」
「아니 서베이어 1호의 달 연착 말이야」

이제는
신비의 베일도 벗겨지고 대재벌의 몰락처럼
쓸쓸한 얼굴,
달.

— 김윤성, 「아내의 얼굴」

이 시는 현실 생활의 어려움에 닳아진 아내의 이미지를 "신비의 베일도 벗겨지고 대재벌의 몰락처럼/쓸쓸한 얼굴,/달"로 유추함으로써 일상을 평범히 살아가는 소시민의 모습을 형상화하고 있다. "서베이어 1호처럼/난데 없이 사뿐히 착륙하는 얼굴"이라는 기발한 직서의 이미지는 김윤성의 시작이 일상성 속에 잠겨 있는 신기한 이미지 내지는 경이성을 추출해내는 데 모티베이션을 두고 있음을 말해준다. 현실 속에 얼룩지고 닳아진 아내의 얼굴은 일상을 평범하게 닳아지면서 살아가는 시인 자신의 모습인 동시에 전후의 어려운 현실을 살아가는 모두의 얼굴일 수 있는 것이다. 이처럼 김윤성의 시는 소시민적인 생활의 감정을 담담하고 솔직하게 표현함으로써 삶의 저력과 여유를 획득할 수 있게 되는 것에 그 특징이 있다.

김수영의 시로 대표되는 전후 시에서의 소시민 의식의 대두는 4·19와 5·16 등 60년대의 정치사적 변화 속에서 사회적 관심으로 확대되어 개인적 삶의 자유와 민주정신의 회복이라는 테마를 형성함으로써 이후의 시에 커다란 영향을 미치게 된다는 점에서 그 중요성을 드러내게 된다.

3-5 맺는말, 육이오의 시사적 의미

한국전쟁은 그것이 비록 한국의 영토 내에서 한국인 동족 간의 사상전쟁 형태로 전개됐지만, 실상에 있어서는 미국과 소련으로 대표되는 양대 세력 간의 접경지대에서 전후 일본 제국주의의 패망과 중국 대륙의 공산화에 따른 동북아시아의 국제정치가 정착되지 못한 데서 파생된 군사적 마찰이라는 성격을 지닌다. 미국은 제2차 세계대전 종결 당시의 현상을 유지하기 위한 대소 봉쇄 작전의 일환으로 한국전쟁을 떠맡은 것이다. 그러므로 한국전쟁은 한국인의 '조국 통일'이라는 이념적 목표를 달성하기 위한 통일 전쟁 그 자체로서 전개된 것이 아니라, 미소의 양극 체제를 확고히 하기 위한 세계 정책의 일환으로 강요된 군사적 시행착오 현상으로 지적될 수 있다. 그 결과 전쟁은 민족사 초유의 동족상잔의 비극으로 국토를 송두리째 유린하고 국민을 무참히 짓밟았으며, 마침내는 통일도 강대국들의 세력 균형의 변동 여하에 의해 타율적으로 얻어질 수밖에 없는 민족의 꿈으로 남겨지게 되었다.

무려 당시 기준가 약 30억 불에 달하는 재산 피해와 국토의 초토화, 그리고 수백 만에 달하는 전재민과 천만 명의 이산가족은 전쟁으로 인한 손실 그 자체보다도 한 민족을 사상적으로나 현실적으로 완전히 분단함으로써 민족의 이질화 현상 내지 민족문화의 파행화 현상을 노골화하는 계기가 됐다는 점에서 더욱 비극적인 것으로 남게 된다. 또한 전쟁은 일제 강점기 36년의 식민지 체험 이상으로 한국인에게 패배주의와 허무주의를 심화시켰으며, 시대를 압도하는 분단의 비극성으로 인해 한국인의 삶을 뿌리내리지 못하게 함으로써 이후에 정치사적 혼란이 되풀이되는 비극적 요인이 되었다.

조선조의 전통적인 유교 사상의 영향과 식민지 체제의 폐쇄성에 기인한 한국사의 보수성 내지 봉건 잔재는 육이오로 인한 미국과 연합군의 참전으로 인해 급격한 해체를 요구당하였으며, 그 결과 전쟁으로 인한 개화 내지 근대화라는 역설적인 아이러니를 파생시키게 되었다. 재즈 문화, 깡통 문화, 초콜릿 문화로 대변되는 미국적인 풍조의 유입과 군사문화의 대두는 한국인의 전통적 생활방식에 격심한 변동을 초래하였으며, 마침내 또 다른 문화적 식민지의 양상을 지니게 만든 것이다.

그러나 전쟁은 신구 질서의 전면적 변동에 따른 붕괴와 혼란 속에서도 공동운명체로서의 민족의식을 공고히 하고 자유민주주의라는 이념적 공감대를 획득하였으며, 아울러 역사와 현실, 집단과 개인, 개인과 개인의 대응 관계에서 단독자로서의 주체적 개인의식을 발견하게 하는 결정적 계기가 되었다.

육이오는 정신사적인 면에서 패배주의와 허무주의의 심화라는 부정적 측면과 함께 민족과 개인의 재발견이라는 소중한 측면을 제시함과 아울러 문학사에도 커다란 충격파를 형성하였다. 을유해방 이래 문학적 이념에서보다는 다분히 정치적 현실에 기인하여 분리되었던 남과 북의 문학인들은 전쟁 수행에 따른 민족 이동과 함께 월남 혹은 월북하여 문단의 재편성이라는 결과에 봉착하게 된 것이다. 전쟁을 통하여 납북된 작가로는 이광수, 김억, 김동환, 김진섭, 홍구범, 김성림, 이종산, 김기림, 유자후, 정지용 (마지막 3인은 월북설이 있다) 등이 있으며, 월남한 작가로는 김이석, 강소천, 한정동, 함윤수, 박남수, 장수철, 원응서, 박경종, 한교석, 이인석, 김영삼, 양명문 등이 있다. (『해방문학 20년』, 정음사, 1966, 82~86쪽) 전면전에 따른 남북문단의 재편성과 함께 서울 집중 현상을 보였던 문인들도 전쟁이 국토의 전역을 휩쓸자 경향 각지로 분산되기 시작하였다. 문인들은 육해공군종군작가단을 결성하여 전장을 뒤쫓아가거나, 피난하여 대구와 부산에서 피난 문단을 형성하였으며, 또한 대전, 전주, 광주, 목포, 마산, 진주, 통영, 진해 등 각자의 연고지를 중심으로 산재해 간 것이다. 이들의 지방 분산은 일시적이고 방편적인 것이긴 하였으나 문단의 중앙 집중 현상을 와해시킴으로써 향토 문화의 터전을 마련하는데 중요한 단서를 제공하였다.

육이오는 이러한 문단사적 변화 외에도 문학 내적인 면에서 다양한 변모를 초래하였다. 먼저 육이오는 서구적 문학 양식의 유입으로 한국어의 문학적 특히 시적 가능성을 개방하는 계기가 되었다. 일제하 일본어의 기미에서 벗어나려던 한국어의 투쟁은 영어라는 또 다른 외국어와 정면으로 맞부닥뜨리지 않을 수 없게 된 것이다. 한국시는 서구시의 새로운 감수성과 기법에 직접 충돌함으로써 전통단절론의 대두와 함께 새삼 '시란 무엇인가'라는 질문과 이에 부수되는 시사적 문제점들을 제기하도록 강요당하였다. 전쟁의 테러리즘에 의한 언어와 상상력의 파괴와 함께 문화의 복잡 다기화에 따른 사조의 혼류는 전후의 한국시가 훨씬 혼란되고 난삽성을 지닐 수밖에 없게 하는 요인을 만들어 주었다. 시가 문화의 기본적인 단위인자라는 트릴링(L.Trilling)의 말로 미루어 볼 때 한국 전후 시의 난해성은 바로 한국 전후 문화의 난삽성을 반영한 것으로 이해할 수도 있을 것이다.

또한 육이오는 전쟁의 거대한 폭력 속에서 한국시의 자생적 응전력을 길러주었다는 점에서 중요한 의미를 지닌다. 상황에 대한 치열한 대응 자세를 보여줌과 함께 상황을 존재 속에 수용하여 정신적인 에너지로 내면화함으로써 전쟁으로 인한 정신적 파산을 극복할 수 있는 시적 응전력을 길러주었기 때문이다. 대륙과 해양의 교차점이라는 지정학적 불리한 여건하에서 험난한 역사를 살아온 한국인들은 육이오를 통해 또다시 그 모든 것을 빼앗기고 잃어버리는 속에서도 버티고 살아남아서 시라는 문화의 꽃을, 그것도 다양한 정신적 응전과 굴절 그리고 실험과 모색을 보여줌으로써 한국인의 민족적 저력과 주체적 가능성을 확보하고 확인해 준 것이다.

또한 육이오는 분단의 비극 하에서나마 60년대 및 70년대로 이어지는 한국시의 기본 의미망을 형성해 주었다는 점에서 중요한 의미를 지닌다. 전후시는 해방 전의 시적 질서를 해체하여 목적시로서의 참여시와 이에 대응하는 순수 리리시즘의 시, 모더니즘과 이에 대응하는 고전주의 시, 풍자와 역설의 사회시와 이에 대응하는 존재론적 탐구의 시, 그리고 센티멘털리즘과 휴머니즘 및 소시민 의식의 시를 형성함으로써 이후의 현대시를 심화하고 확대할 수 있는 가능성을 제시해 준 것이다.

육이오가 국토 양단과 함께 민족분단을 공고히 하여 시대를 압도하는 비극성을 심화함으로써 이 땅의 민족을, 시인들을 식민지 체험 이상으로 역사의 수레바퀴 속에 깔아뭉개 버린 것은 사실이다. 그러나 3 · 1운동이 표면상 독립 선언서로 끝난 것 같지만 일제하 많은 민족시를 탄생시킨 모티베이션을 제공한 것처럼, 육이오는 이 땅 인간과 문화의 가혹한 파괴와 민족분단 속에서도 민족과 비극적 개인을 재발견하고 자유의 소중함을 인식게 함으로써 이후 문학사에 귀중한 원천과 동력을 제공하는 문학적 원체험이 됐다는 점에서 의미가 주어진다. 따라서 육이오를 몇 편의 현장시로 평가하는 것은 잘못된 일이며 또한 문학사적 의의를 판단해 내는 것도 시기적으로 불가능한 일이다.

육이오의 역사적 비극성이 문학적 비극 정신으로 승화되기에는 아직도 많은 시간과 노력이 필요한 것이며, 그렇기 때문에 육이오의 문학사적 의미 판단도 미래완료형으로 남아 있을 수밖에 없는 것이다.

아울러 육이오의 불행과 비극을 극복할 수 있는 길은 이 땅에서 자유민주주의를 올바로 뿌리내리는 작업을 전개하는 일과 더불어 분단극복의 문학, 즉 통일지향의 문학작품을 지속적으로 형상화하는 일이 될 것이다. 이 점에서 육이오를 주제로 한 대형 장시나 서사시를 능동적으로 창작해 보는 일은 효과적인 한 방법이라 하겠다. 육이오의 비극과 분단의 아픔을 올바로 극복하는 길은 이 땅에서 민주화를 올바로 실천하고 조국 통일을 향해 꾸준히 나아가려 노력하는 데서 육이오 문학의 참된 지평이 열릴 수 있음은 물론이다.

참고문헌

고 은, 『1950년대』, 민음사, 1973.

김규동, 『새로운 시론』, 산호장, 1959.

김 송, 『전시문학독본』, 계몽사, 1951.

김용호 · 이설주 편, 『연간시집』, 문성당, 1953.

김용호, 『현대시인선집』, 문성당, 1954.

박준규, 『분단과 통일』, 삼화출판사, 1973.

유종호, 『비순수의 선언』, 신구문화사, 1962.

이기백, 『한국사 신론』, 1967.

이어령, 『저항의 문학』, 경지사, 1959.

이용희, 『정치와 정치사상』, 일조각, 1958.

정한모, 『현대시론』, 민중서관, 1973.

정한모 · 김용직, 『한국현대시요람』, 박영사, 1974.

한우근, 『한국통사』, 을유문화사, 1970.

『추천시집』, 현대문학사, 1961.

『한국 전후 문제시집』, 신구문화사, 1964.

『52인 시집』, 신구문화사, 1967.

『한국시선』, 일조각, 1968.

『해방문학 20년』, 정음사, 1971.

『한국전란 5년지』, 국방부 전사편찬위원회, 1951~1956.

*기타 개인시집 목록은 생략함.

오가무라 시게오(岡村重夫), 『전쟁사회학연구』, 백엽서원, 1945.

Mac Arthur, *Douglas, Reminiscences*, Mc-Graw Hill, 1964.

Osgood, Robert E., *Limited War: The challenge to American strategy*, The University of Chicago Press, 1957.

Whiting, Allen S., *China Crosser the Yalu*, Macmillan, 1960.

Trilling. Leionel, *The Liberal Imagination*, Viking Press, 1950.

4. 4·19의 시적 수용과 문제점

4-1 서론

1960년대 이후 이 땅에선 4·19가 이승만 정권의 장기집권과 독재, 그리고 부정부패에 대한 항거로서의 학생의거인가, 아니면 진정한 자유민주주의의 실현을 위한 전 민중적 투쟁으로서의 혁명인가에 대한 논란이 심심치 않게 전개됐다. 이 논란은 4·19 직후에 '혁명'으로 5·16 후에는 '의거'로서 그 관점과 호칭이 변화됐으며, 이후 해를 지나는 동안 그것을 해석하는 입장과 관점, 그리고 상황에 따라 유사한 동어 반복 과정을 되풀이하였다. 4·19는 4·19로서 그것을 기억하려는 자, 실천하려는 사람들에 있어서 생생하게 살아있으면 그뿐이다. 그것은 어떤 한 시대의 정권 담당자층의 일방적 관점이나 역사학자들의 화석화한 평가를 떠나서, 4·19 자체로서 역사 속에 엄숙히 존재하고 민족과 민중의 가슴 속에 생생한 의미를 지니고 있으면 그만인 것이다. 4·19는 동학혁명과 3·1운동, 그리고 식민지하 광주학생운동의 연장선상에서 파악될 수 있는 치열한 자주독립·자유민주·민족민권을 위한 이 땅 시민혁명의 시발점이자 애국애족 운동의 실천적 투쟁에 있어 시금석으로서의 상징적 의미를 지닌다.

이에 본고에서 필자는 4·19가 1960년 이후 이 땅 현대시에 어떻게 수용되었으며 또 1980년대에 이르기까지 어떠한 변모를 겪고 있는가를 간략히 살펴보고자 한다. 4·19는 당시에 이미 『뿌린 피는 영원히』(한국시인협회 편, 춘조사, 1960. 5), 『불멸의 기수』(김종윤·송재주 편, 성문각, 1960. 6), 『피어린 사월의 증언』(이상노 편, 연학사, 1960. 6), 『항쟁의 장』(김용호 편, 신흥출판사, 1960. 6), 『학생혁명기념시집』(신동엽 편, 교육평론사, 1960. 7) 등의 많은 사화집을 남길 정도로 광범위하고 치열한 시적 응전력을 보여주었다. 또한 『사상계』 등의 잡지와 『동아일보』, 『조선일보』 등 각종 신문과 대학신문 등에도 기념시·특집시가 발표되는 등 활발한 문학적 형상화 작업이 전개되었다. 그러나 4·19가 일어난 지 벌써 25년이나 경과하였으며, 아직도 4·19는 당대 현실과 의식의 앞뒤에서 커다란 영향력을 발휘하고 있음에도 불구하고 이것의 문학적 수용에 관한 비평적 성찰이나 문학사적 의미의 검토는 제대로 이루어지지 않고 있는 실정이다.

이 점에 비추어 4·19의 현대시적 수용에 따르는 그 특징과 문제점 및 의의에 관해서 살펴보는 일은 오늘날 문학의 활성화를 위해서 또한 현대시의 정신사적 생동력 제고를 위해서 유익한 일이 아닐 수 없다.

4-2. 4·19와 현장시

4·19는 그 자체가 전국민적이고 격렬했던 만큼 다양하고 치열한 현장 시편들을 남기고 있다. 국민학생으로부터 중학생·고등학생·대학생, 그리고 기성 시인에 이르기까지 많은 사람들이 상황시·찬양시·추도시·격시·조시를 발표하였다. 다음은 한 학생이 쓴 4·19시의 대표적인 한 예이다.

아! 슬퍼요

아침 하늘이 밝아오며는
달음박질 소리가 들려옵니다
저녁 노을이 사라질 때면
탕탕탕탕 총소리가 들려옵니다
아침하늘과 저녁노을을
오빠와 언니들은 피로 물들였어요

오빠 언니들은
책가방을 안고서
왜 총에 맞았나요
도둑질을 했나요
강도질을 했나요
무슨 나쁜짓을 했기에
점심도 안먹고
저녁도 안먹고
말없이 쓰러졌나요
자꾸만 자꾸만 눈물이 납니다

잊을 수 없는 4월 19일
그리고 25일과 26일
학교에서 파하는 길에
총알은 날아오고
피는 길을 덮는데
외로이 남은 책가방
무겁기도 하더군요

나는 알아요 우리는 알아요
엄마 아빠 아무말 안해도
오빠와 언니들이 왜 피를 흘렸는지를……

오빠와 언니들이

배우다 남은 학교에서
배우다 남은 책상에서
우리는 오빠와 언니들의
뒤를 따르렵니다.

  이 작품은 4·19 당시 서울 수송국민학교 4학년 재학생이던 강명희 양의 「오빠와 언니들은 왜 총에 맞았나요」라는 시이다. 수송국민학교는 주지하다 시피 시위가 가장 격렬하고 희생자가 많이 났던 광화문 근처에 자리한 관계 로 4·19 시위의 현장이나 다름없었다. 따라서 이 작품은 현장과 가장 밀접한 자리에서 어린 학생의 눈으로 바라보고 느낀 감정을 진솔하게 노래한 직접적 인 현장시로 볼 수 있다. 이 시는 새삼 설명이 필요 없을 정도로 쉽게 쓰여졌 으며, 또 어린이의 시점을 통해서 표현됐기 때문에 그 비통함을 더욱 고조시 킨다. 무엇보다도 그것은 순진성의 아이러니(naivete irony)가 불러일으키는 비극적 아이러니의 애절함이다. 가령 전쟁의 거대한 잔혹상을 어린이의 시점 으로 묘사할 때 발생할 수 있는 비극성의 고조 혹은 처절함의 심화 효과인 것 이다. 그리고 이 시는 대조와 반복, 의성어의 활용, 반어법, 실제 묘사, 영탄, 생략 등의 다양한 수사적 기법을 구사함으로써 감동의 밀도를 더해준다. 이 것이 꼭 원문 그대로의 학생작품일까 하는 의구심을 떨쳐버리기는 어렵지만, 그러한 문제는 이미 이 작품이 불러일으키는 설득력의 강도와는 관계없는 영 역에 속한다. 주제의 강력함과 구성의 신선함, 그리고 시각의 진솔함이 4·19 의 비극성을 깊이 있게 일깨우고, 그 희생의 의미를 새삼 깨닫게 하며 새로운 결의를 다짐하게 만들기 때문이다.

  이 점에서 이 작품은 4·19의 대표적인 현장시 또는 상황시로서, 또한 한 전범으로서 오랫동안 생생하게 살아있는 것이다. 그러나 이러한 현장시들의 문제점도 적지 않다. 그것은 '피', '혁명', '죽음', '저주', '눈물', '분노', '울음', '함성', '깃발', '총', '부정', '불꽃', '사악', '노도' 등 천편일률적인 시어의 반복이나, '절규!', '외침!', '독재여!', '그네들이여!', '젊은이여!', '꽃이여!' 등 무수한 영탄의 남발, 그리고 '민주', '자유', '정의', '불의', '희망', '영광' 등 수많은 관념어의 나열 등 주제의 도식성이나 관념적 허구성 또는 수사적 미문화로 떨어짐으로써 감동의 깊이나 철학적 유연성, 혹은 의식의 치열성을 오히려 감소시키는 경우가 허다한 것이다. 흔히 사용되는 관념적 상징어만도 '꽃', '깃발', '피', '새', '탑', '태양', '화산', '비', '함성' 등 오히려 진부한 느낌을 주는 경우가 대부분이며, 그렇기 때문에 더욱 설득력의 깊이를 저해하고 대동소이한 동어 반복으로 머물고 만 것이다.

　그렇지만 우리는 상황시의 한 성공적인 전범으로 신동문의 「아! 신화(神話)같이 다비데군(群)들」을 들 수 있을 것이다.

서울도
해 솟는 곳
동쪽에서부터
이어서 서남북
지리지리 길마다
손아귀에
돌, 벽돌알 부릅쥔 채
떼지어 나온 젊은 대열
아―신화같이
나타난 다비데군(群)들

혼자서만
야망 태우는
목동이 아니었다
열씩
백씩
총알 총알 총알 총알 앞에

돌 돌
돌 돌 돌
주먹 맨주먹 주먹으로
피비린 정오의 가도에 포복하여
아―신화같이
육박하는 다비데군(群)들

제마다의
가슴
젊은 염통을
전체의 방패삼아
과녁으로 내밀며
쓰러지고
쌓이면서
한발씩 다가가는
아―신화 같이
용맹한 다비데군(群)들

충천하는
천씩 만씩
어깨 맞잡고
팔장 맞끼고
공동의 희망을 태양처럼 불태우는
아―새로운 신화같은
젊은 다비데군(群)들
……중략………
아―다비데여 다비데들이여
승리하는 다비데여
싸우는 다비데여
쓰러진 다비데여
누가 우는가

너희들을 너희들을
눈물아닌 핏방울로
누가 우는가
역사가 우는가
세계가 우는가
신이 우는가
우리도
아―신화같이
우리도
운다

이 시는 수만 군중이 시위하는 모습을 화사한 비유와 점층 및 지속적인 반복을 사용함으로써 4·19를 장엄한 신화의 한 장면으로 형상화하는 데 어느 정도 성공한 작품으로 받아들여진다. 현장의 폭발적인 분노와 함성을 리얼하게 묘사하면서도 예리하고 풍부한 문학적 표현기법을 구사하여 한 폭의 거대한 4·19 신화도를 완성한 것이다. 무엇보다 이 시의 형상적 우수성은 시공간적 점층법을 통해서 시위군중의 모습에 역동성과 박진감을 불어넣은 데서 찾을 수 있다. 각 연의 전개를 '떼지어 나온―(맨주먹으로)육박하는―(쓰러지고/쌓이면서)한발씩 다가가는―어깨 맞잡고→희망을 태양처럼 불태우는―(무차별 총구 앞에/맨주먹)돌알로서 대결하는―(총알 총알/아우성/안간힘/요동치는 근육/뒤틀리는 사지/약동하는 육체의)조형의 극치 이루며 싸우는―(일사불란/해일처럼)전진하는―(피문은 옷자락/목숨의 대가를/절규로 내흔들며)승리의 다비데군을→풀라, 싸우라, 이기라―(승리하는/싸우는/쓰러진)다비데여―(눈물 아닌 핏방울로)누가우는가'와 같이 점층과 반복형태를 집중화함으로써 4·19현장의 폭풍 같은 혈투와 승리의 모습을 감동적으로 묘사해준 것이다. 실상 「아! 신화같이 다비데군들」이라는 제목 자체에 이미 이 땅 역사가 최초로 성공한 민권운동인 4·19의 역사적 장면이 장엄하고 아름다운 신화로서 제시되어있는 것이다.

이 시가 비록 4·19의 이념이나 의의에 대한 깊이 있는 통찰력 개진이나 비판 전개 그리고 그 당위성에 대한 사회사적·철학적 성찰을 보여주고 있지 못한 것은 사실이다. 그러나 당대 현장과 밀착된 거리와 시점에서 형상화한 비교적 스케일이 큰 작품이라는 점을 감안한다면, 오히려 우리는 이 작품을 가장 뛰어난 4·19 현장시의 한편으로 인정할 수도 있을 것이다. 많은 현장시·상황시들이 관념의 나열이나 영탄의 반복, 혹은 공허한 수사의 요란한 치장에 치우쳤던 데 비해 이 작품은 현장을 능동적인 시각에서 역동적·유기적·입체적으로 밀도 있게 형상화해주었기 때문이다. 특히 수많은 송가·만가·적시 등에서 습관적으로 사용된 의례적 문투와 상투적인 상징어들은 오히려 심도 있는 감동을 불러일으키거나 설득력을 고양하는 데 저해요인이 되기도 했던 것이다.

이 4·19의 정신적 지향이나 이념, 그리고 의의 및 과제에 관해서 현장과 밀착된 거리에서 문학적 형상화가 이루어진 작품으로는 박두진의 다음 작품을 들 수 있다.

우리는 아직도
우리들의 깃발을 내린 것이 아니다
이 붉은 선혈로 나부끼는
우리들의 깃발을 내릴 수가 없다.

우리는 아직도
우리들의 절규를 멈춘 것이 아니다.
그렇다. 그 피불로 외쳐 뽑는
우리들의 피외침을 멈출 수가 없다.

불길이여! 우리들의 대열이여!

그 피에 젖은 주검을 밟고 넘는
불의 노도, 불의 태풍, 혁명에의 전진이여!
우리들 아직도
스스로는 못막는
우리들의 피 대열을 흩을 수가 없다.
혁명에의 전진을 멈출 수가 없다.

민족, 내가 살던 조국이여.
우리들의 젊음들.
불이여! 피여!
그 오오래 우리에게 썩어내린
악으로 불순으로 죄악으로 숨어내린
그 면면한
우리들의 속의 썩은 것을 씻쳐내는,
그 면면한
우리들의 핏줄 속에 맑은 것을 솟쳐내는,
아, 피를 피로 씻고,
불을 불로 사뤄,
젊음이여! 정한 피여! 새 세대여!

너희들 이미 일어선 게 아니냐
분노한 게 아니냐?
내달린 게 아니냐?
절규한 게 아니냐?
피 흘린 게 아니냐?
죽어간 게 아니냐?

아, 그 뿌리어진
임리한 붉은 피는 곱디고운 피꽃잎,
피꽃은 강을 이뤄,
강물이 갈앉으면 하늘 푸르름,

혼령들은 강산 위에 햇볕살로 따수어,

아름다운 강산에 아름다운 나라를,
아름다운 나라에, 아름다운 겨레를
아름다운 겨레에, 아름다운 삶을
위해,
우리들이 이루려는 민주공화국
절대공화국

철저한 민주정체,
철저한 사상의 자유,
철저한 경제균등,
철저한 인권평등의,
우리들의 목표는 조국의 승리,
우리들의 목표는 지상에서의 승리,
우리들의 목표는
정의, 인도, 자유, 평등, 인간애의 승리인,
인민들의 승리인,
우리들의 혁명을 전취할 때까지,

우리는 아직
우리들의 피깃발을 내릴 수가 없다.
우리들의 피외침을 멈출 수가 없다.
우리들의 피불길,
우리들의 전진을 멈출 수가 없다.

혁명이여!

『학생혁명시집』(교육평론사, 1960. 7)에 수록된 이 「우리들의 깃발을 내
린 것이 아니다」에는 4·19의 성격과 이념이 선명히 드러나 있다. 그것은 4·

19가 민족의 자유와 민주, 인권과 평등, 인도와 정의, 그리고 인간애의 실천을 위한 '우리' 즉 '민중을 위한', '민중에 의한', '민중의' 혁명이라는 점을 확연하게 천명한 데서 찾아진다. "철저한 민주정체,/철저한 사상의 자유,/철저한 경제균등,/철저한 인권평등"을 목표로 하는 "정의, 인도, 자유, 평등, 인간애"의 투쟁인 것이다.

무엇보다 중요한 것은 이 시가 4·19를 단순히 지나간 역사적 사건 또는 과거완료형으로 파악하고 있지 않은 점이다. 이 시에서 시인은 "우리는 아직도/우리들의 깃발을 내린 것이 아니다", "우리들의 깃발을 내릴 수가 없다", "우리들의 혁명을 전취할 때까지", "우리들의 전진을 멈출 수가 없다"라는 구절에서 볼 수 있듯이 4·19를 현재진행형 또는 미래완료형으로 파악하고 그의 실천을 향한 지속적인 투쟁과 노력을 강력히 주장하고 있는 것이다. 4·19는 분명히 이 땅에서 1960년 4월 19일에 일어난 반독재·반봉건·반인권에 대한 저항운동이라는 혁명적 성격을 지니는 것이 사실이지만, 동시에 앞으로의 이 땅 역사 전개에 있어서도 지속적으로 추진되고 실천되어야 할 진행형 혁명[1]이어야 한다는 깨달음이 자리 잡고 있는 것이다. 이 점에서 우리는 시인 박두철이 지닌 예언적 지성으로서의 면모를 읽을 수 있다. 그가 일찍이 식민지하 어둠 속에서 "해야 솟아라. 해야 솟아라, 말갛게 씻은 얼굴 고운 해야 솟아라. 산 넘어서 산 넘어서 어둠을 살라먹고, 산 넘어서 밤새도록 어둠을 살라먹고, 이글이글 앳된 얼굴 고운 해야 솟아라"(「해」)라고 노래함으로써 민족의 독립, 광복을 상징적으로 예언하고 갈망했던 것처럼, 4·19시에 있어서도 그 혁명적 이념의 실천이 앞으로의 이 땅 역사 전개에 있어 얼마나 지난한 일일 것인가를 슬기롭게 예감한 것으로 보이기 때문이다. 이 점에서 이 시가 '깃발', '선혈', '절규', '피외침', '젊음', '전진', '혁명' 등 상황시에서 발견되는 상투

---

1) 중동림, 「우리 시에 비친 4월혁명」, 신동엽 편, 『사월혁명기념시집』(교육평론사, 1960), 368쪽.

적 시어를 반복적으로 사용한 약점을 지니고 있음에도 불구하고 신동문의
「아! 신화같이 다비데군들」과 함께 당대에 쓰여진 가장 뛰어난 4·19혁명시
의 한편으로 평가될 수 있는 소이가 발견되는 것이다.

실상 이러한 미완성 혁명으로서의 4·19에 대한 이해는 한 젊은 학생의 시
에서도 나타난 바 있다.

> 일은 아직 끝나지 않았다.
>
> 이제, 먼저
> 가신 형제들의 승화한 넋으로
> 장엄하고 처절한 서곡은 울려지고
> 민주주의란 이름의 화려한
> 오페라의 막은
> 오르려 한다.
> 그러나 일은 아직 끝나지 않았다.
>
> 막을 올려
> 그 아름다운 영창(詠唱) 들어야 하지 않겠느냐!
> 일은 아직 끝나지 않았다
>
>   ─「일은 아직 끝나지 않았다」전문

당시 경기 중학 3학년생이던 김동영이란 학생에 의해 1960년 4월 25일 쓰
여진 이 시는 어린 학생으로서 생각한 4·19관을 보여 준 것으로서 관심을 끈
다. 그것은 자유민주주의를 향한 민주·민권운동으로서의 4·19가 '끝난 것'
이 아니라 '막이 오르려 한다'와 같이 4·19로부터 시작될 민족사적 과제임을
제시한 것으로 볼 수 있기 때문이다. 따라서 박두진과 학생의 시편들은 4·19
를 승리한 '사건'으로만 바라보고 흥분에 들떠 있던 당대의 많은 시민·학생·
시인들과는 구별되는 예리하고 깊이 있는 예언적 지성을 실천적으로 드러내

보여준 것으로 이해된다.

이처럼 4 · 19 현장시는 각계각층의 수많은 사람들에 의해 쓰여지면서도 몇몇 시인들에 의해 치열하면서도 예리한 문학적 표현을 어느 정도 성취해냈다는 점에서 의미를 지닌다.

4−3. 1960년대의 4 · 19시

4 · 19가 수많은 현장시 · 상황시를 남겼던 것은 사실이다. 그러나 1960년대 전반을 통틀어 볼 때 정신적 치열성이나 깊이가 성공적으로 예술적 형상성을 획득한 경우는 그리 많지 않은 것으로 보인다. 그중 1960년대의 시 가운데에서 김수영의 다음 작품은 4 · 19가 시적으로 잘 형상화된 한 전범으로 인정할 수 있으리라 생각된다.

푸른 하늘을 제압하는
노고지리가 자유로왔다고
부러워하던
어느 시인의 말은 수정되어야 한다

자유를 위해서
비상하여 본 일이 있는
사람이면 알지
노고지리가
무엇을 보고
노래하는가를
어째서 자유에는
피의 냄새가 섞여 있는가를
혁명은

왜 고독한 것인가를

혁명은
왜 고독해야 하는 것인가를

　서구풍의 모더니즘시로 출발했던 김수영은 4 · 19를 전후하여 급격한 시적
변모를 겪게 된다. 그것은 모더니즘 취향에서 사회적 관심으로의 전환이다.
이 「푸른 하늘을」은 1960년대 이 땅 참여시의 한 수준을 알 수 있게 해주는
대표작의 하나이다. 이 작품은 4 · 19 직후인 1960년 6월 15일의 작품임에도
불구하고, 직설적인 구호의 남발이나 관념적인 영탄의 나열이 거세되고 실천
적 리얼리즘에 근접하고 있다는 점에서 관심을 끈다.
　먼저 이 시는 자유에 대한 기왕의 통념에 대한 강한 반발에서 시작된다. 그
것은 "노고지리가 자유로왔다고/부러워하던/어느 시인의 말은 수정되어야
한다"라는 첫 구절을 통해서 선명히 드러난다. 이 구절에는 자유가 타인 혹은
외부로부터 주어지는 수동적 · 소극적인 개념이 아니라 투쟁해서 획득해야
하는 적극적 · 실천적 개념이라는 데 대한 확신이 담겨 있다. 또한 이 구절 속
에는 노고지리나 읊어서 자유를 노래하던 기존 시인들의 온건주의 또는 순응
주의에 대한 비판도 담겨져 있는 것으로 보인다. 아울러 고전 정서나 서정 일
변도의 시 정신에 깊이 침윤돼 있던 당대 시와 시인들에 대한 강력한 저항을
시도한 것으로 이해된다. 자유를 위한 비상, 그것은 단순한 노고지리 예찬이
나 시인의 노랫가락 혹은 말로 도달할 수 있는 안이한 영역이 아니다. 그것은
오히려 땀과 눈물과 피를 통해서 조금씩 성취해갈 수 있는 투쟁과 실천의 과
정 속에 놓여지는데 참뜻이 있는 것이다. "자유를 위해서/비상하여 본 일이
있는/사람이면 알지", "어째서 자유에는/피의 냄새가 섞여 있는가를"이라는
구절 속에는 바로 이 자유가 피나는 투쟁과 노력의 과정을 통해서만이 전취
될 수 있는 인류의 지고지상(至高最上)의 명제라는 데 대한 깨달음이 담겨져

있는 것으로 보인다. '푸른하늘'로서의 높고 아름다운 자유를 향한 비상은 '피의 냄새'라는 구체적이면서도 실천적인 투쟁과 노력을 통해서만이 비로소 근접해 갈 수 있는 이념태로서 존재하기 때문이다. '푸른 하늘'과 '피의 냄새'의 선명한 대응 속에는 자유를 향한 이상과 현실, 이념과 실제, 그리고 존재와 당위 사이의 첨예한 갈등이 포괄적으로 제시돼 있다. 특히 이 두 대조적 상징의 자연스러운 결합은 푸름과 붉음이라는 색감과 그 표상성이 불러일으키는 심미성과 사실성의 조화로 말미암아 이런 류의 시가 자칫 떨어지기 쉬운 관념적 도식성을 극복하고 예술성과 실천성의 행복한 조화를 성취하게 만드는 원동력이 된다.

무엇보다 이 시가 성공적인 것은 다음 구절, 즉 "혁명은/왜 고독한 것인가를"이라는 깨달음을 제시한 데서 찾아볼 수 있다. 피의 냄새가 섞여 있을 수밖에 없는 투쟁적·적극적 개념의 자유, 그것을 성취하기 위한 거대한 혁명이 왜 고독한 것이고 또 고독해야만 하는가 하는 질문의 제기는 분명 아이러니한 일이 아닐 수 없다. 여기에서 운명과 자유, 집단공동체와 단독자로서의 개인 상호 간에 있어서의 갈등의 문제가 제기된다. 집단행동으로서 끊임없이 피와 눈물을 필요로 하는 자유를 위한 투쟁 혹은 혁명은 필연적으로 개인의 희생을 요구하고, 그에 따른 좌절과 절망을 겪게 만든다. 혁명은 필연적으로 집단과 개인, 역사와 현실, 그리고 이념과 실제의 괴리와 충돌을 유발할 수밖에 없으며, 이 과정에서 자유의 본질과 현상에 대한 절망적인 깨달음과 함께 단독자로서의 자아에 대한 무력감과 뿌리 깊은 고독감을 절감하게 만들기 때문이다. 따라서 혁명이 고독하고, 고독해야 한다는 것은 바로 자유 그 자체가 고독한 것이며, 고독한 것일 수밖에 없다는 자유의 본질에 대한 소중한 깨달음을 제시한 것으로 판단된다. 자유는 인간의 본질이며, 인간이 인간다울 수 있는 표징이지만 동시에 그에 따른 실천적 어려움과 요구가 있게 마련이다. 자유는 무한개념이지만 동시에 현실에 적용해야 하는 실천적 개념이기 때문에 해방의 자유와 함께 운명적 구속을 테두리로 삼을 수밖에 없다. 바로 이 점에서 자유는 해방과 구속, 열락과 고독을 함께 포괄하는 양면성을 지니는 것이다. 바로 이러한 자유와 혁명이 내포하고 있는 양면성에 대한 깨달음이 분명하게 제시돼 있다는 점에서 이 시의 탁월성이 드러난다.

민중혁명으로서의 4·19에 대한 실천적 이념이 예술적 형상성으로 승화된 것과 함께 자유와 혁명의 본질과 현상에 대한 깊이 있는 통찰이 담겨있다는 점에서 이 시는 4·19가 문학적으로 성취한 1960년대의 한 성과로 판단되는 것이다.

박봉우도 시 속에 4·19를 능동적으로 수용한 시인의 한 사람이다.

> 4월의 피바람도 지나간
> 수난의 도심은
> 아무렇지도 않는
> 표정을 짓고 있구나.
>
> 진달래도 피면 무엇하리.
>
> 갈라진 가슴팍엔
> 살고 싶은 무기도 빼앗겨 버렸구나.
> 아아 저녁이 되면
>
> 자살을 못하기 때문에
> 술집이 가득 넘치는 도심.
>
> 약보다도
> 이 고달픈 이야기들을 들으라
> 멍들어 가는 얼굴들을 보아라.

어린 4월의 피바람에
모두들 위대한
훈장을 달고
혁명을 모독하는구나.

이젠 진달래도 피면 무엇하리.

가야 할 곳은
여기도,
저기도, 병실.

모든 자살의 집단, 멍든
기를 올려라
나의 병든 데모는 이렇게도
슬프구나.

박봉우는 1956년 조선일보 신춘문예에 「휴전선」으로 등단한 이래 당대 현실과 사회에 관한 관심을 시로 표현하는 데 힘을 기울여왔다. 특히 4·19에 관해서는 "사월은 피로 덮인/그만큼 잔인한 달인가"라고 노래한 시 「젊은 화산」 등과 같이 폭발적인 열정을 유감없이 과시하였다. 그런데 4·19의 흥분과 열기가 차츰 가라앉기 시작할 무렵인 1961년 3월 쓰여진 앞의 인용시는 4·19가 스쳐 지나간 뒤의 좌절감과 허탈감을 적절히 표출하여 또 다른 관심을 불러일으킨다. 즉 「진달래도 피면 무엇하리」라는 이 시는 4·19의 격정과 흥분과는 거리가 먼, 절망과 좌절 그리고 허탈을 노래한다는 데서 4·19시의 색다른 면을 보여주는 것이다. "4월의 피바람도 지나간/수난의 도심은/아무렇지도 않는/표정을 짓고 있구나"라는 구절 속에는 역사의 무상함과 인사(人事)의 덧없음이 담겨져 있는 것으로 보인다. 그러기에 "진달래도 피면 무엇하리"라는 회한과 탄식에 젖어 드는 것이다. 이러한 탄식은 마치 진달래꽃처럼 산화해간 4·19 희생자들에 대한 애절한 추모의 정과 함께 인생의 덧없음에 대한 비애를 담고 있는 것으로 보인다. 아울러 4·19 이후 나날이 변질되고 퇴색해가는 4·19 정신에 대한 좌절감 혹은 배신감을 표출한 것으로도 풀이된다. 그렇기 때문에 "저녁이 되면//자살을 못하기 때문에/술집이 가득 넘치는 도심"이라는 비관적·타락적 징후를 노래하게 되는 것이다.

　4·19가 비록 이(李) 정권의 몰락과 그에 따른 정권의 변동을 가져왔지만, 진정한 의미의 혁명으로서는 실패한 것일 수밖에 없다는 깨달음이 표출된 것일 수도 있다. '자살'과 '술집'이라는 시어 속에는 4·19 이후 자생적인 민주역량의 부족으로 혼란과 무질서를 되풀이하고 있던 당대 현실에 대한 자조와 자학의 분위기가 상징적으로 표현돼 있는 것으로 보이기 때문이다. 4·19가 수많은 젊은이들을 떨어진 진달래꽃처럼 희생시킨 숭고한 '혁명'이었음에도 불구하고, 그것이 완전한 의미에서의 혁명으로 승화되지 못하고 있는 당대 현실에 대한 절망감과 배반감이 시 속에 담겨져 있는 것이다. 오히려 세상에는 고달픈 이야기만 들려오며 멍들어 가는 얼굴들만 떠도는 어두운 현실로 받아들여진다. 아울러 "훈장을 달고/혁명을 모독하는" 타락한 무리들이 횡행하는 비관적인 세계상으로 파악되는 것이다. 그렇기 때문에 "가야 할 곳은/여기도,/저기도, 병실"과 같이 고통과 절망이 함께 하는 어두운 장소로서 현실이 인식되는 것이다. 병실로밖에 암유될 수 없는 시대 분위기는 4·19 이후 표류하던 당대 현실에 대한 날카로운 고발을 담고 있는 것으로 보인다. 그러므로 마지막 연에서처럼 "모든 자살의 집단, 멍든/기를 올려라"와 같이 퇴색한 4·19정신과 왜곡돼가는 혁명의지에 대한 야유를 표출하게 된다. 아울러 "나의 병든 데모는 이렇게도/슬프구나"라는 구절에서 보듯이 병들어가는 현실에 외로이 저항하고 탄식하는 모습이 드러나게 된다. 이 결구 속에서는 순수하고 높기만 하던 4·19의 이념지향과 그렇지 못한 이후의 현실 상황이 서로 충돌하고 갈등하는 데 따른 절망감과 비애가 담겨져 있는 것으로 보인다.

따라서 이 「진달래도 피면 무엇하리」는 이 땅에서 민권·민중혁명으로서 최초로 성공적이었던 4·19의 진정한 뜻이 왜곡되고 모독되며 변질돼 가는 당대 현실에 대한 절망과 탄식을 노래한 데 의미가 있다. 또한 이 시는 흥분과 격정으로 들떠서 온갖 수사적 미문(美文)과 관념적 구호로 일관했던 당대 4·19시와 나날이 변질돼 가는 4·19정신에 대한 비판적 자기성찰을 보여주었다는 데서 주목에 값한다. 실상 이 시는 "혁명은 왜 고독한 것이고/왜 고독해야 하는 것인가"를 질문하던 김수영에 대한 한 응답일 수 있다. 무엇보다도 이 시는 4·19를 바라보는 시선에 대한 근원적인 한 시각을 제시한 것으로 보여서 주목된다. 그것은 이 시가 4·19를 총체적인 면에서 성공한 완료형 혁명으로 보기는 어려우며, 이 점에서 미완의 혁명 또는 반독재 민주화 학생의거로 볼 수도 있다는 암시를 제공한 것으로 판단되기 때문이다. 이것은 4·19에 대한 과소평가나 부정적 판단이 아니다. 실상 이 시가 쓰여진 한두 달 후에 5·16이라는 불행한 사건이 돌발하는 사태로까지 진전된 것도 실상 4·19가 내포하고 있던 취약성 또는 한계점을 반영한 것일 수도 있기 때문이다.

껍데기는 가라.
사월(四月)도 알맹이만 남고
껍데기는 가라.

껍데기는 가라.
동학년(東學年) 곰나루의, 그 아우성만 살고
껍데기는 가라.

그리하여, 다시
껍데기는 가라.
이곳에선, 두 가슴과 그곳까지 내논
아사달 아사녀가

중립(中立)의 초례청 앞에 서서
부끄럼 빛내며
맞절할지니

껍데기는 가라.
한라(漢拏)에서 백두(白頭)까지
향그러운 흙가슴만 남고
그, 모오든 쇠붙이는 가라.

　1967년에 발표된 시 「껍데기는 가라」(현대한국문학전집, 『52인시집』, 신구문화사)는 4 · 19시들이 지니고 있던 관념적 허구성과 자기모순, 그리고 감상적 허무주의에 대한 정공법적 비판을 퍼부어 세인의 관심을 불러일으켰다. 이 시는 김수영의 「푸른 하늘을」이 내포하고 있던 다소의 추상성과 박봉우 「진달래는 피면 무엇하리」에서의 니힐리즘이 극복되어 있다. 우선 제목에서부터 「껍데기는 가라」와 같이 투박한 시어와 명령형 종지를 사용하여 목숨으로부터 울려 나는 정신의 힘을 과시한다. 특히 '가라, 가라…'등 7번이나 반복되는 명령형 종지법은 서정시가 지니기 쉬운 나약함이나 왜소성을 결연히 제거하고, 분출하는 남성적 대결 정신을 감지하게 만들어 준다. 또한 그것은 맹목적인 반발이나 비판을 위한 비판으로서가 아니라, '껍데기'에 상대되는 '알맹이'를 요구한다는 점에서 구체성을 지닌다. 김수영이 '피'로써 전취한 고독한 자유와, 박봉우가 절망하던 4 · 19 정신의 퇴색을 동시에 뛰어넘어 4 · 19 정신의 알맹이만 남고 껍데기는 물러가라는 사자후를 외친 것이다. 자유 · 민권 · 민주를 위해 피를 흘린 4월의 참뜻을 회복하는 일만이 알맹이를 찾는 일이다. 자유민주주의를 억압하는 모든 요소들은 모두 껍데기로 규정되어 매도되고 있는 것이다. 특히 4 · 19로부터 이 시가 쓰여지기까지 5 · 16이라는 민족사적 불행이 가로놓여 있었다는 점을 음미해 본다면 껍데기의 요소는 더욱 선명히 드러날 수도 있을 것이다. '껍데기'는 4 · 19정신을 왜곡하는 일체의 거짓과 부조리, 그리고 반민주적 불순세력을 직접적으로 표상한 것이 된다. 따라서 4 · 19는 1894년의 동학민중운동으로 자연스럽게 연결된다. 4 · 19는 민중 · 민족 · 민주운동으로서 동학과 이념적인 면에서 근원적 동일성을 지니기 때문이다.

특히 4 · 19와 동학년(東學年)을 병치시킨 것은 신동엽의 시 의식이 민족주의적인 역사의식에 자리 잡고 있음을 말해주는 것으로 보인다. '남고~가라/살고~가라'라는 대응적 반복 속에는 바로 4 · 19와 동학 이념에 위배되는 사악한 것들에 대한 강력한 부정정신과 도전 의지가 깃들어 있다. 이러한 신동엽의 민족주의적 역사의식은 삼국시대 백제와 신라로 나뉘어 끝내 결합을 이루지 못하고 비련에 죽은 아사달 · 아사녀를 등장시킴으로써 분단으로 인한역사의 비극, 민족의 불행을 노래하게 된다. "이곳에선, 두 가슴과 그곳까지내논/아사달 아사녀가/중립의 초례청 앞에 서서/부끄럼 빛내며/맞절할지니"라는 구절 속에는 민족의 화합, 분단의 극복을 위해서라면 이데올로기는 물론 지상의 그 어떤 인위적 가치까지도 버릴 수 있다는 민족지상주의가 자리잡고 있는 것이다. 김수영의 참여의식이 다분히 서구적 발상법과 그 취향에물들어 있다면 신동엽의 그것은 한국적 전통과 대지사상 위에 뿌리박은 민족주의적 역사의식에 젖줄을 대고 있는 것으로 보인다. 우리 정신, 우리 민족,우리 역사에 대한 본능적 집착과 애정이 자리 잡고 있는 것이다.

따라서 마지막 연에서 신동엽은 분단상황을 거시적 안목에서 총체적으로 바라보고자 노력한다. 그리고 분단상황의 극복은 전쟁에 대한 거부와 무력통치에 대한 배격을 전제원리로 한다는 점을 강조한다. "향그러운 흙 가슴만 남고/그, 모오든 쇠붙이는 가라"라는 구절은 어쩌면 전쟁과 피 흘림으로 점철돼 온이 땅의 비극적 역사에 대한 통렬한 비판이자, 반무력 · 반독재 · 반외세 · 반봉건을 갈망하는 평화주의 · 자유주의 · 민권주의 이념의 실현을 강조한 것이 아닐 수 없다. 이 점에서 「껍데기는 가라」는 4 · 19정신을 첨예하게 형상화한 4 ·

19시의 꽃이면서 동시에 1960년대 참여시의 한 절정이 될 수 있는 것으로 판단된다.

이렇게 볼 때 4·19의 시적 수용은 1960년대에 있어서도 여러 편차를 지니고 있음을 알 수 있다. 초기 현장시들이 격렬한 구호와 직설적인 현장묘사, 엇비슷한 주제 또는 소재 나열 등에 머물렀던 데 비해 시인들이 차츰 4·19의 역사적·민족적·사회적 당위성을 깊이 인식하면서부터 거기에 걸맞는 시적 형상화를 추구한 것이다. 김수영의 「푸른 하늘을」, 박봉우의 「진달래도 피면 무엇하리」 그리고 신동엽의 「껍데기는 가라」가 4·19시의 전부도 아니고 또 전범도 될 수 없지만, 그 속에서 우리는 4·19가 우리에게 눈뜨게 해준 자유·민권·민중의 소중함에 대한 인식과 그 가치의 재발견의 노력을 읽을 수 있었던 것은 소중한 일이 아닐 수 없다. 이것은 3·1운동이 독립선언서와 몇 편의 암유적인 서정시를 남겼을 뿐이라는 점을 음미해 볼 때 실로 값진 수확이 아닐 수 없기 때문이다.

4-4. 1970~1980년대의 시적 응전

김수영과 신동엽으로 표상되던 1960년대 4·19시는 공교롭게도 두 시인이 1960년대 말에 타계하면서 더 이상의 큰 수확을 거두지 못하고 막을 내렸다. 그 대신 1970년대에 접어들면서 1970년대 시인군이 새롭게 등장하면서 또 다른 국면을 맞이하였다. 이것은 1960년대 말기의 박(朴) 정권의 삼선개헌과 1970년대 초의 유신 결행으로 말미암은 정치적 탄압과 긴장으로 인해 더욱 예화(銳化)되고 경화(硬化)된 양상을 보였다. 특히 이 무렵 「황톳길」 등으로 데뷔한 김지하는 당대의 정치·사회·경제적 모순과 부조리를 구조적으로 파악하여 「오적」 등의 풍자시·고발시를 씀으로써 4·19정신의 살아있음을 과시하였다. 또한 신경림·조태일·이성부·김광협·양성우 등의 젊은 시인들도 반유신·반독재 민주화운동의 연장선상에서 사회적 관심의 시편을 발표하였다. 이 중에서 양성우의 시 「4월 회상」은 1970년대 시인들에 있어서의 4·19의 시적 수용양상을 단적으로 보여주는 한 예가 된다. 양성우는 김지하와 앞서거니 뒤서거니 『시인』지에 작품을 발표하여 데뷔하면서 시집 『신하여 신하여』(1974), 『겨울 공화국』(1977) 등의 강도 높은 현실 비판과 풍자 그리고 고발과 야유를 시로써 형상화한 시인이다.

> 들어 보아라. 지금도 광화문 그 부근에 가서
> 한나절 귀기울여 들어보아라.
> 시린 목덜미를 움추려가며, 다친 팔다리를
> 어루만지며, 여기저기 숨죽이며 들어보아라.
> 온몸에 시뻘건 피투성이로
> 길바닥에 나딩굴며 발을 구르며
> 죽어간 영혼들의 신음소리가 구천에 가득 차서
> 번쩍이면서 성난 물결로 밀려오지 않느냐.
>
> 바람이어라. 진흙위에 뜨겁게 일어나는
> 바람이어라. 끈끈한 설움 짓씹어가며
> 우수수 우수수 몰아쳐 오는 눈물이어라.
> 서울의 칼날 뿐인 하늘 아래서
> 이글이글 타오르는 4월 그 아침,
> 남은 목숨으로 치달으면서
> 목이 터지도록 외치며 가던 햇살이어라.
> 총창 끝에 쓰러지며 난자당하며
> 우수수 우수수 몰아쳐 오는 바람이어라.
> 진흙 위에 뜨겁게 일어나는 바람이어라.
>
> 사방에서 피비린내만 나더라.
> 어디서나 총든 놈만 즐거워하고,

날마다 사람들은 밤이 되어서
억울하게 부자들의 밤이 되어서
안개처럼 흐르다가 사라져 가고
사방에서 증오만 자라고
사방에서 피비린내만 나더라.

대낮에 흘린 피가 날아 올라서
칙칙한 밤하늘의 큰별이 되고,
대낮에 흘린 피가 스며들어서
먼지 뿐인 이 땅의 큰 꽃이 되어
이글이글 타오르며 손짓하면서
찢어진 가슴팍을 긁어대면서
한밤에도 악몽속에 소리치며 온다.

들어 보아라. 빼앗긴 사람들아.
한세월 땅속에 눈물로 고여서
적막강산 바라보며 눈물로 고여서
지금도 광화문 그 부근에 살며
밤새워 그날을 기다리고 있는
4월 영혼들의 신음소리를
한나절 귀기울여 들어보아라.
물문은 휴지처럼 군화끝에 채이며
얼음 위에 떠도는 빼앗긴 사람들아.
들어보아라.
온몸에 시뻘건 피투성이로
소리치며 소리치며 오지 않느냐.
지금도 광화문 그 부근에
살며.

이 시의 특성은 4·19라는 과거 사실의 현재화에서 선명히 드러난다. "들어 보아라. 지금도 광화문 그 부근에 가서", "온몸에 시뻘건 피투성이로/길바닥에 나딩굴며 발을 구르며/죽어간 영혼들의 신음소리가 구천에 가득 차서/번쩍이면서 성난 물결로 밀려오지 않느냐'라는 구절 속에는 4·19가 단지 1960년의 자유민주화운동이 아니라 1970년대 당대에 있어서도 가장 절박한 시대사적 당위성이자 민족사적 명제임을 강조하는 주장이 들어있다. 4·19는 1960년대에 종료된 역사적 사건이 아니라 1970년대 당대에 있어서도 새롭게 음미되고 실천돼야 할 것이라는 강력한 시사가 담겨있는 것이다. 여기에서 4월은 회상의 대상이 아니라 새롭게 또 다른 차원으로 극복되고 실천돼야 한다는 깨달음인 것이다. 동시에 이 시는 "얼음 위에 떠도는 빼앗긴 사람들"로서의 민중적 자각과 결집을 강조하는 특색을 지닌다. 4·19가 주로 학생층을 중심세력으로 한 저항운동이었기 때문에 비조직성·관념성·일시성·유행성적인 여러 약점을 지녔으며 그 결과 전민중 각계각층에 광범위하며 심도 있는 저력을 결집하고 조직적으로 지속화하지 못한 데서 한계가 드러났던 것이 사실이다.

따라서 이 시는 1970년대의 4·19가 학생층만이 아닌 소위 '뿌리뽑힌 자' 또는 '빼앗긴 자'들을 민주화운동의 주체로 결집화하고 역동화(mobilization)해야 한다는 변모와 투쟁의식을 보여준 것으로 이해된다. 또한 "밤새워 그날을 기다리고 있는/4월 영혼들의 신음소리를/한나절 귀기울여 들어보아라"라는 구절 속에는 4·19가 지난 지 10여 년이 훨씬 지나서도 실현되지 못하고 있는 자유민주주의의 수난에 대한 탄식과 함께 그것의 실천적 행동을 주장하고 강조하는 의도가 들어있는 것으로 보인다. 마치 식민지 암흑 아래서 심훈이 「그날이 오면」에서 광복의 그날을 기다리고 감행했던 것처럼 1970년대의 한 시인은 이 땅에서의 진정한 자유민주주의의 도래와 실천의 그날을 애타게 갈망한 것이다. 특히 "온몸에 시뻘건 피투성이로/소리치며 소리치며 오지 않느냐./지금도 광화문 그 부근에/살며"라는 결구는 과거적 사실의 현재화가 주는 긴박감과 현실감을 고조시킴으로써 실천성 · 전투성을 강조하는 것으로 보인다. 이렇게 볼 때 이 작품은 1970년대에 들어서서 1960년대의 자유 · 민주주의운동이 민중 · 민권운동의 차원으로 변모하여 그 실천에 있어서도 한층 과격해지고 있음을 보여주는 한 예가 된다. 이것은 어쩌면 일제하에서 무력 항일독립투쟁을 주장하던 단재 신채호처럼 전투적 지성의 면모를 반영하는 것일지도 모른다. 이와는 달리 4 · 19는 1970년대 시인들에게 비분강개하여 우국충정을 토로하던 이조 선비들처럼 지사적 지성의 발현으로 나타나기도 한다. 정희성의 시가 그 한 예가 된다.

> 보이지 않는 것은 죽음만이 아니다
> 굳이 돌에 새긴 피
> 그 시절의 무덤을 홀로
> 지키고 있는 것은 석탑(石塔)뿐
> 이땅의 정처없는 넋이
> 다만 풀 가운데 누워
> 풀로서 자라게 한다
> 봄이 와도 우리가 이룬 것은 없고
> 죽은 자가 또다시 무엇을 이루겠느냐
> 봄이 오면 속절없이 찾는 자 하나를
> 젖은 눈물에 다시 젖게 하려느냐
> 4월이여

이 「4월에」라는 시는 마치 산림에 묻혀 잘못된 정치 · 현실 등에 비분강개하며 울분을 삭이던 이조시대 산림유(山林儒)들의 시를 연상케 해준다. 그만큼 비관주의적 세계인식의 태도와 함께 강직한 지절에서 비롯된 고전적 품격을 느끼게 한다는 말이다. 이 시가 비극적 세계인식의 태도와 분위기를 느끼게 하는 것은 무엇보다 '죽음', '돌', '피', '무덤', '넋', '눈물' 등의 하강적 체언과

'보이지 않는', '정처없는', '속절없이' 등의 수식언을 주로 사용하는데 기인하는 것으로 보인다. 그러면서도 지사적 품격과 예술성을 함께 느끼게 하는 것은 '돌'과 '피'의 대응, '석탑과 '풀'의 대응처럼 견고한 광물적 이미지와 부드러운 생명적 이미지가 효과적으로 결합되는 데서 오는 대립적인 객관적 상관물의 강력한 부딪침에 있다.

그와 함께 '~것은 ~아니다', '홀로 ~뿐', '와도 ~없고', '무엇을 ~하겠느냐' 등의 부정종지법·강세조사·반어법·단정법 등을 활용하는 독특한 문장구조에 기인한다. 물론 이러한 하강적·부정적 시어 활용과 단정형·부정형 문장구조의 습용은 정희성 시에서 단정적·비관적·비판적 분위기를 형성함으로써 그의 시가 고전적·지사적 품격을 지니는 데 결정적으로 작용하는 것으로 보인다. 특히 '피'와 '돌'과 '풀'의 이미지가 등장한 것은 매우 상징적이다. 피는 투쟁과 희생을, 돌은 지조와 강직을, 풀은 생명과 민초(民草, 민중)을 상징한다는 점에서 이 시가 간결하면서도 효과적으로 '인권의식·역사의식·생명의식·민중의식' 등을 함축적으로 제시함을 알 수 있다. 돌(역사)에 새긴 4·19의 피(자유·민권투쟁과 희생)는 시대에서 시대를 넘어 풀(민중·생명력)로서 연면히 또 꿋꿋하게 이어져 가리라는 확신이 담겨져 있다. 이루지 못한 것으로서의 한(恨)과 어쩔 수 없음으로서의 비애, 그리고 이루고 말겠다는 굳센 결의의 강직함이 함께 결합됨으로써 목청 높았던 4·19 참여시가 품격 높은 민중시로 변모하게 된 한 예가 바로 정희성의 시인 것이다.

김광규는 4·19세대로서 겪었던 지난 젊은 날의 격정과 그 이후의 낭만적 아이러니 (romantic irony)를 활용함으로써 효과적으로 형상화해 주었다.

> 4·19가 나던 해 세밑
> 우리는 오후 다섯시에 만나
> 반갑게 악수를 나누고
> 불도 없는 차가운 방에 앉아

열띤 토론을 벌였다.
어리석게도 우리는 무엇인가를
정치와는 전혀 관계없는 무엇인가를
위해서 살리라 믿었던 것이다
결론없는 모임을 끝낸 밤
혜화동 로우터리에서 대포를 마시며
사랑과 아르바이트와 병역문제 때문에
우리는 때묻지 않은 고민을 했고
아무도 귀기울이지 않는 노래를
누구도 흉내낼 수 없는 노래를
저마다 목청껏 불렀다
돈을 받지 않고 부르는 노래는
겨울밤 하늘로 올라가
별똥별이 되어 떨어졌다

그로부터 18년 오랜만에
우리는 모두 무엇인가가 되어
혁명이 두려운 기성세대가 되어
넥타이를 매고 다시 모였다
회비를 만원씩 걷고
처자식들의 안부를 나누고
월급이 얼마인가 서로 물었다
치솟는 물가를 걱정하며
즐겁게 세상을 개탄하고
익숙하게 목소리를 낮추어
떠도는 이야기를 주고받았다
모두가 살기 위해 살고 있었다
아무도 이젠 노래를 부르지 않았다
적잖은 술과 비싼 안주를 남긴 채
우리는 달라진 전화번호를 적고 헤어졌다
몇이서는 포우커를 하러 갔고

몇이서는 춤을 추러 갔고
몇이서는 허전하게 동숭동 길을 걸었다
돌돌 말은 달력을 소중하게 옆에 끼고
오랜 방황끝에 되돌아 온 곳
우리의 옛사랑이 피흘린 곳에
낯선 건물들 수상하게 들어섰고
플라타너스 가로수들은 여전히 제자리에 서서
아직도 남아 있는 몇 개의 마른잎 흔들며
우리의 고개를 떨구게 했다
부끄럽지 않은가
부끄럽지 않은가
바람의 속삭임 귓전으로 흘리며
우리는 짐짓 중년기의 건강을 이야기했고
또 한 발짝 깊숙이 늪으로 발을 옮겼다

　

「희미한 옛사랑의 그림자」라는 마치 유행가의 구절 같은 제목 자체에서부터 무언가 아름답던 꿈, 소중했던 젊은 날의 환상 붕괴 또는 상실을 암시받을 수 있다. 이 시의 쟁점은 바로 이러한 낭만적 아이러니의 묘미에 있다. 낭만적 아이러니란 지난날 품고 있던 동경과 갈망, 환상과 기대가 일시에 붕괴되고 사라지는 데서 오는 돌발적인 정신의 몰락 또는 모순의 정서를 일컫는다.[2] 이 시에서 전반부는 바로 이러한 4·19 당시의 순수하고 아름답던 격정과 낭만이 나타났다가 후반에 그러한 꿈과 환상이 급격히 무너져가는 낭만적 아이러니의 전형을 보여준다. "불도 없는 차가운 방에 앉아/열띤 토론을 벌"이고 "때묻지 않은 고민을" 하고 "누구도 흉내낼 수 없는 노래를/저마다 목청껏 불렀"던 젊은 날의 4·19 시절, 자유와 민주, 정의와 진리를 위해 그 아무것도 바라지 않는 순수한 정열과 의기로 뭉치고 투쟁했던 그 시절의 소중했던 꿈

---

2) A.Preminger.edit, *Princeton Encyclopedia of Poetry & Poetics*(Princeton Univ. Press, 1979), 407쪽.

은 이미 희미한 옛사랑의 그림자로 남아 있을 뿐인 것이다. "혁명이 두려운 기성 세대가 되어" "우리의 옛사랑이 피흘린 곳에" "고개를 떨구"며 "부끄럽지 않은가/부끄럽지 않은가/바람의 속삭임 귓전으로 흘리며" "또 한 발짝 깊숙이 늪으로 발을 옮"기는 퍼스나의 모습 속에는 어느새 현실적 존재로서 세속과 적당히 타협하며 살아가는 데 대한 부끄러움과 함께 또 그렇게 살아갈 수밖에 없는 시들어버린 정신에 대한 깊은 회한이 깃들어 있는 것으로 보인다. 젊은 시절 목숨을 걸고 자유·정의·진리를 외치던 열정과 순수를 잃고 나날이 생활인으로 떨어져 가고 마는 자신에 대한 뼈 아픈 절망과 함께 어쩔 수 없음으로서의 현실과 인생에 대한 깊은 탄식을 드러낸 것이다.

김광규의 이러한 순응주의적 현실인식은 어느 면 대부분의 4·19세대가 지닌 인생관을 적절히 반영한 것으로 보인다는 점에서 4·19정신 계승의 한 한계를 드러낸 것일 수도 있다. 물론 김광규는 시집 『아니다, 그렇지 않다』에서 이러한 4·19정신의 또 다른 인식을 보여주는 것이 사실이지만, 시간의 경과에 따라 자연스럽게 퇴색해가는 4·19정신의 모습을 정확하게 표출한 것일 수가 있기 때문이다.

아울러 4·19는 여성시인들에게도 미완성 혁명으로서의 아픔을 던져주며 지속적으로 형상화됨을 볼 수 있다. 유안진의 시 「꽃으로 다시 살아」(서울대 대학신문, 1984)도 그 한 예가 된다.

> 지금쯤은 장년고개 올라섰을 우리 오빠는
> 꽃처럼 깃발처럼 나부끼다 졌답니다만
> 그 이마의 푸르른 빛 불길같던 눈빛은
> 4월 새닢으로 눈부신 꽃빛깔로
> 사랑하던 이 산하 언덕에도 쑥굴형에도
> 해마다 꽃으로 다시 살아오십니다.
> 메아리 메아리로 돌아치던 그 목청도
> 생생한 바람소리 물소리로 살아 오십니다

꽃진 자리에 열매는 열려야 했지만
부끄럽게도 아직은 비어 있다하여
해마다 4월이 오면 꽃으로 오십니다
눈 감고 머리 숙여 추도하는 오늘도
웃음인가요 웃음인가요 저 꽃의 모습
결고운 바람에도 우리 가슴 울먹입니다.

이 시의 핵심은 "꽃진 자리에 열매는 열려야 했지만/부끄럽게도 아직은 비어 있다"라는 구절에 놓여진다. 1980년대에 들어서서도 4·19가 자유민주주의의 완전한 실천이라는 열매를 거두고 있지 못한 데 대한 탄식을 표출하고 있는 것이다. 이처럼 4·19는 60~70년대 시인군들에게 있어서 고통스러운 상처이자 언젠가는 열매 맺어야 할 미완의 혁명 개념으로서 존재하고 있음을 볼 수 있다.

한편 1980년대 들어서서 새로이 등장하기 시작한 젊은 시인들에게 4·19는 또다시 변모한 모습으로 나타난다. 그것은 단지 연례행사로서 되풀이되는 4·19기념식의 의례성과 형식성에 대한 탄식 혹은 야유로 나타나기도 하며, 때로는 가슴 속에 지울 수 없는 그리움으로 살아서 뜨거이 불타오르는 함성일 수도 있고, 아니면 1980년대 초의 비극적 상황과의 자연스러운 접합으로 나타나기도 하는 것이다.

날마다 와도 아쉬운 판에
일년에 한번씩 오다니
차비가 없어 그러냐
천성이 게을러서 그러냐
나뭇가지마다 잎새는 피었다만
네가 뛰어 놀던
산도 있고 들도 있다만
어디가서 딴 살림하느냐

일년에 한번씩 와서
인사치레만 하고 달력 속으로 지는 해는
마산에서 헤어졌던
네가 아니다 공중에서 펄럭인다고 다 그날의
그리움이 아니다
아무리 세월이 흘렀다고 너를 모르겠느냐
해가 뜬 다음에도 오지 않더니
꽃이 핀 다음에도 오지 않는 너를

    80년대 신진시인인 정규화의 이 「그리움에게」에는 나날이 퇴락해가는 4·19정신과 요식행위화한 4·19 기념일에 대한 안타까움이 담겨져 있다. 4·19의 참뜻과 역사적 당위성을 깊이 인식하지 못하는 사람들에게 있어 4·19란 한낱 화석화해버린 달력 속의 어느 날에 불과하다. 그러나 그것의 역사적 필연성과 시대적 당위성을 외면하지 못하는 지성들에게는 뼈아픈 아픔으로 다가와서 새삼스러운 그리움으로 되살아나는 그리움의 대상일 수 있다. "날마다 와도 아쉬운 판에/일년에 한번씩 오다니/차비가 없어 그러냐/천성이 게을러서 그러냐"라는 야유인 표현 속에는 1960년의 4·19를 공시적 입장에서 파악하려는 현실의식이 자리 잡고 있는 것으로 보인다. 또한 "인사치레만 하고 달력 속으로 지는 해는/마산에서 헤어졌던/네가 아니다 공중에서 펄럭인다고 다 그날의/그리움이 아니다"라는 구절 속에는 진정한 4·19 정신의 부활을 갈망하는 안타까운 심정이 담겨있는 것이다. 아울러 이 시는 "아무리 세월이 흘렀다고 너를 모르겠느냐"라는 결구를 통하여 4·19 정신의 계승에 대한 의지와 확고한 결의를 다짐하게 되는 것이다.

    한편 역시 1980년대 신예 시인의 한 사람인 김정환은 「지울 수 없는 노래」 등에서 4·19에 대한 본원적 동경과 함께 실천에 대한 폭발적 열정을 표출하고 있다.

불현듯, 미친듯이
솟아나는 이름들은 있다
빗속에서 포장도로 위에서
온몸이 젖은 채
불러도 불러도 대답 없던 시절
모든 것은 사랑이라고 했다
모든 것은 죽음이라고 했다
모든 것은 부활이라고 했다
불러도 외쳐 불러도
그것은 떠오르지 않는 이미 옛날
그러나 불현듯, 어느날 갑자기
미친듯이 내 가슴에 불을 지르는
그리움은 있다 빗속에서도 활활 솟구쳐 오르는
가슴에 치미는 이름들은 있다
그들은 함성이 되어 불탄다
불탄다. 불탄다. 불탄다. 불탄다.
사라져버린
그들의 노래는 아직도 있다
그들의 뜨거움은 아직도 있다
그대 눈물빛에, 뜨거움 치미는 목젖에

　이 시는 자유 · 정의 · 진리를 향한 굳건한 실천의지를 담고 있어 관심을 끈다. 특히 이 시는 '비'와 '불'의 두 가지 상징적인 대립 심상을 함께 병치함으로써 현실과 이상, 슬픔과 신념, 좌절과 의지의 갈등을 통한 정신의 살아있음을 증거 하려 했다는 점에서 시적 우수성이 두드러진다. 현실의 어두운 상황과 그에 따른 수난이 '비'로 표상됨에 비해 4 · 19정신의 부활에 대한 열정의 솟구침은 '불'로 나타나는 것이다. "불러도 외쳐 불러도/그것은 이미 떠오르지 않는 이미 옛날"과 같이 어쩌면 4 · 19는 화석화해버린 역사적 사실일지도 모른다. 그러나 그것은 "어느날 갑자기/미친듯이 내 가슴에 불을 지르는 그리움" 또는 "빗속에서도 활활 솟구쳐 오르는/가슴에 치미는 이름"으로서 살아

남아 있다가 드디어 "함성이 되어 불탄다/불탄다. 불탄다. 불탄다. 불탄다"와
같이 지울 수 없는 노래로 활화산화하는 것이다. 바로 이 점에서 4·19는
1980년대 젊은 시인에게 있어서는 언제라도 활화산화할 수 있는 휴화산으로
인식되는 한 특징을 지닌다.

또한 4·19는 1980년대의 어떤 젊은 시인에게는 '오월' 상징과 연결된다는
점에서 관심을 끈다.

> 봄의 번성을 위해 싹틔운 너는
> 나에게 개화하는 일을 물려 주었다
> 아는 사람은 안다
> 이세상 떠도는 마음들이
> 한마리 나비되어 앉을 곳 찾는데
> 인적만 남은 텅빈 한길에서 내가
> 왜 부르르부르르 낙화하여 몸 떨었는가
> 남도에서 꽃샘바람에 흔들리던 잎새에
> 보이지 않는 신음소리가 날 때마다
> 피같이 새붉은 꽃송이가 벙글어
> 우리는 인간의 크고 곧은 목소리를 들었다
> 갖가지 꽃들함께 꽃가루 나눠 살려고
> 향기 내어 나비떼 부르기도 했지만
> 너와 나는 씨앗을 맺지 못했다
> 이 봄을 아는 사람은 이 암유도 안다
> 여름의 눈부신 녹음을 위해
> 우리는 못다 핀 꽃술로 남아있다

하종오의 「사월에서 오월로」는 전체적으로 견고한 은유 구조를 지니고 있
다는 점에 특징이 있다. 제목부터가 암유적이며 '너'와 '나', 그리고 '우리'의
상징결합을 통해서 역사적 사건들의 접합을 시도한다는 점에서 주목을 요한
다. 그것은 1960년 초의 4·19가 1980년 초의 불행한 사건과 결코 무관하지

않다는 역사인식을 전제로 한다. 이 두 사건이 경과에는 차이가 있지만 그 기본성격과 이념에 있어서는 근원적 동일성을 지니는 것으로 이해하는 시각이 자리하고 있는 것이다. 그것은 자유·정의·진리를 향한 민주·민권·민중운동이며, 아직도 "여름의 눈부신 녹음을 위해/우리는 못다 핀 꽃술로 남아 있"어야 할 커다란 민족적 과제로 인식되고 있기 때문이다. '싹', '꽃송이', '낙화', '꽃샘바람', '씨앗', '꽃술' 등의 상징적 시어가 암유하는 것은 이 땅에서의 자유민주주의의 진정한 개화에 대한 갈망과 기대일 수 있다. 이 점에서 이 시는 4·19시가 1980년대에 성취한 한 문학적 성과로 받아들여진다. 나름대로의 역사의식과 비판 정신을 내재하고 있으면서 그것을 4월과 5월이라는 상징으로서 이끌어 접합시켰다는 점에서 이 시가 일단 성공적 표현을 성취한 것으로 판단되기 때문이다.

이처럼 1970~1980년대 들어서 4·19시는 이 땅에서의 역사 전개의 풍향에 따라 민감하게 반응하면서 시적 응전력을 강화해가고 있는 것으로 보인다. 1960년대의 상황과는 또 다른 새로운 정치·사회적 상황을 맞이하여 4·19 의식은 변모를 겪을 수밖에 없는 것이다.

4–5. 4·19의 문학사적 의미

1960년대 이후 4·19의 시적 수용과정은 이 땅에서의 정치·사회적 변동에 따른 정신사적 대응과정을 반영해주는 것으로 이해된다. 4·19시의 변모 과정은 광복 이후 이 땅에 있어서 역사 전개의 주체가 누구이며, 그것이 누구를 위한 것이어야 하는가에 대한 질문과 그에 대한 응답을 제시해 준 것으로 받아들여진다. 또한 4·19시는 이 땅에서 근원적으로 추구해야 할 이념적 가치가 무엇이며, 그것이 어떻게 실천돼야 하는가를 모색해온 투쟁의 징표이며 고뇌의 기록으로서 의미를 지닌다. 이러한 4·19의 시적 수용과정으로 볼 때 그것은 이 땅의 시와 시인들에게 중요한 반성을 요구하는 것으로 보인다. 왜 우리 시사에서는 동학에 관하여, 3·1운동에 관하여, 광주학생운동에 관하여, 광복과 6·25에 관하여, 4·19에 관하여 탁월한 서사시, 역사적인 대하시가 쓰여지고 있지 않는가? 거대한 역사적 사건들이 어떻게 항상 상황시·기념시·행사시·서정시만으로 그것도 한때 집중적으로 쓰여지고 마는가? 실상 이즈음 시인들이 구태의연한 전통주의, 서정주의에 함몰돼 있지는 않는가, 혹은 순수라는 명분 하에 감상적이고 현실도피적인 실험에 만족하거나 또는 말장난을 일삼고 있지는 않은지, 아니면 조급하고 피상적인 현실인식과 편협하고 경직된 이데올로기에 매달려 조건반사적인 투쟁 논리의 동어 반복을 일삼고 있지는 않은지 등에 대한 자기성찰이 강력히 요구되고 있는 것이다. 이제 이 땅의 시인들은 거시적인 안목과 통찰력으로 불행한 이 땅의 역사 속에 기록으로만 남아 있는 위대한 정신들을 찾아서 치열한 역사의식, 투철한 민족의식, 확고한 민중의식, 탁월한 예술의식으로 커다란 사상과 혼이 담긴 서사시·대하시를 쓰기 위해 노력해야 할 것이다. 바로 이것이 이 땅 시와 시인들이 걸어가야 할 진정한 현실참여의 길이며 동시에 역사의식에 근거한 예술적 실천의 길이 아닐 수 없다.

　4·19는 역사 속에 이미 죽어버린 사화산이 아니다. 그것은 언제라도 반민주·반정의·반인권의 시대라면 활화산으로 폭발할 수 있는 가능성을 지닌 무서운 휴화산일 뿐이다. 해방 40년을 맞이하는 이 중요한 시점에서 4·19는 우리 민족 전체에게 근본적인 자기반성을 요청하는 것으로 보인다. 그것은 4·19가 과거완료형이 아니라 현재진행형이며 미래완료형으로서의 애국애족 운동이고 자유·평등·민권 확립을 위한 실천적인 운동이기 때문이다.

　4·19는 이 땅의 근본목표이자 이념인 자유민주주의를 신봉하는 모든 사람들에게 있어서 깊이깊이 되새겨야 할 역사적·인간적 교훈이면서 동시에 '사람다운 삶'을 지향하는 이 땅 모든 사람들의 마음속에 소중히 간직되고 적

극적으로 실천돼야 할 이념적 덕목이 아닐 수 없다. 소설 속에서 6 · 25가 30여 년이 지난 1980년대에 들어서 본격적으로 탐구되기 시작하듯이 시 속의 4 · 19는 이제부터 이념적인 형상성을 획득하기 위해 깊이 있는 노력을 전개해야 될 것이다.

『한국문학』 1985년 4월호

5. 광복 40년의 한국시

5-1 서론

해방 이후만 하더라도 이 땅은 좌우의 갈등, 남북의 대립에 따른 민주화의 시련, 산업화의 갈등 등 수난과 갈등의 연속이었다. 6·25와 4·19, 그리고 5·16, 5·18 등이 숨 쉴 사이 없이 부닥쳐온 것이다. 따라서 해방 이후의 문학은 분단시대라는 역사적 비극의 상황을 대전제로 한 시련과 갈등의 문학이라는 정신사적 특징을 지닌다. 이것은 실상 해방이 우리 민족의 주체적·능동적 투쟁에 의한 것이라기보다 연합국의 승리라는 타율적인 힘, 즉 외세의 힘에 의존해 이루어졌다는 비극적 사실과 관련된다. 해방 이후에도 그것을 주체적으로 감당할 민족적인 자주역량과 결집력이 부족하였고, 이로 인해 좌우의 격심한 갈등과 대립은 38선을 경계로 한 미·소의 진출과 더불어, 끝내는 6·25를 겪고 식민지 시대 이상으로 비극적 상황인 남북분단·민족 양단이라는 민족사적 불행을 초래하고 말았다.

원론적으로 말한다면 문학은 문학 자체로서의 자율성과 독립성을 갖고 있으며, 또 그래야만 한다. 그러나 문학은 그것이 당대의 현실 사회와 역사적 상황을 살아가는 사람들의 이야기이기 때문에 그러한 것들과 무관할 수 없다.

이 점에서 해방 이후의 문학은 당대의 현실과 날카롭게 대하면서 전개되는 특성을 지니게 되며, 또 그러한 관점에서 파악하게 될 때 더욱 유효 적절한 해명을 기대할 수 있게 된다. 해방 이후의 문학은 분단시대라는 상황을 전제로 하여, 대략 10년을 주기로 하여 일어나는 역사적 사건과 대응 관계를 이루면서 형성·전개되었다.

따라서 본고에서는 해방 40년의 문학을 다음과 같이 구분하여 그 전체적인 특징과 흐름을 개괄적으로 살펴보고자 한다.

5-2 식민지문학의 청산과 해방공간의 시

1945년 해방으로부터 1950년 6·25가 발발하기까지의 혼란 시대를 흔히 해방공간이라고 부른다. 이 시기에 있어 문학은 특히 어려운 몇 가지 문제에 부딪히게 된다. 무엇보다도 식민지 시대 문학의 잔재를 청산하는 일이 그것이다. 식민지 시대의 문학, 특히 1940년대 전반의 문학은 그동안의 문학사에서 암흑기로 규정하여 그 과정을 생략하거나 아니면 공백기로 처리하여 건너뛰는 대상이 돼왔다. 그것은 이들 자신이 친일 어용문학과 연관돼 있다는 심리적 반사작용에 기인하는 것으로 보인다는 점에서 매우 바람직하지 못한 일로 판단된다.

식민지 시대 말기인 이 무렵, 민간신문인 『조선중앙일보』, 『동아일보』, 『조선일보』가 강제 폐간되면서 친일 어용지인 『매일신보』만 남고, 문예지인 『문장』, 『인문평론』도 폐간되면서 역시 어용 문학지인 『국민문학』, 『국민시가』, 『신세대』 등이 그에 대체된다. 이러한 문학작품 발표 매체의 상실과 변질은 그나마 명맥을 이어오던 민족문학의 급격한 위축 또는 소멸을 초래하였으며, 그에 대신하여 친일 어용문학이 대거 등장한다. 1940년의 창씨개명과 조선어 사용 전면금지조치(1942) 등은 그러한 친일 어용문학을 합리화·정당화함으로써 명실상부하게 민족문화의 말살을 획책하게 된다. 따라서 조선문예회, 황국위문작가단, 조선문인협회, 대동아문학자대회, 조선문인보국회 등의 어용단체들이 결성되어 ①문학의 국어화(일어화 필자주), ②문인의 일본적 단련, ③작품의 국책협력, ④현지의 작가 동원 등을 그 실천강령으로 삼게 된다.

시의 경우 이 무렵의 친일 어용시는 '국민시'로 불리웠는데, 이것은 일본 '국민시'의 아류로서 조선문학의 일본황민화를 목표로 하는 것이었다. 대체로 이 시기의 '국민시'가 지녀야 할 요건은 다음과 같았다.

> ① 내선일체와 황도 정신의 앙양, 군국주의 고취
> ② 일본어로 표현하여 일본어의 국어화(「천황이 사용하는 말을 우리의 국어로 하지 않으면 안되기 때문」)
> ③ 표현형식 면에서 일본 전통문학의 관습이나 양식을 빌어서 써야 함.

친일문학과 관련된 시인들의 반민족적 행적에 관해서는 임종국의 『친일문학론』(평화출판사, 1966. 8. 15)이 상세히 추적, 논고한 바 있으며, 누구보다도 이들 시인들이 역사와 민족의 이름으로 가해진 준엄한 양심의 단죄를 받은 바 있다. 오세영은 암흑기의 순수시를 ①일제 어용시에 참여하지 않고 순수시를 창작한 시인, ②일제 어용시에 가담하면서 한편으로 순수시를 쓴 시인, ③일제의 탄압을 피해 숨어서 시를 쓰다가 해방 후에 이를 발표한 시인들로 구분하여 논한 바 있다.3)

따라서 해방공간은 식민지하의 문학 특히 친일 어용문학의 잔재를 청산하는 일이 가장 큰 과제이면서, 동시에 새로운 민족문학의 건설이라는 어려운 문제에 직면하게 되었다. 식민지문학의 잔재 청산과 식민지 사관의 극복문제만 하더라도 크고 어려운 문제인데, 여기에 직접·간접으로 관련된 시인이 적

---

3) 김용직 외, 「1940년대의 시와 그 인식」, 『한국현대시사연구』, (일지사, 1983), 481~482쪽.

지 않은 데다가 다시 좌우의 분열로 인해 설상가상으로 해방 문단이 혼란스럽기만 했던 것이다. 그러므로 식민지문학 청산과 친일 어용문인의 단죄문제보다는 민족문학의 건설이라는 문제가 더 크게 부각되었고, 자연히 문인들의 이합집산이 거듭되게 되었다. 해방문학은 지난날 역사적 과오를 깊이 반성하는 문제보다도 발등에 떨어진 문제 해결에 급급한 나머지 좌우의 싸움을 벌이게 된 데서 분단시대 문학의 불행이 시작된다.(여기에 관해서 자세한 것은 권영민의 『해방직후의 민족문학운동연구』(서울대출판부, 1986)를 참조할 것)

해방공간의 문단은 크게 보아 문필가협회(청년문학가협회)와 문학가 동맹으로 양분할 수 있다. 전자는 우익진영이 주가 되어 문학의 자율성·예술성을 강조하고, 후자는 이념성·전투성을 더 주장한다. 물론 양쪽 모두 '민족', '민족문학'을 강조하는 것은 크게 다를 바 없다. 전자가 중심이 된 『해방기념시집』(중앙문화협회, 1945. 12) 그리고 후자들이 모인 『조선시집』(아문각, 1946)을 살펴보면 그 특징이 쉽게 드러난다. 대략 이 시기의 시에서 주된 흐름은 몇 가지로 요약할 수 있다.

① 팔월(八月) 보름날 저들의 벽력이
  우리에게는 자유(自由)의 종(鍾)이었다.

  태양(太陽)을 다시 보게 되도다
  오 이게 얼마만이냐
  잃어버린 입을 도루 찾아
  마음대로 혀가 돌아가노라.
                    ─이희승, 「영광(榮光)뿐이다」에서

  독립 만세!
  독립 만세!
  천둥인듯

산천이 다 울린다
지동인듯
땅덩이가 흔들린다
이것이 꿈인가?
생시라도 꿈만 같다.

　　　　　　　　　　　　　　　－홍벽초,「눈물 섞인 노래」에서

② 어데로가나 나라업는사람
　어데로가나 암흑업는사람
　알지못할 무거운 죄(罪)와 벌(罰)
　조선(朝鮮)은 속박(束縛)과 눈물의 땅
　피와땀에 추근이 저저서
　대지(大地)는 빛을 잃고
　우리들은 廢墟에 누운
　헐버슨손님에 지나지 못하였다.

　　　　　　　　　　　　　　　－「속박(束縛)과 해방(解放)」에서

③ 지난 팔월이후 해방은 되었다지만
　주리고 병들어 송장이 길에 썩고
　아직도 삼십팔도(三十八度)는 트이지를 않는다
　나의 사랑하고 믿는 그대들이여
　불이듯 하는 그 정열이 식을세라
　정열이 식은 그 가슴은 빙해보다도 칩어라

　　　　　　　　　　　　　　　－「해방이후」

　시 ①은 해방의 감격을 노래한 작품들이다. 사상과 이념을 초월하여 한민족 누구에게나 해방은 암흑의 하늘 아래에 신음하면서 36년간이나 갈망해 온 것이기 때문에 그만큼 감격이 큰 것이다. 해방은 "잃어버린 입을 도루 찾아/마음대로 혀가 돌아가"듯이 해방의 감격과 자유의 기쁨을 구가하게 해준 것이다. 어쩌면 그것은 갑자기 외세에 의해 주어진 독립이기에 '꿈'만 같을지도 모른다. 이 무렵의 대부분의 시들은 이러한 감격과 환희를 노래하는 데 바쳐진다. 김광섭의 시 ②는 새삼스럽게 자각되는 지나간 암흑시대의 고통과 울분을 노래한다. 피와 땀이 젖은 눈물의 땅, 폐허 속을 살아온 데 대한 자탄과 울분이 담겨있는 것이다. 아울러 남양에서 전사한 학병을 추모하는 등 민족의 수난에 대한 통곡을 노래하게 된다. 여기에는 식민지 시대에 대한 통탄과 함께 일제강점하에서의 친일 어용문학에 대한 고발이 함께 담겨있는 것으로 이해된다. ③에는 해방이 가져온 또 다른 민족적 불행인 38선 즉 남북분단의 비극을 노래하면서 해방이 막연히 환희만이 아닌 고통의 시작임을 시사해준다. 가람 이병기의 이 작품은 '불'과 '빙해'의 이미지로서 해방이 지닌 감격과 고민을 함께 표출하고 있다. 남북분단의 비극을 고통스럽게 받아들이는 자세가 드러난 것이다.

이들 이외에도 이 시기 시들에는 내용적인 면에서 극단적인 두 경향이 나타난다. "높으디 높은 산마루/낡은 고목에 못박힌듯 기대여/내 홀로 긴밤을 무엇을 간구하며 울어 왔는가/아아 이아츰/시들은 핏물의 구비구비로/사늘한 가슴의 한복판까지/은은히 울려오는 종소리/이제 눈 감아도 오히려/꽃다운 하늘이거니"(조지훈, 「산상의 노래」에서)라는 한 예와, "아아 기ㅅ발 타는 깃발/열 수물 또 더 많이 나붓기고/ㅇㅇ의 기ㅅ발/ㅇㅇ기ㅅ발은…'(임화, 「길」에서) 등이 다른 예이다. 즉 전자는 사상성과 예술성 또는 지성과 감성의 조화를 강조하는 경향이며, 후자는 전투성과 이념성을 주로 노래하는 경향이 그것이다. 따라서 전자는 '대한사람 대한으로'를, 후자는 '조선사람 조선으로'를 부르짖게 된다. 이럴 경우 어느 쪽이 더 당대적 선동성이 강할 것인가 하는 것은 어렵지 않게 짐작할 수 있다. 또한 이 문제는 새삼 문학이란 무엇이며, 어떻해야 하는가 하는 문제와 맞닥뜨리게 된다. 바로 이러한 대립과 갈등이 해방공간에 있어 시의 기본적 위상이며, 양자택일이 강요하는 딜레마에 봉착할 수밖에 없다. 그러나 이러한 대립과 갈등은 식민지 시대에서부터 누적된 모순과 부조리에 연원한 것이기 때문에 당연한 폭발일 수도 있다.

이 해방공간의 시단을 이끌어간 사람들은 대부분 해방 전에 활약하던 시인들이었다. 따라서 이 시기의 특징은 앞에서 논의한 식민지문학을 청산하면서 새로운 신진시인들의 등장이 시작되는 과도기 또는 전환기의 성격을 지닌다. 또한 해방 전에 간행되지 못했던 시집들이 빛을 보게 되는 광복의 시간이기도 하다.

먼저 해방 후 제일 먼저 간행된 시집으로는『해방기념시집』(1945. 12), 『3·1기념시집』(건설출판사, 1946. 3) 등이 있다. 민족진영의 시집으로는『청록집』(1946. 6)이 간행되었다. 이 시집은 박두진·박목월·조지훈 등 일제말『문장)』지 추천 시인들에 의한 사화집인데 이들은 '자연'을 공통의 고향으로 하여 해방 후 민족문학의 한 좌표를 제시하였다. 또한 윤동주의『하늘과 바람과 별과 시』(정음사, 1948. 1)가 나온 것도 이 무렵이다. 이 시편들은 물론 해방 전인 소위 암흑시대에 쓰여진 것이지만, 여러 가지 사정으로 빛을 못 보다가 친지들에 의해 간행됨으로써 해후 시단에 신선한 감동을 불러일으켰다. 아울러『육사시집』(서울출판사, 1946. 10) 등 일제하에서 불온시하던 순국시인들의 시집이 유고시집으로 묶여져 나왔다. 물론 심훈의 저항시집『그날이 오면』(한성도서, 1949. 7)이 나온 것도 이 무렵이다. 이들 이외에도 김광섭·김영랑·신석정·신석초·장만영·윤곤강·유치환·김광균·김동명·모윤숙·서정주 등이 시집을 발간하는 등 이 해방공간에 80여 권의 창작시집이 간행되었다. 이때에는 특히 계급주의 쪽의 시인들이 활발히 시집을 간행하기도 하였는데 박세영, 박아지, 오장환, 김상훈, 설정식, 임화, 조운, 유진오, 이용악 등이 그 대표적인 예가 된다.

한편 신진들의 등장과 활약도 활발하게 시작되었는데 구상·김경린·김수영·김윤성·김종길·김종문·김춘수·박인환·박화목·이경순·이설주·이

효상 · 설창수 · 유정 · 정한모 · 조병화 · 홍윤숙 등이 그 중요한 시인들이다. 특히 김경린 · 박인환 · 김수영 등은『새로운 도시와 시민의 합창』이라는 신선한 감수성의 사화집을 간행하였으며, 조병화는 해방 후 초유의 신진시인 시집인『버리고 싶은 유산』(1949)을 간행하였다. 김춘수가『늪』등의 시집을 통해 새로운 감수성을 보여준 것도 이 무렵이다. 이 시기에는『문학』,『예술부락』,『문예』등의 문예지와『백맥』,『시탑』등의 동인지가 간행되기도 하였다.

이렇게 볼 때 8 · 15로부터 6 · 25에 이르는 해방공간은 해방 전의 식민지문학을 청산하면서 새로운 민족문학의 건설로 나아가는 갈등과 모색의 시기로 볼 수 있다. 무엇보다도 해방은 국가적인 면에서 주권의 회복과 함께 문화사 · 정신사의 측면에서 모국어의 회복이라는 획기적 의미를 지닌다. 8 · 15는 민족사에 일대 전기가 됐으면서 동시에 모국어인 한글을 회복함으로써 민족문학의 새로운 국면을 맞이하게 된 것이다. 한 민족에 있어 언어는 민족을 규정하는 핵심적인 요소의 하나이다. 이것은 혈통의 보전이나 민족문화의 보전과 마찬가지로 민족어의 보전이 중요한 것이기 때문이다.

민족어의 회복은 민족문화의 회복을 의미하며, 다시 이것은 민족정신의 회복을 의미한다는 데서 해방공간에서 모국어 회복의 중요성이 인정되는 것이다. 그러나 38선에 의한 국토와 민족의 분단, 그리고 남한만의 단독 정부수립 및 북쪽의 유사한 사정 등으로 인하여 또다시 남과 북이 양단되고, 마침내 국토, 민족, 문화, 언어까지도 분단되는 비극적 상황을 맞이함으로써 해방공간은 비극적인 결말을 맞이하게 되었다. 이 점에서 남북분단의 비극은 식민지 체험 이상으로 불행한 사건이 아닐 수 없으며, 이것은 다시 6 · 25라는 전대미문의 동족상잔의 비극적 파국으로 치닫게 되는 것이다.

5-3 전쟁과 분단의 50년대 시

해방공간의 무질서와 혼란 속에서 사상적인 혼란에 시달리던 한국인은 1950년 6월 25일 발발한 북한의 기습 남침에 의해 동족상잔의 비극을 겪게 되었다. 해방이 진정으로 한국인의 것이 될 수 없었던 비극은 마침내 6·25라는 폭력적이고 야만적인 전쟁으로 한민족을 몰고 간 것이다. 6·25는 그것이 비록 한국의 영토 내에서 한국인 동족 간의 사상전쟁인 것처럼 전개됐지만, 기실은 전후 일본 제국주의의 패망과 중국 대륙의 공산화에 따른 동서 양 진영의 세력 균형이 정착되지 못한 데서 파생된 2차 대전의 마무리 전쟁으로서의 성격을 지닌다. 무엇보다도 6·25는 천문학적 재산 피해와 수백 만의 인명 손실 및 전재민 발생, 그리고 천만 명의 남북 이산가족을 남긴 채 휴전선을 사이로 국토분단을 고착화하는 불행을 남겼다. 무엇보다도 6·25는 국토와 민족, 그리고 문화를 물리적으로 완전히 양단함으로써 민족의 이질화 현상을 노골화하는 결정적 계기가 됐다는 점에서 비극성이 더욱 고조된다. 이 불행한 과정에서 6·25는 한국 근대사가 내포하고 있던 근본적 모순들을 첨예하게 드러내면서 폭력적 수단을 통한 근대화와 민족 재편성이라는 문제와 맞부딪치게 된다. 실상 6·25는 구한말 청국과 일본, 러시아, 미국 등 열강이 벌이던 침략전쟁, 그리고 일제의 식민지 수탈 및 해방 체험 등과 역사적 인과율을 지닐 수밖에 없다. 따라서 6·25는 근대사 이래의 패배의식과 대립의식, 그리고 허무주의를 심화하는 계기가 된 것도 부인할 수 없는 사실이다.

문학사의 측면에서도 6·25는 여러 가지 충격과 영향을 미친다.(여기에 관해서는 김재홍, 『한국전쟁과 현대시의 응전력』, 평민사, 1978 참조) 무엇보다도 해방 이래 문학적 이념보다는 다분히 현실 여건으로 인해 분리되었던 남과 북의 문인들이 전쟁 과정에서 월북(납북) 또는 월남함으로써 문단과 문학의 재편성이라는 결과를 초래하였다. 또한 일본적 감수성, 즉 식민지 문학의 청산이라는 문학사적 과제가 채 정리되기도 전에 전쟁이 폭발함으로써 유야무야 전쟁 문학이라는 큰 흐름으로 이끌려 들어가게 된 것이다. 일본적 잔재의 청산문제보다는 또다시 전쟁이라는 발등의 불에 놀라 격심한 혼란에 휩싸이게 됨으로써 문학적 극복과 성숙이 크게 저해되었다. 따라서 문학이 상황과 응전이라는 측면에서 대항성 또는 목적성으로 기울게 된 것이다. 또한 일본어의 굴레에서 채 벗어나기도 전에 구미어 특히 영어와 그 감수성이 폭발적으로 유입됨으로써 진정한 민족문학의 모색과 수립은 요원한 꿈으로 남겨지고 말았다. 무엇보다도 이 시기부터는 남쪽의 문학만을 가지고 한국문학 전체를 논해야 한다는 당위적 압력이 가해짐으로써 한국문학사에서 파행성이 심화되는 계기가 된다.

6·25는 이 땅의 시와 시단에 여러 가지 영향을 미쳤다. 전쟁이 점차 전 국토에 걸쳐 가열화함으로써 시인들은 각 개인의 사정에 따라 다양한 행동과 시적 반응의 편차를 보여준 것이다. 6·25 이후의 50년대 시는 대략 전쟁과 그에 관련된 반공애국의 상황시, 시적 방법과 정신을 탐구한 시, 그리고 존재와 서정을 노래한 시 등, 세 가지 부류로 나눠볼 수 있다.

먼저 전쟁이 가열화하면서 많은 시인들은 전장에 직접 종군하면서 그에 따른 상황시, 애국시 등을 쓰게 된다. 전쟁이 시에 직접적으로 수요되면서 그에 대한 응전방식을 노래하게 되는 것이다.

① 무념무상으로 총을 쏘다가
　　총끝에 칼을 꽂고 백병전으로!
　　살려는 애착도 없고
　　죽는단 공포도 없이
　　다만 청춘의 불꽃을 발산하면서
　　싸워나갈 뿐이다.
　　　　　　　　　　－이영순(李永純),「연희고지」에서

② 물러감은 비겁하다, 항복보다 노예보다 비겁하다
　둘러싼 군사가 다 물러가도 대한민국 국군아−너만은
　이 땅에서 싸워야 이긴다. 이 땅에서 죽어야 산다
　한번 버린 조국은 다시 오지 않으리라. 다시 오지 않으리라
　보라 폭풍이 온다, 대한민국 국군이여!
　　모윤숙, 「국군은 죽어서 말한다」에서

③ 조그만 마음 하나를
　자유의 국토안에 살리기 위해서는
　한해살이 푸나무도 온전히
　제 목숨을 마치지 못했거니
　사람들아 묻지 말아라
　이 황폐한 풍경이
　무엇 때문의 희생인가를……

　　　　−조지훈(趙芝薰), 「다부원에서」에서

시 ①은 직접 전장의 모습을 형상화하고 있다. 격렬한 전투 장면이 체험적
인 입장에서 묘사된 참전 상황시인 것이다. 시 ②는 반공애국의식과 승전의
식을 고취하는 목적시에 해당한다. 또한 ③의 시는 전쟁의 비극성과 자유의
소중함을 노래하는 휴머니즘시에 속한다. 이렇게 볼 때 전쟁시들은 탁월한
문학성을 성취하고 있지는 못하지만, 험렬한 전란의 시대에 시가 무슨 기능
을 할 수 있을 것인가를 제시해준 것으로 이해된다. 시는 때로 험난한 시대에
그 시대에 직접 대응하는 실제적 · 전투적 응전력을 지닐 수도 있다는 점이다.
이러한 경향의 시인과 시로서는 유치환의 「보병과 더불어」, 김종문의 「벽」,
조영암의 「시산을 넘고 혈해를 건너」, 김영삼의 「아란의 불」 등이 있다. 특히
구상은 월남 후 연작시 「무토의 시」를 통해서 전쟁의 참상과 함께 비극적인
인간상실을 깊이 있게 노래하였다. 또한 전쟁이 끝난 후 박봉우는 휴전선을
통해서 분단상황의 비극상을 예리하게 고발하였다. "서로 응시하는 싸늘한

풍경, 아름다운 풍토는 이미 고구려 같은 정신도 신라 같은 이야기도 없는가, 별들이 차지한 하늘은 끝내 하나인데……"라는 구절에서 보듯이 38선이 휴전선으로 바뀐 분단상황의 비극을 노래하고 있는 것이다.

한편 시적 방법과 정신을 강조한 시들이 등장한 것도 50년 시의 한 특징이다. 먼저 조향·박인환·김차영·김규동·김경린 등은 피난지 부산에서 '후반기' 동인을 조직하여 모더니즘 시운동을 전개하였다. 그러나 실제로 이들이 동인지를 간행하여 집단적인 수준의 모더니즘 시운동을 전개한 것은 아니다. 오히려 이들의 모더니즘 시운동은 개별적·산발적으로 전개되는 가운데 모더니즘적인 성향을 뚜렷이 했다. 조향은 쉬르리얼리즘적인 실험을, 박인환은 도시 문명의 그림자를 묘사하는 등 다양한 방법적 실험을 통해 시의 영역을 확대해 나아갔다. 이들은 그들 스스로가 인정하듯이 당대의 많은 시인들·독자들로부터 외면당한 것이 사실이다. 그러나 이들의 방법적 실험은 시사적인 면에서 해방 후 시의 한 주류이던 '청록파'에 대한 반발의 의미를 지닌다. 자연에 대한 탐닉이나 서정적 함몰에 대항하여 도시 문명을 비유와 이미지 등 의도적인 방법을 사용해서 형상화한 것이다. 이들은 험렬한 전쟁의 와중에서 그들 나름으로 시를 문화사적 단위인자로 인식하여 실험과 모색을 했다는 점에서 의미를 지니는 것으로 판단된다.

이들과는 달리 현실의 질곡에서 벗어나서 고전 정서로의 회귀를 지향하는 시인들이 나타났다. 이원변의 「향미사」, 「죽림도」, 이동주의 「강강수월래」, 「기우제」, 그리고 박재삼의 「피리」, 「춘향이마음」 등이 여기에 속한다. 이들은 실상 해방 후 시집 『귀촉도』를 내면서 동양적 사랑의 정감을 탐구한 서정주의 광범위한 영향을 받았던 것으로 보인다. 이러한 고전 정서로의 회귀는 어느 면에서 현실패배 또는 현실도피의 한 방편인지도 모른다. 그러나 이들의 전통지향성은 서구적 모더니즘 또는 외래적 감수성에 급격히 물들기 시작한 당대 현대시에 자기반성의 한 계기를 제공했다는 점에서 의미를 지닌다.

또 이들과는 달리 전후의 어두운 현실을 역설적으로 풍자하거나 희화함으로써 시의 주지적 성향을 강조한 경향이 나타났다. 송욱의 「하여지향」, 김구용의 「탈춤」, 전영경의 「선사시대」 등은 현실을 풍자하고 야유하면서 한글의 시적 가능성을 확대하였다. 또한 김춘수와 신동집 등도 전후의 냉혹한 현실 상황으로부터 눈을 돌려서, 사물과 존재에 대한 인식론적 탐구를 지속하였다.

전쟁시 방법과 정신을 탐구한 시와 더불어 세 번째로는 낭만과 서정을 추구한 시들을 들 수 있다. 먼저 조병화·전봉건·홍윤숙·유정 등은 전쟁으로 인해 상실한 낭만을 노래하였다. 이들은 전후의 어두운 뒤안길에서 인간적 낭만과 체온을 간직함으로써 정신적 위안과 구원을 동시에 얻으려 하였다. 또한 정한모 · 김종길·김남조 등은 「아가의 방」, 「목숨」 등의 시에서 동심과 사랑의 시, 또는 종교적 갈망을 통해서 휴머니즘에의 길을 지향하였다. 아울러 이형기·김종삼·박용래·박성룡·한성기 등은 전원적인 서정을 노래하는 가운데 삶의 허적을 투시하였다. 김수영과 김윤성은 삶의 변두리에서 소외된 소시민의식을 탐구하였다. 한하운의 존재는 특이하다. 천형이라고 부르는 문둥병을 앓으면서, 그는 운명의 형벌을 「파랑새」, 「보리피리」 등으로 형상화함으로써 전후의 험렬한 상황을 대유적으로 표현하였다.

이들 이외에도 6·25를 전후하여 50년대에 걸쳐 등장한 중요시인으로는 고원·고은·구경서·김관식·김상화·김순기·김용팔·김요섭·박석균·박태진·박지사·설창수·손동인·이경순·이상노·이민영·이인석·이철균·노영란·장호 등을 꼽을 수 있다.

전쟁으로 인한 가장 두드러진 후유증은 남북문단의 재편성으로 요약될 수 있을 것이다. 전쟁의 진행 과정에서 문인들은 남이든지 북이든지 어느 쪽을 선택해야 했으며, 그 결과 자신의 이데올로기나 개인적 사정 등에 의해 휴전선을 사이로 완전히 멀어져 가게 되었다. 그러는 와중에서 해방 전에 활약하던 대가·중진급들은 많은 경우 납북되거나 사망하는 등 식민지 문단과 해방공간의 문단 질서가 와해되고, 남북이 각각 문단 재편성의 시대로 돌입하였다. 어쨌거나 민족 동질성은 유지되어왔던, 전대의 문학이 완전히 양분되는 비극적 사태에 직면한 것이다. 그 결과 남북 간에는, 군사분계선과 같은 문학 분계선 혹은 문학의 장벽이 쌓여지게 되었고, 각기의 문학 이데올로기를 구축하게 되었다.

이에 남쪽의 문학은 바로 문단 재편성으로 돌입하게 된다. 1955년을 전후하여 시단은 새로운 변화와 질서를 모색하게 된 것이다. 이때『현대문학』(1955. 1)이 창간되고『문학예술』,『자유문학』등의 문예지와『사상계』,『신태양』,『신군상』등의 종합지가 발간되었으며,『동아일보』,『조선일보』,『한국일보』등의 신춘문예가 부활 또는 신설되는 등 문학적 분위기가 크게 조성되었다. 또한 한국시인협회(1957. 2)가 결성되어 기관지『현대시』를 간행하고 연간시집을 발간한 것도 고무적인 자극이 되었다. 이외에도『시와 비평』,『시연구』,『신시학』,『시작업』등 동인지와『해 넘어가기 전의 기도』,『평화에의 증언』,『전쟁과 음악과 희망과』,『현대의 온도』,『신풍토』,『수정과 장미』등 각종 사화집이 발간됨으로써 시단 질서가 새롭게 형성되기 시작하였다. 이 무렵, 즉 1950년대 후반에 무려 백 여권을 상회하는 시집이 발간된 것은 전후의 폐허에서 시를 통해서 인간회복을 찾아보려는 이 땅의 문학적 열기를 반영하는 동시에 새로운 시단 질서가 형성되고 있음을 말해주는 것이 된다. 또한 백철·김병철·김수영·이상옥·고양규·김상일·김양수·김성욱·문덕수·박철석·이철범 등이 시 비평에 참여하였으며, 특히 정한모·김종길·송욱·이어령·유종호 등이 신선하면서도 본격적인 시 비평과 연구를 전개함으로써 문단비평과 강단비평이 어울리는 계기를 마련하기도 하였다. 현대시조에 있어서 이병기·이은상·조종현 등 해방 전 시조시인들의 활약에 힘입으면서 이영도·이호우·김상옥·이태극·김어수·정훈·박재삼)·장순하·박병순·정완영 등이 새로운 시조시인으로 등장하여 현대시조의 영역을 확대하였다. 여성시인들이 상당수 등장하여 활약한 것도 이 무렵을 전후하여서임은 물론이다.

지금까지 살펴본 것처럼 50년대 현대시는 이 땅 시사에서 뚜렷한 분기점이 되었다. 무엇보다도 그것은 남북으로의 분단상황 정립을 대전제로 독자적인 문학 질서의 형성과 전개가 시작된 데 놓여진다. 해방공간에 있어 식민지 잔재 청산과 식민사관의 극복이라는 명제 하에, 남북분단으로 인한 파행적 상황에 처하여 모국어를 갈고 닦으면서 민족 정통성과 주체성을 앙양해야 하는 어려움에 직면하게 된 것이다. 분명히 50년대는 전쟁으로 얼룩진 폐허와 눈물의 시대이지만, 우리 시로서는 이러한 역경 속에서나마 민족과 개인, 서정과 지성, 자유와 평등이라는 소중한 덕목들을 비로소 소중하게 자각하고 형상화하게 된 데서 커다란 전환점이 된 것으로 판단된다.

5-4 민주화의 시련과 60년대 시

4 · 19와 5 · 16을 떠나서 60년대를 논하기는 어렵다. 이것은 50년대가 6 · 25와 무관할 수 없는 사정과 같다. 특히 60년대의 시는 4 · 19로부터 시작된다고 해도 과언이 아니다. 실상 이 땅 근대사, 특히 분단시대의 이 땅에서 4 · 19와 5 · 16은 실제적 의미에서나 상징적 의미에서나 상이하면서도 밀접한 상관관계를 갖는다. 한마디로 말해서 4 · 19는 학생층을 중심으로 한 민주 · 민중혁명이기 때문에 자유 · 평등정신을 핵심으로 하는 문학정신에 잘 어울린다는 점에서 그렇지 못한 5 · 16과 선명히 대조된다. 4 · 19는 이 땅에서 해방 이후 실험되고 모색되던 자유민주주의 체제에 대한 결정적인 반성과 비판의 전환점을 마련해주었다. 한편 5 · 16은 군의 정치개입이라는 불행한 사태를 초래하면서 민주화 문제보다는 산업의 근대화 문제를 우선 과제로 추진하였다. 그 결과 어느 정도 성과를 거둔 것이 사실이지만, 동시에 급격한 산업화

에 따른 사회적 · 경제적 불평등의 문제를 야기시킨 것도 사실이다. 산업근대
화와 경제문제에의 치중은 인간적 · 정신적 가치 지향성보다는 물질적 수단
적 가치 편향성을 노골화시킴으로써 인권과 자유 문제에 있어서 정상적인 성
장을 저해하였다. 따라서 60년대는 해방공간의 혼란과 50년대 전란의 소용
돌이를 마무리하면서 민주화라는 이념적 목표와 근대화라는 현실적 목표를
함께 수행해야 하는 어려운 시기에 직면하게 되었다. 이 점에서 60년대는 민
주화와 근대화라는 두 가지 목표가 상호충돌하면서 자유와 평등을 둘러싼 구
조적 모순과 현실적 갈등을 예화해갔다는 데서 근본적인 문제점이 드러난다.

따라서 60년대의 시는 이러한 어려운 현실 상황과 예리하게 부딪치면서
몇 갈래의 특징적인 흐름을 형성하게 된다.(여기에 관해서는 김재홍,「60년
대시와 시인개관」,『현대시』 2집, 문학세계사, 1985, 참조) 첫째는 4 · 19를 정
면으로 수용하면서 사회의 구조적 모순과 부조리에 대응하는 사회시의 추구
이며, 둘째는 시의 원형질로서의 생명 또는 서정에 대한 탐닉이며, 셋째는 예
술로서의 시에 대한 언어적인 천착 등이 그것이다.

먼저 4 · 19는 수많은 격시 · 조시 · 상황시를 낳게 된다. 4 · 19가 자유당 정
권의 누적된 부조리와 탄압에 대한 전국민적 저항운동이며, 자유민주주의를
열망하는 시민적 혁명운동이었기 때문에 그만큼 문학에의 반향이 클 수밖에
없었다. 4 · 19시는 먼저「아! 신화같이 다비데군들」과 같은 상황시를 탄생시
켰다. "총알 총알 총알 총알 앞에/돌 돌/돌 돌 돌/주먹 맨주먹으로/피비린 정
오의 가도에 포복하며/아―신화같이 육박하는 다비데군(群)들"과 같이 수만
군중의 시위 모습을 장엄하게 묘사한 것이다. 특히 박두진의 시「우리는 아직
깃발을 내린 것이 아니다」는 4 · 19의 이념과 목표를 분명히 제시하면서, 4 ·
19가 완료된 혁명이 아니라 앞으로 이 땅에서 지속적으로 추진돼야 할 역사
적 과제임을 강조하였다. "우리는 아직 우리들의 깃발을 내릴 수가 없다/우리
들의 피외침을 멈출 수 없다/우리들의 피불길/우리들의 전진을 멈출 수 없다"

라는 구절 속에는 민주·민중혁명으로서의 4·19가 '정의·인도·자유·평등·인간애'를 이념으로 하는 미래 지향적·민족사적 과제임을 강조하는 뜻이 들어있다.

4·19의 강력한 파장 속에서 김수영과 신동엽은 60년대의 대표적인 사회시인으로 부상하게 된다.

① 자유를 위해서
　　비상하여 본 일이 있는
　　사람이면 알지
　　노고지리가
　　무엇을 보고
　　노래하는가를
　　어째서 자유에는
　　피의 냄새가 섞여있는가를

　　혁명은
　　왜 고독한 것인가를

　　　　　　　　　　　　　　　　　　－「푸른 하늘을」에서

② 껍데기는 가라
　　사월(四月)도 알맹이만 남고
　　껍데기는 가라
　　……중략……
　　껍데기는 가라
　　한라(漢拏)에서 백두(白頭)까지
　　향그러운 흙가슴만 남고
　　그, 모오든 쇠붙이는 가라

　　　　　　　　　　　　　　　　　　－「껍데기는 가라」에서

시 ①은 자유를 표상하는 노고지리의 암유를 통해서 자유가 안이하게 주어지는 개념이 아니라 노력해서 얻어야 하는 능동적 개념임을 강조한다. 참된 자유는 반봉건·반민주적 압제에 대해 '피의 냄새가 섞여 있는 혁명'을 통해서 비로소 획득할 수 있는 능동적·자발적·민중적 성격을 지닌다는 신념이 표출돼 있는 것이다. 시 ②는 한 걸음 더 나아가서 4월을 동학혁명과 결부시킴으로써 민중운동의 의미를 강조하고, 나아가서 평화와 자유에 기초한 민족·국토분단의 비극을 극복하고자 몸부림친다. '가라'의 무수한 반복 속에는 민족주의·인본주의를 갈망하는 이 땅 민중의 회원이 담겨져 있는 것이다. 김수영의 '풀'의 이미지와 신동엽의 '흙가슴'의 이미지는 60년대 이 땅 참여시의 민족주의·민중주의·인문주의의 이념을 표상한 것이 된다.

이들 이외에도 고은을 비롯하여 이성부·조태일·김광협·최하림·김재원·문병란·이중·강인섭 등의 시인들이 사회의 모순과 부조리에 대한 분노와 저항을 시로 형상화하였다. 특히 이성부는 「전라도」, 「백제」 등의 연작시를 통해서 역사의 중심에서 소외되고 권력에 억눌린 이 땅 민중들의 한과 울분을 집중적으로 표출하였다. 또한 조태일은 「국토」, 「식칼론」, 「나의 처녀막」 등을 통해서 자유민주주의의 수난과 시련, 그리고 민중의 분노를 강력히 드러내 주었다.

60년대 시의 또 다른 특징은 생명 감각과 서정의 아름다움을 강조하는 경향이다. 실상 낭만성·서정성을 강조하는 리리시즘의 추구는 우리 시가의 연면한 전통의 한 갈래이지만 50년대 전란의 폐허 속에서 간직해 온 인간적 체온과 낭만적 갈망에 연유한 것이기도 하다. 50년대 후반 특히 박재삼·박성룡·김종삼·박용래 등의 서정시의 연장선상에서 새로운 시인들이 등장한다. 정진규·박이도·김원호는 그 선두주자의 한 사람들이다. 정진규는 「나팔서정」으로 박이도는 「황제와 나」, 김원호는 「과수원」으로 등장하여 60년대 서정의 새로운 모습을 보여주었다. "빈센트 반 고흐의 과수원을 아시는지요/푸른 달밤에 과일이 익을 때/과수원 옆에 초막을 짓고 지내시면/단물 고인 과일 나무가 되시겠습니다"라는 「과수원」의 일절은 분명 신선한 60년대 서정의 한 양상인 것이다. 민영 · 이탄 · 김종해 · 이강임 · 이근배 · 강우식 · 강인한 · 홍희표 · 오탁번 · 박정만 · 김종철 · 박제천 등도 뚜렷한 개성에 기초하면서 서정의 세계를 깊이 있게 개척하였다.

한편 현대시의 마력인 은유와 상징을 폭넓게 구사하면서 현대시의 새로운 방법을 탐구하는 경향도 대두되었다. 이들은 서정이나 생 감각을 도외시하지 않으면서도 현대시가 언어로 쓰여진다는 점을 더 강조하였다. 어느 면 예술파, 또는 언어파라고도 부를 수 있을 것인데, 이들은 현대시가 지나치게 현실에 집착하거나 서정에 탐닉되는 것을 거부하고 시의 시다움을 언어 미학적인 면에서 탐구한 특징을 보여주었다.

50년대 말에 등장한 황동규 · 마종기 · 이유경 · 김영태 등이 이들의 선두에 놓인다. 특히 황동규와 마종기, 그리고 김영태는 3인 시집 『평균률』 등을 통해서 상상력과 언어의 울림과 그 아름다움을 집중적으로 천착하였다. 특히 황동규는 「삼남에 내리는 눈」, 「태평가」 등 역사의식과 현실의식에 기반을 둔 날카로운 비평 정신을 구사하면서 상상력과 언어의 문제를 깊이 있게 탐구함으로써 독자적인 영역을 개척하였다. 이유경의 경우에도 서정과 비유와 감각을 섬세하게 교직하면서 시의 예술성을 천착하였다. 이러한 언어 문제에 대한 집중적인 탐구는 특히 60년대 들어서서 동인지로 새로 출범한 『현대시』 동인들에서 더욱 활발히 전개되었다. 오세영 · 이승훈 · 박의상 · 이건청 · 주문돈 · 이해영 · 김규태 · 허만하 · 이수익 · 마종하 등의 『현대시』 동인들이 바로 이 범주에 포함될 수 있다. 또한 정현종과 오규원도 언어와 상상력 문제에 관심을 보였다. 이들 내면의식의 탐구와 상상력, 그리고 언어의 문제에 관심을 기울인 시인들은 사회시운동 그리고 서정시운동과 함께 60년대 시의 중요한 흐름을 형성한 의미가 놓여진다.

무엇보다도 60년대 시는 4·19를 기점으로 한 새로운 감수성의 시인들, 즉 60년대 시인들이 본격 등장한 데서 새로운 전환점이 되었다. 이들 새로운 시인들은 식민지 교육세대와 전쟁세대에 뒤이어 본격적인 한글세대로서 등장함으로써 우리 시가 일본적 감수성 또는 식민지의식을 떨쳐버리는 중요한 전환점을 마련하였다.

또한 60년대는 계간지 『창작과 비평』, 문예지 『월간문학』, 시 전문지 『현대시학』 등이 창간되고, 『60년대 사화집』, 『현대시』, 『시단』, 『신춘시』, 『돌과 사랑』, 『신년대』, 『여류시』, 『사계』, 『영도』, 『산문시대』, 『시와 시론』, 『청미』 등 많은 동인지·사화집이 간행됨으로써 문학 열기가 새롭게 솟구치는 전기가 되었다. 특히 60년대는 김후란·허영자·김초혜·김윤희·강계순·김선영·김혜숙·추영수·김송희·임성숙·한순홍·박정희·박영숙·이경희·유안진·이향아·한분순 등의 신진 여성시인들이 등장함으로써 한국 시단을 다원화·활성화하는 계기가 됐다는 점도 중요하다. 무엇보다도 김윤식·김용직·신동욱·백낙청·염무웅·김현·김주연·김치수·구중서·임헌영·박철희 등과 같이 역량 있는 비평가들이 활약하기 시작한 것은 60년대 시를 위해 크게 고무적인 일이 아닐 수 없을 것이다.

5-5 민주화와 산업화의 갈등, 또는 70년대의 시

70년대는 삼선개헌의 여파와 유신체제에 의한 공화당의 장기집권 야욕으로 말미암아 초두부터 정치적 불안과 긴장이 고조되었다. 4·19에서 점화된 민주화의 열망이 좌절되면서 유신체제에 대한 반체제운동이 전개되기 시작한 것이다. 따라서 문학에 있어서도 민주·자유에 대한 실천적인 저항운동이 본격적으로 대두되었다. 아울러 60년대 말부터의 급격한 산업화에 따른 사회·경제적 모순과 부조리가 드러나면서 인간적인 평등과 소외의 문제가 대두되기 시작하였다. 이러한 정치적인 면에서의 민주화 문제와 사회 경제적인 평등의 실현 문제가 서로 부딪치면서 70년대의 근본문제로 부상한 것이다.

70년대의 시는 이러한 두 가지 문제점에 대한 응전으로부터 시작되었다. 김지하의 등장이 그것이다. 김지하는 70년에「황토길」등으로 등장하면서 시의 사회적 비판기능을 가장 확실하게 또 실천적으로 보여주었다. 그는 당대 사회의 정치·사회·경제면에서의 구조적 모순과 부조리를「오적」으로 풍자하고 야유하면서 시를 통한 사회참여를 강력히 실천하였다. 이것은 60년대 김수영·신동엽 등의 한계를 극복하면서 이 시대의 시가 재래의 서정이나 시 자체에 머물러서는 안 된다는 점을 강조한 데 의미를 지닌다.「오적」으로 인해서 김지하는 70년대 이 땅의 정치적·문학적 수난의 대명사가 되지만, 그의 시는 이 땅에서 시가 무엇이며 어떠해야 하고, 또 무엇을 위해 존재해야 하는가에 대한 근본적 반성을 제기함으로써 이후의 저항시·민중시·사회시 등, 이른바 참여시의 방향을 확고하게 제시한 것이다. 50년대 등장한 고은, 신경림 등의 새로운 활동도 이 점에서 주목할 만하다. 특히「농무」등으로 대표되는 신경림의 시는 이 시기에 이르러 본격적인 농촌 문제를 다룸으로써 문학적 현실참여 이념을 성취하게 된 것이다.

70년대의 신진시인으로서 정희성의 등장은 이 점에서 돋보인다. 그는 70년「변신」으로 등장한 이래 역사의식에 바탕을 두고 사회의 구조적 모순과 부조리를 신랄하게 비판하면서도 시의 시다운 품격을 유지했다는 점에서 특히 주목되는 시인이다. 그는 시집『답청』,『저문 강에 삽을 씻고』등을 통해서 억눌린 이 땅 민중의 울분과 슬픔을 날카로우면서도 아름답게 묘파하였다. 양성우는 이 시기에 등장한 전투적 저항시인의 한 사람이다. 그의「겨울공화국」은 그러한 정신의 적극적 표출에 속한다. 또한 70년대 중반 등장한 김광규도「어린 게의 죽음」,「묘비명」등을 통해서 역사의 허위와 현실의 모순을 풍자하였다. 이들 이외에도 이동순·김창완·허형만·김준태·김명수·

이시영·송기원·김명인·장영수·고정희 등도 사회적 관심을 시로 표출한 중요시인들이다.

70년대에는 또한 산업의 급격한 발전에 따른 인간소외의 문제 또는 불평등의 문제가 제기되었다. 여기에서 '소외'의 시 또는 '어둠'의 시가 돌출한다. 날로 비대하고 거칠어지는 도시 문명과 상업주의의 폭력 아래서 날로 초라해지는 인간성의 문제가 제기된 것이다. 감태준의 시집『몸 바뀐 사람들』은 그 대표적인 한 예가 된다. "산자락에 매달린 바라크 몇채는 트럭에 실려가고/헐린 마음에 무수히 못을 박으며/생각이 다 닳은 사람들은/빨래처럼 널려 있었다"(「몸 바뀐 사람들」에서)라는 구절이나 "되는 것은 안되는 것뿐이라고/서울역에서/영등포 굴다리에서/흘러흘러 놈을 다시 만났을 때"(「귀향」에서) 등의 구절에는 급격한 사회변동에 따른 소외계층의 슬픔 혹은 대도시의 병적 징후가 짙은 페이소스와 함께 드러나는 것이다. 이태수와 정호승·이하석·강은교 등의 시에는 이러한 시대의 어둠과 불안한 존재의 모습이 짙게 투영되어 있다.

또한 생명 감각과 서정을 탐구하는 전통적인 경향도 지속적으로 표출되었다. 손기섭과 조창환, 조정권 그리고 김용범 등은 생명 감각에 기반을 둔 서정을 형상화하였으며, 나태주·송수권·이성선 등은 전원적인 서정을, 임홍재와 권달웅 등은 토속적인 정한의 세계를, 김성춘과 한광구, 조우성 등은 비관적 서정의 아름다움을, 김은자와 이성애, 윤상운 등은 빛나는 감각의 서정을 추구함으로써 70년대 서정의 한 영역을 개척하였다. 이들의 감각과 서정의 탐구는 한국시의 원류가 이러한 서정의 내밀한 깊이 속에 놓여짐을 새삼 확인해 준 것이라는 점에서 의미가 놓여진다. 특히 조정권은 정신세계의 유현한 깊이 속에서 동양정신을 탐구함으로써 개성적인 시 세계를 개척하였다.

또한 70년대에는 내면의식과 언어에 대한 실험과 모색도 활발히 전개되었다. 노향림은 70년대 초에 신선한 은유를 구사하여 이미지스트로서의 가능성을 제시해주었다. 또한 이세룡·이성복과 장석주도 특이한 개성으로 언어에 대한 실험을 전개하였는바, 이러한 경향은 80년대 들어서서 더욱 본격적인 전개를 보여준 것으로 이해된다. 이밖에 70년대를 전후해서 등장한 중요시인들로는 윤상규·임정남·김병영·윤석산·한기팔·이기철·김성영·유재영·김명배·유자효·홍신선·신달자·김승희·김년균·김진경·조재훈·거한수·민용태·이종욱·신대철 등을 꼽을 수도 있을 것이다. 아울러 조남현·김홍규·오생근·김종철·김인환·권영민·최원식·전영태·정현 등의 유능한 신진비평가들이 등장한 것도 현대시의 풍요를 위해 크게 고무적인 일로 작용하였다.

5-6 결론, 민중시와 80년대 시의 문제점

80년대에 들어서서 우리 사회는 정치·경제·사회·문화 등 여러 부분에 걸쳐 급변하는 양상을 보여주고 있는 것이 사실이다. 10·26과 5월 사태 이후 문학계는 특히 전반적인 변환의 시대에 접어들고 있는 것으로 보인다. 일제 하에서 교육받은 세대가 서서히 물러가고 6·25 세대, 4·19 세대를 거쳐 70년대 세대가 대거 등장하면서 문학적 세대교체가 활발히 진행되고 있는 것이다. 따라서 기왕에 통용되던 문학의 개념과 목적, 방법과 기능, 그리고 문단 데뷔 방법 등에 이르기까지 급격하면서도 다양한 인식의 변화가 일어나고 있다. 말하자면 80년대 초의 정치사적 소용돌이가 그동안 닫혔던 문학의 열기를 솟구쳐 오르게 하는 아이러니한 계기가 된 것이다. 여하튼 좀 더 열린 사회로 전환하려는 치열한 암투가 문학 전반에 걸쳐 두드러지게 나타나고 있는 것이 80년대의 일반적인 양상이다.

80년대 들어서서 가장 주목할 만한 문단 현상, 특히 시단의 동향은 잡지 형태의 부정기간행물인 무크지(magazine book의 약자인 mook)의 활발한 간행과 이에 따른 실천적 문학운동 혹은 운동권 문학운동의 대두이다. 70년대의 기존 문단은『현대문학』,『한국문학』,『문학사상』,『월간문학』,『소설문학』 등의 문예 월간지와『현대시학』,『심상』,『시문학』 등의 월간 시 전문지, 그리고『창작과비평』,『문학과지성』,『세계의 문학』 등 이념 지향성을 지닌 계간지를 양축으로 전개돼왔다. 그러던 것이 80년 초에『창비』,『문지』 등의 이념 지향적 계간지들이 타의에 의해 폐간됨으로써 문단은 월간지 중심으로 전개되게 된 것이다. 실상『창비』,『문지』 등의 폐간이 무크지운동을 유발한 직접적인 원인으로만 보기는 어렵다. 왜냐하면 이 잡지들도 이미 70년대에 젊은 세대들로부터 보수적 · 관념적으로 경색돼 있다 하여 비판받고 있었기 때문이다. 그보다는 오히려 이 무크지운동이 그동안 양쪽 계열에서 모두 소외돼 있었던 새로운 문학 세대의 등장에 따른 자생적 · 능동적인 움직임의 반영으로 이해하는 것이 옳을 듯하다. 왜냐하면 기존 문예지 중심의 보수적 · 권위적인 제도권 문학이 신진층들의 팽창하는 욕구를 충족시키기는 어려웠으며, 또 상대적으로 이들 신인들에게 기존 문예지의 지면이 할애되기도 쉽지 않았기 때문이다. 그러므로 이들 새로운 세대의 문학 경향은 반항적 · 진보적 성향을 띨 수밖에 없었다. 이들은 자연스럽게 정치적인 면에서는 반체제 성향을, 문학적인 면에서는 반보수적인 성향을 띠게 된 것이다. 쉽게 잡지 인가가 나지 않는 현실 상황하에서 출판사 등록만 있으면 특별한 허가절차 없이도 부정기 단행본으로서 출판이 용이하기 때문에 이들 나름의 이념이나 관심을 실천적으로 표출하기에는 이 무크지가 적당한 도구로 부상했던 것이다. 80년 이후 창간된 무크지만 하더라도 80년(『시운동』,『열린시』,『응시청녹두』,『황토』,『예각』,『암호』,『절대시』,『실천문학』 등), 81년(『시와 자유』,『오월시』,『시와 경제』,『변방』,『한국문학의 현단계』,『17인신작시집』), 82년(『우리세대의 문학』,『언어의 세계』,『수화』,『진단시』,『미래시』,『제3세계문학』,『작가』,『마산문화』,『임술년』,『시각과 언어』), 83년(『공동체문화』,

『르뽀시대』,『삶의 문학』,『민족과 문학』,『일과 놀이』,『시인』,『민중』,『문학의 시대』,『실천불교』,『시평』,『살아있는 아동문학』,『분단시대』,『평민시』,『국시』,『민의』,『민중시』) 등이며, 이들은 창간 이래 대략 1년에 1~2회 지속적으로 발간되어 왔다. 여기에 발표되는 시의 양은 기존 문예지의 그것보다 적지 않다. 가히 80년대 시단은 '무크지시대' 혹은 '운동문학시대'라 부를 수 있을 정도로 열기를 더해가고 있는 실정이다. 이들은 대체로 ①이념 지향성 ②민중 지향성 ③타예술사회 분야와 연합공동체 형성 ④저항성 · 선언성 ⑤문학 자체의 전문성 · 예술성 경시 ⑥지방 자치적 문단 현상 대두 ⑦문단 등장의 자율화 등의 특징을 보이는 경우가 많다.

이와 관련해 볼 때 80년대 시는 하나의 전환기에 처한 것으로 이해된다. 대략 40대 시인 이후는 많은 사람들이 서정 정신 · 예술의식에 바탕을 두고 개성적인 자기 세계를 구축하고 있는 데 비해, 30대 무렵 이하의 시인들은 현실 비판 정신 또는 사회학적 상상력에 바탕을 둔 시를 쓰는 경우가 지배적임을 알 수 있다. 이른바 '민중시'의 급격한 대두가 그것이다. 70년대까지 참여시, 저항시, 정치시, 사회시, 민중시 등으로 불리우던 현실비판 시운동이 80년대 들어서서 '민중시'로 통합되기 시작한 것이다. 80년대 민중시의 특징은 앞에서 지적한 바 있는 무크지운동의 연장선상에서 파악된다. 정치 · 사회적 상황의 문제와 밀접히 연관되면서 실천성, 운동성, 실험성, 집단성, 공격성 등 무크지의 특성을 그대로 반영한다.

특히 80년대 민중시는 농민, 공장근로자, 일반 노동자 등이 직접 시를 씀으로써 '무엇을', '어떻게'에 집중돼온 기존 시의 구조적 이해 방법이 '누가', '누구를 위해', '무엇을', '어떻게' 썼는가 하는 방향으로 구조적 변화가 일어나는 특징을 보여주고 있다. 그러면서 서사시, 장시, 연작시, 공동창작시가 크게 성행하고 있는데 이것은 주제의 심화와 구조의 확대라는 점에서 고무적인 일로 받아들여진다. 그렇다고 해서 전통적인 서정시, 예술시가 크게 위축된 것은 아니다. 상대적으로 민중시가 강세를 띠고 활발히 움직인다는 점에서 오히려 능동적·지배적인 느낌을 주고 있는 것이다. 이렇게 볼 때 중요한 것은 그 어느 쪽에 주력하든지 문학의 문학성이 경시되어서는 안 된다는 점이 80년대 시의 문제점으로 제기됨을 알 수 있다. 치열하게 현실을 수용하면서도 그것이 예술적인 차원으로 상승하는 데서 보다 바람직한 한국시의 지평이 열릴 것이기 때문이다.

이렇게 볼 때 80년대 시는 어쩌면 해방 후 이 땅 문학의 중요한 전환점 또는 분기점이 될 수 있을 것이다. 그것은 80년대 문학이 분단극복이라는 민족사적 과제와 보다 완전한 자유민주주의의 실현을 향한 이 사회 전체의 몸부림과 고민을 반영하고 있기 때문이다. 해방 40년을 맞이하는 이 역사적 전환기에 바람직한 것은 사회 전체가 근원적·총체적인 면에서 과감하게 열려짐으로써 이러한 문제점들이 다양한 공동선의 실현을 위해 민족적 역량으로 결집해야 할 것이라는 점이다. 문학 특히 시는 자유와 평등의 실현을 위한 휴머니즘의 영원한 실천의지이며 그것의 예술적 형상화이기 때문이다.

『한국문학』, 1985년 8월호

제 2 부

한국문학과 전통

1. 한국문학의 전통논의

1-1 머리말

전통론은 국문학 논쟁사에서 가장 해묵은 논쟁 중의 하나이다. 그럼에도 불구하고 논의가 거듭되고 있으며 또 지속적으로 검토되어야 하는 이유는, 그것이 이식 문화론과 식민사관의 극복문제와 결부될뿐더러 문학사의 시대 구분론 및 주체성 문제와 불가분의 관련을 맺고 있기 때문이다. 또한 이 논의 는 단절이냐, 계승이냐 하는 흑백논리의 단계를 넘어서서 이제 극복론으로 귀결된 듯하지만, 대체로 다음과 같은 이유로 아직도 진행 중인 논의라고 생 각된다.

그것은 첫째, 지금까지도 국문학을 고전문학과 현대문학이라는 이원적인 단위로서 생각하는 것이 학계의 일반적인 추세라는 점이다. 이 같은 양분법 은 문학사의 서술이나 대학교 교과과정 및 대학원의 전공 분야 등에서 잘 드 러나다시피, 그 동기의 효율성 여부와는 무관하게 문학사의 이분법적 인식 태도를 암묵적으로 수긍하는 전통단절론의 입장에 서는 것이 된다.

또 다른 이유로서, 비과학적 태도로 전통론에 접근하는 국수주의적 자세가 불식되지 않고 있다는 점이다. 전통단절론의 해결을 모색하기 위해서는 정신사 및 양식사의 차원에서 국문학사 전체에 대한 일관된 논리를 구축하는 것이 일차적 과제이고, 그에 따른 실증적인 검토가 수반되어야 한다. 그런데도 '전통계승론'이 민족사적 당위명제라는 점만을 지나치게 강조하여, 엄연한 현상을 부정하거나 구체적인 검토를 소홀히 취급하는 태도 즉 '당위'와 '존재'를 혼동하는 자세는 문제 해결에 별반 도움이 못 될 뿐 아니라 오히려 새로운 혼란만 초래하기 때문에 시급히 청산되어야 할 태도가 아닐 수 없다.

이와 함께, 비교문학적 관점에 의거하여 고전문학과 현대문학의 표면적인 일치나 유사성—예컨대 모티브나 소재, 추상적인 민족 정서 등—이 바로 전통계승이라고 믿는 소박한 접근 태도는 전통론에 기여한 역할이 부분적으로 인정되지만, 광역화된 시각과 설득력 있는 논리의 구축이 선행되지 않거나 결여된 탓으로 그 한계점을 드러내고 있는 형편이다.

위에서 지적한 전통론의 현황은, 이 문제가 앞으로도 지속적으로 논의되어야 할 필요성이 있음을 말해주는 동시에 그것은 또한 금후의 전통론이 극복해야 할 과제에 해당한다.

그런데 전통단절론이 어째서 한국문학의 경우에 유별나게 문제시되고 있는가 하는 문제를 음미해 볼 필요가 있다. 한국문학에서의 전통단절론이 다른 나라의 경우와 달리 심각한 문제성을 지니고 대두되는 이유는 무엇보다도 우리 근대사의 파행적인 특수성에 기인하는 것이라고 보아야 될 것이다.

이조 후기 사회는 실학과 동학으로 대표되는 근대정신의 대두와 그것이 성숙할 징후를 보여주었음에도 불구하고, 19세기 말엽에 이르러 그러한 자생적 역량이 완전히 개화하기 전에 외세 앞에 무방비적으로 노출되고 말았다. 이 시기를 풍미했던 개화의 물결은 안으로는 봉건 잔재의 청산과, 밖으로는 외세에 대항할 수 있는 힘의 배양을 지상과제로 삼았다. 특히 사회진화론을 그 사상적 배경으로 삼은 개화 자강파들은 일찍이 근대화한 서구열강과 일본의 신문물을 수입하는 것이 급선무라고 생각하여 그와 같은 사고방식을 대중들에게 고취시켰다. 때문에 신·구의 개념은 선·악 개념으로 치환되어 무비판적인 전통 배격의 분위기에 휩싸이게 될 형편이었다. 물론 이 무렵의 계몽주의 사조 자체가 전통단절론을 조장한 것은 아니다. 비록 19세기 말엽부터 20세기 초반에 걸친 개화주의의 물결이 우리의 전통에 대해 과격하다 하리만치 심각한 부정적 자세를 견지했지만, 그것은 바로 앞 시대에 대두되었던 민족 내부의 근대적 각성과 직접·간접으로 연관성을 지니는 능동적인 성격을 띠고 있었을 뿐 아니라, 이에 맞선 보수주의도 여전히 온존하고 있었기 때문이다.

전통단절론의 직접적 원인들은 국권 상실 이후 즉, 일본 제국주의가 주권을 침탈한 이후의 역사적 상황과 관련되는 것으로 판단된다. 김윤식은 이 같은 전통단절론의 대두 원인으로서, 일제 식민사관의 영향과 일제하 한국문학 연구가 지닌 제약성 등을 지적한 바 있다.[1]

그중 식민사관은 일제 어용학자들이 식민지 지배의 정당성을 입증하기 위해 마련한 술책의 일환인바, 우리 민족의 문화적 창의성과 능동성을 근본적으로 부정하는 성격을 지니는 것이었다. 이들에 의하면, 한국문화는 중국문화나 서양문화 혹은 일본문화의 일방적인 영향 하에 존속해 온 주변 문화로서, 나름의 고유한 성격 즉, 전통이 없다는 것이다. "현대 문화 영역에 있어서 우리의 사고를 지배하고 있는 것은 아무리 보아도 조선 전래의 것이 아니라 서양문화에서 온 것, ……이것은 금후도 계속될 것이며, 또 계속시켜야 할 것"[2]이라는 한 주장은 식민사관에 깊이 중독된 예라 하겠다. 오늘날까지도 완전히 불식되지 못하고 있는 이러한 식민사관의 영향은 과거 전통부정론을 조장하거나 뒷받침하는 근거 역할을 하였다.

한편, 일제하 한국 문학연구가 지닌 제약성의 하나로 지적된 고전문학 편중 현상도 우리 문학을 일관성 있는 하나의 흐름으로 파악하는 데 장애 요인

---

1) 김윤식, 「한국문학의 연속성」, 『고등국어 3』, 165~176쪽.
2) 최재서, 「문학기여자로서」, 『조선일보』(1937. 6. 9).

이 되었다. 일제하 국문학연구는 대부분 고전문학에 대한 훈고적인 연구에만 집중되었고, 당대 문학과의 관련 양상을 진지하게 해명하려는 시도는 거의 이루어지지 않았다. 당대 문학과 전통문학을 유기적으로 연관시키지 못한 데에는 여러 가지 원인이 있겠으나, 당대 문학에 대한 비평 행위가 필연적으로 수반하는 현실참여와 가치평가의 위험성을 배제할 수밖에 없었던 식민지 치하의 문학연구가 직면하고 있던 상황적 한계 때문인 것으로 여겨진다.

그리고 일제의 문화 침략정책 특히 한국어 말살 정책에 맞서 한글학회 등이 보여준 모국어에 대한 관심과 연구열은 문학연구에도 파급되어 한글 표기의 문학작품을 최우선적인 연구의 대상으로 삼았을 뿐 아니라 한문문학을 도외시하는 현상을 야기하게 되었다. 한글로 된 문학작품이 우리 문학사의 근간이 되어야 한다는 주장은 당연한 일이며, 또 그것을 의식적으로 중시한 태도는, 당시 민족사적 상황으로 미루어 볼 때 여러모로 당위성을 지닐 수 있다. 그러나 이 같은 한글 표기 문학에 대한 과도한 편중은 전통문학의 총체성을 축소하고 전통의 공동화 현상을 초래하는 결과를 빚었다. 무엇보다도 해방과 6·25에 따른 남북분단과 전후의 서구적 감수성 및 세계관의 급격한 유입이 전통단절론의 한 획을 이룬다. 특히 해방 후 외국문학을 전공한 학자들과 소장 신예 평론가들의 본격적인 등장은 전통단절론의 대두를 예고해 주는 사실이 되었다.

이렇게 볼 때 전통의 문제가 뚜렷한 쟁점으로 부각되어 본격적인 논의의 대상이 된 것은 해방 이후의 일이다. 50~60년대의 전통론은 국문학의 전통성 여부, 특히 고전문학과 현대문학 간의 단절문제를 둘러싸고 선명한 대립의 양상을 보여주었다. 그 후 이 논의는 차츰 극복론 쪽으로 기울어졌으며, 최근에는 문학연구의 분야에 수렴되어 구체성을 띤 검토가 상당히 진척되어 있다고 하겠다.

여기서는 해방 후의 전통론이 진행되어 온 과정과 방향에 따라 세 단계로 나누어 그 특징과 문제점을 살펴보기로 한다.

1-2 전통단절론과 접맥론의 대립

신문학사에서 전통단절론은 일제 식민지 치하에서 암암리에 강조될 수밖에 없는 명제였다. 이광수의 「민족개조론」 자체가 이러한 발상에서 비롯된 것이었으며, 특히 이병기·백철의 『국문학전사』(1957)나 백철의 『신문학사조사』(1953)가 문학사 연구에서 문학사의 이원론적 인식을 드러내 보여준 대표적 예가 된다. 특히 『신문학사조사』는 이 땅의 신문학사가 서구 문예사조의 영향 아래서 형성·전개되었음을 두드러지게 강조했다는 점에서 전통단절론의 구체적인 예가 되었다.

해방 후 전통논쟁의 출발은, 60년대 초 『사상계』에서 마련한 문학 심포지엄을 통한 일련의 토론과정에서 드러나듯이, 현대문학이 고전문학과 접맥되는 것이냐 아니냐 하는 질문에서 비롯되었다. 이 토론에서 유종호, 이어령과 같은 소장 평론가들이 단절론을 주장한 데 비해서, 조지훈·박목월 등의 중견 시인들은 접맥론을 폈다. 이들의 주장은 유종호와 조지훈의 주장에서 각각 명료하게 그 특징이 드러난다.

> ㉠ '현대 시인들이 과거 한국의 시문학 유산, 즉 구체적으로 신라시대의 향가, 고려가요, 혹은 이조 장가, 이조의 시조 등을, 그것을 고려함이 없이 과거의 유산과는 단절된 채 백지 출발을 했다는 말입니다. 그럴 때에 옆에서 본 것이 무엇이냐. 이것은 결국 서구의 시와 일본 사람들이 서구의 시가를 모방해서 쓴 또 하나의 이미테이션을 샘플로 삼아서 시작(詩作)을 했다' 이런 데에서 완벽한 단절이 있다고 이렇게 보는 것이지요.[3]

> ㉡ (한국 현대시사에 있어서—필자 주) 처음의 새로운 외래의 영향과 자극을 받은 것은 인정하지만, 그것이 새로운 전통으로 생성되자

---

3) 유종호, 「단절이냐 접합이냐」, 『사상계』(1962년 5월호).

면 고대시로부터 흘러내리는 민족적인 혈맥이 연결되지 않을 수 없다
고 보는 것입니다. 어느 나라에서든 신문화운동은 낡은 인습에 대한
반역에서 출발하기 때문에, 전통의 과소평가 경향이 의식적으로 대두
되는 것입니다.…

　　우리의 신시도 처음에는 전통과 단절된 것처럼 보이지만 그것이 접
이 붙은 뒤에는 차츰 성숙해 갈수록 과거의 전통이 모르는 사이에 계
승되었다는 말이에요.4)

　　㉠은 한국문학사에서 현대문학과 고전문학 사이에 "심연에라도 비길만한
단층"이 존재한다고 한 유종호의 주장이다. 이에 반해 조지훈은 ㉡에서처럼
전통단절은 일시적 현상이며, 그것은 시간의 경과를 통해 부지불식간에 자연
적으로 전통과 접맥된다고 했다. 이 같은 두 주장은 그 자체로서는 어느 것이
타당한 것인가를 판정하기 어렵다. 왜냐하면 둘 다 논리가 아닌 감각의 차원
에 머물러 있는 것으로 이해되기 때문이다.

　신문학사의 전개 양상을 일별할 때, 전대의 문학과 단층이 발견된다는 주
장과 한민족의 문화적 유산이 완벽하게 단절되는 경우는 있을 수 없다는 주
장 사이에 쉽게 우열을 판가름하기는 어렵다. 그러나 유종호의 단절론은 아
래와 같은 문제점들을 내포하고 있는 것으로 이해된다는 점에서 부정적인 측
면을 지닌다.5)

　(가)국문학의 전통단절을 강조하기 위해 그와 관계가 없는 영국 문학사의
연속성을 예로 들었다는 점

　(나)정지용과 같이 모더니즘의 세례를 받은 시인만을 한국 현대시의 아버
지라고 극찬하면서 그의 작품과 전대의 시가작품을 비교하여 그 단층을 비교
했다는 점

　(다)한국시가가 근본적으로 산문시적이라고 단정한 점

---

4) 조지훈, 앞글.
5) 김재홍, 「50년대 시론의 한 고찰」, 『시와 진실』(이우출판사, 1984), 50~54쪽.

먼저 (가)는 역사적 배경과 근대화의 과정이 판이한 한국과 영국을 같은 선상에서 비교하였다는 점에서 오류가 발견된다. 이는 일제 식민사관과는 다르지만, 서구적 보편주의라는 또 다른 식민사관적 발상에 해당하기 때문이다.

또한 (나)에는 무리한 일반화의 오류가 있다. 전대 문학과 현대문학의 비교는 총체적 시각에서 이루어져야 될 성질의 것이다. 대표 단수화 할 수 없는 한 작가와 전대 문학 전체와의 비교는 부적절한 것이 아닐 수가 없다. 즉, 김소월 한 사람의 예를 들어 전통 접맥론을 주장하는 것이 무리한 일이듯이 이상(李箱)만으로 전통단절론을 강조해 보았자 설득력을 지닐 수 없는 것과 같은 이치이다.

아울러 (다)는 한국시가의 운율이 구라파 문학이나 중국문학, 일본문학과 다른 독특한 율격 장치를 가지고 있다는 점을 고려치 않은 데서 비롯된 것이다. 이 같은 오류들은 그의 한국문학에 대한 인식이 퍽 피상적인 수준에 놓여 있음과, 그의 전통단절론 역시 그러한 애매한 인식을 근거로 한 것임을 짐작게 한다.

한편 조지훈도 역시 한 민족전통이란 일시에 단절될 수 없으며 부지불식간에 연결된다는 비교적 온당한 주장을 폈으나 구체적인 방증을 제시하지 못한 탓으로 이 토의는 "내용 면에서는 전통의 연속이 있고 형식 면에서는 전통이 단절되었다"고 하는 상호절충적인 결론을 맺게 된다.

이러한 전통논쟁의 출발은 오늘날의 관점에서 보면 여러 가지 문제점을 많이 내포하고 있지만, 다음 단계의 논의를 가능케 했다는 점에서 의의를 지닌다.

1-3 전통단절론의 극복 논의

유종호로 대표되는 전통단절론의 강조는 국문학 연구자들로 하여금 하나의 충격을 주는 것이 아닐 수 없었다. 그것은 문학의 전통이 단절될 수 없다는 보편적 명제만으로는 부정하기 힘든 논리적 측면을 내포하고 있었기 때문이다. 전통이란 무엇이며 어떻게 올바로 계승할 것인가 하는 문제 등 문학사에 있어서 전통을 인식하는 새로운 시각을 마련하려는 논의가 『사상계』 토론 이후 다각도로 제시되었다. 이는 단순한 단절·접맥 논쟁에서 한 걸음 나아간 것이기에 흔히 '극복론'이라고 부를 수 있는데, 그중 중요한 논의들을 추려보면 다음과 같다.

> ㉠ 조동일, 「전통의 퇴화와 계승의 방향」, 『창작과 비평』 제3호 (1966, 여름호)
> ㉡ 조동일, 「국문학의 지속성과 변화」, 『우리문학과의 만남』(홍성사, 1978)
> ㉢ 천이두, 「전통의 계승과 그 극복」, 『월간문학』(1973)
> ㉣ 구중서, 「한국문학사 전통 연결론」, 『분단시대의 문학』(전예원, 1981)
> ㉤ 김홍규, 「한국문학의 위상」, 『문예중앙』 제30호(1985, 여름호)

㉠은 당시까지의 전통론을 총체적으로 분석 비판한 본격적인 글이라 하겠는데, 여기에서는 전통의 개념, 문학사에 있어서의 계승과 퇴화, 전통계승의 방향 등에 관한 논의를 폭넓게 개진하고 있다. 그는 전통의 개념을 검토하면서, 전통이란 보편성과 특수성의 통일적 결합으로 존재한다는 점, 전통이 역사적인 현상으로 사회의 발전에 따라서 변모되는 동시에 사회 발전에 기여한다는 사실, 전통의 계승에는 긍정적 계승과 함께 부정적 계승이 있다는 점을 내세웠다. 이와 함께 중세 평민 문학은 농촌 공동체의 문학을 부정적으로 계승한 것이라고 주장하면서, 양반의 시조나 가사를 부정적으로 계승한 사설시조나 평민가사, 그리고 서사무가와 설화를 긍정적으로 계승해서 이룩된 판소리를 그 예로 들었다. 이 글에서 그는 민족적 근대문학이 계승해야 할 직접적인 원천을 다음과 같이 지적한다.

그 하나로 일제하에서도 재창조를 계속해 왔으며 아직도 중요한 잠재적인 전통으로 작용하고 있는 중세 평민 문학의 전통이고, 또 하나는 식민지적 근대문학의 일부이기는 하지만 민족적 입장을 견지하고 항거를 계속해 온 민족적 근대문학의 싹이다. 이들은 당분간 각각 발전해갈 수밖에 없으며, 양자 사이에 직접적 교섭과 융합은 점차로 시도되는 것이 타당할 것이다.

ⓛ은 ⓐ을 바탕으로 국문학 연구에 있어서의 지속성과 변화를 다룬 것이다. 그는 종래의 국문학 연구에 있어서도 지속성을 밝히려는 작업이 있어 왔으나, 대부분 피상적이거나 단순한 소재 차원에서 이루어졌음을 비판하고, 국문학 전체를 유기체적 일부로 본 조윤제의 관점을 새로운 출발점으로 삼아야 한다는 점을 강조하였다.

ⓒ역시 국문학의 전통문제를 종합적으로 고찰한 글이다. 이 논리에 따르면, 전통이란 "당대문학과의 변증법적인 교호 관계를 지속해 나가면서, 끊임없이 재편성되고 재확인되어 나가는 가변성을 간직하고 있는 것이다. 단적으로 말해서 전통이란 당대문학의 원인인 동시에 결과요, 결과인 동시에 원인"이라고 하였다. 종래의 전통론이 전통의 개념을 불변의 추상체 혹은 정적인 관념으로 받아들였던 데 비해서 이 논의는 전통을 동적인 개념으로 파악하고 있다는 점에서 특이하다. 그러나 이 논의는 전통의 특질을 부정적인 각도에서 주로 파악하고 있다는 데서 그 문제점이 드러난다. 그에 의하면, 우리의 전통시는 주로 연애시의 형태로 되어 있고, 그 가락은 여성적인 호흡으로 일관하며 발상법 또한 항상 좌절의 모티브에서 비롯된다고 한다. 또한 우리 문학에는 산문문학의 전통이 시 문학에 비해 투철하지 못하며, 여성적인 가냘픔과 과거적 상상력에 근거하고 있음을 지적하고 있다. 이는 한국문학의 원형질을 '한'이라고 본 데서 비롯된 것으로서 논란의 여지를 내포하고 있다. 이같은 견해는 전통단절론은 아니지만, 과거의 한국문학이 부정적인 특질을 많

이 지니고 있었다고 함으로써, '전통회의론'이라 부를 수 있을 것이다. 특히 이 같은 견해는 전통단절론은 아니지만, 과거의 한국문학이 부정적인 특질을 많이 지니고 있었다거나 계승되지 않았다고 하는 점에서 '전통회의론'이라 부를 수 있을 것이다. 특히 이 같은 견해는 과거 한국문학을 부정적인 각도에서만 관찰했기 때문에 전통이 없었다거나 계승되지 않았다고 하는 '전통부정론'과는 다른 측면에서 '부정적 전통론'을 야기한다. 바람직한 미래의 국문학을 수립하기 위해 과거의 문학유산에 대한 비판은 언제나 되풀이돼야 한다. 그러나 긍정적인 요소를 찾는 노력을 전제로 하여 부정적·비판적 논의가 전개될 때 전통의 창조적 계승을 성취할 수 있다는 점이 강조되어야 마땅할 것이다. 실상 전통부정론 자체가 전통을 새롭게 창조해 나아가자는 노력의 역설적 표현이라는 점을 감안해 본다면 이러한 '전통회의론'의 의미가 자명해질 수 있으리라.

ⓔ은 고전문학과 신문학 사이의 관계가 단절된 채 기술되고 있는 한국문학사의 과정을 양식사적 관점에서 비판하고 한국문학사의 주류가 무엇인가를 제시한 논의이다.

이 논의는 첫째, 한국문학사는 서민적 토대에 자리 잡은 향가, 고려속요, 판소리계 소설과 같은 자생적 양식을 내포하고 있다는 점, 둘째, 자생적 양식들은 삶의 자리를 통해 볼 때 서민적 토대에 자리 잡고 있다는 점, 셋째, 자생적 양식들의 전제조건은 민속과 구전이기 때문에 한국문학사의 연구는 인류학, 민속학, 고고학, 민족학 분야의 협조 아래 조명되어야 한다는 점, 넷째, 한국에 있어 고대의 집단 무의식은 주로 무속이며, 주된 정조로 흔히 '한'을 지적해 왔으나 '신바람'이 추가되어야 할 것 등등을 지적하였다. 그가 양식사적 관점에서 한국문학사를 파악해야 한다고 주장한 것은 "한국문학에 담기는 내용이 크게 보아 인류 보편의 이상이라 할 수 있겠지만, 이 문학의 형식은 민족적인 것이어야 한다"는 논리에서 출발한 것이다. '세계 보편적 내용과 민족

고유의 형식'이라는 명제의 제시는 값진 것이고 앞으로 지속적으로 검토되어 야 할 과제에 해당한다. 또한 한국문학사의 연구에 인접 학문의 도움이 필수 불가결하다는 점을 지적한 것과 '신바람'을 또 다른 한국적 정서라고 한 점도 긍정적으로 수용되어야 할 부분이다. 이는 문학사의 연구가 문화사 전반의 총체적이고 거시적인 시각 아래 조명되어야만 편협한 단절 · 계승론을 극복 할 수 있다는 주장을 내포하고 있다는 점에서 긍정적인 의미를 지닌다.

ⓜ은 앞서의 전통극복론을 바탕으로 하여 전통 인식의 새로운 지평을 모색 한 것으로 평가된다. 그는 국문학의 각 시대 사이의 연속성을 "특정한 요소의 가시적 · 선형적 지속으로만 설명하려는 관점에서 탈피해야만 한다"고 주장 하고, 문학사에 있어서의 근원적 의미의 연속성이란 "표면상의 일치나 유사 성 여부와는 관계없이, 혹은 외관상의 뚜렷한 대립과 이질성에도 불구하고 사 태의 심층 속에 존재하는 역사적 삶의 문제들이 형성하는 연속성"이라고 설 명하였다. 그는 또한 이 같은 근원적 의미의 연속성을 "문제적 연속성"이라고 부를 것을 제안하면서, "문제적 연속성"의 차원에서만이 전통의 단절과 계승, 부정과 긍정이라는 도식적 선택 논리의 함정으로부터 벗어날 수 있다고 했다. 바로 이러한 점에서 김홍규의 주장이 설득력을 지닐 수 있음은 물론이다.

지금까지 살펴본 논문들은 비로소 전통을 바라보는 입체적이면서도 심도 있는 시각을 확보함으로써 전통의 지속성 문제 혹은 계승 문제를 실제 개별 작가 작품 연구, 장르사 및 일반문학사 기술에 있어 본격적으로 다루고 수용 할 수 있는 거점을 마련하였다는 점에서 의미를 지닌다.

1-4 연속성에 근거한 구체적 연구성과

국문학사의 연속성 즉, 전통의 지속성을 근거로 한, 구체적 작품이나 장르 의 검토, 나아가 주체적이면서도 일원적인 국문학사의 기술은 전통론의 최종

단계에 해당된다. 지금까지 이러한 시도하에서 이루어진 두드러진 연구성과
를 살펴보자면 대략 다음과 같다.

　　ⓙ 조동일, 「신소설의 문학사적 성격」(한국문화연구소, 1973)
　　ⓛ 김윤식·김현, 『한국문학사』(민음사, 1973)
　　ⓒ 정한모, 『한국현대시문학사』(일지사, 1973)
　　ⓔ 장덕순, 『한국문학사』(동화문화사, 1975)
　　ⓜ 정병욱, 「고전문학과 신문학과의 연속성」, 『한국고전시가론』
　　　　(신구문화사, 1979)
　　ⓗ 정병욱, 「이조후기 시가의 변이 과정고」, 『창작과 비평 31호
　　　　(1974, 봄호)
　　ⓢ 김대행, 『한국시의 전통연구』(새문사, 1980)
　　ⓞ 오세영, 『한국 낭만주의 시연구』(일지사, 1980)
　　ⓩ 김재홍, 『한용운 문학연구』(일지사, 1982)
　　ⓣ 조동일, 『한국시가의 전통과 율격』(한길사, 1982)
　　ⓚ 조동일, 『한국문학통사』I·II·II·IV(지식산업사, 1982~1986)
　　ⓔ 조창환, 『한국현대시의 운율론적 연구』(일지사, 1986)
　　ⓟ 성기옥, 『한국시가율격의 이론』(새문사, 1986)

　　우선 분량의 면에 있어서 전통의 접맥론에 입각한 한국문학사의 지속성,
일원성에 관한 연구는 상당한 양에 이르며, 질에 있어서도 심도 있는 연구성
과에 도달하고 있다. 특히 80년대에 이르러서는 그에 관련된 단행본 연구서
가 출간될 만큼 전통단절론은 이미 극복론을 넘어서서 구체적이면서도 실증
적인 연구 수준을 성취해 가고 있는 것이다.
　　ⓙ은 전통론에 대한 관심을 지속적으로 보여주고 있는 조동일의 신소설 연
구서이다. 그는 이 저서에서 신소설과 '전대소설'의 관계를 중심으로 해서 이
른바 고전문학과 현대문학의 문학사적 관련상을 집중적으로 고찰하였다. 그
는 '지속성'과 '변화'를 아울러 다루어야만 문학사적 관련이 명확히 드러난다

고 전제한 다음, 신소설의 성격을 다음과 같이 해명하였다.

> 가) 신소설은 일본소설의 이식으로 이루어진 것이 아니라 그것은
> 귀족적 영웅소설을 긍정적으로 계승한 데서 출발하였다.
> 나) 그러면서도, 신소설은 전통적 귀족적 영웅소설이 지니고 있던
> 천상과 지상의 이원성(二元性)이 부정되고, 당시의 일상적인 현실이
> 구체적으로 취급되고 있다는 점에서 새로운 의의를 지닌다.
> 다) 또한 신소설과 판소리계 소설을 비교해 볼 때, 판소리계 소설은
> 표면적 주제가 보수적이고 이면적 주제가 진보적인 데 비해, 신소설
> 에서는 표면 주제인 개화사상은 진보적이나 이면적인 주제인 운명론
> 적 사고방식은 보수적이다.
> 라) 판소리계 소설과 신소설의 주제가 상이한 이유는, 판소리계 소
> 설이 이루어지던 시기에는 우리 사회가 안으로부터 그리고 밑으로부
> 터의 변화를 겪고 있었기 때문에 새로운 경험이 낡은 관념과 공존하
> 면서 이에 타격을 가했고, 신소설의 시기에는 우리 사회가 밖으로부
> 터 그리고 위로부터의 변화를 겪었으니 새로운 사상이 낡은 경험과
> 공존하며, 일반적인 논리로서는 오히려 낡은 경험이 긍정된다는 데
> 신소설의 역사적 한계가 있다.[6]

이러한 지적들은, 신소설을 일본소설의 영향 내지 이식으로만 파악해온 종
래의 주장에 근본적인 반성을 촉구하는 것이다. 또한 신소설의 한계가 단순
히 친일적 성향 때문이 아니라, 새로운 세계관을 작품 내에 수용시키지 못한
데 있음을 밝힘으로써 문학사 기술에 있어 최대 난관의 하나인 개화기 문학
의 성격을 고전문학의 연장선상에서 파악하려 시도한 것이다.

ⓒ은 영·정조 시대의 문학에서 근대의식의 맹아와 성장을 볼 수 있으며,
그것이 근대문학으로 연결된다는 견해를 피력하여 주목을 끌었다. 특히 신문
학사 부분을 주로 다루면서도 제호를 『한국문학사』로 붙인 것이 관심을 끌지

---

6) 조동일, 『신소설의 문학사적 성격』(한국문화연구소, 1973) 요약.

않을 수 없는 일이었다. 그리고 근대의 기점을 개화기가 아닌 영·정조 시기로 끌어올림으로써 '개화기=근대화=서구화'라는 통념에 근본적인 반성을 요구한 것은 의미 있는 일이 아닐 수 없다. 실상 제호를 『한국문학사』라고 붙인 것 자체가 이러한 전통단절론 내지 한국문학사의 이원론을 극복하기 위한 시도라는 점에서는 긍정적인 의도로 풀이된다.

ⓒ은 실학사상의 대두로부터 현대시 문학사를 기술했다는 점이 주목된다. 다시 말해서 종래 최남선으로부터 시작되던 현대시 문학사를 임진왜란 이후부터 실학사상 및 천주교의 전래에 이르는 시기까지를 포괄적으로 '근대문학의 배경'으로 기술함으로써 근대문학과 연결하는 것이다. 특히 신시의 형성과정을 일본 등으로부터 즉, 외래적인 영향 관계만으로 파악하지 않고 전통시가와의 관련성 하에서 입체적으로 파악한 것은 중요한 일이 아닐 수 없다.[7]

ⓔ은 고전문학사를 전공한 저자가 현대문학사까지 포함하여 한국문학사를 기술한 것이 특징이다. 갑오경장을 시대구분의 금과옥조로 삼지 않고, 영·정조에 싹튼 근대의식을 염두에 두고 개화기의 문학을 중시함으로써 한국문학사의 연속성과 주체성을 강조한 것이 주목할 만한 일로 판단된다.

ⓜ은 고전문학과 신문학과의 연속성을 시가와 소설작품의 특징을 비교함으로써 해명하고자 노력하였다. 여기에서 논자는 고전시가로서의 특징이 '인간 위주의 문학'과 '부정의 미학'에 바탕을 두고 있으며, 이것이 김소월의 「진달래 꽃」 등에 연결되고 있음을 제시하였다. 소설의 경우도 '권선징악', '호야성(好爺型)인물'[8]이라는 고전소설의 특징이 이광수, 김유정 등이 문학에 연결됨을 밝혔다. 다소 편의적이면서도 부분적인 접근이긴 하지만 시각의 확대와 그것의 구체적 논증이라는 점에서 주목할 만하다.

ⓗ은 17·18세기에 있어서 전통문학의 붕괴와 신흥문학의 대두 현상을 판

---

7) 정한모는 이밖에도 「한국시에서 전통이란 무엇인가」라는 글을 통해서 전통의 계승 양상을 소월시에서 살펴본 바 있다. 『한국현대시의 정수』(서울대출판부, 1978).
8) 호야형이란 「처용가」의 처용, 「심청전」의 심학규 등 무골호인형 인물을 일컫는다.

소리, 회화, 음악, 서민소설, 사설시조 등에서 구체적으로 살펴본 데서 주목에 값한다. 그러한 논의를 통해서 근대의 기점이 앞당겨질 수 있으며 한국문학 사의 주체성·일원성이 확보될 수 있다는 점을 지적한 것은 의미 있는 일이라 하겠다.

㉪은 단행본 제호 자체가 『한국시의 전통연구』라는 점에서 주목된다. 이 논의에서는 민요를 중심으로 그 구성 형식과 서정시적 구조성 및 의식구조를 살펴보고 '님', '꽃', '달' 등 중요 제재의 의미를 고전문학과 현대문학을 연결 시켜 지속적으로 파악하고 있다는 점이 특징이다. 이러한 시도는 고전문학과 현대문학을 하나의 자로서 평가함으로써 한국시에서 전통의 지속과 변화를 추출하고자 하는 실증적·구체적인 노력이라는 점에서 전통 논의에 있어서 의 하나의 성과로 이해된다.

◎은 '낭만주의'를 서구식 개념만으로 수용하여 우리 문학을 도식적으로 재단해 왔던 종래의 태도에 근본적인 반성을 요구한다는 점에서 관심을 끈 다. 한국에서의 낭만주의를 민요시라는 기본 틀로서 이해하고 이러한 틀 아 래 안서, 소월, 요한, 파인, 노작 등의 작품을 분석함으로써 한국시 연구의 방 향을 주체적인 것으로 바꾸고자 한 것은 소중한 일이 아닐 수 없다.

㉣은 만해 한용운에 있어서 전통성을 고전 시가와의 관련성 속에서 파악하 고자 한 것이 특징이다. 종래 타골 등 외래시와의 영향 관계 연구라는 고정관 념에서 벗어나서 만해 시가 전통시와 광범하게 접맥되어 있으며, 당대 시 및 후대 시와 연결됨으로써 고전시와 현대시의 연결고리가 된다는 점을 해명하 려 시도한 것이다.

㉥은 한국시가에 있어서 전통이 율격 구조에서 드러날 수 있음을 해명하려 시도한 논문이다. 앞에서 언급한 이 서사 장르에 관련된 것임에 비해서 이것 은 서정 장르 즉, 시가에서의 전통성 연구라는 점이 다르다고 하겠다. 이러한 두 작업은 실상 문학사 기술작업에 일관성 있게 반영된다.

㉠은 상고 문학으로부터 당대 문학까지를 하나의 연속되는 흐름으로서, 파악하려는 방대한 노력의 소산이라 할 수 있다. 이 작업은 아직 완결된 것이 아니지만, 한국문학사 전체를 고대 · 중세 · 근대문학으로 나누고, 개화기라는 시대구분 대신에 중세문학에서 근대문학으로 전환하는 과정을 '이행기'로 설정한 것이 특히 주목된다. 여기에서 이행기란 대체로 「홍길동전」이 쓰여지는 등 민중의 각성과 인간의 발견이 이루어지는 근대의식의 맹아기로부터 3 · 1운동까지를 포괄하는 기간을 지칭하는바, 이 시기의 문학이 지속과 변화를 보여준다는 점에서 한국문학사가 하나일 수밖에 없다는 논리를 체계화하였다. 이 작업은 전통이 단절된 것이냐 아니냐 하는 지엽적인 논의를 거시적 · 총체적으로 뛰어넘어 한국문학사의 일원성과 주체성을 확보할 수 있는 가능성을 크게 열었다는 점에서 전통논의에 있어 최대 성과라 평가할 수 있다.

㉢은 율격 문제와 여성 편향성의 문제를 중심으로 한국현대시의 전통성을 실증적으로 논의하였다는 점에서, ㉣은 한국시가 율격의 전체 체계를 이론적으로 수립하려는 통합적 · 총체적 노력을 지속적으로 보여주었다는 점에서, 이미 전통 논의의 지엽성을 뛰어넘고 있는 것으로 이해된다.

1-5 맺음말

이제까지 필자는 국문학의 전통론이 그려온 궤적을 개략적으로 살펴보았다. 전통단절론과 접맥론의 대립에서 출발하여 그 극복론을 거쳐, 그것이 실제로 문학연구나 문학사 기술에 연결되는 성과로 나타나는 그 전개 과정은 바람직한 귀결이 아닐 수 없다. 이 점에서 국문학의 전통론의 생산적인 논쟁의 하나였다고 평가된다.

그러나 앞에서 논의한 바와 같이 전통론은 완료된 것이 아니라 진행 중에 있는 논의이다. 비록 '단절―접맥'이라는 단순 논리의 차원은 넘어섰고 또 문학의 전통을 인식하는 각도가 새롭게 마련되었다고는 할 수 있지만, 해결되어야 할 과제들이 여전히 남아 있다.

그것은 첫째, 지금까지의 전통논의를 다시금 검토하고, 이를 근거로 한 구체적인 문학연구 및 문학사 기술이 다각도로 이루어져야 한다는 점이다.

둘째, 고전문학과 현대문학으로 나누어져 있는 대학의 교과과정이나 대학원의 전공 구분은 문학사의 단절을 암묵적으로 수락하고 있는 것이므로, 앞으로 일원화를 지향하여야 할 것이다.

셋째, 문학연구와 현장 비평의 이원화 현상도 극복되어야 한다.

넷째, 외국문학과의 비교문학 연구가 원천·영향연구라는 점만을 강조하여 암암리에 서구문학의 우월성을 강조하고 지배성을 조장하는 경우가 많은 바, 여기에서 주체적 수용의 문제가 깊이 있게 탐구돼야만 한다.

마지막으로, 전통의 단절 현상이 문학의 경우에만 국한되는 문제가 아니라는 점을 인식하여야 한다. 일제 식민사관의 잔재와 무비판적인 서구 문물의 수용 현상 등 사회·문화적 차원에서의 전통단절화 현상도 문학뿐만 아니라 전체 문화운동적 차원에서 전통의 창조적 계승에 관한 논의와 실천이 활발히 이루어져야 할 것이라고 믿는다.

이렇게 본다면 앞으로의 전통논의란 이제 논의 자체에 머물러서는 안 된다. 한국문학사에 대한 포괄적이고 총체적인 시각을 열어가야 할 뿐만 아니라 구체적인 작가 작품에 대한 보다 심도 있는 논의를 전개하는 것이 다원적 명제임을 알 수 있다. 그러한 논의와 연구성과의 집적을 통해서만이 비로소 오늘의 한국문학에 보다 강한 충격을 지속화할 수 있을 것이며, 전통의 현대적 창조와 계승이 바람직한 방향으로 성취되어 갈 수 있을 것이 확실하기 때문이다.

* 장덕순 교수 정년 퇴임 기념논총 『한국문학사의 쟁점』(집문당, 1986)

참고문헌

조지훈 · 박목월 · 김종길 · 이어령 · 유종호, 「단절이냐 접합이냐?」, 『사상계』, 1962. 5월호.

유종호, 「현대시의 50년」, 『사상계』, 1962. 5월호.

유종호, 『비순수의 선언』, 신구문화사, 1962.

조동일, 「전통의 퇴화와 계승의 방향」, 『창작과비평』, 1966. 여름호.

조동일, 『신소설의 문학사적 성격』, 한국문화연구소, 1973.

조동일, 「국문학의 지속성과 변화」, 『우리문학과의 만남』, 홍성사, 1978.

정병욱, 『한국고전시가론』, 신구문화사, 1979.

정한모, 「한국시에 있어서 전통이란 무엇인가」, 『한국현대시의 정수』, 서울대출판부, 1978.

김대행, 『한국시의 전통연구』, 새문사, 1980.

구중서, 「한국문학사 전통연결론」, 『분단시대의 문학』, 전예원, 1981.

김재홍, 『한용운 문학연구』, 일지사, 1982.

조동일, 「신구소설의 교체과정」, 『문예중앙』, 1985. 여름호.

박철희, 「한국근대시와 자기인식」, 『문예중앙』, 1985. 여름호.

조창환, 『한국현대시의 운율론적 연구』, 일지사, 1986.

성기옥, 『한국시가율격의 이론』, 새문사, 1986.

김흥규, 『한국문학의 이해』, 민음사, 1986.

2. 한국시의 장르 선택과 전통문제

– 송강과 만해의 경우 –

I

한국 신문학사 연구에 있어서 가장 중요한 문제는 한국문학사를 총체 구조의 관점에서 주체적이며 지속적으로 파악하는 일이다. 흔히 고전문학사와 현대문학사라는 이원구조로 구별되어 온 한국문학사는 단일체로서의 유기적 질서를 지니는 '한국문학사'로 고양돼야 하기 때문이다. 특히 60년대 후반부터 한국학 전반에 걸쳐 전통논의와 시대구분 문제[1]가 크게 대두되면서 문학사연구에서도 근대문학의 기점 설정 논쟁과 함께 한국문학사의 자율성 내지 일원성에 관한 성찰과 모색이 활발히 전개되었다. 따라서 개화기는 서구적 충격에서 비롯되며 서구화가 바로 근대화라는 종래의 인식은 근본적으로 수정되기 시작하였다. 또한 개화기라는 용어도 그것이 미개로부터의 개화를 의미하는 것으로 해석되어 주체적 관점에서 '이행기', '저항기' 내지 '시련기' 또는 '갈등기'로 불러야 한다는 반성[2]이 나타나기 시작하였다. 흔히 신문학사를 서구적 개념으로 치환하거나 재단함으로써 이식모방사로 진단하던 주장들[3]은 부정되기 시작하고, 근대의식의 맹아를 이조 후기 전통문학의 붕괴 현

---

1) 한국경제사학회, 「한국사 시대구분론」(을유문화사, 1970).
2) '국어국문학회 전국 연구발표대회'의 주제토론에서도 제기된 바 있다.

상과 신흥문학의 대두 속에서 도출함으로써 개화기의 단절론을 극복하고 일원적인 한국문학사를 정립하려는 노력이 활발히 전개되고 있다. 이러한 노력은 임진·병자 양난 이후에 나타나는 신분 이동 현상과 실학사상의 대두를 배경4)으로 특히 영·정조의 신흥 서민문학을 근대문학의 기점5)으로 이끌어 올리고 있다. 아직 여러 가지 문제점들이 내포돼 있음에도 불구하고 이러한 노력과 시도는 한국문학사의 자율성과 일원성 회복을 위해 매우 바람직한 일이다. 이러한 시도들이 당면하고 있는 가장 중요한 문제점은 문학사 속의 구체적인 작가와 그리고 작품들의 내면을 관류하는 정신과 정서의 공통성과 이질성에 대한 실증적 분석을 결여하고 있는 것6)이다. 문학사는 논리와 주장의 역사가 아니라 구체적인 작가와 작품 그리고 작품과 작품이 형성하는 유기적 의미체계이기 때문에, 작품과 작품, 작가와 작가의 관련 체계를 구체적으로 추출해 논의해야 하는 것이다.

따라서 본고에서 필자는 한국문학사의 일원화를 위한 시론으로써, 고전문학사의 핵심인물인 송강 정철과 신문학의 선구자인 한용운의 시 세계를 대비함으로써7) 그 공통적 형질을 추출해 보고자 한다. 특히 두 시인에게서 한문과 한글이라는 표현구조의 이원성이 시사하는 문제점을 한시와 한글시를 비교함으로써 문학사적 연계성의 단서를 찾아보려는데 그 뜻이 있다. 또한 이러한 시도는 송강 쪽보다는 만해 시를 거시적으로 해석하려는 입장에서 비롯되고 있음에 비추어 시론적 성격을 지니며, 한시를 논하는 방법도 운법이나 평측법보다는 내용적 특색, 즉 정신적 혈맥을 검출하는 데 중점을 둔다는 것을 밝혀둔다.

---

3) 백철『조선신문학사조사』(백양당, 1949), 조연현,『한국현대문학사』(성문당, 1969).
4) 정한모,『한국현대문학사』(일지사, 1973).
5) 김윤식·김현,『한국문학사』(민음사, 1973).
6) 이러한 지적은 한국 정신문화연구원 개원 1주년 기념 심포지엄에서 조동일 교수)가 지적한 바도 있다.
7) 김재홍,「한국문학사의 자율성논고」,『충북대학보』171호(1977).

II

2.1 정송강의 문학적 표현행위는 한문과 한글의 이원구조성을 지닌다. 송강의 저술 중 한문 표기로 된 것은 한시를 비롯하여 잡저(雜著), 제문(祭文), 서(書), 기(記), 계(啓), 부(賦), 묘갈(墓碣), 책(策), 만장(輓章), 행록(行錄), 행상(行狀), 증상(證狀), 신도비명(神道碑銘), 전(傳), 사(辭), 론(論), 방목(榜目), 묘표(墓表) 및 소(疏) 등 글로 씌어질 수 있는 대부분의 것을 이룬다.[8] 한편 한글로 씌어진 것은 「관동별곡」, 「사미인곡」, 「속미인곡」, 「성산별곡」 및 「장진주사」 등 가사작품과 「훈민가」, 혹은 「경민편」으로 불리는 단가 등 두 종류가 있을 뿐이다. 특히 한글로 된 것이 가사와 단가의 문학작품 두 종류뿐이라는 사실은 중요한 문제점을 제시하게 된다.

그렇다면 송강은 무엇 때문에 한시와 이에 대비되는 가사와 단가라고 하는 한문·한글의 이원적 표기체제를 지니게 되었으며, 이 표기체계와 장르 선택은 서로 어떠한 상관관계와 상징적 의미를 지니는가? 실상 이러한 문제는 전통문학사 속의 문사들, 예컨대 송순, 박인로, 윤선도 등의 이원적 작업과도 직접적인 관련을 지니는 동시에 전통적 문학정신 내지 장르의식을 드러내 주는 한 열쇠가 된다.[9] 지금까지 밝혀진 것은 한문체계가 공식성을 지니며 한글체계가 비공식성의 측면을 지닐 것이라는 조심스러운 지적[10]이 있을 뿐이다. 실상 송강의 이원적인 표현체계의 해명은 당대의 문학 의식을 밝혀주는 한 실마리가 될 뿐 아니라 송강 한글작품의 내밀 구조를 드러내 줄 수 있다는 점에서 중요성을 지닌다. 이러한 문제는 한시와 한글작품 즉, 가사와 단가를 대비하는 데서 선명히 윤곽이 드러난다.

송강의 한시는 약 590여 편이『송강전집』에 실려 전하고 있는바,[11] 이 중

---

8)『송강전집』(성균관대학교 대동문화연구원, 1964)
9) 김만중의 「구운몽」이 한문본과 한글본으로 되어있는 것도 검토해 볼 문제이다.
10) 권두환, 「송강의 훈민가에 대하여」,『진단학보』 42호.

에서 대표적인『송강원집』에 실려 있는 196편의 시를 정리해 보면 다음과 같다. 먼저 형식적인 면에서 송강의 한시는 전통적 형식을 그대로 고수하고 있다. 그의 시는 오언절구 75수, 칠언절구 72수, 그리고 오언율시 14수, 칠언율시 28수 및 오언고시 1수와 칠언고시 6수로 이루어져 있는데, 이것은 송강 한시가 여러 가지 한시체를 골고루 활용하고 있다는 점을 말해준다.

용사(用事)에 있어서는 사서(史書)나 경서(經書)류 보다 문인명 및 그 시구를 많이 차용하고 있다.

淸晨詠罷杜鵑詩	맑은 새벽에 두견새 울음 그치니
白髮三千丈更垂	백발 삼천 발이 또다시 드리우네
涪萬雲一天下	물거품은 만이나 되고 구름 편안한 이 세상에
有無何事苦參差	있고 없던 많은 일이 마음을 괴롭히누나

― 「독로두두견시(讀老杜杜鵑詩)」 12)

또한 고의(古意)를 새롭게 하거나 환골 혹은 탈태하는 데도 능력을 보이고 있으며 아울러 신의형성(新意形成)에도 힘쓰고 있다.

幽人如避世	숨어사는 사람 세상 피하듯
山頂起孤亭	산마루에 정자 하나 지었구나
進退朝看易	나가고 물러감은 아침에 주역을 보고
陰晴夜見星	흐리고 개임은 밤에 천문을 본다오
苔紋上古壁	이끼는 옛벽에 기어오르고
松子落空庭	솔방울은 빈뜰에 떨어지누나
隣有携琴客	거문고 가진 이웃이 있어

---

11) 『송강원집』 197수, 『송강속집』 220수, 『별집』 권지일 17수 및 『송강집습유』 권지육 160수가 수록되어 있다.

12) 『송강전집』, 권지일, 24쪽. 이하 작품 인용은 번거로움을 피하기 위해 일일이 페이지를 밝히지 않기로 한다.

時時叩竹扃　　　　때때로 대 사립을 두들기누나

　　　　　　　　　　　　　　　　　－「차식영정운(次息影亭韻)」

　이러한 종류의 시로는 「용정문회운증이연조(用鄭文晦韻贈李延祚)」를 비롯
하여 「추차홍태고운봉별김학사(追次洪太古韻奉別金學士)」, 「강정대주차유랑
중공진운(江亭對酒次柳郞中拱辰韻)」, 「차임사구운(次林士久韻)」, 「차김판관
희민운(次金判官希閔韻)」, 「차환벽당운(次環碧堂韻)」, 「대점주석호운(大岾酒
席呼韻)」, 「연자루차운(燕子樓次韻)」, 「차하옹운(次霞翁韻)」, 「북악차조여식
헌운(北岳次趙汝式憲韻)」, 「원운(原韻)」, 「차약포운(次藥圃韻)」, 「차박희정운
(次朴希正韻)」 등 많은 시들이 고의와 결합된 즉흥적 감각을 형상화하고 있다.

　그러나 송강의 한시가 갖는 특징은 그것이 생애 전체를 수용하는 생활시로
서 송강의 삶 전체를 표출하고 있다는 점에 있다. 송강 시의 기본 내용은 인간
사와 이에 대응하는 상자연(賞自然)으로 대별될 수 있다. 송강 시의 발상법은
인간사를 형상화하는 경우는 대부분 세사의 사건이나 그에 따르는 감흥을 직
서적으로 발언하고 있는데, 이것은 대략 교우관계, 세시풍속, 정사(政事) 관
계, 특별한 날 및 사건, 회고지정, 결심, 의지, 증여시, 만시, 축시 등으로 구분
된다.

經旬一疾臥江干　　　병든 몸 강가에 열흘이나 누었어라
天宇淸霜萬木殘　　　서리내린 하늘에 나뭇잎 떨어지네
秋月迥添江水白　　　가을 달은 멀리 강물의 흰빛을 더하였고
暮雲高並玉峯寒　　　저녁 구름 높아 푸른 봉우리에 차갑구나
自然感舊頻揮涕　　　옛일 느꺼워 절로 눈물 흘리고
爲是懷人獨倚闌　　　친구 그리워 홀로 난간을 의지 하누나
霞鷺未應今古異　　　노을을 나르는 백로는 고금이 다르지 않으니
此來贏得客心酸　　　여기서 괴로운 나그네 심사 넘치는 구나

　　　　　　　　　　　　　　　　　－「서호병중억율곡(西湖病中憶栗谷)」

이러한 교우관계의 시로는 「요기하당주인(遙奇霞堂主人)」, 「증별률곡(贈別栗谷)」, 「증별이도헌명보(贈別李都憲明甫)」, 「증정굉도형제(贈鄭宏度兄弟)」, 「증성중임(贈成重任)」, 「별퇴도선생(別退陶先生)」, 「별림자순제작(別林子順悌作)」, 「별림서(別林婿)」, 「송신군망선위지행(送辛君望宣慰使之行)」, 「송성절사홍군서지행(送聖節使洪君瑞之行)」, 「자죽장송우계(紫竹杖送牛溪)」, 「권도사용중래방(權都事用中來訪)」, 「봉승기률곡(逢僧寄栗谷)」 등과 같이 별(別), 방(訪), 도(途), 증(贈) 등 만남과 헤어짐에 따르는 인생사의 문제로 요약되고 있다. 실상 교우관계를 노래한 시는 송강 한시의 주류를 이루는바13), 이것은 송강의 권좌에서의 부침에 따르는 인간관계를 제시해주는 송강 인생의 축도인 것이다. 또한 내면적인 침잠보다는 외부에 대한 송강의 관심 내지는 발언의 요소가 많음을 말해준다.

또한 송강 한시에는 세시풍속이나 특별한 사건을 노래한 것이 많다.

新年祝新年祝	새해에 비노라 새해에 비노라
所祝新年조著淸	아무쪼록 새해에는 조정이 맑아지기를
痛掃東西南北說	동서남북 사색의 말 싹 쓸어버리고
一心寅協做昇平	한마음 협력하여 태평한 나라 만드세

　　　　　　　　　　　　　　　　－「신년축(新年祝)」에서14)

江都風雨夜厭厭	부슬 부슬 강화에 밤비 내리네
滿目干戈客滯淹	보이느니 전쟁이라 나그네로 머무노라
無限別愁無限淚	한 없는 이별 시름에 눈물만 흐르네
海村何處有靑帝	바다마을 어느곳에 술집의 푸른기가 있을까

　　　　　　　　　　　　－「중양전야재강도려우(重陽前夜在江都旅寓)」

---

13) 이 점은 송강이 문사로서 보다는 정치가로서의 관심이 많기 때문인 것으로 풀이될 수 있을 것이다.
14) 전 오수(五首)로 되어있는 이 시는 기구가 육자로 파격을 이루며 특히 쌍구를 활용하고 있다.

송강 시에서 이러한 종류의 시15)가 많은 것은 송강 한시가 생활을 그대로 반영한 생활시임을 증명해 준다. 특히 「백참찬인걸만시(白參贊人傑挽詩)」, 「만우(挽友)」, 「만이첨정(挽李僉正)」 등 만시가 보이는 것도 생활시로서의 한 시에 대한 장르의식을 반영한 것이 된다. 또한 기행시가 많은 것도 생활시로서의 한시 의식을 반영한 것이다.

正下蕭蕭葉	쓸쓸히 떨어지는 나뭇잎
方生渺渺波	아득한 물결만 일어나누나
今當出塞日	이제 변방으로 나가는 일 당하여
誰憶大風歌	누가 대풍가를 생각하는가

　　　　　　　　　　　－「자강도장하호남주중작(自江都將下湖南舟中作)」

이 종류에는 「연경도중(燕京道中)」, 「승전선하방답포(乘戰船下防踏浦)」, 「진도주중봉정하옹구화(珍島舟中奉呈霞翁求和)」, 「금강산잡영(金剛山雜詠)」, 「망양정(望洋亭)」 등16)이 있는데, 이것은 송강의 한시가 생활과 밀착돼 있음을 확증하는 것이 된다. 특히 금강산에 관한 단편적인 한시가 씌어진 것은 주목할 만한 일이다. 왜냐하면 한글작품인 「관동별곡」이 기행과 연군이라는 두 가치 축을 바탕으로 하여 이루어진 한편의 상징시라는 점에 비추어, 단편적인 금강산 기행 한시가 따로 존재함은 매우 시사적인 것이 되기 때문이다. 이것은 한시가 그때그때 생활감정을 표출하는 기본 수단 임에 비추어 한글작품은 그 자체로서 의도적인 뜻이 함축되어 우회적으로 완곡하게 생각을 말하고자 하는 완결된 상징시로서의 성격을 지님을 단적으로 말해주는 것이 된다.

---

15) 이 이외에도 「정월십육일작(正月十六日作)」, 「동지(冬至)」, 「한식일대루출성(寒食日待漏出城)」, 「납월초육일야좌(臘月初六日夜座)」 등 많은 시가 있다.
16) 이 외에도 「통군정(統軍亭)」, 「영천굴(靈泉窟)」, 「행차김제(行次金堤)」, 「만사대(萬師臺)」, 「마천령(磨天嶺)」, 「과화석정(過花石亭)」, 「구포만흥(鷗浦漫興)」, 「구련성(九連城)」 등과 같이 상당히 많은 양이 있다.

또한 결심이나 의지를 나타낸 것으로는 「미단주(未斷酒)」, 「이단주(已斷酒)」가 있으며 계절 감각을 노래한 것으로는 「추일작(秋日作)」, 절을 방문한 것은 「방중흥사(訪重興寺)」, 축시로는 「축요루(祝堯樓)」 등이 있다. 송강 한 시에서 '월(月)', '매(梅)', '춘(春)', '추(秋)', '야(夜)', '강(江)', '죽(竹)', '난(蘭)' 등 전통적 소재는 많이 사용되고 있지 않다.17) 이것은 송강 한시가 깊은 명상과 관조에서 우러나온 상자연의 순수한 미의식보다는 생활의 표현 수단으로서 의 외면적 관심에 시 의식의 바탕을 두고 있기 때문인 것으로 해석된다.

지금까지 살펴본 것처럼 송강 한시는 교우, 기행, 문답, 풍류, 회고, 이별 등 생활체험 전체를 표현하고 있다. 한시를 통해서 송강의 생활과 인생궤적이 종합적이면서도 직설적으로 드러나고 있는 것이다. 이렇게 볼 때 한시는 생 활을 이끌어가는 기본적이면서도 공식적인 표현양식이라 생각할 수 있다.

2.2 한시에 비하면 한글작품들은 상이한 특징을 지닌다. 한시가 생활체험 의 전체를 종합적으로 수용하고 있음에 비해, 한글작품들은 특정한 의미 기 능을 지닌다. 이 중에서도 가사는 상징시로서의 암시적 의도가 드러나며, 단 가는 일부분 생활체험을 반영하면서 훈민가와 같이 교훈적 의도가 투영되어 있다.

> 아바님 날 나흐시고 어마님 날 기ᄅ시니
> 두분 곳 아니시면 이 몸이 사라실가
> 하늘 ᄀ튼 ᄀ업손 은덕(恩德)을 어디다혀 갑ᄉ오리
>
> 님금과 백성(百性)과 ᄉ이 하늘과 싸히로딕

---

17) 월(月)을 노래한 것은 「죽림가대월(竹林家對月)」, 「영신월(詠新月)」과 매(梅)를 노 래한 것은 「이몽뢰가간매(李夢賚家看梅)」, 「운수현란죽총중구유고매일수(雲水縣 亂竹叢中具有古梅一樹)」가 보인다.

내의 셜운 일을 다 아로려 ᄒ시거든
우린돌 술진 미나리를 홈자 엇디 머그리

이고 진 뎌 늘그니 짐프러 나를 주오
나는 졈엇써니 돌히라 무거올가
늘거도 셜웨라커든 짐을 조차 지실가

쓴ᄂᆞ몰 데온물이 고기도곤 마시이세
초옥(草屋) 조븐 줄이 더욱 내분이라
다만당 님그린 타스로 시롬 계워 하노라[18]

　인용시와 같이 송강의 단가는 인륜이나 인생관의 집약적 표현을 압축하여
제시하고 있다. 한시가 생활상을 그대로 표출한 데 비해 단가는 인생의 교훈
이나 특정 주제를 함축적으로 완결하고 있다. 다시 말하면 단가는 인생관을
표출하고 풍속을 교화하는 의도적 수단으로 사용되고 있으며, 삶의 총체적
수용과 반영이 아니라 극히 제한된 부분에 있어서의 함축적 제시인 것이다.
　이러한 한글 구조의 특징은 가사에서 더욱 선명히 드러난다.

　이몸 삼기실제 님을조차 삼기시니 ᄒ싱 연분(緣分)이며 하늘 모를
일이런가 나 ᄒ나 졈어잇고 님 ᄒ나 날 괴시니 이ᄆᆞ옴 이ᄉ랑 견졸ᄃᆡ
노여업다 평싱에 원ᄒ요ᄃᆡ ᄒ딕 녜쟈 ᄒ얏더니 늘거야 므스일로 외
오두고 그리난고 엇그제 님을뫼셔 광새전(廣塞殿)의 올낫더니……중
략……어와 내병이야 이님의 타시로다 츨하리 싀여디여 범나븨 되오
리라 곳나모 가지마다 간ᄃᆡ족족 안니다가 향므든 늘애로 님의오시
올므리라 님이야 날인줄 모ᄅᆞ셔도 내님조ᄎ려 하노라
　　　　　　　　　　　　　　　　　　　　　　　—「사미인곡(思美人曲)」에서

---

18) 성주본, 『송강가사』下, 342~359쪽.

데가는 더각시 본듯도 흔뎌이고 천상(天上) 백옥경(白玉京)을 엇디
ᄒ야 이별(離別)ᄒ고 ᄒ다뎌 져믄날의 눌을보라 가시ᄂᆞᆫ고 어와 네여
이고 내 스셜 드러보오 내 얼굴 이거동이 님괴얌즉 ᄒᄂ랴마ᄂᆞᆫ 엇딘디
날보시고 네로다 녀기실ᄉᆡ 나도 님을미더 군ᄠᅴ디 전혀업서 이리야
교틱야 어즈러이 구돗ᄯᅥ디……중략……결의 니러안자 창(窓)을열고
ᄇ라보니 어엿븐 그림재 날조출 ᄲᆞᆫ이로다 각시님 ᄃᆞᆯ이야 ᄏ니와 구
즌비나 되쇼셔

－「속미인곡(續美人曲)」에서

이 작품들의 근본 주제는 선조에 대한 연군지정의 호소이며 현실적으로는
복직에의 갈망이다. 창평의 적거생활 내지 은둔생활을 직서적으로 표출하지
않고, 여성을 주체로 해서 연가 형식으로 형상화한 것이다. "범나비가 되어서
라도/님의 옷에 옮으리라/님이야 날인 줄 모르셔도 내님 좇으려 하노라"라는
절규는 한시의 생활 수용과는 판연히 이질적인 것이다. 특히 이 작품들은 송
강이 불우했던 시절이나 실의했던 때에 주로 쓰여졌다는 점이 중요하다. 이
것은 이들 한글작품이 송강의 권력에의 상승 의지를 내포한 상징시의 성격을
지닌다는 것을 말해준다. 실상 「사미인곡」과 「속미인곡」이 현실의 어려움을
극복할 필요성에 따라 창작된 방법시 내지 상징시로 해석할 수 있기 때문이
다. 또한 「관동별곡」도 경직(京職)으로부터 외직(外職)으로의 밀려남에 대한
좌절감에 내밀한 동인(動因)을 지니고 있으며, 따라서 서경을 통한 자기 위안
을 이루고 궁극적으로는 연군지정과 우국충정을 토로함으로써 현실회복을
의도한 것으로 판단된다.

소(疏)나 계(啓) 내지는 한시를 통한 체계적이며 공식적인 의사전달보다는
가사를 통해 간접적이고 상징적으로 하소연하는 방법이 보다 효과적일 수 있
다는 사실을 암시해 준다고 하겠다.

III

3.1 송강이 한문과 한글이라는 두 장르 체계를 지닌 것처럼 만해 한용운도 한문시와 한글시라는 두 표현체계를 가지고 있다. 한문은 한시와, 한글은 신시와 시조로 대응되어 나타난다. 만해의 한시는 신시 운동이 본격화한 1900년대 초반부터 일제 말까지에 걸쳐 지속적으로 나타나고 있다. 만해의 시작은 한시(163수), 시조(32수), 및 신시(108편)로 이루어진 것처럼 분량에 있어서는 한시가 신시보다도 많다. 이것은 만해의 시대착오적인 문학 의식에서 비롯된다기보다는 만해 시의 비밀에 대한 매우 중요한 열쇠를 제공해 줄 수 있다는 점[19]에서 주목을 요한다.

만해의 한시는 송강과 같이 만해의 인생역정이 종합적으로 드러난 생활시로서 만해 시의 기본이 된다. 만해 시[20]는 전통적인 한시 방법을 그대로 습용하고 있다. 운의 파격은 거의 찾아볼 수 없으며, 용사면(用事面)에 있어서도 재래의 것에서 크게 벗어나지는 않았다. 특이한 점은 송강이 현실적인 교우 관계나 생활 감각이나 세시풍속 혹은 사건을 주된 내용으로 하고 있음에 비추어, 만해도 그리한 현실에 바탕을 두고 있지만 오히려 자연과 경승에 대한 깊은 응시와 관조 그리고 불사 및 좌선을 내용으로 한 것이 두드러진다는 것이 특징이다.

먼저 옛날 한시에서 취의하여 환골탈태[21]한 경우가 매우 많다.

    妾本無愁郎有愁   첩은 시름 없는데 낭군만 근심있어

---

19) 이때는 이미 신시 운동이 본격화되고 초기 시단의 형성뿐 아니라 근대적인 시관의 전환이 이루어졌다는 점에서 그렇게 볼 수도 있다. 특히 한글이 공식적인 표현 수단으로 정착되고 발전하기 시작한 시기에 한시가 쓰여졌다는 점에서 더욱 그러하다.
20) 이하 인용 한시는 신구문화사의 『한용운전집』을 참조.
21) 이인로 『파한집』 2권 『고려명현집』 2권, 성균관대학교 대동문화연구원 "昔山谷論詩以謂不易古人之意而造其語謂之換骨規模古人之意形容之 謂之脫 胎"

年年無日不三秋	해마다 긴 세월 끝이 없구나
紅顏憔悴變何傷	청춘이 초췌함을 어찌 가슴아파할까
兄恐阿郞又白頭	형은 아내가 백발일까 두렵다오
昨夜江南採蓮去	지난밤 강남으로 연을 캐러 갔다가
淚水一夜添江流	하룻밤 흘린눈물 강물을 보탰다.
雲平無雁水無魚	하늘엔 기러기 없고 물에 고기 없으니
雲水水雲共不看	구름과 물 물과 구름을 모두 보지 못했네
心如落花謝春風	마음은 떨어지는 꽃 봄바람을 보내는 것 같으니
夢隨飛月渡玉關	달을 따라 꿈에 옥관을 건넌다오

　　　　　　　　　　　　　　　　　　　－「정부원(征婦怨)」에서

　　이백의 「자야오가(子夜吳歌)」에서 취의한 시로서 환운의 변화를 사용하여 님에 대한 절절한 그리움을 효과적으로 표출하고 있다. 이처럼 재래의 시의를 차용하거나 구절 혹은 운을 사용한 작품으로는 「파능어부도가(巴陵魚父悼歌)」, 「화엄사산보(華嚴寺散步)」, 「과구곡령(過九曲嶺)」, 「중양(重陽)」, 「춘몽(春夢)」, 「독풍아주자용동파운부매화용기운부매화(讀風雅朱子用東坡韻賦梅花用其韻賦梅花)」, 「설효(雪曉)」, 「동지(冬至)」, 「모세한우유감(暮歲寒雨有感)」, 「사향(思鄕)」22) 등이 있다. 그런데 이러한 용사에 있어서의 특징은 경서나 사서는 거의 없고23) 대부분이 문학자나 한시에서 취의하고 있다는 점이 특징이다.

　　만해 한시에 나타나는 교우관계는 「증영호화상술미상견(贈映湖和尙述未嘗見)」, 「별완호학사(別玩豪學士)」, 「대만화화상만림향장(代萬化和尙挽林鄕長)」, 「석왕사봉영호유운화상작(釋王寺逢映湖乳雲和尙作)」, 「여영호화상방유운(與映湖和尙訪乳雲)」 등과 같이 주로 승려들이 많다. 다만 「증고우선화

────────────

22) 원전으로는 굴원 「어부사」, 송옥 「양춘백설」, 이백 「촉도난」, 소식 「후적벽부」 및 두보, 도연명의 시 등이 있다.

23) 이러한 작품으로서는 『시경』에서 취의한 「차명호화상」 등이 있다.

(贈古友禪話)」과 「증박한영(贈朴漢永)」, 「근하계초선생수진(謹賀啓礎先生晬辰)」, 「화천전교수(和淺田敎授)」, 「화지광백(和智光伯)」 등이 사회 인사와 관련 있는 시편이다.

그러나 만해 시에는 송강의 개인 취향과 달리「안해주(安海州)」, 「황매천(黃梅泉)」, 「옥중감회(獄中感懷)」, 「일일여린 방통화위간수절청쌍수피경박이분간즉금(一日與隣 房通話爲看守竊聽雙手被輕縛二分間卽唫)」, 「병감(病監)의 후원(後園)」, 「신문폐간(新聞廢刊)」 등과 같이 민족의식 내지 사회의식이 짙게 드러난 시가 상당수에 달한다.

> 就義從容永報國 당당히 의(義)에 나아가 나라 위해 죽으니
> 一暝萬古劫花新 만고(萬古)에 그 절개 새롭게 꽃피네
> 莫留不盡泉台恨 못다한 한(恨)은 남기지 말라
> 大慰苦忠自有人 그 충절(忠節) 위로하는 사람 많으리니
> ―「황매천(黃梅泉)」

> 一念俱覺淨無塵, 물처럼 맑은 심경 티끌 하나 없는 밤
> 鐵窓明月自生新 철창으로 새로 돋는 달빛 고와라
> 憂樂本空唯心在 근심 걱정 모두 허공, 마음만 있으니
> 釋迦原本尋常人 석가도 원래는 보통 사람인 것을
> ―「옥중감화(獄中感懷)」

이러한 시들은 만해의 『님의 침묵』의 상징성과 좋은 대조가 된다. 시집 『님의 침묵』에는 직접적인 사회의식이나 저항의식이 직접적으로 표면화되고 있지 않은 것에 비교하면 한시의 위치는 스스로 명백해진다. 동시에 생활시로서의 속성이 선명히 드러나게 된다.

만해 한시는 기행도 많은 비중을 차지한다.

東京八月雁書遲	팔월이라 동경에 편지 안 오니
秋思茫無處其月	가득한 가을 심사 그달을 지낼 수 없구나
孤燈不雨雨聲冷	외로운 등잔불에 비는 안 오건만 빗소리 차가워라
太似往年臥病時	지난해 병들었을 때와 같은 심사로다

―「사야청우(思夜聽雨)」

이러한 기행시로는 「마관주중(馬關舟中)」, 「궁도주중(宮島舟中)」, 「동경
려관청선(東京旅館聽蟬)」, 「조동종대학교별원(曹洞宗大學校別院)」, 「일광도
중(日光道中)」, 「일광남호(日光南湖)」 등 일본 기행시와 「유선암사차매천운
(留仙巖寺次梅泉韻)」, 「범어사우후술회(梵魚寺雨後述懷)」, 「내원암유목단수
고지수설여화인금(內院庵有牧丹樹古枝受雪如花因唫)」, 「선암사병후작(仙巖
寺病後作)」, 「방백화암(訪白華庵)」, 「양진암(養眞庵)」, 「범어사(梵魚寺)」 등
불사와 관련된 것24)이 많으며, 기타 「영산포선중(榮山浦船中)」, 「구암폭(龜
巖瀑)」, 「쌍계루(雙溪樓)」 등 경승을 노래한 것도 있다. 여기서 사찰 관계가
많은 것은 송강과 달리 불승으로서 구도 생활을 했기 때문일 것일 뿐, 기행시
가 많다는 것은 송강과 대차(大差)가 없다. 그러나 만해는 송강보다 「등선방
후원(登禪房後園)」, 「산가효일(山家曉日)」, 「영한(咏閑)」, 「사향(思鄕)」, 「사
향고(思鄕苦)」, 「독좌(獨坐)」, 「자민(自悶)」, 「자소시벽(自笑詩癖)」, 「유민(遺
悶)」 등의 시에서 삶의 뿌리 깊은 외로움과 지향 없는 그리움을 내적으로 심
화하고 있다는 점에서 깊이가 있다. 특히 만해 시에는 자연에 대한 깊이 있는
관조와 명상이 매우 많은 비중을 차지하고 있다는 점이 특징이다.

天末無塵明月去	티끌없이 맑은 하늘에 밝은 달은 가는데,
孤枕長夜聽松琴	긴 방에 홀로 누워 솔바람소리 듣누나

---

24) 이 외에도 「화엄사산보(華嚴寺散步)」, 「약사암도중(藥師庵途中)」, 「구암사초추(龜
巖寺初秋)」, 「오세암(五歲庵)」, 「향로암(香爐庵)」, 「석왕사(釋王寺)」 등 그의 생활
과 밀접한 관련이 있는 곳이 많다.

一念不出洞門外	한 마음도 동구밖을 나가지 않았는데
惟有千山萬水心	오로지 모든 산과 강이 마음에 있네
玉林垂露月如霰	수풀에 맺힌 이슬 달이 우박같은데
隔水砧聲江女寒	물건너 강마을 다듬이 소리 차구나
兩岸靑山皆萬古	양쪽언덕 청산은 옛날 같은데
梅花初發定僧還	매화가 처음 피자 약속한 스님 돌아오누나

—「독야 이수(獨夜 二首)」

이 작품에서 '명월(明月)/송금(松琴)'의 공감각적 대조는 자연의 아름다움을, '일념부출(一念不出)/천산만수심(千山萬水心)'의 대응은 만해의 삶의 대위법을 말해준다. 더구나 '옥림(玉林)/수로(垂露)/무(霧)/침성(砧聲)'과 같은 섬세한 이미지 구성[25]과 '양안청산개만고(兩岸靑山皆萬古)/매화초발정승환(梅花初發定僧還)'의 결구는 만해의 자연관을 드러내 준다. 이 시처럼 만해의 많은 한시는 자연현상에 대한 깊이 있고 섬세한 응시와 관조를 바탕으로 삶의 허적을 형상화하고 있다. 자연의 무궁한 아름다움에 대비되는 인간의 무상과 번뇌가 만해 한시의 또 다른 세계를 이루고 있는 것이다. 특히 계절도 주로 '춘(春)', '추(秋)', '동(冬)' 등 감수성을 자극하는 시간이 주로 등장하며, 소재도 '월(月)',[26] '매(梅)', '죽(竹)', '설(雪)' 등 환정성(換情性)이 많은 것이 주조를 이루는 점에서도 만해의 깊은 응시와 관조의 투명함이 드러난다. 이러한 상자연의 선감각(禪感覺)은 앞에서의 예리한 현실의식 내지 사회의식과 대응되는 만해 시 정신의 두 가치 축으로 해석된다.

이렇게 볼 때 만해 한시는 교우·승경·풍류·기행·불사·훈계 등 현실 체

---

25) 송강 시는 즉사적인 이미지 기술이 많으나 만해는 묘사적이고 감각적인 이미지 구성을 주로 하고 있다. 특히 이 점은 『님의 침묵』의 미세한 자연 관조와도 관련 있는 것으로 보인다.

26) 달을 소재로 한 것만도 「완월(玩月)」, 「월욕생(月欲生)」, 「월초생(月初生)」, 「월방중(月方中)」, 「월욕락(月欲落)」 등 다양하다.

험 전반에 걸쳐 있으며 역사의식 내지 현실의식과 상자연의 선감각이 형상화되어 있다는 점에서 송강과 대동소이하다.

3.2 이처럼 만해의 한시가 생활시로서 현실적 표현의 중요방법이었음에 비하여, 한글작품인 현대시는 전혀 다른 성격을 지닌다. 만해『님의 침묵』(1926)은 한시와는 대응적 각도에서 상징성을 지닌다.「님의 침묵」은 송강의「사미인곡」처럼 연가적 발상법에서 비롯하여 사랑의 원리인 소멸(이별)과 생성(만남)의 법칙을 통해 생성(만남)의 소망(송강의 경우 복직의 갈구)을 주제로 하고 있다.27)

> 님은 갓슴니다 아아 사랑하는나의님은 갓슴니다
> 푸른산빗을 깨치고 단풍나무숩을향하야난 적은길을 거러서 참어
> 썰치고 갓슴니다
> —첫시,「님의 침묵(沈默)」 첫구절

> 네 네 가요 지금곳가요
> 에그 등ㅅ 불을켜랴다가 초를 거꾸로소젓슴니다 그려 저를 엇저나
> 사람들이 숭보것네…중략…
> 네 네 가요 이제곳가요
> —끝시,「사랑의 씃판」

시집『님의 침묵』은 '님은 갓습니다'라는 이별에서 시작되어 '이제 곧 가요'라는 만남으로 이루어지는 한 권의 상징시다. 개체원리로서 소멸과 생성의 변증법을 민족과 역사라는 공적 차원으로 상승시킬 때『님의 침묵』은 비

---

27) 실상「사미인곡」의 모티베이션이 님으로부터의 이탈로 되어있고,「님의 침묵」이 "님은 갓슴니다"라는 이별로 시작되는 것과, 결구가 "내님 조차려 하느라"와 "네 네 가요 이제곳가요"로 맺어지고 있다는 것은 우연한 일이 아니다.

로소 다양한 상징적 확대 해석의 가능성을 지닐 수 있는 것[28]이다. 송강이 왕권으로부터의 소외에 대응하여 「사미인곡」, 「속미인곡」 등을 쓴 것처럼 만해도 연시 형식이라는 개인적 차원에서 비롯하여 잃어버린 조국, 빼앗긴 민족에 대한 회복의 신앙을 『님의 침묵』으로 상징화한 것이다.

3.3 이러한 만해와 송강의 장르 선택과 시적 상상력의 공통성은 시 정신의 동질성으로 더욱 구체적 설득력을 지니게 된다.

송강의 「사미인곡」과 만해의 「님의 침묵」은 그 내면적 정신 방법에 있어서 여성주의라는 정서적 공유형질을 지닌다.

> 올적의 비슨머리 얼킈연디 삼년(三年)이라
> 연지분(臙脂粉) 잇닉마ᄂᆞᆫ 눌위ᄒᆞ야 고이 홀고…중략…원앙금(鴛鴦錦) 버혀노코 오색선(五色線) 플텨내여 금자히 견화이서 님의 옷 지어내니 수품(手品)은 ᄏᆞ나와 제도(制度)도 ᄀᆞ줄시고…중략…홍상(紅裳)을 니믜차고 취수(翠袖)를 반(半)만거더 일모수죽(日暮脩竹)의 햄가림도 하도 할샤.
> 　　　　　　　　　　　　　　　　　　　　　　　　　　　－송강, 「사미인곡」에서

> 당신의 편지가 왔다기에 바느질그릇을 치어노코 쎄여보앗슴니다
> 그 편지는 나에게 잘잇너냐고만 뭇고 언제오신다는 말은 조금도업슴니다
> 　　　　　　　　　　　　　　　　　　　　　　　　　－만해, 「당신의 편지」에서

> 나는 집도업고 다른 까닭을겸하야 민적(民籍)이업슴이다
> 「민적(民籍)업는자(者)는 인권(人權)이업다 인권(人權)이업너녀에게 무슨 정조(貞操)냐」하고 능욕(凌辱)하랴는장군(將軍)이 잇섯슴니다
> 　　　　　　　　　　　　　　　　　　　　　－만해, 「당신을보앗슴니다」에서

---

28) 김재홍, 「만해 상상력의 원리와 실체화 과정에 대한 분석론」, 『국어국문학』 67호.

나는 당신의옷을 다지어노앗습니다
심의도지코 도포도지코 자리옷도지엇습니다
지치아니한 것은 적은주머니에 수놓는것쑌임니다
                              —만해, 「수(繡)의 비밀(秘密)」에서

「사미인곡」이나 「속미인곡」 그리고 시집 『님의 침묵』의 시들은 시적 주
체를 여성화함으로써 시의 상징적 호소력과 설득력을 강화하고 있다. 송강에
있어 왕권과 만해에 있어 조국(민족)은 똑같이 남성으로 상징화되어 있는 것
이다.[29] 이러한 남성주의에 대한 효과적인 대응과 극복은 여성주의를 취함으
로써 정서적 탄력과 긴장을 유발함과 동시에 정신의 승리를 획득할 수 있게
되는 것이다. 실상 이러한 여성주의적 대응력은 한국의 시가문학을 관류하는
정서적 형질의 한 원형질로 간주된다.

이러한 사실은 나아가서 흔히 지적되는 한국의 전통문화의 여성주의적 기
질이 단순한 패배주의 내지는 수동적 문화의 패턴이라기보다는 오히려 험난
한 역사를 살아가는 한민족의 정신적 저력과 슬기를 역설적으로 보여주는 것
이 된다. 결국 송강과 만해 시가 장르 선택의 문제에 있어서나 내면적 시 정신
의 형질에 있어서 한국적 전통에 뿌리박은 내재적인 고유 형식을 지니고 있
다는 점은 시사적으로 볼 때 간과할 수 없는 중요성을 제시해 준다고 하겠다.

IV

지금까지 한국문학사의 이원구조성을 지탱하는 기본 논리는 개화기론, 즉
전통단절론에 근거를 두어 왔다. 고전문학은 중국 문학의 영향을, 개화기 이
후의 신문학은 서구문학의 충격적 압력을 받아 형성되어 온 것으로 인식되어

---

29) 김재홍, 「만해시 정서의 형질에 관한 한 고찰」, 『국어국문학』 74호.

온 것이다. 이러한 인식은 어느 면 사실로서 인정될 수밖에 없다. 그러나 고전문학과 신문학이 별개의 다른 문화권의 영향을 받았다고 해서 한국문학의 전통적 맥락이 단절될 수는 없는 것이 또한 사실이다.

송강과 만해 문학의 연계성은 바로 이러한 전통단절론을 극복시켜줄 수 있는 유효한 단서를 제공해 준다. 송강은 문학 행위의 이원성에 따라 시 의식의 상이한 두 패턴으로 시 장르를 선택하였으며, 정서의 원형질도 여성주의라는 전통적 정신 방법에 근원을 두고 있었다. 또한 만해 역시 생활시로서의 한시와 상징시로서의 한글시라는 이원적 장르 체계를 지니고 있으며, 송강처럼 여성주의적 상상력으로 현실 상황을 극복하려는 역설의 정신을 보여주고 있다. 송강과 만해 시가 정치체제와 시대 상황이 다리 300여 년의 상거(相距)가 있으며, 그 사이에 세칭 개화기가 가로놓여 있음에 비추어 송강과 만해 사이의 장르 선택의 공통성과 시 정신의 동질성은 개화기의 전통단절론을 극복시켜 주는 실증적 예가 된다. 전통이란 살아있는 과거 정신의 혼으로서 일시적인 굴절은 있을 수 있지만, 그 민족이 지속적인 삶의 체계를 유지하는 한 단절이나 공백이란 있을 수 없는 것이다. 재래의 고전시인 시조와 가사는 「해에게서 소년에게」, 「불노리」, 「오뇌의 무도」와 같은 초기 신시와는 분명히 이질적인 것이지만, 「님의침묵」으로 대표되는 만해시 속에 잠재해 있는 전통적 방법과 정신은 1920년대 중반에서 확고하고도 분명하게 고전 정신을 계승 심화하고 있는 것이다. 구한말 이후 초기 시단 형성과정의 무분별한 서구지향의 홍수 속에서 만해 시는 소월 시와 함께 전통적 정신과 시 방법을 회복함으로써 한국문학사를 일원화시켜 주는 문학사적 고리가 된다.

한시로 나타나던 만해의 전통적 장르 선택은 시대와 문화패턴의 변이로 인해 저항적 지사혼으로 변모함으로써 황매천·최익현으로 상징되는 선비정신을 계승하게 된다. 아울러 만해의 저항정신은 이육사와 조지훈[30]의 지사적

---

30) 이육사와 조지훈은 시 정신면에서만 아니라 실제 한시도 있고 시 형태에 있어서도

시 정신으로 계승됨으로써 애한의 문학으로만 인식되어온 종래의 시사관을 보다 능동적이며 주체적인 것으로 상승시켜준다. 이런 점에서 만해의 정신과 방법이 한국시사 속에서 중요한 의미와 설득력을 지닐 수밖에 없는 것이다.

한시적 구성법을 취한 경우가 많다. 또한 서정주 등의 시와 정신도 만해와 깊은 맥락을 지닌다는 점에서 상세한 고찰을 요한다.

3. 한국시의 한과 극복 양상

3-1 머리말

　흔히 한국인의 전통적인 감정적 바탕이 어떠한 것일까 논의할 때 한(恨)이란 말이 자주 오르내림을 본다. 특히 한국시가의 정서적 원형질이 무엇이냐 할 때 정한 또는 애한이라는 낱말을 드는 사람도 있다. 그렇다면 한이란 무엇이며 그 심리적 메커니즘은 어떠한 것인가, 그리고 그것이 한국시의 한 정서적 원형질이라 가정할 때 그것의 참다운 의미는 어떻게 규정될 수 있을까. 이러한 문제는 그 의미의 중요성에 비추어 지금까지 비교적 소략하게 다루어져 온 감이 없지 않다. 가장 많이 운위되면서도 한은 명확한 개념 규정이 정립되거나, 그 문학적 양상 및 구조적 특질이 선명하게 밝혀져 있지 못한 것으로 이해된다. 실상 한이란 말은 명확히 대응될 수 있는 서구어를 쉽게 찾아보기 어려울 만큼 한국적 체취와 그 독특한 뉘앙스를 간직한 것이 사실이다.

　본고에서 필자는 이러한 사실들이 명쾌하게 해명될 수 있으리라고는 기대하지 않는다. 다만 고전시를 통해서 한의 의미영역을 살펴보고 그것이 소월시와 어떠한 상관관계를 갖는가, 또한 그 구조적 특질이 어떠한가를 조악하게나마 개관해 보고자 할 뿐이다. 나아가서 이 한이 개인적 차원에 한정된 것이냐 하는 문제를 매천 황현의 한시를 통해 살펴보고, 한이 비교적 잘 극복된 시의 한 전범으로서「제망매가」와「님의 침묵」을 간략히 분석해 보고자 하는 것이다. 한 가지 밝혀두고자 하는 것은 이 소론이 개괄적인 시론의 성격을 지니고 있는 점이다. 소략한 점은 차후에 보완하기로 하며 질정을 구하여 완결하고자 한다.

3-2 고전시가에서의 한의 양상

한국의 고전시 문학사에 있어서 한은 가장 중요한 정서적 형질의 하나로 인식돼왔다. 때로 한국문학사 특히, 시사는 애한의 역사로 기록되기도 하였으며, 이로 인해 '애한의 정서' 혹은 '은근과 끈기'는 한국시의 정신적 전통으로 이해되기도 한 것이다. 실제로 많은 고전시나 민요들에서 우리는 한의 부수적 속성으로 일컬어지는 슬픔·비탄·원망·자책·미련·회한 등의 부정적·애상적 정서들을 쉽게 발견할 수 있다.

따라서 본 항목에서는 먼저 고전시에 나타난 한의 구체적 양상을 분석해 보고자 한다. 먼저 시조를 중심으로 살펴보고, 이어서 민요를 통해서 심리적 메커니즘과 그 구조적 특징을 살펴보기로 하겠다.

1) 시조에서의 한

① 니졔 바리고져 싱각ᄒ니 내님 되랴
　내몸이 병(病)이 되고 남 우일 분이로다
　이럴가 져럴가 ᄒ니 더욱 셜워 ᄒ노라

② 님글여 어든 병(病)을 업(業)으로 곳칠쏜가
　한숨이야 눈물이야 오매(寤寐)에 밋첫셰라
　일신(一身)이 죽지 못흔 전(前)은 못니즐싀 흐노라

③ 님이 헤오시매 나는 전혀 미덧드니
　날 스랑 흐던 情을 뉘손듸 옴기신고
　처음에 믜시던 거시면 이대도록 셜오랴

시조 ①은 무명씨의 것이고, ②는 이정보, ③은 송시열의 작품이다. 이들의 공통점은 상사(想思)의 슬픔 또는 이별의 한이 짙게 깔려있다는 점이다.

①에는 님을 상실한 슬픔이 병이 되고, 마침내 이러지도 저러지도 못하는 자신의 초라함에 대한 절망과 탄식이 깃들어 있다. 이별의 슬픔은 님에 대한 원망과 그리움, 그리고 안타까운 미련을 불러일으키는 동시에 자신에 대한 자책과 절망, 그리고 비탄을 부채질하는 것이다. 그러면서 더욱 깊은 마음의 상처를 남기고, 이 상처는 마침내 병이 되어 한으로 새겨지게 된다. 이처럼 ① 시조는 '님의 상실―미련과 자책―설움의 병'이라는 한의 심리적 추이를 보여 주는 한 예가 된다.

②시조에는 상사의 한이 더욱 심화되어 나타났다. "님글여 어든 병"이란 말 그대로 상사병을 의미한다. 그러나 이 상사는 이루지 못한 좌절의 모습을 지닌다. 따라서 한숨과 눈물을 수반하여 "오매에 밋치게" 될 수밖에 없게 된다. 더욱이 "일신이 죽지 못흔 전은 못니즐싀 흐노라"라는 구절 속에는 죽음을 넘어선 사랑과, 그 좌절에 대한 속 깊은 절망이 드러나 있다. 죽음이 운위되는 사랑과 그 병은 이미 치유될 수 없는 한의 모습으로 변이돼있는 것이다.

③시조는 상사에 대한 좌절과 배신감이 표출돼 있다. 그것은 "님이 헤오시매 나는 전혀 미덧드니"라는 구절 속에 선명히 드러난다. 그러나 정작 서러운 것은 님이 떠나감에 있는 것이 아니라, 정(情)을 다른 사람에게 옮겨가려

한다는 점에 있다. 이것은 좌절이라기보다는 배신감에 가까우며, 그렇기 때문에 "처음에 믜시던 거시면 이대도록 셜오랴"와 같이 더욱 자책과 비탄에 사로잡히게 되는 것이다. 아마도 이 점에서 이 시조는 남녀의 상사보다는 신하의 임금에 대한 사랑을 호소한 연주지사(戀主之詞)에 해당하는 것으로 이해된다. 고시조에서 님이 군주를 뜻하는 것은 흔히 있는 일이기 때문이다.

이렇게 볼 때 시조 ①·②·③은 모두가 사랑의 좌절에 모티브를 두고 있으며, '좌절—미련과 원망—자책과 슬픔'이라는 심리적 추이를 지닌다. 또한 이것은 상사병이라는 심리적 내상을 지니며, 마음속에 슬픔의 응어리 혹은 한의 옭매듭으로 남겨지게 되는 것으로 이해된다. 이러한 상사의 한을 보여주는 시조 중에는 김소월의 시 「접동새」와 유사한 내용 구조를 지닌 작품들이 많이 발견된다는 점에서 관심을 끈다.

　　　　이몸 스여져서 접동식 넉시 되어
　　　　님 자는 창(窓)밧게 불면셔 쌕리과져
　　　　날 잇고 깁히 든 잠을 씨여 볼까 ᄒ노라

　　　　이몸이 싀여져셔 졉동새 넉시 되야
　　　　이화(梨花) 퓐 가지(柯枝) 속닙헤 빗 엿다가
　　　　밤즁만 술하져 우리님의 귀에 들리리라

작자 미상의 이 시조들은 대체로 상사와 그 좌절을 모티브로 한다. 그리고 '죽음—접동새 됨—님을 만남'이라는 시적 플롯을 지니며, 밤을 시간적 배경으로 한다는 점에서 소월시와 유사하다. 좌절된 사랑 또는 이룰 수 없는 사랑의 모습으로 나타나고 있다. 그러면서도 이 이루지 못한 사랑의 한을 죽어서라도(접동새의 넋이 되어서라도) 풀어보리라는 의지가 잠재하고 있음을 알 수 있다. 이 점에서는 시조에 나타나는 사랑의 한이 흔히 좌절과 비탄에 사로

잡혀 있지만, 그 심층에는 좌절과 비탄을 긍정하고 이겨내려는 극복의지가 담겨있음을 의미하는 것으로 해석할 수 있다. 실상 이것은 흔히 말하듯 한이 단순히 비관적 · 절망적 · 부정적 정감만은 아니라는 점을 의미한다. 오히려 그것은 이러한 부정적 정감을 통해서 무(無)를 통과시키고, 그럼으로써 그러한 절망과 허무를 극복하려는 노력의 한 변형임을 알게 해 준다. 실상 한국시의 내면 구조가 한과 눈물 등 애상적 정서를 표층구조로 하지만, 그 심층에는 현실의 어려움과 생의 고달픔을 이겨내려는 극복의지가 잠재해 있는 이중구조성을 지니는 것으로 볼 때[1] 이러한 해석은 타당성을 지닐 수 있는 것으로 보인다.

이러한 한이 절망보다는 극복의지의 한 발현이라는 점은 흔히 연군지사라고 부르는 시조에서 더욱 선명히 드러난다.

> 이몸이 주거가셔 무엇이 될소 호니
> 봉래산(蓬萊山) 제일봉(第一峯)에 낙락장송(落落長松) 되야이셔
> 백설(白雪)이 만건곤(滿乾坤) 홀제 독야청청(獨也靑靑) 호리라
> —성삼문(成三問)

> 이몸이 주거주거 일백번(一百番) 고쳐주거
> 백골(白骨)이 진토(塵土)ㅣ 되여 넉시라도 잇고 업고
> 님향(向)혼 일편단심(一片丹心)이야 가실줄이 이시랴
> —정몽주(鄭夢周)

이 두 시조는 임금에 대한 충성을 다짐하는 충절가 또는 단심가에 해당한다. 여기서 충절은 죽음을 넘어선 차원의 그것이다. 임금에 대한 일편단심이 비록 살아서 이룰 수 없는 것, 생전에 다할 수 없는 것이라 해도 죽어서나마

---

1) 김재홍, 『한용운문학연구』(일지사, 1982), 98쪽.

이루어 보고 싶다는 애절한 원망과 그 극복의지가 강렬하게 작용하고 있는 것이다. "백설이 만건곤홀제 독야청청 ㅎ리라"와 "님향 일편단심이야 가실 줄이 이시랴"라는 두 결구 속에는 이러한 죽음을 넘어선 충절의 의지와 소망이 담겨있는 것이다. 이 점에서 이루지 못한 생전의 한이 '죽음—백골 혹은 낙 낙장송, 일편단심 혹은 독야청청'의 구조를 통해 극복되고 완성될 수 있게 된다. 이 점에서 한은 절망과 비탄이지만 실상은 그것이 극복의지의 한 변형이라는 점을 확인할 수 있다.

다음에는 인생의 허무함에 대한 한의 표출을 들 수 있다.

> ① 약산동대(藥山東臺) 여지러진 바위 곷슬 썩거 주(籌)를 노며 무진 무진(無盡無盡) 먹스이다
> 인생(人生) 한번 도라가면 다시 오기 어려워라 권(勸)홀 적에 잡으시 요 백년가사인인수(百年假使人人壽)라도 우락(憂樂)을 중분미백년 (中分未百年)을 권(勸)홀 머듸 잡으시오 우일장사(羽日壯士) 홍문번 쾌두치주(鴻門樊噲斗厄酒)를 능음(能飲)ㅎ되 이슐 흔잔 못먹엇네 권(勸)홀 적에 잡으시오
> 근군경진일배주(勤君更進一盃酒)ㅎ니 서출양관무고인(西出陽關無 故人)을 권(勸)홀 머듸 잡으시오
>
> ② 흔잔(盞) 먹새그려 쏘흔잔(盞) 먹새그려
> 곳 것거 산(算)노코 무진무진(無盡無盡) 먹새그려 이몸 주근 후(後) 면 지게우히 거적 더퍼
> 주리혀미여 가나 유소(流蘇) 보장(寶帳)의 만인(萬人)이 우러나 어 욱새 속새 덥가나무 백양(白楊)수페 가기곳가면 누른 히 흰 둘 ᄀ ᄂ비 굴근 눈 쇼쇼리ᄇ람 블제 뉘한 먹쟈홀고
> ㅎ믈며 무덤우히 진나비 프람 불제 뉘우츤둘 엇디리[2]

---

2) 정병욱, 『시조문학사전』(신구문화사, 1966), 위의 시조들은 모두 이 책에서 인용함.

사설시조 ①은 작자 미상의 것이고 ②는 송강 정철의 작품이다. 이 두 작품은 표면상으로는 권주가에 해당한다. 그러나 그 내면에서는 인생의 허무함에 대한 한탄이 들어있으며 늙음에 대한 탄식이 주제를 이룬다. "인생 한번 도라가면 다시 오기 어려워라"와 "이몸 주근 후면 지게우히 거적 더퍼 주리혀미여 가나"라는 죽음의 모티브는 인생무상이라는 주제에 비장미를 더해주며, 그럴수록 남은 생에 대한 미련과 안타까움을 심화시켜 준다. 따라서 "권홀 적에 잡으시오'와 '흔잔 먹새그려 또 흔잔 먹새그려"라는 술에 의한 한의 카타르시스를 기도하게 되는 것이다. 한잔 술을 통해서 고달픈 인생의 허무와 한을 이겨내려는 안간힘이 개재해 있는 것이다. '인생—죽음—술'의 결합은 그것 자체가 허무에 대한 절망과 비탄을 담고 있는 것이다.

지금까지 살펴본 것처럼 시조에 나타나는 한은 주로 상사와 군, 그리고 인생무상에 대한 깊은 절망과 탄식이 깃들여 있으며, 그러한 것들이 슬픔이나 원망과 한탄으로 외연된 것을 한이라 부를 수 있을 것이다. 따라서 한은 그러한 절망과 비탄을 겪으면서 무의 통과를 통하여 생의 숙명성과 현실의 어려움을 이겨내려는 안간힘의 반영으로 해석할 수 있다.

2) 민요에서의 한

한편 민요에는 이러한 한의 모습이 더욱 다양하게 나타난다. 민요란 원래 민중의 생활감정이 진솔하게 표현된 장르라는 점에서 한의 구체적 모습을 찾아볼 수 있다.

> 문경 새재는 웬고개인고
> 구비야 구비야 눈물이난다
>
> (후렴)

아리아리랑 쓰리쓰리랑
아라리가 났네
아리랑 응응응 아라리가났네

치어다 보니 만학천봉
굽어 보니 백사시(白沙地)로다

임이 죽어서 극락을가면
이내 몸도 따라가지 지장보살

다려가오 잘다려가오
우리님 뒤따라서 나는가네

원수야 악마야 이몹슬사람아
생사람 죽는 줄을 왜모르나

저넘에 계집애 눈매좀보소
속눈만 뜨고서 발발 떠네

왜왔던고 왜왔던고
울고 올길을 왜왔던고

　　　　　　　　　　　　　　　　－「진도(珍島)아리랑」

　　우리 주변에서 흔히 불리던 아리랑 타령은 그 종류가 대단히 많다. 「서울
아리랑」, 「원산 아리랑」, 「강원도 아리랑」, 「정선 아리랑」, 「춘천 아리랑」, 「밀
양 아리랑」, 「신 아리랑」, 「태조 아리랑」, 「긴 아리랑」, 「별조 아리랑」 등 다
양한 내용과 가락으로 애창돼 온 것이다. 이러한 아리랑은 그 내용과 가락의
애절함으로 인해 민중의 심사에 깊이 파고들어 가장 대표적인 민요류로 인식
됐다.

「진도 아리랑」의 경우도 그 한 예가 된다. 이 작품의 중심 이미지는 '고개', '죽음', '눈물', '길' 등으로 요약할 수 있으며 그 기본 정감은 "왜 왔던고 왜 왔던고/울고 올 길을 왜 왔던고"라는 원망과 자책의 감정으로 풀이할 수 있다. 먼저 '고개'와 '길'은 생의 험난한 굽이를 의미한다. 흔히 산다는 것은 수많은 고개를 넘어가는 고난의 행로로서 인식돼 온 것이 사실이다. 그리고 그것은 '죽음'의 이미지와 연결됨으로써 생의 종착점으로서의 죽음에 대한 강한 두려움과 함께 그 무상함에 대한 비탄을 수반하게 된다. 따라서 죽음은 '눈물' 혹은 '울음'이라는 탄식의 결구를 형성한다. 어차피 고달픈 인생, 허무한 목숨의 한을 울음과 눈물을 통해 카타르시스 하려는 것이다. 이 점에서 아리랑은 비탄의 노래이면서, 동시에 삶에 대한 긍정의 노래이고 절망을 이겨내려는 극복의 모티브를 내재하고 있는 것으로 해석된다.

이러한 양상은 팔자 또는 청상의 한을 노래하는 많은 민요에 보편적으로 나타난다.

① 남잘자는 긴긴 밤에
　　무삼 일로 못자는고
　　슬프고 가련하다
　　이내 팔자 어이할고
　　손꼽아 헤아리니
　　오실 날이 망연하다
　　애고애고 서른지고
　　실낱같은 이내 목숨
　　흐르느니 눈물이오
　　지으느니 한숨이라

　　　　　　　　　　　　－「과부요(寡婦謠)」에서

② 이내팔자 기박해

상부를 했네
이십안쫘에
에레섯살에 출가를 가니
이팔은 십륙이
열살먹어 아버지가 돌아가시고
세살먹어 어머니 돌아가시고

—「팔자요(八字謠)」

③ 어허네로다 네로구나
다시보우아 네로구나
성튼몸 병(病)들니고
애를 태우는 네로구나
월후(月後)에다시만나면 연분(緣分)인가
왔다왔오 나여기왔오
천리타향(千里他鄉) 나여기 왔오
이 바람에 불려를왔오
구름에 싸여서왔오
아마도 나여기오기는
정든님보려고

—「무당요(巫堂謠)」

④ 죽자니 청춘이요
살자니 고생이요
한강에역사를 받자오니
글자한자 무식쟁이요
한탄하는 마음은백두산이요
흐르는 눈물은 압록강이요.

—「시집살이요(謠)」

⑤ 이세상(世上)에 올찌개는
백년(白年)이나 살가마니

(후렴)

너와홍 너와 홍

너화넘자 너화홍

먹고진것 못다먹고

어린자손(子孫) 사랑하야

(후렴)

천추(千秋) 만세(萬世)나

지낼라고 했드니

……중략……

우리가는길 설어마소

문무주공(文武周公) 공맹자(孔孟子)도

늙을수가 있나니라

(후렴)

늙고만 말것이 아니라

북망산(北邙山)에 가고만다

(후렴)

천하영웅(天下英雄) 진시왕(秦始王)도

여산(山)에 고혼(孤魂)되고

(후렴)

인생일장(人生一場) 춘몽(春夢)이요

세상공명(世上功名)이 꿈밖이라

(후렴)

유수(流水)같은 이세상(世上)을

헛드이 허송(虛送)하고

(후렴)

북망산천(北邙山川)이 먼줄알었드니

방문(房門)밖이 북망산(北邙山)이라

(후렴)

황천수(黃泉水)가 머다드니

앞냇물이 황천수(黃泉水)세

― 「만가(輓歌)」 3)

위의 민요에서 읽을 수 있는 중요한 정감들은 생의 어려움에 대한 한탄, 팔자의 기구함에 대한 비통, 신분에 대한 운명적 한스러움, 인생무상에 대한 탄식 등으로 대별될 수 있다. 그리고 그것은 대부분 애, 원, 한이라는 정조를 기본으로 생·노·병·사 등 인간의 운명적 조건들을 노래하는 특징을 지닌다. 이러한 민요 이외에도 「청상요」, 「첩요」, 「이별요」, 「생활고요」, 「부모부음요」, 「항의요」, 「부화요」, 「원정요」, 「나 죽으면 요」, 「계모요」, 「상제요」, 「죽은엄마요」등 헤아릴 수 없이 많은 전래 민요들이 생의 어려움과 고달픔, 기구한 운명의 한탄, 인생무상의 쓰라림 등을 노래하고 있다. 이렇게 보면 민족의 생활감정이 생생하게 드러난 민중요인 민요에 있어 슬픔·원통함·한스러움 등은 그 정감의 중요한 저류를 형성하고 있는 것으로 보인다. 이 땅 민중들의 집단 무의식 속에는 험난한 역사를 살아가는 고통과 애한이 서려 있으며, 동시에 개인적인 운명과 팔자에 대한 깊은 탄식이 깃들여 있는 것으로 이해되는 것이다. 실상 이러한 비관적 정감 혹은 부정적 정서에 바탕을 둔 세계인식의 태도는 고려조 「가시리」, 「정과정」등을 비롯한 많은 속요(俗謠)에서도 짙게 드러나며, 이조의 「사미인곡」등의 가사에서도 흔히 발견할 수 있는 내용이다. 그러나 이러한 부정적 세계인식 혹은 비극적 세계관은 그 표층에서는 한의 표상성을 지니지만, 내면에서는 현실의 어려움을 이겨내고 자신의 삶에 의미를 부여하고자 하는 긍정적인 인생관 또는 극복의지가 심층구조를 형성하는 것으로 해석된다. 이 점에서 한을 우리 문학의 전통성으로 보고 그것을 현실패배 내지는 현실도피적인 것으로만 매도하는 태도는 지양돼야 마땅하리라 생각한다. 한이 그러한 부정적·비관적 정감을 정서적 특징으로 하는 것은 사실이지만, 그것 자체가 현실에서 부딪혀오는 온갖 충격과 간난을 자신 속에서 무화시킴으로써 그러한 무로부터 생의 의욕을 간직하고 어려움을 극복해내려는 역설적인 표현 방식으로 작용하고 있음을 주목할 필요가 있는 것이다.

---

3) 임동권, 『한국민화집』(집문당, 1974).

3-3 소월 시의 한과 그 구조적 특성

앞에서 우리는 고전시가에 나타난 한의 양상과 그 의미를 간략히 살펴보았다. 이러한 고전시가의 한은 현대시에서도 대체로 그대로 접맥돼 내려오고 있는 것으로 이해된다. 특히 김소월의 시집 『진달내꼿』은 전통적 한의 현대적 계승을 보여준 대표적인 작품으로 이해된다는 점에서 주목을 요한다. 소월은 서구적 문예사조와 방법론이 모색되고 실험되던 초기 시단 형성과정에서 민요조를 바탕으로 전통적 정감을 형상화함으로써 대표적인 민족시인으로서의 면모를 과시하였다.

따라서 본 항목에서는 한의 정서를 비교적 특징적으로 지니고 있는 「초혼」과 「접동새」를 통해서 한의 심리적 추이와 그 구조적 특성을 살펴보기로 한다.

1) 「초혼」의 한(恨) 구조

산산히 부서진이름이어!
허공중(虛空中)에 헤여진이름이어!
불너도 주인(主人)업는이름이어!
부르다가 내가 죽을이름이어!

심중(心中)에 남아잇는 말한마듸는
긋긋내 마자하지 못하였구나.
사랑하든 그사람이어!
사랑하든 그사람이어!

붉은해는 서산(西山)마루에 걸니웟다.
사슴이의무리도 슬피운다.
써러저 나가안즌 산(山)우헤서

나는 그대의 이름을 부르노라.

서름에겹도록 부르노라.
서름에겹도록 부르노라.
부르는소리는 빗겨가지만
하눌과쌍사이가 넘우넓구나.

선채로 이자리에 돌이되여도
부르다가 내가 죽을이름이어!
사랑하든 그사람이어!
사랑하든 그사람이어!4)

이 작품은 한의 일반적인 심리구조를 선명히 제시해준다. 그것은 대략 '좌
절—미련—비탄'이라는 심리적 추이를 기본 흐름으로 짜여있다. 사랑하는 연
인의 갑작스러운 죽음은 살아남은 연인에게 충격과 좌절을 심어준 것이다.

첫 연에서 "산산히 부서진이름이어!/허공중에 헤여진이름이어!/불너도 주
인업는 이름이어!"라는 구절 속에는 연인의 죽음에 대한 충격이 생생하게 드
러나 있다. 특히 "부서진", "헤여진", "업는"이라는 부정어의 반복과 감탄 종
지 부호의 연속적 사용은 그 충격의 심도를 강력하게 드러내 준다. 연인의 죽
음이 주는 충격과 그에 따른 좌절감은 "부르다가 내가 죽을이름이어!"라는
구절에서 그 한 절정을 이룬다. 연인의 죽음은 나의 죽음을 유발할지도 모를
만큼 거센 충격과 뼈아픈 좌절을 심어준 것이다.

이러한 충격과 좌절감은 다음 연에서 부재에 대한 허무와 절망감을 불러일
으키게 되고 그에 따른 미련의 안타까움을 더해주게 된다. "심중에남아잇는
말한마듸는/끗끗내 마자하지 못하엿구나"라는 구절 속에는 살아생전 다 하
지 못했던 정염과 끝내 고백할 수 없었던 사랑의 진실에 대한 쓰라린 자책과

---

4) 김소월, 『진달내꽃』(매문사, 1925).

안타까운 미련이 담겨있는 것이다. 특히 "끗끗내 마자하지 못하였구나"라는 구절은 "끗끗내"와 "못하였구나"의 대응을 통해서 '나'의 세상을 보는 눈이 비관적인 세계인식에 자리 잡고 있음을 제시해 준다. 또한 "사랑하든 그사람 이어!"의 반복을 통해서 풀 길 없었던 정염의 불꽃과 허무와의 충돌을 보여주는 것으로 이해된다.

따라서 다음 연에서 미련의 안타까움은 비탄의 정조를 지니게 된다. 그러나 그 슬픔은 직접 제시되지 않고 간접적으로 나타난다. 그것은 "붉은해는 서산마루에 걸니웠다/사슴이의무리도 슬퍼운다"처럼 "붉은해"와 "사슴이의무리"를 통해서 표출되는 양상을 지닌다. 이러한 슬픔의 객관적 상관물들은 다음 행의 "써러저 나가안즌"이라는 시어와 결합함으로써 심리적 허탈감을 고조시키게 된다. "써러저 나가안즌"이라는 표현 속에는 새삼스럽게 깨닫게 되는 '나'와 죽은 애인 사이의 아득한 거리에 대한 절망이 담겨있는 것으로 보인다. 애인의 죽음이라는 엄연한 상황에 직면하여 '저기'와 '여기'로 나뉘어, 떨어져 놓여 있을 수밖에 없는 죽음과 삶의 거리가 다시금 확연하게 다가오는 것이다.

뒤이어 다음 연에서는 미련의 안타까움과 절망의 아픔이 그 절정에 이르게 된다. "서름에겹도록 부르노라/서름에겹도록 부르노라"라는 구절의 반복 속에는 절망과 미련, 자책과 원망, 회한과 비탄 등의 복합적인 감정들이 뒤섞여 갈등을 이루고 있다. 그러면서도 이 구절 속에는 그러한 절망과 비탄을 이겨내고자 하는 안간힘이 개재된 것으로 보인다. "서름에겹도록"이라는 표현 속에는 설움을 넘어서고자 하는 정신적 몸부림이 담겨있는 것으로 해석되기 때문이다. 실상 미련과 단념, 정염과 허무, 절망과 체념이 빚어내는 갈등 속에는 이러한 절망적 충격으로부터 자신을 보호하려는 무의식적 충동의 정신적 방어기제(defence mechanism)가 작용할 수밖에 없을 것이다. "서름에 겹도록" 죽은 애인을 부르는 초혼의 행위 속에는 이미 절망을 뛰어넘어 정신의 부활과 소생을 성취하려는 애절한 안간힘이 담겨있는 것으로 이해할 수도 있기 때문이다. 죽은 애인의 부활을 불러내는 초혼 의식은 실상 살아남아 절망에 몸부림치는 생자에겐 살아있음을 확인하는 작업이 되며 동시에 소생의지를 일깨우는 처절한 절규가 될 수도 있기 때문이다. 그러므로 애인의 죽음이라는 엄연한 사실과 그 필연적 결과를 "서름에 겹도록" 부르면서 억눌렸던 모든 감정들과 그 갈등을 카타르시스 하려 시도하는 것이다. 또한 죽음의 필연성, 그 숙명성이 애인의 것만이 아니라, 언젠가는 그것이 나의 것으로 다가오리라는 본능적 자각이 이루어지는 순간, 인간의 숙명성에 절망하고 두려움과 비탄에 사로잡히게 되는 것이다. 그러나 이러한 절망과 비탄은 죽음이 단지 너와 나만의 것이 아니라, 인간 모두의 운명적인 것일 수밖에 없다는 또 다른 깨달음을 통해서 마침내 체념으로 빠져들게 되는 것으로 보인다. 죽음을 통해서 삶의 '이루지 못함'과 '어쩔 수 없음', '운명일 수밖에 없음'을 인식하게 되고 삶과 죽음의 엄청난 거리를 새삼 확인하는 것이다. "부르는소리는 빗겨 가지만/하늘과땅사이가 넘우넓구나"라는 구절 속에는 바로 그러한 죽음과 삶의 엄청난 거리에 대한 아득한 절망감과 함께 생과 사의 숙명성에 대한 비탄이 담겨있는 것으로 보인다.

따라서 마지막 연에서는 불러도 돌아올 길 없는 애인에 대한 체념과 그에 대한 탄식이 드러나게 된다. 살아날 수 없는 님, 돌아올 길 없는 애인의 죽음을 엄숙히 받아들이게 되는 지점에서 절망의 아픔과 체념의 쓰라림이 마음속에 깊고 큰 상처를 내게 되며, 그것은 슬픔의 응어리로서, 좌절과 회한의 옭매듭으로서, 또한 허무의 핵으로서 남겨지게 되는 것이다. "선채로 이자리에 돌이되여도/부르다가 내가 죽을 이름이어"라는 구절 속에는 바로 이러한 슬픔의 응어리가 담겨있으며, 회한의 옭매듭이 얽혀 있고 허무의 핵이 속 깊이 박혀 있는 것으로 이해된다. 특히 "선채로", "돌이되여도", "부르다가 내가 죽을"이라는 시어들의 화응은 이루지 못한 사랑과, 다하지 못한 생에 대한 회한과 비탄이 체념의 정감으로 이행돼 있음을 의미하는 것이 된다. 또한 '돌'과 '죽음'의 이미지를 대응시킴으로써 죽음을 넘어선 사랑의 영원성을 강조하게 되는 것이다. 이승에서 다하지 못한 사랑에 대한 다짐이 죽음이 상징하는 비장함을 통해서 '돌' 즉 망부석의 비탄스러운 내세 기약으로 연결되는 것이다. 이 점에서 '돌'은 좌절한 혼, 방황하는 혼이 갈망하는 불변의 사랑, 또는 영원한 사랑의 표상일 수 있다. 그러므로 이룰 수 없던 사랑의 한을 "사랑하는 그 사람이여/사랑하는 그 사람이여"라고 절규함으로써 시를 마무리 짓게 되는 것이다.

이렇게 볼 때 「초혼」에서의 한은 사랑과 죽음의 비극적 드라마를 배경으로 이루어져 있음을 알 수 있다. 그리고 그 모티브는 불의의 죽음으로부터 비롯된다. 연인의 죽음은 존재의 무화(無化)이며, 근원적인 면에서는 무의 발생을 의미한다. 무화의 충격은 절망을 낳게 되고, 이것은 안타까운 미련과 갈등을 이루며 무의 통과과정을 겪게 된다. 여기에서 격심한 비탄과 혼란에 사로잡히게 되는바, 이 자제할 수 없는 흔들림 속에서 자신을 지키려는 방어기제가 작용함으로써 무로부터의 탈출을 기도하게 된다. 따라서 인간의 숙명성을 깨닫고 마침내 허무의 상처와 슬픔의 응어리를 남긴 채 체념으로 빠져들고 마는 것이다. 여기에서 한은 '좌절—미련—비탄' 혹은 '충격—절망—체념'이라는 전이 과정을 지니는 것으로 보인다. 아울러 한은 '무의 발생일무(發生—無)와 통과일무(通過—無)에의 긍정 또는 순응'이라는 심리적 메커니즘을 지니는 것으로 요약할 수 있으리라 생각된다. 또한 그것은 죽음의 충격이 주는 심리적 외상이 치유되지 않고 심리적 내상으로 옮아간 것으로 볼 수 있을 것이다. 이 점에서 「초혼」의 한은 이루지 못한 사랑의 한이며, 동시에 숙명적인 죽음의 한인 것이다.

2) 「접동새」의 한과 그 특성

한편「접동새」는 전통적인 한, 또는 토속적인 한을 표출하고 있어 관심을 끈다. 그것은 불운한 가족관계에서 비롯된 한이며, 운명적인 가난으로부터 연유한 한이다.

> 접동
> 접동
> 아우래비접동
>
> 진두강(津頭江)가람까에 살든누나는
> 진두강(津頭江)압마을에
> 와서웁니다
>
> 옛날, 우리나라
> 먼뒤쪽의
> 진두강(津頭江)가람까에 살든누나는
> 이붓어미싀샘에 죽엇습니다
>
> 누나라고 불너보랴
> 오오 불서워
> 싀새움에 몸이죽은 우리누나는
> 죽어서 접동새가 되엇습니다
>
> 아웁이나 남아되는 오랩동생을
> 죽어서도 못니저 참아못니저
> 야삼경(夜三更) 남다자는 밤이깁프면
> 이산(山) 저산(山) 올마가며 슬피웁니다.

이 시의 기본 구조는 '죽음─미련─비탄'을 골격으로 짜여있다. 여기서 죽음은 "이붓어미싀샘"에서 비롯된 타의적 결과이다. 따라서 그것은 한을 품은 죽음으로서의 의미를 지닌다. 다시 말해 살아남은 자의 한이 아니라, 죽은 자의 원이며, 동시에 그것을 말하는 자의 한이라고 말할 수 있는 것이다. 의붓어미의 시샘에 원통하게 죽은 누나의 한은 죽어서도 풀리지 않고 오히려 생생하게 되살아난다. 이러한 누나의 원혼은 접동새로 변하여 나타남으로써 그한의 심도를 짐작할 수 있게 해준다. 접동새는 예로부터 원한의 표상으로서의 관습적 상징성을 지니며, 사용돼왔다.

이 시는 첫 연에서 의성어의 음성상징을 활용한다. "접동/접동/아우래비접동"이라는 접동새의 울음소리는 구슬픈 시적 분위기를 자아낸다. 이 부분은 시의 도입부로서 전체적인 분위기를 형성하며 주제를 암시적으로 제시해준다.

두 번째 연은 시적 사건의 모티브가 드러난다. 그것은 배경으로서의 진두강과 시적 주체로서의 누나의 등장, 그리고 과거시제와 현재시제의 병치로 나타난다. 첫 연의 접동새 울음이 누나와 연결되고, 이것이 "진두강가람까에 살든누나는/진두강압마을에/와서웁니다"라는 시제 대응으로 나타남으로써 '접동새=죽은 누나'라는 등식을 성립시켜 주는 것이다. 이러한 접동새에의 감정이입은 접동새의 전통적 상징성인 애·원·한의 정감을 누나의 그것으로 전치시키는 효과를 유발한다.

따라서 다음 연에서 누나의 죽음에 대한 슬픈 사연이 제시된다. 그것은 전설적·토속적 에피소드와 연결돼 있다. "이붓어미싀샘에 죽엇습니다"라는 구절 속에는 「장화홍련전」 등의 설화에서 쉽게 찾아볼 수 있는 가족구조의 모순과 불균형에서 비롯된 불행한 죽음의 테마가 담겨있는 것이다. 전처 자식과 계모 간의 갈등 모티브와, 그에 따른 원통한 죽음 및 원귀의 테마가 바탕이 된 것이다. 넷째 연에서는 '원통한 죽음→원한의 접동새'로의 사연이 구체적으로 제시된다. "싀새움에 몸이죽은 우리누나는/죽어서 접동새가 되엿습니다"라는 구절처럼 '죽은 누나→죽어서 접동새'로 전이되는 과정에 속 깊은 원망과 탄식을 내포하게 되는 것이다. 아울러 이 구절 속에는 이승과 저승을 윤회하며 살아가는 것이 생명법칙이라는 전통적인 윤회설 또는 인연설이 담겨있는 것으로 이해된다. 따라서 여기에서의 한은 억울한 죽음과 그것의 어쩔 수 없었음에 대한 원망과 탄식에 연원한다. 그러므로 "누나라고 불너보랴/오오 불설워"와 같이 회한과 비탄이 표출되는 것이다. 이러한 회한과 비탄 속에는 퍼스나로서의 화자의 비통한 심정이 함께 담겨있는 것으로 보인다. 어쩌면 접동새는 누나의 원혼의 표상이기도 하지만 동시에 퍼스나의 대리자아(surrogate self)인지도 모르기 때문이다. '싀새움에 죽고, 죽어서 접동새가 되었다'는 플롯은 다하지 못한 삶, 이루지 못한 한에 대한 애절하면서도 서러운 탄식이 깃들여 있는 것이다.

특히 마지막 연에는 그러한 슬픔과 원망이 더욱 강렬하게 표출돼 있다. 죽은 누나가 눈을 감지 못하고 접동새로 부활한 것은 "아웁이나 남아되는 오랩동생"들 때문인 것이다. '동생들'에 대한 애절한 사랑을 다 하지 못한 데 대한 탄식과 절망이 끝내 편안히 잠들지 못하고 고혼의 접동새로 떠돌게 만든 것으로 보인다. 그러므로 "죽어서도 못니저 참아못니저/야삼경 남다자는 밤이 깁프면/이산 저산 올마가며 슬피웁니다"라는 통한의 결구를 형성하게 된다. "죽어서도 못니저 참아못니저"라는 구절 속에는 한의 본성이 잘 표현돼 있다. 그것은 "죽어서도"라는 강조된 시어에 담겨있는 '이루지 못함', '다하지 못함', '어쩔 수 없음'에 대한 슬픔이며, 원망이고, 동시에 한탄인 것이다. 죽어서도 채 떨치지 못하는 이승에의 인연에 대한 미련이며, 안타까운 절망인 것이다.

그러므로 이 시는 "이붓어미싀샘에 죽엇습니다", "죽어서 접동새가 되엿습니다", "죽어서도 못니저 참아못니저", "이산 저산 올마가며 슬피웁니다"라는 핵심구절에서 볼 수 있듯이 '죽음→접동새됨→죽어서도 못 잊음→슬피 울음'의 심리적 추이를 보여준다. 이것은 '좌절—미련—비탄' 혹은 '충격—절망—체념'이라는 한의 메커니즘을 반영해 준 것으로 해석된다. 이러한 심리적 추이는 그 표현양식으로는 애 · 원 · 한이라는 부정적 정서로 나타나며, 그 근원적 심리 현상은 '무의 발생—무의 통과—무로의 순응 또는 무의 긍정'이라는 전개 과정을 지니는 것으로 보인다.

이렇게 볼 때 소월 시에 나타나는 한이란 근원적인 면에서 죽음의 문제, 즉 무의 문제와 결부됨을 알 수 있다. 그것은 죽음이라는 모티브에서 비롯되며 대략 '좌절—미련—비탄' 혹은 '충격—절망—체념'이라는 심리적 추이를 지니는 것으로 이해된다. 따라서 그것은 존재론적인 면에서는 '무의 발생—무의 통과—무로의 순응 또는 무에의 긍정'이라는 메커니즘을 지니게 된다.

여기에서 소월 시에서의 한의 본성이 선명히 드러난다. 그것은 한이 무 자체의 통과과정(Néantisation)으로서의 의미를 지닌다는 점이다. 다시 말해서 한과 무가 발생하고 통과하는 과정에서 사람들이 겪는 '어쩔 수 없음', '다하지 못함'에 대한 슬픔이며, 원망이고, 동시에 한탄이라는 점이다. 바로 이 점에서 한은 분명히 절망과 좌절의 부정적 정서이지만, 실상은 마음속에 무를 체험하고 통과시키면서 그것을 어쩔 수 없이 긍정함으로써 이겨내고자 하는 소생의지이며 극복의지라고 생각할 수 있는 것이다. 분명 한은 절망이고 비탄이며 미련이지만, 그것은 삶의 운명성에 대한 긍정이며 극복의지를 역설적으로 표현한 것이다. 한에서의 폭발적인 좌절감과 비탄의 드러냄은 실상 충격으로부터 자신을 보호하려는 방어기제의 표현이며, 대리 자아를 통한 허무의 카타르시스로 볼 수도 있기 때문이다. 이 점에서 소월 시에서의 한은 한의 표출을 통한 한스러운 생의 극복의지를 반영한 것으로 이해할 수 있다.

3-4 한의 극복과 형이상적 초월

앞에서 우리는 고전시에서의 한의 양상과 특징을 살펴보았다. 또한 소월의 시를 한 예로 해서 현대시에서의 한의 구조와 특성을 분석해 보았다. 그 결과 고전시에서의 한은 대체로 소월 시의 그것과 정서적 형질을 공유하는 것을 알 수 있었으며, 그것은 험난한 역사와 어려운 현실을 긍정하며 살아가기 위한 효과적인 정신적 극복의지의 역설적 표현 방식임을 확인할 수 있었다.

그러나 우리 시의 흐름 속에는 이들과는 또 다른 구조를 지닌 한의 줄기가 흐르고 있음을 간과해서는 안 되리라 생각한다. 한 예로 그것은 황현의 시편들에서 확인할 수 있는 민족적 저항의지의 실현과정에서 나타나는 한의 분출이며, 또 다른 하나는 「제망매가」와 「님의 침묵」에서 발견되는 종교적 상상력에 연관된 한의 초극이 그것이다. 우리는 흔히 한을 말할 때 개인적 정감을 중시해 왔으며 그 결과 부정적·절망적 정서로 귀결시켜 온 것이 사실이다. 그러나 황현의 시편과 「제망매가」, 「님의 침묵」등의 시편은 한이 근원적인 면에서 정신적 응전과 극복정신, 그리고 형이상학적 초월의지에 근거하고 있음을 주목할 필요가 있다고 생각한다.

1) 매천시와 한의 극복

亂離滾到白頭年	난리를 겪다 보니 덧없이 늙었구나
幾合捐生却未然	몇 번이나 목숨을 끊으려다 못이뤘네
今日眞成無可奈	오늘 이르러 더이상 어쩔 수 없으니
輝輝風燭照蒼天	까물거리는 촛불이 창천에 비치도다
妖氣掩翳帝星移	요망한 기운이 가려서 제성(帝星)이 옮겨지니 이겨지니
九闕沉沉書漏遲	대궐은 침범되어 가 더디구나
詔勅從今無復有	이제부터 조칙(詔勅)을 받을 길이 없으니
琳琅一紙漏淚絲	구슬같은 눈물이 주룩주룩 조칙에 떨어지누나
鳥獸哀鳴海岳嚬	새와 짐승도 슬피 울고 산과 바다도 우는데
槿花世界已沈論	무궁화 삼천리 강산은 짓밟혔구나
秋燈掩卷懷千古	가을 등불 아래 책을 가리고 천고를 회상하니

難作人間識字人	인간이 안다는 것 부질 없구나
曾無支廈半椽功	일찌기 나라위한 작은 공 하나없으니
只是成仁不是忠	仁이 좀 이뤄졌을까 충(忠)이 없으니
止竟僅能追尹毅	겨우 능히 윤의(尹毅)을 따르는데 그칠 뿐이오
當時愧不躡陳東	당시의 진동(陳東)을 밟지 못해 부끄럽구나

― 「유시(遺詩)・사수(四首)」

매천 황현의 이 「유시・사수」는 개인적인 한이 아닌 민족적인 차원의 한을 보여주는 대표작으로 꼽을 수 있다. 주지하다시피 황현은 풍운의 구한말 생원회시에 장원급제까지 하였으나, 외세에 의존하여 사리사욕 추구에 급급하던 당대의 정치풍토에 절망하고는 귀향한 인물이다. 그는 두문불출하면서 학문연구에 몰두하는 한편 당대의 풍전등화 같은 국운을 염려하면서 1864년부터 1910년에 이르는 47년 동안의 정치・경제・사회・문화 전반에 걸친 상황을 기록하여 『매천야록』을 집필한 바 있다. 그러나 을사보호조약이 맺어지자 이에 흥분하여 비탄으로 나날을 지내다가는 1910년 경술국치에 이르러서는 끝내 그 울분을 참지 못하고 그해 9월 10일 스스로 자결한 순국열사인 것이다. 인용한 「유시・사수」는 바로 이러한 우국지사로서 매천이 자신의 통한을 풀지 못하여 자결하기 전에 남긴 작품인 것이다.

첫 수는 이 땅 구한말의 풍운의 역사를 말해준다. 온갖 역경 속에 흔들리는 촛불 같은 모습의 조국을 보며 느낀 비분강개의 심정이 '몇번이나 목숨을 끊으려다 못이뤘네'로 표현돼 있다. 특히 '목숨'과 '촛불'의 대응은 풍전등화 같은 조국 현실과 개인운명을 탁월하게 드러낸 것으로 보인다. 둘째 수는 어지러운 현실을 비판하는 동시에 망국의 통한을 애절하게 드러내 준다. '요망한 기운'이란 외세에 붙어서 사리사욕을 채우는 무리들에 대한 통렬한 비판이며 동시에 외세에 대한 적개심의 표현인 것이다. '눈물' 속에는 이러한 통한의 심정이 적나라하게 드러나 있다. 셋째 수는 망국의 통한을 '새와 짐승도 슬피 울고 바다도 우는데'와 같이 감정이입으로 표현하는 한편 무력한 자신에 대한 강한 자책과 한탄을 표출하고 있는 것이다. '인간이 안다는 것 부질 없구나'라는 구절 속에는 속절없는 지식인으로서의 무력성에 대한 자책과 비탄이 담겨 있는 것으로 이해된다. 마지막 수에는 이러한 자탄지심과 비통지심이 더욱 심화되어 나타난다. 나라에 대해 끼친 공로나 충성심 하나 없이 부질없는 목숨을 영위하며 지식인 행세를 해온 자신에 대한 절망이 담겨있는 것이다. 아울러 이 구절 속에는 자신의 지식과 지성을 실천적 · 행동적 지성으로 확대해 가지 못한 데 대한 안타까운 자책과 그에 따른 비탄이 드러나 있는 것으로 보인다. 망국에 대한 비통과 절망, 그리고 그것을 지켜보고만 있을 수밖에 없는 자신의 무력함에 대한 자책과 절망은 끝내 매천을 자결로 몰아갈 수밖에 없었던 것으로 이해된다. 황현은 망국의 통한과 그에 따른 민족적 울분 및 개인적 자책을 자결이라는 적극적 저항으로 극복하고자 한 것이다.

이 점에서 매천의 한은 개인적인 차원의 한을 넘어서서 민족적 한의 한 전형을 보여주는 동시에 한의 극단적 해결 방식이 자결에 있음을 보여준 예가 된다. 실상 이것은 김소월이 자신의 한을 시로써 이겨내려 몸부림치다가 그 절망의 극점에서 스스로 목숨을 끊은 것과 좋은 대비가 된다. 김소월의 자살이 개인적 한에 대한 좌절과 극복 노력에 초점이 맞춰진 것이라 할 수 있다면 매천의 그것은 민족적인 한의 극복에 그 핵심이 놓인 것으로 이해된다. 매천의 한 역시 그 심리적 추이에서는 '망국(죽음)―절망―비탄'이라는 전개 과정을 지닌다. 매천은 망국에 대해 현실의 '어쩔 수 없음'과 자신에 의해 '이루지 못함'으로 번민하였던 것으로 이해된다. 이러한 망국의 한과 그에 따른 일제에 대한 적개심의 표현은 최익현을 비롯하여 안중근 등, 수많은 순국열사와 우국지사들의 항일운동과 순국의거로 나타난 바 있다. 매천이 비록 한을 다 풀지 못하고 갔으나 만해 등 뜻있는 후인들은 그의 충절과 기개의 지고함을 기림으로써 그 넋을 위로하였다.

就義從容永報國	당당히 의(義)에 나아가 나라 위해 죽으니
一暝萬古劫花新	만고(萬古)에 그 절개 새롭게 꽃피네
莫留不盡泉臺恨	못다한 한(恨)은 남기지 말라
大慰苦忠自有人	그 충절(忠節) 위로하는 사람 많으리니!

—「황매천(黃梅泉)」

비록 매천은 망국의 한을 극복하기 위해 자결하였으나 역사 속에 영원히 살 수 있게 됨으로써 그 한은 오히려 정신적인 승화를 성취한 것으로 이해된다. 이 점에서 매천의 한은 정신의 승리로서의 의미를 지닌 것이 분명하며, 바로 이 점에서 한이 부정적·절망적인 것만은 아님을 짐작할 수 있게 해준다.

2) 「제망매가」와 한의 초월

한편 「제망매가」는 우리 문학사에 있어 한의 극복이라는 문제에 있어 보다 바람직한 정신적 대응 자세를 보여준 작품으로 이해된다. 월명사가 지은 이 작품은 어린 나이에 죽은 누이동생을 추모하여 지은 향가로 알려져 있다. 죽음이라는 숙명적 사실에 마주하여 그것에 애통해하기보다는 먼 훗날의 재회를 기약하는 종교적 구도를 통해서 숭고하기까지 한 비극의 형이상적 초월을 보여준 것이다.

> 생사로(生死路)는
> 예 이샤매 저히고
> 나는 가ᄂ다 말ㅅ도
> 못다 닏고 가ᄂ닛고
> 어느 ᄀ술 이른 ᄇᄅ매
> 이에 저에 ᄠ딜 닙다이
> ᄒᄃᆞᆫ 가재 나고

가논곧 모드온뎌
아으 미타찰(彌陀刹)애 맛보올 내
도(道)닷가 기드리고다

　　대략 3연으로 나눌 수 있는 이 작품은 첫 연 "가느닛고"까지에서는 누이동생의 죽음을 직서(直敍)하고 있다. "나는 가느다 말ㅅ도/못다 닏고 가느닛고"라는 구절은 바로 누이동생의 죽음이 이 작품의 모티브가 됨을 설명해준다. 그러나 이 죽음이라는 무화의 충격에 절망하고 비탄하기보다는 죽음에 대한 소중한 깨달음을 제시해준다는 점에서 의미를 지닌다. 그것은 "생사노ㄴ/예 이샤매 저히고"라는 구절의 중요성에 놓이게 된다. "생사노ㄴ/예 이샤매"라는 구절 속에는 생과 사가 별개의 것이 아니라 그것이 근원적인 면에서 서로 동일성을 지니고 있음을 말해준다. 생이라는 총체성 속에는 이미 사라는 개념이 포함돼 있음을 제시한 것이 된다. 아울러 생과 사는 동전의 표리와 같이 생의 총체성에 포괄된다는 인식을 담고 있는 것으로 이해된다. "모드온뎌"까지의 둘째 연은 누이동생의 죽음과 퍼스나와의 관계가 비유적으로 표현된 특징을 지닌다. "어느 ㄱ술 이른 ㅂ름"이란 예기치 못하던 불운의 엄습을 말하며 "이에 저에 뻐딜 닙"이란 요절한 누이를 나뭇잎으로 비유한 것이 된다. 돌연한 죽음의 충격에 비통해하는 것이 아니라, 그것을 "이른 ㅂ 름"과 "떨어진 잎"으로 비유함으로써 정신적 위기를 극복하고자 시도하는 것이다. 아울러 "ㅎ 돈 가재 나고/가논곧 모드온뎌"라는 구절을 통해서 누이동생과의 생전의 인연, 즉 한 부모로부터 출생한 사실과 함께 단독자로서 인생을 살다가 홀로 사라져 갈 수밖에 없는 인간의 운명성을 제시해준다. "가논곧 모드온뎌"라는 구절 속에는 단독자로서의 인생, 일회적인 것으로서의 인생에 대한 깊은 탄식이 담겨있는 것으로 보인다. 그러나 이것 역시 비탄으로서 표출되기보다는 존재에 대한 철학적 인식으로 고양됨으로써 인간의 숙명적 비극성에 대한 긍정을 보여주게 되는 것이다. 따라서 마지막 연에서 인간의 유한한 생명을 미래지향의 생명의식으로 극복하고자 노력하게 된다. "아으 미타찰애 맛보올 내"라는 구절 속에는 생명이 윤회하는 영원성의 법칙을 지니며 그것은 열심히 "도닷가 기드리는" 행위에 의해 성취될 수 있음을 제시하고 있다. 특히 "도닷가"라는 표현 속에는 죽음의 절망에 대한 비통한 극복의지가 내연된 것으로 보인다. 그러나 이 말속에는 인간이 할 수 있는 것은 오로지 그러한 절망과 비탄을 종교적인 갈망과 기도로서 이겨내려는 성실한 노력 자체에 있을 뿐이라는 점을 강조한 것으로 보인다. 이 점에서 「제망매가」는 종교적인 신앙심을 갖는다는 것이 '어쩔 수 없는 것', '다하지 못한 것'으로서의 생의 숙명성과 그 한을 극복하는 데 가장 유효한 정신적 응전방식이 될 수 있다는 데 대한 소중한 깨달음을 보여주는 것으로 이해된다.

이 작품 역시 '죽음'에서 시의 모티브가 비롯되며 '절망—미련—비탄'이라는 심리적 추이를 지닌다는 점은 앞의 작품들과 유사하다. 그러나 그러한 심리적 추이를 나타내는 방식은 전혀 다른 것이다. 아마도 그것은 앞에서의 작품들이 한을 '무의 발생—무의 통과—무의 순응 혹은 긍정'으로 이겨 나가려 한 것과는 달리 마지막 과정을 '무의 초극'으로 극복하려 한데서 그 정신의 깊이가 드러나는 것으로 이해된다. 이러한 '무의 초극'에 정신적 힘을 제공한 것은 바로 종교적인 갈망과 기도인 것이다. 이 점에서 「제망매가」를 비롯한 많은 향가에서 찾아볼 수 있는 종교적 상상력의 힘은 한국시가에서 그 깊이를 더해주는 원동력이 됐던 것으로 이해된다.

만해의 「님의 침묵」은 우리 시문학사에서 이러한 종교적 상상력에 의한 한의 초극에 대한 가장 뚜렷한 성취를 보여준 한 작품으로 판단된다.

> 님은갓슴니다 아아 사랑하는나의님은 갓슴니다
> 푸른산빗을쌔치고 단풍나무숩을향하야난 적은길을 거러서 참어
> 썰치고 갓슴니다
> 황금(黃金)의꼿가티 굿고빗나는 옛맹서(盟誓)는 차늬찬씌끌이 되

야서 한숨의미풍(微風)에 나러갓슴니다

날카로은 첫「키쓰」의추억(追憶)은 나의운명(運命)의지침(指針)을
돌너노코 뒤ㅅ거름처서 사러젓슴니다

나는 향긔로은 님의말소리에 귀먹고 곷다은 님의얼골에 눈머럿슴
니다

사랑도 사람의일이라 맛날째에 미리 써날것을 염녀하고경계하지
아니한것은 아니지만 리별은 뜻밧긔일이되고 놀난가슴은 새로슯음
에 터짐니다

그러나 리별을 쓸데업는 눈물의원천(源泉)을만들고 마는것은 스스
로 사랑을 깨치는것인줄 아는따닭에 것잡을수업는 슯음의힘을 옴겨
서 새희망(希望)의 정수박이에 드러부엇슴니다

우리는 맛날째에 떠날것을 염녀하는것과가티 써날째에 다시맛날
것을밋슴니다

아아 님은갓지마는 나는 님을보내지 아니하얏슴니다

제곡조를못이기는 사랑의노래는 님의침묵(沈默)을 휩싸고돔니다5)

시「님의 침묵」은 님의 상실에서 그 모티브가 비롯된다. 여기에서의 상실
은 단순한 이별일 수도 있으며, 님의 죽음일 수도 있다. 아니면 조국의 상실과
같은 커다란 민족적 의미일 수도 있을 것이다. "님은갓슴니다 아아 사랑하는
나의님은 갓슴니다"라는 구절은 거두절미하고 본론으로 들어간 것이 된다.
그러므로 이 상실은 무화의 충격을 안겨주며, 이 시에서 그것은 "썰치고 갓슴
니다", "나러갓슴니다", "사러젓슴니다", "귀먹고 눈머럿슴니다"와 같은 부정
적·절망적 표현으로 나타난다. 특히 "운명의지침을 돌너노코"라는 구절은
그러한 무화의 충격이 얼마나 인생행로에 결정적인 영향을 미쳤는가를 설명
해 준다. 또한 그것은 "귀먹고" "눈머럿슴니다"라는 표현에 의해 절망적인 세
계인식으로 연결되는 것이다. 그러므로 "리별은 뜻 밧긔일이 되고 놀난 가슴
은 새로은슯음에 터짐니다"라는 구절에 이르러 절망의 한 극점에 도달하게

5) 한용운, 『님의침묵』(회동서관, 1926).

된 것으로 이해된다. 이 "새로운슬음에 터지는" 놀란 가슴은 무가 발생해서 그것이 통과하는 데 따른 충격이며 아픔인 것이다. 이 점에서는 「님의 침묵」이 좌절과 절망의 노래임을 알 수 있다.

그러나 이 시는 다음 연 '그러나~' 이후에서 시상의 급전이 이루어짐으로써 새로운 국면을 맞이하게 된다. 앞에서 무의 발생에 따르는 비탄과 절망은 무가 통과하는 과정에서 '슬픔의 힘'을 획득하고 마침내는 '새 희망'으로 전이하게 되는 것이다. 여기에서 절망과 비탄으로만 보이던 이별의 한이 그 극복의 모티브를 마련하게 되며 시상이 상승국면으로 전환하게 되는 것이다. "써 날째에 다시맛날것을 밋습니다"라는 구절 속에는 이미 무의 초극이 성취되고 있는 것으로 이해된다. 따라서 "님은 갓지마는 나는 님을보내지 아니하얏슴니다"라는 만남에의 확신 또는 부활에의 신념이 가능하게 되는 것이다. "제 곡조를 못이기는 사랑의 노래"로서의 인간적인 한의 슬픔은 거대한 '님의 침묵'이라는 무의 세계로 이끌려 들어가게 됨으로써 마침내 초월과 극복을 성취한 것으로 해석된다. 여기서 한의 극복, 즉 무의 초극은 「제망매가」에서와 마찬가지로 종교적인 상상력의 힘에 의해 얻어지는 것으로 판단된다.

결국 「님의 침묵」은 이별의 한이나 슬픔 그 자체를 노래한 작품만은 아니다. 오히려 이별(죽음)을 통해서 절망과 비탄을 겪은 다음 사랑과 인생의 참다운 의미를 새롭게 발견함으로써 한의 극복을 성취하려는 생성과 희망의 시로 이해하는 것이 옳을 것이다. 이 점에서 「님의 침묵」은 우리 시문학에서 한이 어떻게 참된 극복을 성취할 수 있는가에 대한 바람직한 방향을 제시한 점에서 새로운 의미를 평가받아야 하리라 생각한다.

3-5 맺음말

지금까지 우리는 한국시에서 한이 어떻게 나타나며 그 구조적 특징이 무엇인가를 살펴보았다.

한이란 불운한 인생살이 또는 억울한 죽음(이별)에 대한 좌절과 절망에서 그 모티브가 비롯되는 것이 일반적 특징이다. 그리고, 그것은 이루지 못한, '다하지 못함', '어쩔 수 없음'으로서의 생의 숙명성에 대한 원망과 탄식을 기본 정조로 하며, 흔히 '좌절—미련—비탄' 혹은 '충격—절망—체념'이라는 심리적 추이를 지니는 것으로 이해된다. 또한 한은 상실의 충격이 주는 심리적 외상이 치유되지 않은 채 심리적 내상으로 옮겨진 절망의 응어리이며, 회한의 옭매듭이고, 허무의 핵이라고도 볼 수 있다. 따라서 '무의 발생—무의 통과—무에의 순응 또는 긍정'이라는 일반론적 메커니즘을 그 속성으로 한다.

그러나 한은 절망과 애상의 부정적 정서로 나타나지만 그 내면에는 죽음(이별 · 상실)을 통해서 마음속에 무를 통과시키면서 그것의 '어쩔 수 없음'을 긍정하고 정신적으로 이겨내고자 하는 소생과 극복의 의지를 담고 있는 것으로 볼 수 있다. 이 점에서 한은 절망과 비탄을 표층 정서로 하고 있지만 실상은 외부의 충격으로부터 자신을 보호하려는 방어기제의 드러냄이며 동시에 대리자아를 통한 카타르시스의 역설적 노력이 내포된 것으로 해석할 수 있다. 이것은 험난한 이 땅의 역사 전개와 어려운 개인적 현실 속에서 스스로의 생을 긍정하며 살아가기 위한 운명애와 극복의지의 한 변형으로 볼 수도 있는 것이다.

한의 문제는 앞으로도 한국시에 있어 중요한 문학적 원체험이 될 것이 분명하다. 따라서 이에 대한 집중적인 천착에서 한국시는 그 깊이와 넓이를 더해갈 것으로 이해된다. 특히 한(恨)을 민족적 주체성에 바탕을 둔 역사적 상상력의 각도에서 조명하고, 종교적 상상력으로 확대해 가는 데서 바람직한 문학적 지평을 열어갈 것으로 판단된다.

4. 개화기 시조의 한 고찰

−『청춘』지를 중심으로−

I

① 육당 최남선은 말한다.

> 시조(時調)는 조선문학(朝鮮文學)의 정화이며 조선시가(朝鮮詩歌)
> 의 본류(本流)이다. 시방 조선이 가지는 정신적 전통(傳統)의 가장 오
> 랜 실재(實在)이며 예술적 재산의 오직 하나의 성형(成形)이다.
> −『시조유취(時調類聚)』서문(序文)

　개화기의 문학, 특히 시가를 논할 때 일반적으로 우리가 관심을 기울이는 것은 재래 시가의 정형성에 관한 것이다. 사실 최남선의 말대로 시조는 전통적인 시가의 대표적 장르이며, 이의 특징은 거의 이 정형성에 근거를 두고 있다. 육당의 전통론에 입각한 이 시조관은 그가 이 땅의 시사에 새로운 전환을 불러일으킨 신시 최초의 작자라는 사실을 생각해 볼 때 우리에게 묘한 위화적 아이러니를 느끼게 한다. 지금에 와서까지 시조가 현대시의 한구석에서 호흡을 유지하고 있는 것은 사실이지만, 이미 시조는 그 본래의 시사적 사명을 다한 낡은 복고적 정서의 유로에 지나지 않는다. 한 시대는 그에 알맞은 감수성의 내용과 그의 독특한 표현가치를 갖는다. 브륀티에르의 말을 빌린다면

문학상의 장르는 어느 정도 완성된 정도에 이르면 시들고 드디어는 소멸하고 마는 것이기 때문이다.[1]

문학의 진화는 일련의 발단과 종결을 가진 참된 연쇄로 구성되어 있기 때문에[2] 시조도 사실 그의 전통적 특성과 위치를 이미 상실한 것으로 볼 수 있다. 그러나 문학은 부단한 변증법적 발전에 의해 새로운 생명을 이어 간다. 또한 이러한 과정에는 참된 의미의 단절은 있을 수 없는 것이다. 여기에 개화기의 시조가 고구되어야 하는 소이가 있다. 또한 마땅히 이 개화기의 시조-이를 편의상 신시조[3]라는 명칭으로 부르기로 한다-는 상대적 의미인 고시조와의 관계성을 주로 하여 검토되어야 함은 물론이다.

② 이러한 개화기의 신시조에 관한 고찰은 신시의 발전과 그 발전과정에 관한 문제 해결에 중요한 연관을 갖는다. 왜냐하면 신시의 성립 발전의 문제가 중요한 것과 마찬가지로 재래 우리의 정통적 시가인 고시조의 붕괴 내지는 변신도 탐구되어야 하기 때문이다. 또한 이것은 우리 문학사에서 전통론의 문제를 제기하는 중요성을 내포하고 있다. 그럼에도 불구하고 이 개화기의 시조, 즉 신시조에 대한 우리의 관심은 매몰된 채로 있으며, 따라서 그에 관한 연구도 거의 보이지 않고 있다. 개화기 시가를 논함에 있어서 창가와 신시 및 신시조와의 상관관계는 면밀히 연구될 필요성이 있다. 그렇지 않고서는 우리의 시사 형성 및 전개 과정에 있어서 올바른 전통의 맥락이 밝혀질 수 없는 것이다.

바로 이런 점에서 개화기 시가의 연구는 그 중요성을 갖게 되며 본고를 작성하는 근거가 된다. 이 논고에서 필자는 개화기의 시가 중에서 특히 『청춘』지[4] 소재의 시조들을 중심으로 재래의 시조, 즉 고시조와의 비교분석을 통하

---

1) R.Wellek & A.Warren, *Theory of Literature*(Penguin Books, 1976), 256쪽.
2) 윗책, 267~269쪽.
3) 김상선, 「시조의 형태적 고찰」, 『어문논집』(중대 국어국문학회).

여 몇 가지 특징들을 살펴보고자 한다.

II

① 우리의 시가에서 가장 빛나는 자리를 차지하고 있던 시조는 이조말 박효관, 안매영 시기5)를 거쳐서 형식상, 내용상의 변화를 겪게 된다. 이러한 전통문학의 전면적 붕괴 현상은 육당, 춘원, 가람 등의 선구적 노력으로 시작된다. 육당에 의하면 그는 "다만 시조(時調)를 한 문학유희(文學遊戲)의 굴형에서 건져내어서 엄숙한 사상(思想)의 일용기(一容器)를 만들어 보려고"6) 신시조를 창작하기 시작하였던 것이다. 그러면 『청춘』지 전권(1권~15권) 소재의 시조들을 내용적인 면과 형식적인 면으로 구분하여 재래 고시조와의 차이점을 추출해 보기로 한다.

② 『청춘』지에는 1권부터 15권까지 거의 매권마다 창작시조가 한두 수씩 실려 있으며, 특히 제12호에는 「고금시조선(古今時調選)」이라 하여 고구려 을파소로부터 이조 중엽 효종대왕 무렵까지의 작품을 수록하고 있다.

먼저 『청춘』지의 신시조가 고시조와 비교할 때 두드러지는 특징은 신시조가 모두 제목을 갖고 있다는 점이다. 특수한 경우를 (「어부가」, 「훈민가」, 「도산십이곡」, 「조홍시가」 등) 제외하고는 고시조는 제목을 갖고 있지 않은 것이 보편적 사실이다. 또한 제목을 가지고 있다 하여도 정철의 것처럼 「우십육재경민편」이라 하여 '충효, 남녀유별, 장유유서, 군신' 등의 유교적, 관념적 주제에 의한 분류에 그치고 있는 것이 사실이다.

---

4) 『청춘』지는 1호(1914. 10. 1)에서 15호(1918. 9. 26)까지 출간되었다. 본고의 텍스트는 문양사(1970. 3) 영인본이다.

5) 박효관·안매영, 「가곡원술」(아세아문화사간, 1973).

6) 최남선, 『백팔번뇌』(동광사, 1926).

(古) 「내마음 버혀내어 저달을 만들과저 구만리장천(九萬里長天)에
번드시 걸려 있어 고운님 계신 곳에 가 뵈최여나 보리라」

-정철-

(新)　　　　가을 님 생각

누른들 붉은 뫼를 풀은하는 멀리싼대
논틈에 저 흰것은 사람인가 두룸인가
구름 밧 쎄기럭이만 검읏검읏하여라

님 그리는 피눈물이 닙닙히 들엇고나
설어온 저 뫼압히 화랑아 질겨마라
멋 겨워 부르는노래 제야 엇지 드르리.

나붓기는 저 닙새도 배를지어 탈양이면
아득한 님에게로 가기도 하오련만
미울손 골바람이 업칠뒤칠 하여라

-한샘-
-『청춘』2호, 104쪽.

　이렇게 제목의 유무가 문제 되는 것은 바로 그것이 작품의식에 관한 문제와 관련이 있기 때문이다. 한 예술작품에 제목이 설정되지 않고 작품 자체만 존재한다면, 이것은 의식적인 예술적 대상의 데포르마시웅 과정을 중시하지 않은 결과에서 비롯된 것으로 볼 수 있다. 『청춘』의 시조들이 모두 이처럼 제목을 갖고 있다는 사실은 이 무렵의 신시조에 이르러 비로소 시조 작가들이 예술적 대상의 형상화라는 작품의식과 아울러 문학사적 장르의식을 확립하게 된 것을 뜻하는 것으로 보인다.

　다음으로는 작가의 문제이다. 고시조의 경우 시조작품은 실명씨의 작품이 많다. 반면 이『청춘』지의 시조는 한샘이라는 최남선의 아호가 명기되어 있음을 본다.

이것은 역시 이 무렵의 신시조 작가들이, 특히 그 선구적 작가인 최남선의 확고한 작가의식 내지 시인의식에 의해 시조를 창작하고 있었다는 사실을 의미한다. 다음으로 시조의 특징이 지적되는 것은 행과 장의 명확한 구분이다.

(古) 백일(白日)을 서산(西山)에 지고 황하(黃河)는 동해(東海)로든
　　다. 고래영웅(古來英雄)은 북망(北邙)으로 드단말가 두어라 물
　　유성쇠(物有盛衰)나 한(恨)할줄이 이시랴.
　　　　　　　　　　　　　　　　　　　　　　　－최충(崔冲)－
　　　　　　　　　　　　　－동(同) 12호, 「고금시조선(古今時調選)」에서

(新)　　　　　붓

　　집우산이 우슴을 싸 인력거(人力車)에 실녀가고
　　보리둥지 내민배를 자동차가 날을때에
　　샌님집 다달은 붓은 축 째업서 가더라

　　눈감고 말은붓을 입에 물어 푸노라니
　　동량(冬糧)하란 쟁가리가 건너문(門)에 어즈럽다
　　틈타서 외마디소리 문수(門數)하라 하더라

　　찍을가 말가하여 붓대들고 망설이니
　　비누물 풀어들고 마츰 달겨드는 아이
　　절할쩨 그대를 쏩아 나를 달라하더라
　　　　　　　　　　　　　　　　　　　　　　　－한샘－
　　　　　　　　　　　　　　　　　　　－동(同) 3호, 78쪽.

　　고시조의 경우에는 일률적으로 거의 행과 행, 장과 장의 구분을 행갈이하고 있지 않은 데 비해, 물론 몇몇 연시조의 경우는 예외이지만 신시조는 초장, 중장, 종장의 구분은 물론 각 연도 명확히 구분하고 있다. 이것은 고시조가 자

수율에는 비교적 엄격하였음에도 불구하고 여타 시적 형식과 표기방법 및 시각적 전달의 문제에는 별로 주목하고 있지 않음을 뜻한다.

반면 신시조는 명확한 예술작품으로서의 시조를 의식하고 있으며, 아울러 이 독립된 장르로서의 시조라는 장르를 의식적으로 확립하려는 노력이 개재되어 있음을 뜻하는 것이 된다. 또한 고시조가 평시조, 엇시조, 사설시조의 각각 형식상의 정형성을 갖고 있음에 비해『청춘』의 신시조는 거의 전부가 초·중·종장 3행으로 연결된 3연 구성의 형태를 갖고 있다. 이것은 육당의 시조에 대한 관점이 재래 시조의 형태를 거의 답습하면서도 새로운 신시적 양식의 시도로서 시조를 변용, 부활하자는 의도를 드러내고 있는 것으로 해석된다.

아울러 이러한 행과 연의 명확한 구분은 시조가 시조라는 장르의 명확한 설정에 의해서, 같은『청춘』지 지상에 거의 비슷한 빈도로 나타나고 있는 창가나 신시와는 스스로 구별시키고자 하는 장르의식을 반영한 것으로 생각된다. 이것은 고시조가 창가로, 다시 창가에서 신체시로 변이하였다는 일부 기왕의 논설에 대한 뚜렷한 반증이 된다.

이처럼『청춘』지에 나타난 시조들은 스스로 명확한 행과 연의 구분으로 신시와는 독립된 장르의 형성과 확립을 꾀한 것이다. 그런데 여기서 한 가지 주목할 사실은 신시조가 계몽적인 내용과 설명적인 의도로 형상화되고 있는 점이다.

> ① 낙화암(落花岩) 꽂이운 째 반월성(半月城) 가는 그대 영월도월(迎月途月) 못하여도 삼충사(三忠祠) 부대 찾소 즈믄해 묵은 일기를 뉘야쓸가 하노라.
>
> 반월성(半月城)은 백제의 도성(都城)이오, 낙화암은 의자왕이 상국(喪國)할 때에 궁녀(宮女)들이
> 부수(赴水) 순절(殉節)하던 데요 삼충사(三忠祠)는 제말 충신 단

갈(斷褐)이 근존(僅存)할 뿐이며 영월도월(迎月途月)은 아울러
백제(百濟)의 유대명
　　　　　　　－한샘, 「부여(扶餘)가는 이에게」, 동(同)9호(號) 82쪽.

② 간곳마다 삼(杉)이나 송(松)의 삼림(深林)이 잇스니 반드시 신사
　(神社)가 잇고 촌간중(村間中)에
　놉고 큰 용마름이 보이는 것은 반드시 사원(寺院)이요 십리(十里)
　혹 오리(五里)씩 광정(廣庭)
　고동(高棟)에 창경(窓鏡)이 난잡(連匝)한 거성(巨星)은 11-중학
　교(中學校)라 동정(東征) 수천리정에 연창광(沿窓光)
　경(景)이 이 점(點)에는 여인판일(如印板一)이니라
＊ 노송(老松)나무 습김혼대 홍(紅)살문(門)은 「야시로」(신사(神社))오 성
　낭통집 소북한중(中) 놉다라니 「뎨라」(사원(寺院))로다 쓸넓고 유리
　창(琉璃窓)박은 큰집은 학교인가 하노라

③ 마관근방(馬關近傍)은 남난지(南暖地)라 겨울에도 들이 오히려
　푸르고 감자(柑子)나무의 녹엽황(綠葉黃)
　실(實)은 색(色)이 더욱 선하며 그리로서 한 동안에는 채소(菜蔬)
　가 오히려 밧헤 있는데 이 반일정(半日程)쯤 가면 광경(光景)이
　크게 틀니고 동경근지(東京近地)에 이르러서는 산(山)에는 적설
　(積雪)이 반(半)잇고… 아츰에 차외(車外)를 보면 춘국(春國)으로
　서 별안간 동지하(冬地下)에 온듯 하더라
　＊ 나무에 연 황감자(黃柑子)를 보고서 마관(馬關)떠나 양지(陽地)
　　짝 밧고랑에 치워하는 배추 보고 밤지나 눈 잇난대오니 동경(東
　　京)이라 하더라
　　　　　　　　　－한샘, 「동경(東京)가는 길」, 동(同)7호

위 인용문에서 보듯이 「부여가는 이에게」는 시조 한 수 다음에 반드시 그
내용에 대한 설명적인 부연을 덧붙이고 있으며, 「동경가는 길」에서는 산문적
인 내용을 서술하고 난 다음에 그 내용을 시조화하고 있다. 이러한 변형적인

시조 형태는 고시조에는 물론 없었던 것으로, 이것은 육당 자신이 본격적인 예술가로서의 전문적 시인의식으로서 보다는 계몽적 문학관을 가진 입장에서 시조를 창작하고 있었음을 스스로 증명하는 실례가 될 것이다. 자수율에 있어 대략 '3, 4, 3, 4/4, 4, 3, 4/3, 5, 4, 3'(「부여가는 이에게」)이나 '4, 4, 4, 4,/4, 4, 4, 4, 7/3, 5, 3, 7'(「동경가는 길」) 등처럼 고시조와는 별로 다를 것이 없는 형식을 취하고 있다는 사실은 또한 육당이 어디까지나 전통적 운율을 바탕으로 새로운 내용의 가능성을 활용하여 시조를 부흥하자는 진화된 장르 의식을 보여준 것으로 생각된다. 이러한 사실은 『소년』이나 『청춘』지 지상에 자유로운 자수율의 신시나 혹은 창가가 서로 시조와 대등하게 나타나고 있는 것을 볼 때 육당이 외래문화의 직수용태인 신시와 아울러 우리의 전통적인 시조도 그 계몽성에 의해 문학의 보편성과 세계성을 획득하자는 의도를 꾀한 것으로 해석된다.

③ 일반적으로 고시조는 양반학자들이 화조월석에 음풍영월하거나 인생무상을 즉흥적으로 읊은 것이 그 주류를 이룬다.[7] 그런 만큼 고시조의 주제성은 상자연에 인위적인 의의를 긍정하는 데서 그 중심 모티브를 갖는다.

우선 내용적인 면에서 살펴볼 때 『청춘』지의 시조들은 현실적, 생활적인 제재를 택하고 있음을 알 수 있다. 고시조의 대부분은 상자연이나 연군, 그리고 인생무상을 노래하는 데 필요한 표상을 많이 취하고 있었다. 그것은 '수(水) · 석(石) · 송(松) · 죽(竹) · 월(月) · 풍(風) · 림(林) · 운(雲)' 등의 자연계의 사물과 그 자연과 인간의 관계 현상에 그 중심제재와 소재를 두는 것이다. 이러한 것은 시가 자연물의 상징화에 그 일차적 속성이 있음에 비추어 볼 때 고시조의 제한적이고 평면적인 제재성을 보여주는 예가 될 것이다. 신시조의 경우 이러한 제재는 훨씬 다양한 모습을 띄운다.

---

7) 유성규, 「현대시조의 특질」, 『시조문학』 6호.

* 우산, 인력거(人力車), 자동차(自動車), 행가리, 비눗물

                                                ─「붓」, 동(同)3호, 78쪽.

* 닭, 해, 얼굴, 입김, 영광, 찬송, 쑴

                                      ─「님 나신날」, 동(同)4호, 100쪽.

* 치위, 평등(平等), 성미, 만물(萬物), 움치림

                                    ─「치위」, 同6호, 84쪽.

* 신사(神社), 사원(寺院), 성냥통집, 유리창, 학교, 기모노, 황감자(黃紺子), 동경(東京)

                           ─「동경(東京)가는 길」, 동(同)7호.

* 내속, 옷, 얼굴, 일홈, 참 나

                                  ─「내속」, 동(同)8호, 64쪽.

* 매암이, 매운 사람, 낮잠, 세상, 소리

                                  ─「매암이」, 동(同)12호, 60쪽.

이러한 시어의 다양성과 대상의 현실성은 결과적으로 주제의 확대 내지 문학관의 변화를 의미하는 것이 된다. 「가을 님 생각」, 「붓」, 「님 나신 날」, 「치위」, 「동경 가는 길」, 「내속」, 「매암이」 등은 뚜렷한 예술적 형상화의식이 담긴 상징적 주제성을 갖고 있는바, 이러한 현실적 대상과 소재에 바탕을 둔 신시조의식은 고시조의 교훈적 음풍영월과는 궤를 달리한 것이다. 이러한 신시조의 현실성은 "깁우산이 우슴을 싸 인력거(人力車)에 실녀가고/보리둥지 내민 배를 자동차가 날을 때에/샌님집 다 달은 붓은 촉째업서 가더라"(「붓」)처럼 풍자성을 수반하기도 한다. 이러한 것은 사설시조에서 싹트기 시작한 것으로서, 신시조에 이르러 비로소 근대의식이 본격적으로 반영되기 시작했음을 뜻하는 것이 된다. 또한 고시조는 대개가 은둔생활과 전원생활에 바탕을 둔 소극적 발상법과 정관적인 상상력을 취하고 있음에 비해 신시조는 개화기

의 생활 감각과 근대의식의 성장에 의해 적극적이며 능동적인 시 형상화 의
지와 노력에 의지하여 시적 구조를 형성하고 있음을 의미하는 것이 된다.

(古) 공명(功名)이 긔 무엇고 헌신짝 버스니로다
　　전원(田袁)에 도라오니 미녹(麋鹿)이 벗이로다
　　백년(百年)을 이리 디냄도 적군은(赤郡恩)이로다

　　　　　　　　　　　　　　　　　　－신흠(申欽)－

(新) 풀밧희 누은소는 새국이 소리듣고
　　버들그늘 속에 잠자리 거름맬 제
　　제비는 저혼자 밧바 갈팡질팡하더라

　　　　　　　　　　　　　　　　－「냇가에서」

　　장마가 잔칼질로 참혹히 된 흙비탈에
　　쓸쓸히 난 풀아 너는 살 희망 무엇이뇨
　　가을만 열음들 열제 남갓잘 분이옵네

　　　　　　　　　　　　　　－「벌어버슨 뫼앞에서」

　　자는 듯 죽었는듯 꼼짝안튼 나무새들
　　바람한번 지나가매 닙닙히 우줄활활
　　이윽고 고요해지니 새색신듯 하여라

　　　　　　　　　　　　　　　　－「숲 속에서」
　　　　　　　　　　－한샘, 「녀름길」, 동(同) 9호에서

　　치위가 맵더라도 어서가기 바라지마소
　　이 치위 가는 바에 세월이 짜르오리
　　치윈들 쉬우랴마는 내 먹을가 하노라
　　……중장(中章)생략……

　　네 성미 불ㅅ근할때 뉘아니 떨랴마는

조금만 눅으려도 움치림이 다 펴도다
만물(萬物)을 쥐고 펴고하니 큰힘인가 하노라
　　　　　　　　　　　　－한샘, 「치위」, 同6호, 84쪽

　비록 "하더라", "펴도다", "하노라"와 같이 고시조적 문체의 상투성을 버리
지는 못했지만, 상기 두 인용 시조는 서로 큰 차이점을 갖는다. 신흠의 시조가
고시조적 상투성에서 비롯된 세련미를 지니고 있음에 비해 신시조는 현실감
이 있는 생경한 참신성을 갖는 것이다. 이러한 사실은 이 신시조가 고시조와
는 엄격히 다른 역사적 상상력에서 비롯되고 있음을 뜻한다. 사실 고시조의
단순한 구성과 일률적인 내용성을 담은 정적 상상력8)은 이 신시조에 이르러
역동적 감수성의 진폭을 구유하게 되는 과도적 모습을 띠게 된 것이다. 이처
럼 신시조의 내용은 우선 시어의 문제에 있어서 고시조의 한시나 중국 고사의
인용에서 벗어나9) 외래어를 비롯하여 과학용어나 일상용어를 그대로 사용하
고 있음을 볼 수 있다. 또한 그 제재도 자연물의 현상과 변화에 치우쳤던 경향
에서 벗어나 이미지와 표정성 혹은 상징성을 구유한 것을 택하고 있다. 이러
한 감수성 영역의 확산은 필연적으로 주제의 변화를 초래하였다. 고시조의
경우 그 시조의 주제는 한거(閑居)와 연군에 그 중심 발상을 두고 있다. 이것
은 유가적 자연관10)을 축으로 전개되었으며, 그러므로 주제의 평면성과 단일
성을 의미하는 것이 되었다. 그러나 신시조의 경우 이러한 주제는 현실 생활
에서 취재한 인간의 정신 능력의 많은 것을 포괄하게 되었다. 이것은 바로 근
대적 자유시의 주제와의 접근을 의미하는 것으로서, 시조는 다만 그 형태적
인 면에서만이 재래적 특성을 유지하게 된 것이다. 정형적인 형식이 틀 안에
근대적인 자유로운 인간 생활의 영역을 포괄적으로 수용, 형상화한다는 것은

8) 필자는 고시조의 미적 구조의 한 특성을 상상력의 정관성(statics)에 의해 정관적 상
　상력으로 본다.
9) 김상선, 「신시조의 양상」, 『국어국문학』 36호.
10) 최진원, 「강호가도와 풍류」, 『성대논문집』 11집.

무리가 아닐 수 없다. 이런 점에서 바로 시조의 시적 한계성이 노정되는 것이며, 그런 까닭에 시조는 이미 우리 시사에 있어 그 전통적 사명을 다한 것으로 볼 수 있다. 신시조의 이러한 내용적 변이와 확산은 근대화에 따른 시 의식의 확대와 심화로 인해서 다양한 자유시적 제재와 주제성에 근접함으로 말미암아 내용적, 주제적인 면에서 이미 재래적 생명력을 유지할 수 없게 된 것이다.

그러므로 시조는 단지 복고적 정서에 의한 보수적 전통문학 형식으로 잔존 물화하게 되었다. 이미 『청춘』지 시기에 와서 시조는 보수의식과 진보의식의 대립적인 갈등 양상[11]을 지닌 과도기적 장르의 퇴화적 성격을 유지하기에 급급하게 된 것이다.

III

지금까지 필자는 『청춘』지의 시조를 중심으로 개화기 시조의 특질에 관하여 매우 간략하게 살펴보았다. 그 형태적인 면에서 접근한 것을 요약하면 다음과 같다.

고시조와 비교할 때 『청춘』의 시조들은 모두 표제(제목)들을 갖고 있는데, 이것은 이 신시작가들이 시조도 신시와 마찬가지로 미적 대상과 체험의 형상화라는 작품의식을 확립하고 있다는 것을 의미한다. 또한 작자를 명기하고 있는 것은 이들이 예술가로서의 작가의식을 말해주는 것으로 해석된다. 아울러 신시조는 행과 행, 연과 연을 구분함으로써 명확한 시조적 형태의 장르의식을 형성하고자 노력한 것이 특기된다. 또한 전체적인 자수율에는 별로 변주를 시도하고 있지 않지만, 팽창하는 주제와 내용의 확대적인 내적 요구로 인해 연을 더 늘이거나 설명문을 부기하는 기형적 시 방법을 보여주고 있다.

이러한 것들은 시조가 이미 형태적 완고성과 제한성으로 인해 폭넓은 근대

---

11) 김윤식, 「국문학사론」, 법문사, 84~101쪽.

의식과 현실적, 사회적인 대상을 수용할 수 없는 한계성을 스스로 내포하기 때문인 것으로 해석할 수 있다. 또한 내용적인 면에서 볼 때 이 신시조는 고시조의 일률적인 주제성과 평면적인 제재성에서 벗어나서 다양한 주제와 현실적인 감수성의 제재를 활용하고 있다. 그러나 이러한 내용적인 확대와 변주는 필연적으로 자유시와의 장르적 구분을 무용한 것으로 만들며, 그럼으로써 시조가 전통문학사에서 차지하는 내용적 특성과 생명력은 이미 붕괴되지 않으면 안 될 위치에 처한 것이다.[12] 물밀 듯 밀려 들어오는 외래문화의 압력과 영향으로 복잡다기화한 시적 주제와 내용은 시조의 정형률을 해체하려는 노력으로 나타났으며, 이 결과로 나타난 자유시, 즉 현대시는 폭넓은 감수성의 영역으로 기존의 신시의 내용을 대치하게 된 것이다. 이러한 새로운 사조나 정서를 폭넓게 수용하기에 시조는 너무나 단순하고 한계가 있는 것이었음은 물론이다. 그러므로 육당을 중심으로 몇몇 선구적 시조시인들에 의해 전통적 정서의 복고와 부흥을 위한 끈질긴 노력이 『청춘』지의 새로운 시조창작으로서 시조의 새로운 형태와 내용, 그리고 장르의 설정으로 나타난 것이다.

이것은 최초의 신시인이며 대표적 창가작가인 최남선이 동시에 대표적 시조작가라는 점에서 볼 때, 또한 육당이 『시조류취』, 『백팔번뇌』를 발간하는 등 신시와 대응하는 전통적 시가로서의 시조의 위치를 확고히 하고 그것을 부흥·육성하려고 노력한 사실로도 증명이 된다.[13] 실제로 시조는 『청춘』지의 거의 전권에 한 편씩 실려 있으며, 특히 『고금시조선』(『청춘』 12호) 등을 통하여 의도적으로 소개되고 있는 것이다.

결론적으로 개화기의 시조는 고시조에 비하여 근본적이면서도 다양한 형태적, 내용적 변화를 겪게 되었다. 시조의 정형적인 형식에다가 폭넓은 근대적 정서와 사상을 투영한다는 것은 스스로 한계가[14] 지워진 것이다. 그러므

---

12) 정병욱, 「이조후기시가의 변이과정고」, 『창작과비평』 31호에서는 18세기 시조창의 서민화 내지는 대중화에서 이미 신흥 예술적 변이와 개혁 현상을 논하고 있다.
13) 이동기, 이은상 등의 신시조 부흥 운동은 이보다 조금 뒤에 융성하였다.

로 신시조의 내용적 변화는 자유시적 내용과의 접근을 유발하는 동시에 스스로의 시적 생명력을 제약하는 결과를 초래한 것이다. 이런 점에서 현대시조라는 이름으로 창작되고 있는 일련의 시조들은 고시조와는 궤를 달리하는 현대시의 지류로밖에 생각할 수 없을 것이다. 특히 고시조의 대부분이 음악적 모티프와 구성을 지닌 창으로 불리고 있었다는 점에 비추어 보더라도 시각적 이미지에 의존하는 현대시조는 이미 고시조가 지니고 있던 장르적 특성을 소실하고, 전통문학에서 차지하는 찬란한 위치에도 불구하고 시사적 사명을 일단 신시에게 넘겨주게 된다. 오히려 개화기 시조는 신시 내지 현대시 형성의 중요한 배경으로서 작용했다는 점에서 의미를 지닌다.

결국 이 개화기 시조는 전통문학의 붕괴과정에서 신시와 상대적인 위치에서 고시조의 시사적 장르를 확정하고 완결해 주는 하강적 개선이 되는 동시에 새로운 근대시 질서와 체계를 생성하고자 하는 시사적 노력의 한 변형으로 이해된다.

문학사의 가장 중요한 임무가 각 장르가 전통 속에서 차지하고 있는 정확한 위치를 확립하는 것이라 할 때15) 이러한 개화기 시조의 문학사적 위치는 스스로 자명해질 수 있을 것이다. 엘리엇의 말처럼 과거는 현재에 포함되며 현재는 미래에 작용하기 때문에16) 한국문학사, 특히 신문학사가 주체적이며 지속적인 전통을 이루어 가기 위해서는 이러한 전통문학과 새로운 수용문화와의 관계질서 및 영향작용이 면밀히 고구되어야 한다. 바로 이 점에서 신시 형성과정을 연구하는 데 있어 가사, 민요, 잡가, 한시 등 개화기의 신시들17) 특히 시조에 대한 집중적 조명이 먼저 이루어져야 하는 필연성이 있는 것이다.

---

14) 김윤식, 앞책, 195~227쪽 참조.

15) R.Wellek&A.Warren, 앞책, 255쪽.

16) T.S.Eliot, *Four Quartets*(New York: Burnt Norton, I, Faber, 1956)

17) 정한모, 『한국현대시문학사』(일지사, 1973) 중에서 개화기 저항시가 연구는 중요한 업적의 하나가 된다.

5. 광복 40년 남북 문학사의 한 점검

I

광복 40년, 짧다면 짧고 길다면 길다 할 수 있는 이 기간은 적어도 당대인들에게는 고난과 시련의 의미로 받아들여진다. 이 광복 이후 40년을 우리는 흔히 '분단시대'라 부르고, 이 시기의 문학을 '분단시대의 문학'이라고 호칭하기도 한다. 이 땅에서 근대문학이 본격적으로 전개되기 시작한 것은 19세기 후반 이래 대략 한 세기가량 경과한 것으로 볼 수 있다. 이 기간의 문학을 크게 셋으로 나누어 본다면, 세칭 개화기 문학으로부터 시작되어 한일 합방 이후의 식민지 시대 문학을 거쳐 해방 이후의 분단시대 문학으로 이어지는 것이다. 그러나 이 한 세기에 걸친 근대문학은, 그 전반기가 일제의 지속적인 침탈과정에서 형성·전개됐다는 점에서 식민지 시대 문학, 해방 이후 오늘날까지의 '후반기'가 분단의 비극적 상황에 놓여 있다는 점에서 이 시기를 분단시대 문학으로 양분하는 방법도 가능한 것이다. 광복 40주년을 맞이하는 올해는 이 땅의 민족사뿐만 아니라 문학사에서도 뜻깊은 한해가 아닐 수 없다.

II

지금까지 우리 문화계 특히 문학계에서 매년 광복절을 전후해서 광복의 의
의를 되새기는 반성작업을 전개해왔다. 이러한 작업은 다소 의례적인 경우가
많았던 것이 사실이다. 그러나 올해에는 대부분의 문예지가 '40주년'이라는
데 의미를 두어 집중적인 정리작업을 시도하여 관심을 끈다. 『문학사상』의
「사진으로 본 해방 40년」, 『현대문학』의 「광복 40주년 기념 3대 특집」, 『한
국문학』의 「광복 40주년 기념 대특집」, 『소설문학』의 「해방 40년 특집」, 『실
천문학』의 「분단 40년 특집」, 『예술과 비평』의 특별좌담과 <민음사>가 펴
낸 『해방 40년의 문학』 등이 그것이다.

먼저 『문학사상』의 특집은 개항 이후 격변해온 이 땅의 역사를 조감해 볼
수 있는 회귀한 사진들을 통해서 이 땅에서의 삶의 어려움을 드러내 보이고
자 하였다. 『현대문학』의 그것은 ①특집 정담—분단시대의 문학 ②문학인 50
인 지상공개 토론 ③민족시인 이육사·윤동주 연구로 구성되어 있다. 이 중에
서 ①은 김양수, 오세영, 김재홍 등 세 사람이 참석하여 광복 문단의 형성, 분
단시대 문학의 문제점, 통일지향 문학의 성과와 가능성에 관하여 집중적으로
논의하였고, ②는 김동리, 김정한 등 원로 문인과 고은, 김윤식 등 중견 문인
50인들로부터 납북 또는 월북 문인에 대한 해금 문제, 남북문학 교류 등에 관
한 질의응답을 벌였다는 점에서 관심을 불러 모았다. 『소설문학』은 ①해방
동인 문인의 2,000자 수필, ②해방 시절, 회고담, ③해방 기념 시 수록 등을 통
해서 보다 감성적인 면에서의 '추억제'를 펼쳤다. 『실천문학』에서는 「분단
40주년 특집」으로 '한국과 일본'이라는 제하에 5편의 한일관계 논문을 실었
고 「친일문학 작품선」과 「친일미술 작품선」을 게재하였다. 『오늘의 책』에서
는 「분단국가와 민족통일 운동」이라는 좌담을, 『예술과 비평』에서는 「해방
40년 예술 분야 대표저작 21선」과 「문학비평 26선」을 수록하였다. 한편

<민음사>에서는 『해방 40년의 문학』(시 · 소설 · 평론 · 작품수록) 네 권을 발간하였다.

이들 중에서 특히 『한국문학』은 ①5단계, 15인의 대형 특집 좌담 ②광복 40년 문학 총평 등을 마련했는데 잡지 지면의 반 이상을 이 특집에 할애하였다. 특히 ①은 다시 ㉠식민지 시대 문학의 청산(곽종원 · 김용직 · 정현기), ㉡ 6 · 25와 분단문학의 극복(선우휘 · 김우종 · 최동호) ㉢ 4 · 19와 민주화 문제(신동욱 · 임헌영 · 김선학) ㉣산업화 시대와 문학의 진실(최일남 · 오세영 · 조남현), ㉤한국문학의 현재와 미래(이보영 · 김승옥 · 전영태) 등으로 짜여있는데, 여기에 원로, 중견, 신진 등 3세대 문인들에 의한 각자 상이한 관점이 피력되어 있어 홍미를 끈다. 특집 ②에서는 시와 소설에 대한 개관이 실려있는데 「광복 40년의 한국시」와 「해방 후 소설의 몇 가지 계보」는 실제적인 비평적 성찰을 보여주고 있다. 특히 김재홍의 「광복 40년의 한국시」는 해방 이후의 문학 특히 시를 ①해방공간, 식민지문학의 청산 시대 ②전쟁과 분단문학 시대-50년대 ③4 · 19와 민주화의 시련 시대-60년대 ④산업화와 민주화의 갈등 시대-70년대 ⑤민중문학 시대-80년대 등과 같이 대략 10년 단위로 시대 구분하여 정리하고 있다. 그런데 이러한 시대구분은 대략 10년이라는 기계적 단위로 묶여 졌고, 그것이 문학 자체의 전개 과정보다는 6 · 25, 4 · 19, 10월 유신 등의 역사적 · 정치 · 사회사적 사건들과 밀착된 시각을 드러낸 점에서는 다소 문제점을 지니는 것이 사실이다. 그럼에도 불구하고 이는 광복 40년의 문학 흐름을 조감해 보는 데에는 유효한 한 작업이 될 수도 있을 것이다. 『한국문학』은 또한 10월호에서는 「친일문인에게 띄우는 신진문인 7인의 공개장」과 「실향문인 6인의 사향곡」을 특집으로 마련함으로써 친일문학의 청산문제와 분단문학의 극복의지를 다시 한번 보여주기도 했다.

III

한편 북한에서도 광복 40년 문학에 대한 정리를 시도하고 있어 관심을 끈다. 북한의 조선작가동맹 중앙위원회에서 발행하는 기관지인 월간 문예지 『조선문학』은 올해 들어서 1월호부터 「조국해방40돐, 당 창건 40돐을 맞으며」라는 창작특집을 계속 싣고 있으며, 그와 아울러 6월호부터 해방 40년간의 문학 점검 특히 평론을 수록하고 있다. 그런데 그 평론은 해방 이후의 북한에서의 문학적인 흐름과 작가들의 활동상을 엿볼 수 있어서 흥미롭다. 특히 해방 이후의 북한 문학사의 시대구분을 개략적으로나마 제시하고 있는 것은 남쪽의 그것들과 비교해 볼 때 관심을 불러일으킨다.

이 평론에 의하면, 지금까지 북에서 활약하고 있는 월북문인들로는 박태원, 이기영, 최명익, 황건, 엄홍섭, 정서촌, 윤세중, 박세영, 김상오, 조영출 등 10여 명에 이르는 것으로 보인다. 특히 「천변풍경」으로 유명한 박태원은 77년 장편소설 「갑오농민전쟁」을 발표하여 국기훈장을 받은 바 있으나 이 소설을 쓰면서 완전 실명하였기 때문에 구술에 의해 제2권을 집필함으로써 지난해 북한 문학의 큰 성과로 평가되었다. 그러나 「임꺽정」의 홍명희를 비롯한 임화, 김동석, 정지용, 오장환 등의 주요 월북. 작가 시인들은 이름은 물론 작품명조차 전혀 거론되지 않고 있어서, 북한에서는 정치에 의해 문학이 완전히 지배되고 있는 상황을 잘 말해준다.

북한에서의 해방 이후 문학사 시대구분은 대략, ①새조국건설시기(1945~1950) ②조국해방전쟁시기(1950~1955) ③전후문학시기(1956~1960) ④천리마문학시기(1960년대) ⑤유일사상 · 주체사상시기(1970년대) 등으로 구분하고 있다. ①시기는 해방 후 북한 정권 수립에서 6 · 25까지의 문학으로서 이기영, 이북명이 중심이 되어 토지개혁 등 해방 후 과도기의 혼란 속에서 싸우는 전형적인 프롤레타리아 인간형 창조에 집중되어 있다. ②시기는 6 · 25동란과 그 직후까지의 문학으로서, 한설야 등에 의한 전투적인 내용의 소설들이 주로 발표되었다. ③시기는 전후문학시기 즉, 1950년대 후반의 문학으로서 전후 북한이 당면한 계급 교양과 사회주의·애국주의 교양에 이바지하는 내용으로서 문학이 강조되었다. 특히 이 시기에는 신진 전후문학 세대가 대거 등장하여 새로운 북한 문단을 형성하는 시점이 된다. ④시기는 대략 1960년대의 '천리마시대에 맞는 문학을 창작하자'라는 슬로건을 내세우며 사회주의 혁명승리와 천리마운동의 심화발전에 이바지하는 혁명적 주제를 강조하였다. 이 무렵에는 또한 역사소설로서 장·중편소설이 활발히 창작되었던 것이 하나의 특징이라 할 수 있다. ⑤시기는 김일성 유일사상이 특히 강조되는 1970년대 이후 오늘날까지의 문학이 이에 해당한다. 이 시기는 소위 '혁명적 수령관 확립'과 동계급의 혁명 위업에 이바지하는 혁명적 문학창작이 핵심적인 주제라 할 수 있다. 한 가지 여기에서 주목되는 것은 이 시기에 김정일이 문학사의 표면에 떠오르면서 김일성의 혁명적 수령관에 덧붙여서 '자주적인 인간', '인간의 본성탐구' 등으로 요약되는 이른바 '인간학으로서 문학'을 강조한다는 점이다. 그러나 이러한 주장 역시 오늘날 북한 사회의 중심 이데올로기인 혁명적 수령관을 핵심으로 하는 주인공의 혁명적 세계관 형성을 강조하는 것에 지나지 않는다는 점에서 특기할 만한 사실은 아니다. 이렇게 볼 때 북한의 광복 40년 문학은 1970년대를 한 고비로 해서 유일사상체제로 크게 전환하고 있는 것으로 이해된다.

IV

광복 40년을 맞이한 오늘날의 시점은 남과 북의 문학사에서 중요한 전환점이 될 것이 분명하다. 앞으로 북의 경우는 김일성 유일사상으로 더욱 치달음으로써 인간의 상실, 문학의 상실을 가속화할 것이 자명하다. 따라서 광복

40년을 맞이하는 이 역사적 시점에서 이 땅에서는 분단의 불행을 극복하기 위해서라도 정치·경제·사회·문화 등의 모든 방면이 더욱 열리고 다원화해 감으로써, '인간다운 삶'과 '문학다운 문학'이 꽃필 수 있도록 민족적 역량이 결집하고 역동화할 것으로 판단된다. 분단으로 인해 날로 가속화하는 민족 이질화 현상을 극복하고 민족주체성을 확립하기 위해서 민족통일은 민족의 지상과제이며 이 점에서 더욱 이 땅의 문학과 문학인의 일대 분발이 요청된다 하겠다.

한국정신문화연구원 『연구월보』 1985년 11월

6. 정지용, 또는 역사의식의 결여[*]

1)

6-1 서론

1) 문제 제기

분단 이래 작품집 간행은 물론 학문적 차원에서의 논의, 그리고 거명하는 것조차 금지됐던 월북 작가·시인들에 대한 해금 조치가 지난 7월 19일 정부 당국에 의해 이루어졌다. 물론 북한에서 고위직을 역임했거나, 또 하고 있다는 이유 등으로 해서 홍명희, 이기영, 한설야, 조영출, 배인준 등 다섯 사람을 제외한 대부분의 월북 문인들이 해금되어 일제 강점기에 쓰인 작품들이 햇빛을 보게 된 것이다. 이러한 해금 조치는 비록 전면적인 것은 아니라 해도 진정한 민족문학 논의를 가능케 하는 시발점이 된다는 점에서 중요한 의미를 지닌다고 하겠다. 분단으로 인해서 어쩔 수 없이 파행성 내지 불구성을 지닐 수밖에 없었던 이 땅의 문학사가 이제 제대로 다시 쓰여질 수 있는 계기가 되었다는 점에서 특히 이번의 월북 작가 해금은 획기적 의미를 갖는 것이다.

* 본 논문은 인하대학교 인문과학연구소의 연구비 지원을 받았음.

그런데 이처럼 월북 여부가 분명하지 않으면서도 오랫동안 이 땅에서 실종 상태에 놓여 있었던 시인 정지용(1902~?)의 경우에는 그 비극성이 두드러진다 할 것이다. 비록 지난해 10월 19일 순수 학문의 차원에서라면 이 납·월북 작가에 관한 논의가 가능하게 되었고, 금년 3월 31일에는 김기림과 정지용의 작품 자체가 해금된 것이 사실이지만 너무도 오랫동안 특히 정지용은 부당하게 논의가 금지된 대표적인 인물이라 하겠다. "고향에 고향에 돌아와도/그리던 고향은 아니러뇨/고향에 고향에 돌아와도/그리던 하늘만이 높푸르구나"라고 노래하던 시인 정지용[1], 그는 이 땅의 근대시에 '현대적인 호흡과 맥박을 불어넣은' 선구적 시인의 대표 격인 인물이다. 그러면서도 그는 6·25 전란 중에 행방불명되어 월북인가 아니면 납북인가하는 논란 속에, 일단 월북으로 단정되어 오랫동안 일반에게는 물론 문학사에서도 실종 상태에 놓여 있던 것이다. 그의 시들은 다만 채동선 작곡의 가곡 「망향」에서 원래 가사가 다른 것으로 개사 된 채 애틋한 추억을 불러일으킬 뿐이었다. 정지용은 원시 「고향」에서처럼 "마음은 제고향 진히지 않고/머언 항구로 떠도는 구름"과 같이 정처 없어 떠도는 나그네의 모습으로 남아 있던 것이다.

그 결과 그의 시들은 매우 신비한 그 무엇으로 오히려 과대평가되는 경향을 보이기도 한 것이 사실이다. 비록 그의 시가 그의 생애사적 불행과 금서가 갖는 일종의 프리미엄 현상으로 인해서 다분히 과대평가되고 있었던 혐의를 불식하기는 어렵다고 해도 그의 시가 지니고 있는 예술성이나 그의 선구적 위치가 지닌 문학사적 위치 내지 문단사적 영향력은 결코 가볍게 취급될 일이 아니다. 필자는 이미 1972년 은유적 관점에서 정지용의 시가 지닌 방법론적 현대성에 관해 살펴본 바 있고[1], 다시 납·월북 문인 해금을 촉구하는 의

---

1) 그의 주요저작으로는 시집 『지용시집』(시문학사, 1935), 『백록담』(동명출판사, 1941), 『정지용시선』(을유문화사, 1949)가 있고 기타 산문집 『문학독본』(박문출판사, 1948), 『산문』(동지사, 1949) 등이 있으며, 최근 해금을 맞아서 『정지용전집』(민음사) 등이 있다.

미에서 1988년 1월 갈등의 관점에서 정지용을 논한 바[2] 있다. 따라서 본고에서는 보다 종합적인 각도에서 정지용을 논의해 보고자 한다.

2) 연구사 개요

정지용의 시에 관한 평가는 긍정적인 것으로부터 시작된다. 그러면서 부정적인 평가가 제기되고 오늘에 이르기까지 찬반양론이 교차되지만, 그 기본은 대략 정지용의 시와 그 문학사적 위치를 긍정하는 데 바탕을 두고 있다.

대개 정지용이 작품 발표를 처음 시작한 것은 1926년 6월 일본 경도 유학생회지인 『학조』 창간호에 「카페 프란스」, 「슬픈 인상화」, 「파충류 동물」 등을 발표하면서부터이다. 아울러 1927년 국내의 『조선지광』지에 「향수」, 「바다」 등을 발표하면서 그 성가를 인정받기 시작한다.

박용철, 양주동 등은 정지용에 관한 단평에서 지용을 "시인(詩人)의 시인(詩人)"[3] 혹은 "현시단의 경이적 존재"[4] 등으로 격찬하였다. 이러한 관점은 김기림에서 하나의 집성을 이룬다. 김기림은 지용을 이 땅 현대시에 본격적인 "현대의 호흡(呼吸)과 맥박(脈搏)을 불어넣은 최초(最初)의 시인(詩人)"으로 높이 평가하였다.

> 그는 실로 그러한 특이(特異)한 감성(感性)의 창문(窓門)을 여러서 현대(現代)의 심장(心臟)에서 움지기고 있는 지적(知的) 정신(精神)― 더 광범(廣範)하게 말하면 고전적(古典的) 정신(精神)을 민감(敏感)하게 맞어 드려서 그것에 상당(相當)한 독창적(獨創的)인 형상(形象)을 주었다. 시(詩)는 무엇보다도 위선언어(爲先言語)를 재료(材料)로 하고

---

1) 김재홍, 「한국현대시의 방법론적 연구」, 『현대문학연구』 4집(1972).
2) 김재홍, 『문학사상』(1988).
3) 박용철, 「신미시단의 회고와 비판」 『중앙일보』(1931. 12. 7).
4) 양주동, 「1933년 시단연평」, 『신동아』(1933. 12).

성립(成立)되는 것이라는 것을 명확(明確)하게 인식(認識)하고 시(詩)의 유일(唯一)한 매분(媒分)인 이 언어(言語)에 대하여 주의(注意)한 최초(最初)의 시인(詩人)이었다. 그래서 우리말의 각개(各個)의 단어(單語)가 가지고 있는 무게와 감촉(感觸)과 광(光)과 음(陰)과 형(形)과 음(音)에 대하여 그처럼 적확(適確)한 식별(識別)을 가지고 구사(驅使)하는 시인(詩人)을 우리는 아직 알지 못한다. 그뿐아니라 단어(單語)와 단어(單語)의 특이(特異)한 결합(結合)에 의(依)하야 언어(言語)의 향기(香氣)를 비저내는 한 우수(優秀)한 수완(手腕)을 씨는 가지고 있었다.5)

김기림의 이러한 관점은 주로 지용이 언어의 심미적 가치와 정서적 울림에 깊이 주목하여 시를 쓴 초유의 현대 시인이라는 점에 착안한 것이다. 시가 언어로 짜이며 그 내부의 섬세한 울림을 형성하는 정서적 가치를 지녀야 한다고 강조하는 신비평적 입장에 선 것이라 할 수 있다. 한편 임화는 부정적인 관점에서 지용 시를 평가하고 있다.

그리하여 기교주의시(技巧主義詩)는 마치 십년대(十年代)의 신시(新詩)가 중세적(中世的) 시조(時調)나 한시(漢詩)에 대하야, 또 경향시(傾向詩)가 「신시(新詩)」에 대하야, 혁명적(革命的)이었든 것과 같이, 그들 이전(以前)에 모든 시가(詩歌)에 대하야 신시대(新時代)를 체현(體現)하는 시적(詩的) 반항자(反抗者)인 것과 같은 관념적(觀念的) 환상(幻想)을 조직(組織)하는 것이다. 그러나 이것은 전(全)혀 논리적(論理的) 기교(技巧)이거나, 그렇지 않으면 지식계급(知識階級)의 완전(完全)한 주관적(主觀的) 환상(幻想)이다.6)

그는 지용을 신석정, 김기림과 함께 묶어서 기교주의시로 매도하고 그것을

---

5) 김기림, 「1933년 시단의 회고」, 『신동아』(1933. 12), 『시론』(백양당, 1947) 84~85쪽 재인용.
6) 임화, 「담천하의 시단일년」 『신동아』(1935. 12).

지식계급의 환상이라고 비판한 것이다. 이러한 입장은 지용의 시가 감각이나 비유 또는 언어 문제에 지나치게 경도되어 있다는 점을 지적한 것으로서 프로문학파들의 입장을 대변한 것이라고 하겠다.

이러한 임화의 비판은 다시 박용철의 반론7)으로 이어져서, 이른바 기교주의 논쟁을 유발하게 된다. 이러한 논쟁은 실상 1920년대의 민족주의 문학파와 계급주의 문학파 사이에 있었던 논쟁이 재연된 것으로 볼 수 있다.

이처럼 정지용의 시에 대한 평가는 1930년대부터 활발하게 전개되었다. 그리고 그것은 다분히 문단 상황과 연결된 측면이 강하다고 할 것이다. 프로문학이 지하화한 30년대 중반부터는 이양하8), 김환태9)의 찬사에서 볼 수 있듯이 주로 찬양적인 글들이 많이 발표된 것이 그 예라고 볼 수 있기 때문이다.

해방공간이라 부르는 1945~1950년 무렵에는 김동석과 조연현이 각각 긍정과 부정의 입장에서 비평을 전개하였다. 김동석은 정지용의 시가 지닌 차고 깨끗한 정신이 바로 그의 순수한 시 정신의 반영10)이라고 하여 부분적인 긍정론을 펼친 것이다. 이에 반하여 조연현은 지용 시를 "수공예술(手工藝術)이 가진 가치(價値)와 미(美)"11)라고 규정하여 극단적으로 매도하였다. 조연현은 정지용의 시가 심장으로 쓰인 것이 아니라 수공에서 만들어진 것이기 때문에 생명력이 없는 것이라고 비판한 것이다. 오히려 지용의 시 자체보다는 다분히 김동석을 겨냥한 듯한 이러한 조연현의 비판은 당대의 문단적 상황에서 기인하는 바가 더 크게 작용한 것으로 보인다는 점에서 크게 설득력이 있는 것은 아니다. 다만 지용 시가 지닌 기교주의적인 측면에 대한 비판이라는 점에서는 음미해 볼 만한 내용이라 하겠다. 정지용이 6·25 전쟁 중에

7) 박용철, 「을해시단총평」, 『동아일보』(1935. 12).
8) 이양하, 「바라는 지용시집」, 『조선일보』(1935. 12. 8).
9) 김환태, 「정지용론」, 『삼천리문학』(1938. 4).
10) 김동석, 「예술과 생활』(박문출판사, 1947), 48~49쪽.
11) 조연현, 『문학과 사상』(세계문화사, 1949), 242~243쪽.

행방불명된 이후에는 그가 월북했다는 주장이 강력하게 개진되어 반공문학이 강조되던 시대 상황 때문에 한동안 그에 대한 논급이 없었다.

그러던 것이 1962년『사상계』가 마련한「신문학 50년」심포지엄에서「현대시 50년」을 발표한 유종호에 이르러서 정지용의 시가 새롭게 주목되기 시작하였다.

> 한국 현대시를 얘기하는 자리에서 빼놓을 수 없는 이름인 정지용
> (鄭芝溶)이야 말로 이 땅에 있어서「시란 언어(言語)로 만들어진다」는
> 평범하나 중요한 진리를 열렬히 자각하고 실천한 최초의 시인이었다.
> …중략… 현대시사에 있어서「천재적(天才的)」이란 에피세트를 서슴
> 치 않고 붙일 수 있는 시인이란 것은 명백하다 …중략… 사실 지용의
> 어떤 후기(後期)작품에서는 언어의 유희라고 혹평(酷評)할 수 있는 매
> 너리즘 취미(趣味)를 발견하게 된다 …중략… 이런 의미에서 한국 현
> 대시에 최초로 시적 완벽성을 부여한 지용시에는 일변 선구자의 비애
> (悲哀)와 함께 한국어(韓國語)의 비애가 상징화되어 있다고 할 수 있다
> …중략… 정지용(鄭芝溶)을 한국 현대시의 아버지라고 재강조(再強
> 調)하는 것은, 그러니까 과장도 반복도 아니리라.12)

전통단절론을 강조하기 위해서 정지용을 '현대시의 아버지'로 극찬하고 있는 것은 분명히 의도적인 오류에 빠져있는 감이 없지 않다. 다만 정지용의 시가 지닌 언어적 감각의 신선함과 그 심미적 가치에 주목한 것은, 비록 그것이 김기림의 영향권에서 비롯된 것이라 하더라도, 충분히 주목에 값하는 것으로 이해된다.

한편 송욱은 유종호와는 달리「정지용 즉 모더니즘의 자기부정」13)이라는 제목하에 지용의 시를 구체적으로 살펴보면서 그의 시에서 주제가 매우 제한

---

12) 유종호,『비순수의 선언』(신구문화사, 1962), 11~14쪽.
13) 송욱,『시학평부』(일조각, 1963), 178~206쪽.

되었고 그 결과 표현형식도 폭이 좁고 수사법적 측면에서도 실패를 보이고 있다고 비판하였다.

김우창은 이러한 두 입장에서 한 걸음 나아가서 지용 시가 형이상학적 위트를 지니고 있으며 그의 시적 특징이 무욕의 철학에 기저를 두고 있다는 점에서 긍정하지만, 종교 시편에서의 초월의 형식이 너무 두드러진다는 점을 지적함으로써[14] 비교적 온당한 비평을 보여준 것으로 이해된다.

70년대에 들어서면 정지용에 관한 석사학위 논문이 등장함으로써 본격적인 학술적 탐구 작업이 펼쳐진다.

오탁번은 1972년 최초의 석사 논문이라 할 수 있는「지용시연구」를 통해서 종합적인 논의를 전개하고자 시도하였다. 그는 지용 시의 환경과 제재라는 관점에서 지용의 생애와 문학을 구체적이면서도 종합적으로 분석하고 있는 것이다.

이 밖에 김윤식, 김용직, 김종철 등도 정지용에 관해서 집중적인 관심을 보여준 연구가들이라 하겠다.

80년대에는 여러 석사 논문들이 등장하는 가운데[15] 박사학위 논문으로서 정지용 연구가 제출되기 시작하였다.

문덕수는 그의 박사 논문인『한국 모더니즘시 연구』[16]에서「정지용론」을 썼는데 이 논문은 지금까지의 연구성과와 문제점을 다루면서 구체적이면서도 정밀한 논의를 전개하고 있다는 점에서 주목된다. 이 논문에서 문덕수는 지용 시의 특질을 공간성과 그 구성, 사물시와 이미지, 비인간적 세계의 추구, 원형 심상의 변화 과정 등으로 파악하였고 아울러 그 영향 관계를 동양

---

14) 김우창,「한국시와 형이상」,『세대』(1968. 7).
15) 석사 논문으로 다음과 같은 것들이 주목된다.
  이숭원,「정지용시연구」(서울대 석사, 1980),
  정의홍,「정지용시의 문학적 특성연구」(동국대 석사, 1982),
  연주화,「정지용시연구」(인하대 석사, 1985).
16) 문덕수,『모더니즘시연구』(시문학사, 1981).

고전과 서구 이미지즘 및 일본 모더니즘과의 상호 관련 등에 비추어 탐구하였다. 이러한 문덕수의 연구는 정지용 연구에 있어서 한 획을 긋는 것이라 할 수 있다.

김윤식은 그의 「카톨리시즘과 미의식」17)을 통해서 지용의 생애사와 정신사적 굴절 과정을 예리하면서도 종합적으로 분석해 내었다. 이 작업은 지금까지 주로 작품에 주목하거나 문학사적 위치에 관심을 가졌던 태도들과는 크게 시각을 달리한 것이라는 점에서 주목된다. 그가 관심을 갖고 있는 것은 시인과 환경과의 관계이며, 그 결과로서의 작품이 지니는 정신사적 의미 구명에 집중되어 있다고 하겠다. 특히 카톨리시즘에 주목하면서 사상적 딜레마를 추리한 것은 충분히 의미 있는 일로 판단된다.

1987년 말에 간행된 김학동 단행본 저서 『정지용연구』는 정지용 연구에 있어서 하나의 이정표가 된다. 이 저서는 원래 1982년 『정지용전집』을 편찬하면서 쓴 것이나 해금되지 않아서18) 펴내지 못하다가 뒤늦게 햇빛을 본 것이다. 대충 1.언어의 감각미와 허정원리, 2.신성성과 「서늘오움」의 시관, 3.정지용의 생애와 문학, 4.정지용의 시와 산문 및 부록(몇 편의 단평 및 연보)으로 짜여진 이 책은 정지용의 생애와 문학 전반을 종합적으로 정리한 저작이다. 그 내용에 있어서 최대한 고증에 힘쓰는 한편 문학세계를 체계화하려 시도했다는 점에서, 특히 최초의 단행본 연구 저서라는 점에서 획기적 의미를 지닌다 하겠다. 다만 작품 논의가 좀 더 정치하지 못한 점이 다소 아쉬운 점으로 받아들여진다.

한편 1988년 3월 정지용의 작품 자체가 전면 해금되면서 출간된 양왕용의 『정지용시연구』는 또 다른 의미에서 하나의 중요한 디딤돌이 된다. 실상 저자 자신이 1972년부터 정지용에 관심을 갖고서 주로 시어와 이미지에 관해

---

17) 김윤식, 『한국근대문학사상사』(한길사, 1984), 405~451쪽.
18) 김학동, 『정지용연구』(민음사, 1987) 머리말.

집중적인 관심을 보여 온 결과를 이 책에서 묶은 것이라 밝히고[19] 있듯이 이 저서는 문학 내적인 분석론을 깊이 있게 전개하고 있다. 「지용시 연구의 반성과 그 방향」, 「지용시 분석의 이론적 근거」, 「지용 시작활동의 문헌론 검토」, 「지용시 중층의 변모양상과 그 의미」, 「각 층위의 유기성과 그 특질」 등 다섯 편의 논문으로 짜여진 이 저서는 뉴크리티시즘적인 분석주의 태도를 바탕으로 하여 그 작품론을 전개하고 있는 것이다. 지나치게 분석에 치우친 나머지 시적인 내면성의 문제, 시 정신이라든가 정신사적 문제에 대한 구명은 부족한 것이 사실이지만 시어와 내적 구성원리에 대한 정치한 분석은 하나의 전범을 마련한 것으로 볼 수 있을 것이다.

이처럼 김학동과 양왕용에 이르러서 단행본 연구서가 간행됨으로써 정지용 연구는 이제 본 궤도에 들어섰다고 할 것이다. 그러나 지금까지의 연구에서 필자 나름으로 아쉽게 생각되는 것은 작품이 지니는 내밀한 의미와 감동에 대한 탐구가 부족하지 않았나 하는 점이다. 대부분 학문적 관점 또는 비평적 시각으로 인해서 작품의 작품성, 즉 시성에 관한 탐구가 부족한 감이 없지 않은 것이다.[20] 따라서 본 소론에서는 정지용 시가 지니고 있는 내밀한 의미의 짜임새를 소략하게나마 살펴봄으로써 지용 시의 비의에 접근해 보고자 한다.

---

19) 양왕용, 『정지용시연구』(삼지원, 1988. 5) 머리말.
20) 기타 정지용론 중에서 주목할만한 논문으로는 다음과 같은 것들이 있다.
　　마광수, 「1930년대 모더니즘 문학연구」, 『동대논총』 11(1979),
　　이운홍, 「정지용의 작품 「유리창」을 통한 시의 존재론적 해명」(경북대 대학원, 1978),
　　최동호, 「정지용의 「장수산」과 「백록담」」, 『경희어문학』 6집(1983),
　　민병기, 「정지용론」(고려대 대학원, 1980),
　　윤석산, 「소월시와 지용시의 대비적 연구」, 『한국현대시 탐구』(민족문화사, 1983),
　　김종철, 「30년대의 시인들」, 『시와 역사적 상상력』(문학과 지성사, 1978).

6-2. 본론

1) 동요적 감수성과 과거적 상상력

정지용 시에서 그 바탕이 되는 것은 과거적 상상력이라고 할 수 있다. 그의 시에는 유독 유년 회상의 동요와 함께 민요풍의 시편이 많이 발견되기 때문이다. 『정지용시집』 3부에 주로 수록된 이 작품들은 대체로 그의 초기작에 해당한다고 하겠는데 유년 풍정과 세시풍속을 소박하게 노래하고 있다.

> 하라버지가
> 담배ㅅ대를 물고
> 들에 나가시니
> 궂은 날도
> 곱게 개이고,
>
> 할아버지가
> 도롱이를 입고
> 들에 나가시니
> 가믄 날도
> 비가 오시데
>
> — 「할아버지」

> 중, 중, 때때중,
> 우리애기 까까머리.
>
> 삼월 삼질날,
> 질나라비 훨, 훨,
> 제비새끼 훨훨,

쑥 뜯어다가
개피 떡 만들어
호, 호 잠들여 놓고
냠, 냠 잘도 먹었다.

중, 중, 때때중,
우리애기 상제로 사갑소

ー「삼월(三月) 삼질 날」

　두 편의 동시는 다 어린 시절의 풍정을 간결하게 드러내고 있다. 「할아버지」에는 농촌 마을의 전원적인 풍경을 바탕으로 "할아버지", "담배ㅅ대", "도롱이", "가믐", "비", "들" 등의 소재들이 결합돼 친근감을 더해준다. 대구와 반복 및 대조 형식을 통해서 운율미를 형성하고 있는 것도 동시로서의 특징을 드러낸 것이다. 「삼월 삼질날」의 경우에는 천진난만한 동심과 함께 세시풍물의 모습이 더 선명하게 드러나 있다. 중과 애기의 모습을 비교한 것이 우선 흥미롭다. 머리 깎은 천진한 모습을 다시 "때때중", "까까머리"의 대조로서 놀리듯이 표현한 것은 신선하기까지 하다. 거기에 "삼월 삼질날", "질나라비", "제비새끼"를 결합하여 세시풍정의 생동감을 불어넣으며, 다시 "쑥", "개피떡"과 같이 계절 감각을 덧붙임으로써 생활적인 느낌을 던져주는 것이다. 특히 "중, 중", "휠, 휠", "호, 호", "냠, 냠" 등과 같은 의성의태어가 반복됨으로써 신선감과 운율미를 불러일으키는 것은 특기할만하다 할 것이다. 이러한 유년 회상의 정서를 기저로 한 동시가 여러 편 발견된다는 사실은 정지용의 시심이 과거 지향성 내지는 동심 지향성을 지닌다는 사실을 말해준다고 하겠다. 아울러 그만큼 순수하면서도 마음 여리고 착한 심성이 그 밑바탕에 깔려 있다고 풀이할 수도 있을 것이다.

　한편 정지용의 시에는 꼭 이런 동시는 아니지만 그와 유사한 시풍으로 세시풍속 내지 민요적 정감을 노래한 시도 다수 발견된다.

저 어느 새떼가 저러케 날러오나?
저 어느 새떼가 저러케 날러오나?

사월달 해ㅅ살이
물 농오리 치덧하네
한울 바래기 한울만 치여다 보다가
하마 자칫 이즐 뻔 햇던
사랑, 사랑이,

비둘기 타고 오네요
비둘기 타고 오네요

—「비둘기」

이들 민요풍의 시들은 대부분 1924년에 쓴 것으로 정지용의 초기시에 해당한다.[21]

이 시에서만 보더라도 "새떼", "사랑", "비둘기"의 대응을 통해서 전원적인 풍정과 세시풍속적인 생활 감각을 재치있게 표출하는 것이다. 시의 형태적인 면에서도 변격의 운율미가 돋보이며, 시어 또한 고유어를 활용하여 토속미를 자아낸다. 과거 지향성을 다분히 지니면서도 감각은 오히려 신선한 편이라고 하겠다.

이 시 이외에도 많은 민요풍의 시편들이 발견되는바, 이들은 대개 전원 심상이나 세시풍속을 노래함으로써 토속성 또는 향토적 풍정을 드러내 준다.

이렇게 본다면 동요풍의 시나 민요풍의 시편들은 정지용 시의 원류에 해당하는 것으로서 이해된다. 이들 시편에 지적으로 드러나는 전원 심상과 향토적 생활 감각 및 토속성은 그대로 지용 시가 과거적 상상력 또는 동요적 감수성에 바탕을 두고 있음을 말해주는 것이라 하겠다.

---

21) 김학동, 앞책, 25쪽.

2) 향수의 미학과 실향의식

정지용의 시에서 가장 지속적으로 드러나는 것은 향수의 정감이라 할 수 있다. 이러한 향수는 현실에 대한 좌절 또는 비애로부터 강하게 유발되는 것이며 이 점에서 과거적 상상력을 바탕으로 한다. 이것은 먼저 고향에 대한 그리움으로 나타난다.

넓은 벌 동쪽 끝으로
옛이야기 지줄대는 실개천이 휘돌아 나가고,
얼룩백이 황소가
해설피 금빛 게으른 울음을 우는 곳

─그곳이 참하 꿈엔들 잊힐리야.

질화로에 재가 식어지면
뷔인 밭에 밤바람 소리 말을 달리고
엷은 졸음에 겨운 늙으신 아버지가
짚벼개를 돋아 고이시는 곳

─그곳이 참하 꿈엔들 잊힐리야.
흙에서 자란 내 마음
파아란 하늘 빛이 그립어
함부로 쏜 화살을 찾으려
풀섶 이슬에 함추름 휘적시던 곳,

─그곳이 참하 꿈엔들 잊힐리야.

전설(傳說)바다에 춤추는 밤물결같은
검은 귀밑머리 날리는 어린 누이와
아무러치도 않고 예쁠 것도 없는

사철 발벗은 안해가
따가운 해 ㅅ살을 등에 지고 이삭줏던 곳,

—그곳이 참하 꿈엔들 잊힐리야.

하늘에는 석근 별
알 수도 없는 모래성으로 발을 옮기고,
서리 까마귀 우지짖고 지나가는 초라한 집웅,
흐릿한 불빛에 돌아 앉어 도란도란거리는 곳,

—그곳이 참하 꿈엔들 잊힐리야.

—「향수(鄕愁)」

1927년 『조선지광』에 발표됐던 이 시는 흔히 정지용의 대표작으로 불리는 작품이다. 이 시의 배경은 평범한 한 농촌이다. 실개천이 흐르고 얼룩백이 황소가 울음을 우는 풍경으로서의 한국적인 농촌 모습이 회화적으로 묘사된 것이다. 이 시가 돋보이는 것은 목가적인 농촌 풍경이 그럴듯해서가 아니다. 오히려 가족사적인 생활 감각이 구체적으로 드러난 데서 의미가 놓여진다. 그것은 겨울밤에 짚베개를 돋아 고이시는 아버지와 검은 귀밑머리 날리는 어린 누이, 그리고 사철 발 벗은 아내가 환기하는 가난하면서도 애수가 서린 모습이다.

이 시가 쉽게 공감을 던져주는 가장 큰 이유는 이 시에 앞에서 살펴보았던 지용 특유의 동요 내지 동화적 감수성이 깔려있기 때문으로 풀이된다. "질화로", "재", "뷔인 밭", "밤바람 소리", "말" 등의 소재들은 유년 회상을 통해서 편안한 동심의 세계로 돌아가게 만들어 준다. 이제는 다시 돌아갈 수 없는 그 옛날의 소년 시절에 대한 회상이야말로 안타깝고 애틋한 정감을 불러일으키는 것이다. 이 소년 시절의 모습은 하늘과 땅의 대조 속에서 화살을 쏘는 행위로 요약된다. 그것은 비록 농촌 현실의 어려움 속을 살아가지만 "파란 하늘 빛"을 동경하면서 "화살을 쏘듯" 무언가를 갈망하는 몸짓이라 할 수 있다. 그렇게 볼 때 그것은 어린 시절 끊임없이 솟구쳐 오르던 비상의지의 발현이며 이상을 향한 몸부림일 것이 분명하다고 하겠다. 따라서 여기에 다시 가족사적인 정조가 개입된다. "검은 귀밑머리 날리는 어린 누이"와 "아무러치도 않고 여쁠 것도 없는/사철 발벗은 안해"에 대한 회상이며 그리움의 발현이다. 아내와 누이는 둘 다 여성적인 그리움의 표상이자 모성적인 따뜻함과 편안함을 일깨워 주는 대상이 된다.

그런데 이 시에서 중요한 것은 이러한 그립고 안타까운 많은 것들이 현재와 그대로 연속되는 것이 아니라는 점이다. 이 시에서 "휘적시던 곳", "이삭 줏던 곳"이라는 과거시제가 상징하는 것은 바로 그것들이 현재와는 어딘가 단절되어 있음을 의미한다고 하겠다. 특히 마지막 연에서 "석근 별", "모래 성", "서리 까마귀", "초라한 지붕", "흐릿한 불빛"의 대응 속에는 이제는 추억 속에서만 주로 살아있는 고향에 대한 거리감과 함께 비해감이 담겨있는 것으로 보인다. 그것은 기본적으로 고향과 현실 사이에 가로놓여 있는 불연속성에 대한 인식이며, 근원적으로는 고향 상실로서의 조국 상실을 반영하는 것이라고도 볼 수 있으리라.

따라서 지용의 시에는 고향 상실로서 표상되는 뿌리 깊은 비관적 현실인식과 상실의식이 짙게 드러나게 된다.

고향에 고향에 돌아와도
그리던 고향은 아니러뇨.

산꿩이 알을 품고
버꾹이 제철에 울건만,

마음은 제고향 지니지 않고
머언 항구(港口)로 떠도는 구름.

오늘도 메끝에 홀로 오르니
흰점 꽃이 인정스레 웃고,

어린 시절에 불던 풀피리 소리 아니 나고
메마른 입술에 쓰디쓰다

고향에 고향에 돌아와도
그리던 하늘만이 높푸르구나.

— 「고향(故鄕)」

　이 시는 정지용의 고향의식의 특징을 잘 보여준다. 이 시를 관류하는 것은 상실의식이자 방랑의식이고, 비애의 정서라고 할 수 있다. 아울러 인간사의 무상함이며 그에 대조되는 자연사의 의구함이다.

　먼저 이 시의 특징은 어미 처리와 부정종지법에서 잘 드러난다. '고향에 돌아와도—고향은 아니러뇨', '뻐꾹이 제철에 울건만—제 고향 지니지 않고', '고향에 돌아와도—하늘만이 높푸르구나' 등과 같이 방임형과 부정종지 또는 영탄종지법이 함께 연결되면서 상실의 비애 또는 좌절의 허망감을 선명하게 부각시키고 있는 것이다. 그렇기 때문에 "마음은 제 고향 지니지 않고/머언 항구로 떠도는 구름"처럼 고향에서와 마찬가지로 현실에서도 뿌리내리지 못하는 방황의 심정을 드러내게 된다. 따뜻한 곳, 그리운 곳, 평화스러운 곳으로서의 고향은 이미 추억 속에서만 존재할 뿐, 현실에서는 찾을 수 없으며, 돌아갈 수 없는 실낙원으로서의 의미를 지니는 것이다.

　그렇다고 현실은 만족할만한 것이며 또 안주할만한 곳이냐 하면 그렇지도 않기 때문에 좌절감과 비애감이 고조될 수밖에 없다. 주권과 국토는 물론 민족과 그 혼의 상징으로서의 국어마저 핍박받고 억압당하는 일제강점하의 고통스러운 상황하에서 안주할 곳은 아무 데에서도 찾을 수 없기 때문이다. 실상 생존권마저 상실해가는 절박한 상황하에서 오로지 옛날로 회귀하는 방법이 있을 뿐이다. 그러나 그 따뜻하고 즐겁던 어린 시절의 고향마저도 달라져버린 인정과 풍정 속에 희미하게 그 편린을 유지하고 있을 수밖에 없는 것이다. 이 점에서 이 시의 비애미 또는 허무감이 두드러질 것이 자명한 이치이다. 과거적 상상력의 유폐된 공간 속에서만 고향은 살아서 다가오는 것이다.

따라서 정지용의 고향은 실락원의 현실 속에서 상처받은 영혼으로 하여금 인간 회복의 꿈을 일깨워주는 장소로서의 의미를 지닌다고 할 것이다. 어쩌면 정지용의 고향은 이상화 시에서 '침실' 또는 '동굴'의 이미지와 서로 대비될 수 있을 것으로 이해된다. 그것은 현실에서의 좌절과 슬픔을 정화하고 재생 또는 부활로 나아가고자 하는 꿈을 담은 장소로 풀이할 수 있기 때문이다. 고향은 비록 새로운 좌절과 상실 또는 비애의 보급으로 다가오지만 그러한 것으로 회귀하고 추억할 수 있다는 사실만으로도 실낙원의 시대에는 커다란 위안이 되기 때문이다.

이렇게 볼 때 정지용의 시는 향수의 시 또는 낙원 상실의 시라고 할 수 있을 것이다. 현실에서도 좌절하고 고향에서도 허망을 느낄 수밖에 없어도 그것을 갈망할 수밖에 없는 향수의 시인인 것이다.

3) '바다'와 '산'의 상징성

지용의 시에서 특징적으로 드러나는 또 다른 한 현상은 그의 시에 바다에 관한 시편이 많이 등장한다는 점이다. 바다는 주로 지용의 초기 시에서 많이 나타나는데 대체로 그것은 외래적 감수성을 드러내며 서구 지향성 또는 진보의식을 반영하는 것으로 이해된다.

바다는 뿔뿔이
달어날랴고 했다.

푸른 도마뱀 떼같이
재재발렀다.

꼬리가 이루
잡히지 않었다.

흰 발톱에 찢긴
산호(珊瑚)보다 붉고 슬픈 상채기!

가까스루 몰아다 부치고
변죽을 둘러 손질하여 물기를 시쳤다.

이 앨쓴 해도(海圖)에
손을 씻고 떼었다

찰찰 넘치도록
돌돌 굴르도록

희동그란히 바쳐들었다!
지구(地球)는 엽(葉)인 양 옴으라들고……펴고……

－「바다. 2」

오·오·오·오·오· 소리치며 달려가니
오·오·오·오·오· 연달어서 몰아온다.

간밤에 잠 살포시
머언 뇌성이 울더니

오늘 아침 바다는

포도 빛으로 부풀어졌다.

철석 처얼석, 철석, 처얼석, 철석
제비 날어들듯 물결 새이새이로 춤을 추어.
―「바다. 1」

지용 시에는 「바다」 연작시를 비롯해서 「갑판우」, 「풍랑몽」, 「갈매기」, 「해협」 등 상당수의 바다 시편들이 발견된다. 그리고 이들은 대체로 시작 시기로 보아서 초기 시에 편중되어 있음을 알 수 있다. 그런데 이 바다 시편들은 방법적인 면에서 이미지즘의 원리에 기초를 두고 있다고 하겠다. 즉 이들은 비유에 의해서 이미지를 조형함으로써 내면 풍경을 주지적으로 제시하는 데 특성을 지니고 있다는 말이다.

앞의 인용시에서 보더라도 바다는 "푸른 도마뱀 떼", "흰 발톱", "붉고 슬픈 상채기", "앨쓴 해도" 등과 같은 여러 이미지로서 제시되어 한 폭의 감각적인 지도를 형성하고 있다. 또한 「바다. 1」에서는 "오·오·오·오·오·소리치며 달려가니", "머언 뇌성이 울더니", "철석, 처얼석, 철석, 처얼석, 철석" 등과 같이 청각영상의 이미지로서 바다 또는 파도치는 모습을 형상화하고 있는 것이다. 아울러 시어 면에서 보더라도 "도마뱀 떼", "앨쓴 해도", "지구", "포도 빛", "뇌성" 등과 같이 서구적 감수성의 흔적이 역력하다고 하겠다.

이처럼 시어에 있어서 서구적 감수성과 다양한 감각적 이미지의 활용을 통해서 감수성의 개신을 성취하려 했다는 점에서 정지용의 바다 시편들은 신선한 의미가 드러난다고 할 것이다. 이러한 바다 지향성은 바로 열린 세계로서의 서구 지향성을 표상한다는 점에서 지용 시가 20년대 초기 시단의 전개 과정에서 특이한 위치를 지닌다고 할 수 있기 때문이다. 실상 이 점에서 김기림 등이 지용을 이 땅의 시에 '현대적 맥박과 호흡'을 불어넣은 인물로서 평가하게 됐던 소이가 있다.

그렇지만 후기 시로 접어들면서 지용 시는 바다 지향성으로부터 산 지향성으로 시적 관심이 옮겨지게 된다.

벌목정정(伐木丁丁)이랬거니 아람도리 큰솔이 베혀짐즉도 하이 골이 울어 맹아리소리 찌르렁 돌아옴즉도 하이 다람쥐도 좇지 않고 뫼ㅅ새도 울지 않어 깊은산 고요가 차라리 뼈를 저리우는데 눈과 밤이 조히보담 희고녀! 달도 보름을 기다려 흰 뜻은 한 밤 이골을 걸음이랸다? 웃절 중이 여섯 판에 여섯 번 지고 웃고 올라간 뒤 조찰히 늙은 사나이의 남긴 내음새를 줏는다? 시름은 바람도 일지 않는 고요에 심히 흔들리우노니 오오 견디란다 차고 올연(兀然)히 슬픔도 꿈도 없이 장수산(長壽山) 속 겨울 한밤내—

　　　　　　　　　　　　　　　　　　　　　—「장수산(長壽山). 1」

첫시집『정지용시집』(1935)에 주로 나타나던 바다 시편들이 제2시집『백록담』(1941)에서는 산의 시편들로 이행된다. 시집『백록담』에는「장수산」연작을 비롯하여「백록담」,「비로봉」,「구성동」,「옥류동」,「온정」등 산 또는 이와 관련된 시편들이 많이 실려있다.

인용시「장수산. 1」에서는 장수산의 겨울밤 깊은 고요와 정밀 속에서 허적으로서의 삶과 세계상에 대한 본질을 투시하고 이를 긍정함으로써 불안한 현실을 살아가는 실존의 위기를 이겨보고자 하는 의지가 담겨있는 것으로 이해된다. 일종의 동양적 정신주의의 발현[22]이라고도 할 것이다. 이 시의 핵심은 대자연의 거대한 침묵과 고독이 인간의 그것으로 치환되어있는 데서 찾아볼 수 있다. "깊은 산 고요가 차라리 뼈를 저리우는데 눈과 밤이 조히보담 희고녀"라는 구절 속에는 자연의 원시적 허적이 인간의 내면적·생래적 고독과 결합됨으로써 자연과 인간이 합일된 노장적인 무위자연 내지 허정의 세계를

---

22) 실상 "벌목정정"이라는 시구가「시경」의 "조오앵앵"이라는 구절에서 연유한 것이라는 점은 주지의 사실이다.

얼비쳐 주고 있는 것이다. 그렇지만 이 시에서 보다 중요한 것은 "시름은 바람도 일지 않는 고요에 심히 흔들리우노니 오오 견디란다 차고 올연히 슬픔도 꿈도 없이 장수산 속 겨울 한밤내"라는 결구에서 드러난다. 그것은 차고 올연한 것으로서의 허무에 대한 초극의지이며 자기극기의 안간힘이 발현된 것이라 하겠다. 그만큼 자연에 대한 깊이 속에서 인생의 모습을 꿰뚫어 보고 그 본질로서의 허무와 고독을 뛰어넘으려 노력한 것이다. 이처럼 시 「장수산」은 자연이 자연 자체로서 존재하는 것과 함께 인간과 이념적인 육화 내지 정신화되어 존재한다는 특징을 지닌다. 그만큼 자연이 정신화 내지 사상화를 지향한다는 말이다.

초기의 바다 시편들이 비유와 감각주의로 인해서 다분히 기교주의라는 비판을 벗어나기 어려웠던 데 비해서 산의 시편들은 내면 지향성 내지 정신주의를 추구함으로써 시적 깊이를 획득하게 된 것이 특징이라 할 것이다. 바꿔 말해서 서구적 감수성 내지 외래 지향성으로부터 전통 지향성 내지 정신주의로의 회귀를 의미한다고 하겠다. 실상 이러한 변모는 이미 육당 최남선에게서도 확인될 수 있던 사실이다.23) 육당은 「해에게서 소년에게」 등 초기 바다 시편들로부터 차츰 『백팔번뇌』 등에서 보이듯 산의 시편으로 변모해 간 것과 서로 근원적 유사성을 지닐 수 있기 때문이다. 물론 지용의 기타 산의 시편들이 고도의 정신주의를 견지 내지 심화시켜서 이념적인 성취에 도달해 갔는가 하는 것은 의문이 아닐 수 없다. 다만 젊은 날의 방법주의 외래지향성으로부터 차츰 나이가 들면서 정신주의 · 전통지향성으로 성숙되어 갔다는 점은 인정할 수 있을 것이다.

그렇다면 이러한 변모의 원인이 무엇이며, 그것이 시사하는 바로 무엇인가 하는 문제가 제기된다. 지용이 바다 시편에서 산의 시편으로 이행해 간 것은 지용이 이 같은 두 가지 지향성, 즉 외래지향성과 전통지향성 또는 방법주의

---

23) 정한모, 『한국현대시문학사』(일지사, 1974) 육당론 참조.

와 정신주의 사이에서 갈등을 겪으며 시작 활동을 전개해 갔기 때문이 아닐까 한다. 어쩌면 이것은 지용이 그 어떤 쪽에도 투철하지 못했다는 사실을 반증하는 것일 수도 있으리라. 그의 시에는 이러한 갈등의 요소가 서로 변증법적으로 종합되거나 극복되지 못하고 서로 분리되어 나타나기 때문이다. 이것은 실상 정지용의 시력의 취약성 또는 역사의식의 결핍에 기인하는지도 모른다. 아울러 당대 한국시가 하나의 형성기 또는 모색기에 처할 수밖에 없었던 시대 상황과도 무관하지 않을 것이다. 무엇보다도 이러한 갈등의 원인은 정지용이 자신의 시적 지향을 뒷받침할 수 있는 확고한 사상적 기반 또는 역사의식을 확립하지 못한 데서 오는 한계점 때문으로 이해된다. 당대 초기 시단 형성 및 전개기에 있어서 그 누구보다도 새로운 시 방법에 대한 자각과 실제적인 창작능력을 지니고 있었음에도 불구하고 그것이 뿌리내릴 문학사상 내지 생철학을 확보하지 못한 데서 필연적인 변모가 아니라 방법적인 관심의 이행 정도에 머문 것으로 판단되기 때문이다. 그의 시에 성숙의 요소 또는 완성미의 요소는 충분하게 내재해 있었지만, 그것이 정신의 깊이로 심화되고 확대되지 못한 데서 지용 시의 한계가 드러난다고 할 것이다. 이것은 실상 만해 한용운의 경우와 좋은 대조가 된다고 할 수 있으리라. 시에서 사상의 깊이와 기법의 탁월성이 서로 어떻게 조화돼야 하는가를 이 두 시인이 서로 특징적으로 보여주는 것으로 이해되기 때문이다.

4) 낭만성과 주지성의 갈등

정지용의 시에서 드러나는 또 한 가지 특징은 낭만적인 성향과 주지적 성향이 서로 갈등을 이루고 있다는 점이다. 그의 시에는 많은 경우에 감성적인 면이 드러나면서도 한편으로 주지주의적 태도가 날카롭게 표출되어 대립을 보여주기 때문이다.

오동(梧桐)나무 꽃으로 불밝힌 이곳 첫여름이 그립지 아니한가?
어린 나그네 꿈이 시시로 파랑새가 되여 오려니
나무 밑으로 가나 책상 턱에 이마를 고일 때나,
네가 남기고 간 기억(記憶)만이 소곤거리는구나.

모초롬만에 날러온 소식에 반가운 마음이 울렁거리여
가여운 글자마다 먼 황해(黃海)가 남실거리나니.

…나는 갈메기같은 종선을 한창 치달리고 있다…

쾌활(快活)한 오월(五月) 넥타이가 내처 난데없는 순풍(順風)이 되여,
하늘과 딱 닿은 푸른 물결 위에 솟은,
외따른 섬 로만틱을 찾어갈거나.

일본말과 아라비아 글씨를 아르키러간
죄그만 이 페스탈로치야, 꾀꼬리같은 선생님이야,
날마다 밤마다 섬둘레가 근심스런 풍량(風良)에 씹히는가 하노니,
은은히 밀려오는 듯 머얼리 우는 오르간 소리……
　　　　　　　　　　　　　　　　　–「오월소식(五月消息)」

유리(琉璃)에 차고 슬픈 것이 어린거린다.
열없이 붙어서서 입김을 흐리우니
길들은 양 언 날개를 파다거린다.
지우고 보고 지우고 보아도
새까만 밤이 밀려나가고 밀려와 부딪치고
물먹은 별이, 반짝, 보석(寶石)처럼 백힌다.

밤에 홀로 유리(琉璃)를 닦는 것은
외로운 황홀한 심사어어니,
고운 폐혈관(肺血管)이 찢어진 채로
아아, 늬는 산(山)새처럼 날러 갔구나!
　　　　　　　　　　　　　　　　　–「유리창(琉璃窓)」

인용한 두 편의 시에서 우리는 대조적인 두 가지 정서적 태도를 읽을 수 있다. 「오월소식」에는 봄에 느끼는 연정이랄까 그리움이 개방적·서술적으로 드러나 있는데 비해서 「유리창」에는 비애와 고통이 은유적·주지적으로 숨겨져 있기 때문이다. 다시 말해서 전자에는 낭만주의적 색채가, 후자에는 주지주의적 요소가 각각 두드러진다 할 것이다.

먼저 「오월소식」에는 "오동나무", "나그네", "파랑새", "황해", "갈메기", "물결", "오르간소리" 등의 낭만적인 소재가 "그립지 아니한가", "소근거리는구나", "반가운 마음이 울렁거리며", "외따른 섬 로만틱을 찾아 갈거나" 등과 같은 직선적인 서술과 결합하여 초여름의 신선하고 풋풋한 그리움을 드러내 주고 있다. 그리움을 감추고 절제하는 것이 아니라 개방하고 분출함으로써 정서적인 유열감을 획득하고 있는 것이다.

그러나 「유리창」에서는 주지적인 절제와 극기의 예리함이 드러난다. 이 시는 흔히 운위하듯이 지용 자신이 사랑하던 아들을 잃고 나서 그 참척의 비통함을 이기기 위해서 쓴 시라고 한다. 이 시에서 먼저 두드러지는 것은 이 시가 「유리창」을 시의 소재이자 제재로 사용하고 있다는 점이다. 유리창이라고 하는 것은 '유리'가 상징하듯이 광물적 심상에 기반을 둔 것이며, '차단'이라는 '창'의 이미지를 함께 지닌 객관적 상관물의 의미를 지닌다고 할 수 있다. 여기에서 이미 이 시는 차가움의 이미지와 견고 지향성이라는 유리창의 이중적 상징성을 바탕으로 하고 있음이 드러난다. 이 시의 핵심은 시의 퍼스나가 "'차고 슬픈 것'"으로서 "'언 날개를 파다거리는'" 모습이 비치는 유리창을 마주하고 서서 "'지우고 보고 지우고 보'"면서 "밤에 유리를 닦는" 행위로 요약할 수 있다. 다시 말해서 유리창에 가득히 엄습해오는 어둠(밤·절망·슬픔)과 맞서서, 그 어둠을 밀쳐내려는 끈질긴 안간힘을 "지우고 보고 지우고 보고", "밤에 홀로 유리를 닦는" 모습으로 상징화하고 있는 것이다. 이 시에서 감정이 어느 정도 드러난 것은 "차고 슬픈 것", "물먹은 별", "폐혈관이 찢어진 채" 등 매우 제한적으로 나타난다. 그러나 이것도 "차고"와 "슬픈", "물"과 "별" 등이 대응되어 단순히 애상적인 것으로 떨어지게 하지는 않는다. 오히려 "새까만 밤", "물 먹은 별"이 "보석처럼"으로 승화되고, "폐혈관이 찢어진" 이 "산새처럼"으로 상승됨으로써 비극적인 것의 초극이 날카롭게 암시되고 있는 것이다.

이 시에서 특히 "밤에 홀로 유리를 닦는 것은/외로운 황홀한 심사이어니" 라는 구절은 지용 시에서의 주지주의의 한 성과라고 할 수 있다. "외로운"과 "황홀한"이라는 두 모순 형용사의 결합 속에는 어둠과 절망으로서의 생의 한 측면과 함께 밝음과 희망으로서의 또 다른 생의 한 측면이 함께 내재되어 있다고 볼 수 있기 때문이다. 무엇보다도 이 모순어법 속에는 부정에서 긍정으로 극적 전환이 이루어지는 빛나는 모멘트가 담겨있는 것으로 이해된다. 실상 이 구절은 김영랑의 "찬란한 슬픔의 봄"과 연결됨으로써 우리 서정시의 한 황금 부분을 열어놓는 계기가 됐다는 점에서도 의미가 놓인다고 하겠다. 따라서 이 시는 절망과 비통을 뛰어넘으려는 안간힘이 투명한 주지주의의 비장미로 고양된 정지용 주지시의 한 전범[24]이라고 할 수 있을 것이다.

이렇게 본다면 정지용의 시에는 낭만주의적인 감정편향성과 함께 주지주의적인 지성 지향성이 서로 갈등을 이루고 있다고 해석할 수 있겠다. 이러한 낭만주의적 성향은 정지용의 「춘설」등에서는 생명 감각으로 구체화하기도 하고, 주지주의적인 성향은 「호수」등에서처럼 절제된 포멀리즘(formalism) 으로 응결되기도 한다. 정지용의 시 정신 속에는 이러한 전원주의, 방랑의식, 생명 감각, 비극정신 등과 같은 낭만주의적 편향성이 짙게 깔려있으면서도 도시 지향성, 지성주의, 기교주의, 형태주의 등 주지주의적 성향이 강하게 표출됨으로써 하나의 갈등체계를 형성하고 있는 것으로 보인다. 이 점에서 바

---

24) 이 점에서 지용이 시작 활동을 전개하던 1920년대 후반에 이미 주지주의적 태도가 지용의 시를 통해 나타나기 시작했다는 지적은 충분히 설득력이 인정된다고 하겠다. 한계전, 「1930년대의 시와 그인식」, 『한국현대시사연구』(일지사, 1983), 234쪽.

다 지향성과 산 지향성, 낭만적 성향과 주지적 성향의 갈등이 지용 시에 드러나는 중요한 특징이라고 할 수 있을 것이다.

5) 신앙시의 문제

지용의 시에서 간과하기 어려운 부분은 바로 종교시에 관한 문제라 하겠다. 지용은 그의 청년 시절부터 6·25 발발 무렵 남북되기 직전까지 독실한 가톨릭 신자로서 생활해왔기 때문에 그의 시 세계에 신앙심이 암묵적으로 작용할 수밖에 없었기 때문이다.

> 온 고을이 밧들만 한
> 장미(薔微) 한가지가 솟아난다 하기로
> 그래도 나는 고하 아니하련다.
>
> 나는 나의 나히와 별과 바람에도 피로(疲勞)웁다.
>
> 이제 태양(太陽)을 금시 일어버린다 하기로
> 그래도 그리 놀라울리 없다.
>
> 실상 나는 또 하나 다른 태양(太陽)으로 살었다.
>
> 사랑을 위하얀 입맛도 일는다.
> 외로운 사슴처럼 벙어리 되어 산(山)길에 슬지라도-
>
> 오오, 나의 행복(幸福)은 나의 성모(聖母)마리아!
> 　　　　　　　　　　　　　-「또 하나 다른 태양(太陽)」

지용의 시에는 여러 편의 신앙시가 발견된다. 『정지용시집』 제4부에 실린

「불사조」, 「나무」, 「은혜」, 「임종」, 「갈릴리아 바다」, 「그의 반」, 「다른 한울」, 「또 하나의 태양」, 「밤」, 「램프」, 「슬픈 우상」 등이 대체로 종교적인 색채가 드러난 작품들이다. 실상 지용은 그의 집안 여러 사람들이 가톨릭과 무관하지 않은 것으로 알려져 있으며, 그 자신도 독실한 천주교 신자로서 세례명이 프란치스코이고 『카톨릭청년』지에 깊이 관여한 일들은 잘 알려진 사실이다.

인용한 시에서도 신앙에 대한 몰두가 잘 나타나 있다. "온 고을이 밧들만한/장미 한가지가 숫아난다 하기로/그래도 나는 고하 아니하련다"와 "오오, 나의 행복은 나의 성모마리아"라는 구절의 대조 속에는 지용의 신앙 태도가 선명히 드러나 있다. 지상 위의 어떤 아름다움보다도 성모마리아는 '나'에게 행복을 깨닫게 해주는 지고지선의 존재로서 다가오기 때문이다. 그렇지만 지용의 신앙시는 일종의 신앙 고백적인 성격을 강하게 지님으로써 다분히 시적인 깊이를 획득하는 데는 실패하고 있는 것으로 보인다. 신앙에의 갈망과 기도는 있지만, 그것이 좀 더 내면적으로 심화되고 성숙된 모습을 보여주고 있지 못한 것으로 보인다는 말이다. 지용의 종교시는 인간과 신앙에 대한 보다 깊이 있는 성찰과 탐색을 결여하고 있다고 할 것이다. 김윤식의 지적대로 정지용은 "심오한 주제에로 나아갈 각오가 한때 되어 있었으나 그 심연을 엿보는 일이 자기 체질에 맞지 않음을 간파하자 다시 저 태극선과 같이 경쾌하고 경박하고 선비적인 세계에서 놀게 되었다. 카톨릭에 관한 것을 그는 이후로는 계속 쓰지 못한다. 여기에 그의 시적 비극이 있다"[25]고 할 수 있으니라. 신앙에 대한 갈망과 기도의 자세는 오랫동안 지용에 있어서 중요한 정신의 버팀목이 되어온 것이 사실이다. 그렇지만 신앙심이 내면으로 심화되고 육화되어 시적 표현을 얻는 데는 다소 거리가 있다고 할 것이다.

정지용에 있어서 신앙이 차지하는 비중은 상당하다고 하겠지만, 그의 시에 있어서 신앙시는 질·양에 있어서 높은 수준에 도달했다고 보기는 어렵다 하겠다.

---

25) 김윤식, 앞책, 433쪽.

6-3 결론, 지용시의 한계와 시사적 의미

앞에서 살펴본 것처럼 정지용의 시는 대체로 이 땅 서정시의 한 정형성을 보여준 것으로 이해된다. 그것은 사회 · 역사적인 상상력이 아니라 다분히 언어 · 서정적인 상상력에 기반을 두고 있는 것으로 풀이된다.

지금까지 정지용의 시에 대한 평가는 주로 긍정적인 성향을 지녀온 것이 일반적이라 할 것이다. 물론 지용을 기교파로 매도하여 그의 현실에 대한 비관심주의를 비판하거나, 그의 모더니즘을 단순한 형태주의로 매도하는 경우가 없지 않았던 것도 사실이라고 하겠다.

그러나 그 어떤 경우에라도 그의 시가 이 땅의 시에 현대적인 호흡을 불어넣었다는 사실을 부인하는 경우는 별반 없었다고 해도 과언이 아니다. 그의 시는 실제로 '지용이즘'을 운위할 정도로 추앙되기도 하였으며, 당대의 신인들에게는 일종의 등단 교과서 역할을 수행하기도 한 바 있었다.

분명히 말해서 정지용의 시는 이 땅 현대시사에 있어서 시적 감수성을 개신하고 방법론적인 토대를 마련하는 데 크게 기여한 것이 사실이라 하겠다. 그의 시는 전근대성을 크게 탈피하고 있지 못하던 1920년대 한국 시의 초기 시단 전개 과정에 있어서 소월 및 만해와 더불어서 서로 상대적인 위치에서 이 땅 현대시의 한 전환점[26]을 마련해 준 것으로 판단되기 때문이다. 무분별한 사이비 서구시의 퇴폐적 풍조와 카프류의 이데올로기 시가 범람하던 20년대 중반에 정지용은 소월이 개척한 민족 정서와 민요적인 가락, 만해가 선구한 역사의식과 형이상적 정신의 구현과 더불어 현대적 감수성의 개척과 시 방법을 탐구함으로써 한국시에 새로운 물길을 터놓는 데 기여한 것이다.

무엇보다도 지용 시가 지닌 장점은 그의 시가 당대의 여타 시인들의 시에

---

26) 정한모는 현대시의 기점이 20년대 중반 소월과 만해 그리고 지용의 상관관계에서 파악해야 한다고 주장한 바 있다. 「한국현대시의 반성」, 『현대시』 1집(문학세계사, 1983).

비해서 예술적인 성숙도와 완성미를 더 보여준다는 점에서 찾을 수 있다. 그의 시는 서구적 성향의 새로운 감수성과 시 방법 및 언어 감각을 지니고 있으면서도 그것을 우리의 전통적인 정서로 연결함으로써 동양적인 정신주의의 한 영역을 개척하려 노력했다는 점에서 의미를 지닌다.

그렇지만 지용 시를 자세히 살펴보면 그 속에 적지 않은 모순과 갈등의 요소가 가로놓여 있음을 발견하게 된다. 요컨대 그것은 바다와 산의 표상이 상징하듯이 진보의식과 보수의식의 갈등을 비롯하여 낭만적 성향과 주지적 성향의 갈등, 전원지향성과 도시 의존성의 갈등, 세속지향성과 신성 지향성의 갈등, 전통지향성과 모더니티 지향성의 갈등 등으로 정리할 수 있을 것이다. 실상 그의 실종 전말에 석연치 않은 점이 내재해 있는 것도 이러한 모순과 갈등이 작용한 한 결과로 풀이될 수 있을 것이다. 그의 시가 비교적 높은 예술성과 완성미를 보여줌에도 불구하고 보다 심원한 정신의 울림을 던져주지 못하는 까닭도 어쩌면 그러한 점에 연유하는지 모른다. 그가 지향하던 그 어떤 세계도 다분히 단편적 부분적일 뿐이지 보다 체계적·지속적인 천착을 통해서 완성된 세계를 보여주는 데는 실패했던 것으로 판단된다. 무엇보다도 그의 시가 지닌 가장 큰 결함은 역사의식의 결여라고 할 것이다. 그의 시는 과거적 상상력에 편중되고 개인적 정서에 함몰되는 측면을 지님으로써 현실에 대한 성찰이나 비판의식 또는 역사의 진정한 방향성에 대한 비전을 결여함으로써 좀 더 탄력 있고 건강한 시 정신의 면모를 보여주지 못한 점이 있기 때문이다.

그렇다면 정지용과 그의 문학이 차지하는 문학사적 위치를 어떻게 자리매김할 수 있을 것인가?

정지용과 그의 시가 문학사에서 결코 경시될 수 없는 이유 중에 중요한 한 가지는 후대시인과 시에 대한 광범위한 영향 관계를 형성하고 있기 때문이다. 그 자신 한국적인 전통정서 또는 동양적인 정신주의에 뿌리를 두고 있는 것도 의미 있는 일이지만, 그보다도 후대의 시에 더 큰 영향을 미치고 있다는 점에서 그의 위치는 중요하다. 그가 『문장』지의 선고 위원으로 조지훈, 박목월, 박두진, 박남수, 이한직, 김종한 등 역량 있는 신인들을 발굴함은 물론 이상과 장서언 등을 발굴하고 윤동주 등에게 깊이 영향을 끼침으로써 분단 후 남쪽 문단에 대들보를 마련해 준 것은 예삿일이 아니라 할 것이다. 특히 조지훈, 박목월, 박두진 등 세칭 '청록파'에게는 그 제호명은 물론 시 세계의 형성에 깊은 영향을 미쳤던 것이 사실이다. "난초닢은/차라리 수묵색/난초ㅅ 닢에 엷은 안개와 꿈이 온다/난초ㅅ닢에 적은 바람이 오다/나초ㅅ닢은 칩다"라는 지용의 시 「난초」는 그대로 "난초잎새에 밤이 무르익는다/난초는 차라리 무료하다/차라리 수묵색/나는 혼자다"라고 하는 목월의 시 「난초잎새」와 연결되는 것도 그 단적인 한 예라 할 것이다. 조지훈이나 박두진은 물론이거니와 윤동주에게도 지용의 영향은 지대하였다. 실제 시편 속에 나타나는 영향 관계는 차치하고서라도 윤동주가 지용을 사숙하여 대학마저도 지용이 다니던 동지사대학으로 옮겨간 것이 그 구체적인 예라 할 것이다.

아울러 지용의 문학이 전통과 현대, 동양과 서양, 방법주의와 정신주의를 넘나듦으로 해서 한국적 특성을 지니면서도 세계성적인 보편성을 함께 지닌 사실에도 의미를 부여할 수 있을 것이다.

정지용의 시는 당대의 신인들뿐만 아니라 이후의 시인 지망생들에게까지 광범위한 영향력을 미침으로써 그와 그의 시가 이 땅 문학의 풍토를 다원화하고 문학사적 층위를 두껍게 한 것은 오래도록 기억돼야 마땅하리라 생각한다.

정지용, 그는 분명히 이 땅 근대문학사에서 대표적인 모순의 시인 또는 갈등의 시인이라 하겠지만 이 땅의 시를 현대적으로 전환시키는데 획기적인 전기를 마련했다는 점에서 시사적 위치를 지닌다. 선구적인 이 땅 현대시의 개척자로서 미완의 시인 정지용, 그를 제대로 논의하지 않고서는 이 땅 문학사가 올바로 쓰여질 수 없을 것이 분명하다.

주요 참고 논저

김기림(金起林), 『시론(詩論)』, 백양당(白楊堂), 1947

김봉군(金奉郡) 외(外), 『한국현대작가론(韓國現代作家論)』민지사(民知社), 1984

김성옥(金成玉), 『정지용시연구(鄭芝溶詩硏究)』숙명여대석사논문, 1987

김용직(金容稷), 『한국현대시연구(韓國現代詩硏究)』일지사(一志社), 1974

김윤식(金允植), 『한국근대문학사상사(韓國近代文學思想史)』한길사, 1984

김학동(金澤東), 『정지용연구(鄭芝溶硏究)』민음사(民音社), 1987

문덕수(文德守), 『한국(韓國)모더니즘시연구(詩硏究)』 시문학사(詩文學社), 1981

박철희(朴喆熙), 『한국시사연구(韓國詩史硏究)』일조각(一潮閣), 1980

송욱(宋稶), 『詩學評傳』일조각(一潮閣), 1963

양왕용(梁汪容), 『정지용시연구(鄭芝溶詩硏究)』삼지원(三知院), 1988

오탁번, 『한국현대시(韓國現代詩)의 대위적(對位的) 구조(構造)』신구문화사(新
丘文化社), 1962

이숭원(李崇源), 『지용시연구(芝溶詩硏究)』서울대석사논문, 1980

최동호(崔東鎬), 『현대시(現代詩)의 정신사(精神史)』 열음사, 1985

제3부

한국 한국시의 현장점검

1. 한국 서정시의 새로운 인식

I

　80년대에 들어서서 시의 개념이 크게 변모하고 있다. 분단 이후 이 땅에서 주류를 이루던 시관, 즉 시가 서정이며, 상상력이고 언어라고 생각하던 기왕의 관점에서 시는 현실이며 역사이고 무기라고 하는 주장이 강력히 대두되어 하나의 대립항을 형성하게 된 것이다. 실상 이러한 관점의 대립은 문학이 즐거움(dulce)이냐 아니면 쓰임새(utile)를 강조하느냐 하는 문학 원론적인 논의와 원천적으로 연결되어 있다. 그럼에도 불구하고 즐거움을 강조하는 아니면 쓰임새를 주장하든 간에 시에서 서정이 시를 시답게 하는 가장 근원적 힘이 된다는 사실에는 아무런 이의가 없을 것이다. 왜냐하면 시의 발생이 노래하는 정신으로부터 비롯됐으며, 그 기본 바탕이 정서적인 울림에 의지하기 때문이다.

　'시는 아름다움을 리듬으로 창조하는 예술'이라고 하는 포우(E.A.Poe)의 견해를 굳이 거론하지 않는다 해도 시가 사상성과 예술성의 탄력 있는 조화에 의해서 그 이념적인 모습을 성취하리라는 것은 자명한 이치라 하겠다. 서정성이란 이러한 시의 사상성과 예술성을 탄력 있게 결합시켜 시를 시답게 고양시켜 주는 원천적인 힘이라 할 수 있다. 바로 이 점에서 서정성은 시의 시성(詩性, poésie)을 이루는 원형적 자질이면서 동시에 시의 본도에 해당한다 할 수 있는 것이다. 오늘날처럼 온갖 산문적인 나열과 상투성이 범람하는 시대에 진정한 서정성의 확보야말로 현대시의 활로를 개척하는 데 필요불가결의 작업이 될 것이 분명하다.

II

서정시(lyric poetry)란 원래 산문적인 서사시 및 극시와 상대적으로 구별되는 시문학의 기본 갈래이다. 서정시는 그 유래가 lyra(수금, 手琴)라는 악기 명에서 비롯되었듯이 노래하는 정신, 즉 음악적인 요소를 바탕으로 한다. 그것을 리듬이라고 부를 때 거기에는 소리의 강약, 고저, 장단, 화음, 멜로디 등 잡다한 요소들이 함께 어울려 특유의 울림을 빚어내게 마련이다. 따라서 서정성의 기반이 되는 리듬은 단순한 소리의 진동이 아니라 말이 지니고 있는 소리적 요소와 의미적 요소들이 서로 연결되고 함께 정서적 울림을 형성해 냄으로써 시를 읽는 기쁨을 더해주는 역할을 수행한다. 즐거움이라든지 연민, 공포, 분노, 슬픔 등 인간의 여러 정서적 자질들이 리듬과 어울려서 특유한 서정성을 환기해 주는 것이다. 이 점에서 리듬은 서정성을 이루는 바탕이 되는 동시에 서정성을 완성시켜 주는 중요한 미적 자질이 된다고 하겠다.

먼저 전통시에서 서정은 자아와 세계의 호응, 즉 나와 나 밖의 세계로서 님과 자연에 대한 호응 관계에서 그 특징이 드러난다.

① 이화(梨花)에 월백(月白)하고 은한(銀漢)이 삼경(三更)인제
　일지춘심(一枝春心)을 자규(子規)야 알랴마는
　다정(多情)도 병(病)인양하야 잠못들어 하노라

② 추강(秋江)에 밤이 드니 물결이 차노매라
　　낚시 드러치니 고기 아니 무노매라
　　무심한 달빛만 싣고 빈배 저어오노라

③ 내마음 버혀내어 저 달을 만들고저
　　구만리장천에 번듯이 걸려 있어
　　고온님 계신 곳에 가 비최여나 보리라

　한국 전통시에서 서정시라고 하면 대부분 연군시나 사랑시 또는 전원을 노래한 자연시를 기본으로 하여 음풍영월하는 경향이 지배적이었다. 인용시 ①은 이조년의 시조, ②는 월산대군, ③은 정송강의 시조이다.

　먼저 ①에서 핵심은 배꽃과 달빛 그리고 은하수와 님 그리워함의 호응에 놓여진다. 이것은 꽃과 달 그리고 은하수가 환기하는 애상적 정서가 상사(想思)라고 하는 그리움의 정조와 결합됨으로써 비애와 연민의 정서를 강조하게 되는 특징을 지닌다. ②에서는 강과 물결, 그리고 달빛과 빈배라고 하는 서정적 소재들이 결합되어 한가로운 자연 속에 노니는 유유자적한 모습이 제시돼 있다. 아울러 ③에서는 달과 님을 결합하여 충신이 임금을 그리워하는 지극한 마음이 표출돼 있다.

　이렇게 본다면 전통시 특히 시조에서 드러나는 서정은 대체로 인사(人事)와 자연에 관한 문제로 요약할 수 있을 것이다. 실제로 옛시조에서 가장 많이 나타나는 어휘는 님(403회)이며 이와 함께 자연 심상인 달, 꽃, 물 등이 453회나 사용됨으로써[1] 이러한 사실을 확인할 수 있다. 따라서 사랑의 기쁨이나 슬픔, 그리움이 한을 주된 정서로 하였으며 강호가도로서 풍류를 읊조리는 전원시들이 주류를 이루어 왔다고 하겠다. 이러한 전통적인 서정시의 소재는 대략 화조월석이라는 말도 있듯이 자연현상이거나 그에 투사된 낭만적 정감이 기저를 형성해 온 것이다.

---

1) 정병욱, 『한국고전시가론』, 정기호, 『고려시대시가의 연구』(인하대출판부) 참조.

III

이러한 전통시에서 발견되는 서정시의 특질은 현대시에 이르러서도 크게 변모한 것은 아니라 할 수 있다. 이 땅 현대시의 전개 과정에 있어서 인사로서의 그리움과 달, 꽃, 강 등이 환기하는 자연친화로서의 낭만적 정서는 그 원형성을 형성하고 있기 때문이다.

① 그립다
　말을 할까
　하니 그리워

　그냥 갈까
　그래도
　다시 더 한 번(番)……

　저 산(山)에도 가마귀, 들에 가마귀.
　서산(西山)에는 해진다고
　지접귑니다.

　앞강(江)물, 뒷강(江)물,
　흐르는 물은
　어서 따라오라고 따라가자고
　흘러도 연다라 흐릅디다려

　　　　　　　　　　　　　　　　　　　　─소월(素月),「가는 길」

② '오매단풍 들것네'
　장광에 골불은 감닙 날러오아
　누이는 놀란듯이 치어다 보며
　'오─매 단풍들것네'

추석이 내일 모레 기둘니리
바람이 자지어서 걱정이리
누이의 마음아 나를 보아라
'오―매 단풍들것네'

―영랑(永郎), 「누이의 마음아 나를 보아라」

③ 강(江)나루 건너서
　밀밭길을

　구름에 달 가듯이
　가는 나그네

　길은 외줄기
　남도(南道) 삼백리(三百里)

　술익는 마을마다
　타는 저녁놀

　구름에 달 가듯이
　가는 나그네

―목월(木月), 「나그네」

　세 편의 인용시는 한국 현대시에서 서정의 특징을 비교적 선명하게 드러내주는 것으로 이해된다.

　먼저 「가는 길」은 '가는 길'과 '흐르는 강물'을 통해서 지속과 중단, 변화라는 흐름의 원리 위에 인생과 자연의 법칙이 놓여 있음을 말해준다. 그리고 이 시의 기본 정감은 사랑이며, 사랑이 겪을 수밖에 없는 그리움과 안타까움, 그리고 체념과 미련의 교차이고 긴장 관계라 할 수 있다. 따라서 "앞강물", "뒷강물", "흐르는 물"은 흐름으로서의 사랑(그리움)이며, 변화로서의 생의 원리를 제시한 것이다. 특히 "어서 따라오라고 따라가자고"라는 구절 속에는 체념과 미련, 지속과 변화, 이성과 감정이 서로 충돌하며 갈등을 이루어 흘러가는 사랑의 모습이자 인생의 모습이 담겨있다고 할 수 있다. 대략 2음보와 그 변격으로 짜여진 리듬 구조는 이러한 갈등과 긴장 관계를 효과적으로 조정하면서 소리적 요소와 감정·관념·기분을 상호연결해서 서정적 울림을 고조시키는 역할을 수행한다. 이처럼 이 시는 전원적 소재와 사랑의 주제를 운치 있는 리듬과 결합해서 서정성의 한 높은 품격을 보여준다고 하겠다.

시 ②에서도 마찬가지이다. 여기에서는 주로 전라 방언의 활용과 감각어의 구사 등 언어 미학적인 장치에 의해 심리적 긴장체계가 형성된다. 가을이 환기하는 비애의 정조와 설레임의 모습이 "단풍", "장광", "감잎", "추석", "바람", "누이" 등의 이미지와 연결되어 자연스럽게 표출된다. 특히 시작·중간·끝에 세 번이나 반복되는 "오~매"라는 방언 구문과 "들것네", "날러오아", "치어다보며", "기둘니리", "자지어서" 등의 조어 형태가 리드미컬하게 교차됨으로써 향토적인 정감의 울림을 돋구어 주는 것이다. 가히 감각과 이미지, 그리고 리듬의 유려한 결합이 빚어내는 서정성의 한 전범이라고 할 수도 있으리라.

시 ③에서는 한결 정제된 서정성이 두드러진다. 5연 10행, 약 20어절 정도의 간략한 형태로 짜여진 이 시에는 '강/길', '구름/달', '술/저녁놀'과 같이 서정적 상징성이 강한 소재들이 등장하여 서정시의 한 원형성을 보여준다. 강과 길은 둘 다 변화와 지속으로서의 나그네의 여정 및 인생의 모습을 효과적으로 환기한다. 구름과 달은 생성과 소멸, 충만과 소실이라는 변화의 원리에 기초하여 나그네의 감정적 기복 및 인생의 순환원리를 암시한다. 술과 놀은 물과 불이라는 원초적 상징성을 통해서 감성과 이성, 희망과 낙망, 슬픔과 기쁨이라고 하는 인간의 모순성을 시사해 준다. 특히 이 시에서 "강", "길", "구름", "달", "술", "놀", "나그네" 등과 같이 음이 활용됨으로써 그 유동성과 흐름의 이미지로 해서 나그네와 인생의 모습을 효과적으로 제시한 것은 독보적인 솜씨라 할 수 있다. 역시 의미와 감각과 리듬이 유려하게 결합됨으로써 서정적인 울림을 고조시켜 준 서정시의 한 전범이라고 할 수 있을 것이다.

이처럼 한국의 전통적인 서정시의 중요한 한 특질은 사랑시와 전원시라고 할 수 있는바, 이러한 특징은 현대시에도 그대로 맥락이 이어지고 있음을 알 수 있다. 특히 현대시에 이르러서도 그 서정적 특질이 '하늘', '달', '바람', '구름', '별' 등의 천체적 이미지와 '산', '강', '들', '숲', '꽃' 등의 전원적 이미저리 군을 통해서 사랑과 이별, 탄생과 죽음 등 인생의 원리를 투영한 데서 찾아볼 수 있다.

이 점에서 '달'을 표상으로 하는 달의 상상력과 '강'을 표상으로 하는 흐름의 시학, 그리고 '꽃'이 의미하는 존재론의 시 정신은 한국 서정시의 한 원형적 형질이라고 할 수 있다. 이러한 전통적인 서정시의 특질은 오늘날에도 한국시의 한 중요한 저류로서 흐르고 있으며, 그 원형을 이루는 동시에 기본이 된다는 점에서 의미가 놓여진다 하겠다.

IV

그러나 분단 이래 특히 1970~1980년에 민주화시대 · 산업화시대에 접어들면서 이 땅에서 전통적인 서정시의 주된 성격은 크게 변모하기 시작하였다. 사랑시라든가 전원시가 보여주던 원형적인 서정성이 차츰 삶과 생활에 뿌리박은 역사적 서정으로 탈바꿈함으로써 서정시의 개념은 물론 시 자체에 대한 개념과 의의가 새로워지기 시작한 것이다. 한 시대는 그 시대에 알맞은 감수성과 가치관을 지니게 마련이다. 종래에 음풍영월하던 전통시에 맥락을 두고 원형적인 서정성 또는 단순성의 서정에 의지하던 현대시는 분단의 극복이라는 시대적 명제와 민주화 및 산업화에 따른 전환기의 시대정신에 걸맞은 능동적인 내용으로 전환할 수밖에 없었다고 하겠다. 따라서 오늘날 서정시의 특징은 삶의 현장과 보다 밀착되고 현실과 역사적 지평으로 확대될 수밖에 없게 되었다.

① 징이 울린다 막이 내렸다
  오동나무에 전등이 매어 달린 가설무대
  구경꾼이 돌아가고 난 텅빈 운동장
  우리는 분이 얼룩진 얼굴로
  학교앞 소주집에 몰려 술을 마신다
  답답하고 고달프게 사는 것이 원통하다
  꽹과리를 앞장세워 장거리로 나서면
  따라붙어 악을 쓰는건 쪼무래기들뿐
  처녀애들은 기름집 담벽에 붙어서서
  철없이 킬킬대는구나
  보름달은 밝아 어떤 녀석은
  꺽정이처럼 울부짖고 또 어떤 녀석은
  서림이처럼 해해대지만 이까짓
  산구석에 처박혀 발버둥친들 무엇하랴
  비료값도 안 나오는 농사따위야
  아예 예편네에게나 맡겨두고
  쇠전을 거쳐 도수장 앞에 와 돌 때
  우리는 점점 신명이 난다
  한 다리를 들고 날나리를 불거나
  고갯짓을 하고 어깨를 흔들거나
                              －신경림(申庚林),「농무(農舞)」

② 흐르는 것이 물뿐이랴
  우리가 저와 같아서
  강변에 나아가 삽을 씻으며
  거기 슬픔도 퍼다 버린다

일이 끝나 저물어
스스로 깊어가는 강을 보며
쪼그려 앉아 담배나 피우고
나는 돌아갈 뿐이다

삽자루에 맡긴 한 생애가
이렇게 저물고, 저물어서
샛강바닥 썩은 물에
달이 뜨는구나

우리가 저와 같아서
흐르는 물에 삽을 씻고
먹을 것 없는 사람들의 마을로
다시 어두워 돌아가야 한다
—정희성(鄭喜成),「저문강에 삽을 씻고」

③ 휴전선은 끝이 없다
　　달도 저문다
　　떡갈나무 숲속 외로운 초병의 총구 끝도
　　싸늘히 춤다
　　숲 그늘에 잠든 새들아 날아올라라
　　동터오는 새벽하늘 가르며 북녘 끝까지
　　어젯밤 남방한계선을 넘다가
　　몇점 불빛으로 산화한 것들의 아득한 날개짓을
　　초병은 안다
—이시영(李時英),「백로(白露)」」

④ 먼길 떠나시던
　　아버님 발자욱이 보인다

　　어두운 밤 홀로 흰 두루막자라 날리시며

검은 山 넘어 넘어
먼 길 가시던 날

어머님이 감추시던
눈물어려 몇방울

내 이젠 나이 들어 어린 딸 거느리고
여름 저녁 한 때 언덕에 서면

만주(滿洲)땅 어느 곳에 잠들어 계실
아버님 모습……

풀벌레들 정적 더하던
고향(故鄕) 옛 집에서
철 모르던 우리 남매(男妹) 잠재워 놓고
두만강(豆滿江)
된서리 묻어온 두루마리
남몰래 읽으시던 우리 어머니

촛불에도 떨리시던
당신의 눈물 모두 어려 보인다.
　　　　　　　 ─김명수(金明秀),「북두칠성(北斗七星)」

　　먼저 시 ①에는 종래시에서 자주 발견되던 회화적이고 목가적인 농촌 풍경
이 사라지고 가난하고 곤궁한 농촌 생활의 실제적인 모습이 제시된다. 이 시
에도 역시 '오동나무', '숲', '보름달', '산', '가설무대' 등 전원 심상이 등장하는
것은 마찬가지이다. 그렇지만 이 시가 힘주어 강조하는 것은 단순한 농촌 풍
경의 목가적 제시나 망향의 정감 표출이 아니라 실제적인 농촌 생활의 고달
픔에 대한 탄식이며, 그렇게 농민들로 하여금 피폐한 현실을 살아가게끔 만

든 모순과 부조리 투성이의 농정에 대한 날카로운 비판이다. "비료값도 안나오는 농사"라는 구절 속에는 답답하고 고달픈 삶을 이끌어갈 수밖에 없는 현실적 비극성에 대한 울분과 함께 그렇게 만든 힘에 대한 저항의지가 담겨있다고 하겠다. 실상 '농부'의 흥겨운 가락과 어깨춤 동작 속에는 시대적인 울분과 개인적인 좌절감을 극복해 보고자 하는 안간힘이 아이러니로서 제시된 것이다.

시 ②에도 전통적인 서정시와 마찬가지로 '물', '강', '달', '마음' 등 서정적인 원형 심상이 등장한다. 그러나 이 시는 정처 없이 유랑하는 낭만적 감정이나 목가 풍경의 제시를 목표로 하지 않는다. 척박한 시대를 살아가는 노동자의 현실 생활체험이 핵심이며 그 고달픔과 어려움에서 오는 좌절감과 비애가 주조를 이루고 있다.

시 ③은 분단상황에 대한 비관적 인식과 그것을 극복하고자 하는 열린 정신을 담고 있어서 특히 관심을 끈다. 이 시의 배경은 휴전선의 가을이다. 그리고 "초병", "총구끝", "남방한계선", "별빛", "산화" 등의 시어는 오늘날 이 땅의 분단 현실이 처한 아픔과 슬픔을 예리하게 상징한다. 아울러 "싸늘히 춥다"와 "잠든 새들아 날아 올라라"를 대비함으로써 분단 현실이 처한 고달픔과 추위, 그리고 그러한 분단을 뛰어넘고자 하는 자유에의 갈망이 탁월하게 형상화된 것이다. '떡갈나무', '달', '숲속', '새', '새벽', '날갯짓' 등과 같이 서정적인 소재들이 사용됐지만 그것은 분단이라는 현실 감각과 연결됨으로써 삶에 기반을 둔 사실적 서정으로 전환된 것이다.

시 ④에서 이러한 서정성의 변모는 더욱 두드러진다. 이 시에도 '별', '길', '밤', '산', '눈물', '풀벌레', '고향', '두만강', '촛불' 등의 전통적인 원형 심상이 빈번하게 활용되어 있다. 그렇지만 이 시에서 이러한 심상들은 목가적인 풍경의 제시나 전원 심상 그 자체로 수렴되지 않는다. 그러한 전원 심상들은 만주와 두만강, 그리고 "먼길 떠나시던/아버님 발자국"과 "두만강/된서리 묻어

온 두루마리/남몰래 읽으시던 우리 어머니"의 대응을 통하여 일제강점하 민족의 궁핍한 상황과 탄력 있게 연관된다. 다시 말해서 이 시는 전통적인 목가적 · 전원적 서정성을 역사적 민족적 차원의 서정으로 상승시킴으로써 현실 감각을 확보한 것이다. 특히 '별'과 '발자국'이라는 천상적 척도와 지상적 척도를 대조시킨 것이라든지, '먼길'과 '강물', '두루마리'를 어머니의 한으로 연결시킴으로써 당대 상황의 궁핍한 모습을 서정적으로 제시한 것은 가히 일품이라 할 것이다.

이렇게 본다면 이 시대에 들어서서 한국시의 서정은 내용과 형식 면에서 전 시대의 것과 사뭇 다르게 변화돼 있음을 알 수 있다. 서정성이 탐미적이거나 낭만적 성향으로부터 생활적이면서도 사실적인 모습으로 탄력성을 확보한 것이다.

다시 말하면 님에 대한 그리움이나 인륜 도덕의 강조 또는 상자연을 노래하는 단순성 · 원형성으로부터 차츰 벗어나서 역사적인 삶의 문제, 즉 오늘을 살아가는 고통스러운 삶의 문제를 절실하게 끌어안고 고뇌하는 현장성 · 복합성을 강하게 지니기 시작한 데서 그 특징을 찾아볼 수 있다.

V

서정시가 한국시의 기본 골격이고 주류라는 사실에 대해 부정을 표시하는 사람은 아마 없을 것이다. 그리고 서정성이야말로 시를 시답게 만들어주는 근원적인 힘이며 결정적인 관건이라는 사실에 대해서 회의하는 사람도 많지 않을 것이다. 그렇지만 서정시의 개념과 서정성의 범주가 시대 상황의 변화에 따라 능동적으로 변화하며 또 변화해야 한다는 사실에 대해 주목하는 사람들이 많지 않다는 것이 사실이다. 참된 서정성이라고 하는 것은 완성된 개념이나 고정된 틀 속에 안주하기를 거부한다. 그것은 시대정신의 변화에 따라 지난날의 내용과 형식을 기반으로 길항하며 새로운 결을 이루어가는 형성의 개념이며 진전의 모습을 지닌다고 할 것이다.

전통적인 서정성이나 원형적 서정성이 타기되어야 할 낡은 것이라거나 잘못된 것은 전혀 아니다. 다만 그러한 것들이 급격히 변화해가는 이 시대에 사람들의 구체적인 삶과 연결되어야 하고 사회적 · 역사적 지평을 획득해 갈 때 더욱 탄력 있고 생명력 있는 것이 된다는 사실을 진지하게 고려해야 한다는 말이다. 전통적인 서정성은 무작정 부정돼야 할 것이 아니라 변증법적으로 극복되어야 하고 창조적 · 비판적으로 계승돼야 할 소중한 자산이기 때문이다. 앞에서 예를 들었던 1970~1980년대의 새로운 서정시들도 실상은 김소월이나 김영랑 혹은 박목월 등의 서정시로부터 영향받았던 것이 부인할 수 없는 사실이라 하겠다. 이러한 전 시대의 서정시들이 부정되고 매도되는 데서 새로운 서정이 출발하고 완성되는 것은 아니다. 지난 시대의 서정시들이 비판적으로 계승되고 창조적으로 극복되는 데서 보다 바람직한 한국적 서정시가 꽃피울 수 있으리라는 것은 자명한 이치이다.

『심상』 1988년 4월호

2. 베스트셀러 시집과 상상력의 세 유형

I

우리 근대문학사에서 가장 많이, 그리고 오래 읽히고 있는 시집으로는 아마도 김소월의 『진달래꽃』(매문사, 1925), 한용운의 『님의 침묵』(회동서관, 1926), 윤동주의 『하늘과 바람과 별과 시』(정음사, 1948) 등을 꼽을 수 있으리라. 이 땅에서 나고 자란 대부분의 사람들이 한 번쯤은 이들 시집을 탐독하거나 서가에 꽂아놓았던 경험을 지니고 있기 때문이다. 『진달래꽃』만 하더라도 해방 후 지금까지 수십 개의 출판사에서 거듭하여 출판해 왔으므로 그 총 발행, 판매 부수가 어림잡아 수백만 부를 넘어서리라는 점은 쉽게 추측할 수 있는 일이 된다.

그런데 중요한 것은 앞서 든 세 권 시집의 공통분모가 과연 무엇일까 하는 점이다. 김소월은 그야말로 민족 정서를 바탕으로 한 비극적인 사랑과 현실 인식을 드러낸 시인이며, 한용운은 사랑과 이별을 표층 정서로 하면서 그 속에 민족상실의 아픔과 국권 회복에 대한 갈망을 종교적 상상력으로 노래한 시인이다.

① 봄가을업시 밤마다 돗는 달도
　「예전엔 미처 몰낫서요.」

　이러케 사뭇치게 그려울줄도
　「예전엔 밋처 몰낫서요.」

　달이 암만 밝아도 쳐다볼줄은
　「예전엔 밋처 몰낫서요.」

　이제금 저 달이 서름인 줄은
　「예전엔 밋처 몰낫서요.」

─소월(素月), 「예전엔 밋처 몰낫서요」

② 당신이 가신뒤로 나는 당신을 이즐수가 업습니다
　까닭은 당신을 위하나니보다 나를위함이 만습니다

　나는 갈고심을땅이 업습으로 추수(秋收)가업습니다
　저녁거리가업서서 조나감자를 꾸러 이웃집에 갓더니 주인(主人)은
　「거지는 인격(人格)이 업다 인격(人格)이업는사람은 생명(生命)이
　없다 너를 도와주는 것은 죄악(罪惡)이다」고 말하얏습니다
　그말을듯고 도러나올때에 쏘더지는눈물속에서 당신을 보앗습니다

　나는 집도업고 다른까닭을겸하야 민적(民籍)이업습니다
　「민적(民籍)이업는자(者)는 인권(人權)이업다 인권(人權)이업는너
　에게 무슨정조(貞操)냐」하고 능욕(凌辱)랴는 장군(將軍)이 잇섯습
　니다
　그를항거(抗拒)한뒤에 남에게대한격분(激憤)이 스스로의 슯음으로
　화(化)하는찰나(刹那)에 당신을보앗습니다
　아아 왼갓 윤리(倫理), 도덕(道德), 법률(法律)은 칼과황금(黃金)을제
　사(祭祀)지내는 연기(煙氣)인줄을 아럿습니다

영원(永遠)의 사랑을 바들ㅅ가 인간역사(人間歷史)의첫페지에 잉크
칠을할ㅅ가 술을마실ㅅ가 망서릴때에 당신을보앗습니다
—만해(萬海), 「당신을보앗습니다」

　어느 면에서 소월이 낭만적 상상력에 바탕을 둔 비극적 세계관을 애상적으
로 드러냈다면, 만해는 이러한 것을 정치적 상상력과 결합하고 다시 종교적
상상력으로 이끌어 올린 경우라 하겠다.

　　쫓아오는 햇빛인데
　　지금교회당(敎會堂) 꼭대기
　　십자가(十字架)에 걸리었읍니다.

　　첨탑(尖塔)이 저렇게도 높은데
　　어떻게 올라갈 수 있을까요.

　　종(鐘)소리도 들려오지 않는데
　　휘바람이나 불며 서성거리다가,
　　괴로웠든 사나이,
　　행복(幸福)한 예수·그리스도에게
　　처럼
　　십자가(十字架)가 허락된다면

　　목아지를 드리우고
　　꽃처럼 피어나는 피를
　　어두어가는 하늘 밑에
　　조용히 흘리겠읍니다.
—윤동주(尹東柱), 「십자가(十字架)」

　한편 윤동주는 동심과 운명에 대한 슬픈 긍정과 사랑을 투명한 전원 서정

과 종교적 상상력으로 고양하려 노력한 경우가 된다. 다시 말해서 세 시인 모두 사랑과 한이라는 비관적 생의 인식을 바탕으로 하면서도 소월은 센티멘털리즘과 로맨티시즘으로, 만해는 불교적 세계관과 정치적 상상력으로, 그리고 윤동주는 서정적인 자연 친화와 기독교적 운명애(amor fati)로서 개성적인 시 세계를 개척한 것이라 할 수 있다. 이것을 요약하면 낭만적 상상력, 정치적 상상력, 그리고 종교적 상상력이라는 세 가지 상상력의 틀로 묶을 수 있을 것이며, 아마도 우리는 이 세 가지 상상력의 틀이야말로 한국인의 시적 상상력에 있어서 기본 바탕이 되는 것으로 풀이할 수 있으리라. 이러한 세 가지 틀은 모든 인류에게 보편적으로 잠재하는 것이겠지만, 특히 험난한 역사의 물굽이를 헤쳐 온 한국인 시인들에게 유독 두드러진다 해도 과언은 아니리라.

II

80년대에 들어서서 가히 '시의 시대'라 할 만큼 시를 쓰는 시인이나 읽는 독자층이 크게 확대되어 간 것이 사실이라 하겠다. 60년대나 70년대에는 시보다도 소설이나 수필 등 산문 류가 시에 비해 압도적인 우위를 차지하였다. 시집은 대부분 문인들끼리 돌려 읽거나 친지들이 읽어주는 경우(?)가 대부분이었다. 그러던 것이 80년대에 들어서서는 그 사정이 매우 달라졌다. 우선 시집을 시리즈로 계속 펴내는 출판사가 크게 늘었다. 말하자면 시집 전문 출판사가 생겨난 셈이다. 그리고 중판을 거듭하여 수만 부 이상이 팔린 이른바 베스트셀러 시집까지 등장함으로써 80년대가 유례없던 시의 시대임을 입증하게 되었다.

80년대 초에 들어서서 이러한 베스트 셀러 시집으로 꼽을 수 있는 것들로는 대략 조병화의 『남남』, 김지하의 『타는 목마름으로』외, 이해인의 『민들레의 영토』 등이 그 대표적인 예들이라 할 수 있다.

① 널 위해서 시가 씌어질 때
　난 행복했다
　네 어둠을 비칠 수 있는 말들이 탄생하여
　그게 시의 개울이 되어 흘러내릴 때
　난 행복했다
　널 생각하다가 네 말이 될 수 있는
　그 말과 만나
　그게 가득히 꽃이 되어, 아름다운
　시의 들판이 될 때
　난 행복했다

② 신새벽 뒷골목에
　네 이름을 쓴다 민주주의여
　내 머리는 너를 잊은지 오래
　내 발길은 너를 잊은지 너무도 너무도 오래
　오직 한가닥 있어
　타는 가슴속 목마름의 기억
　네 이름을 남 몰래 쓴다 민주주의여

　아직 동트지 않은 뒷골목의 어딘가
　발자욱소리 호르락소리 문 두드리는 소리
　외마디 길고 긴 누군가의 비명소리
　신음소리 통곡소리 탄식소리 그 속에 내 가슴팍 속에
　깊이깊이 새겨지는 네 이름위에
　네 이름의 외로운 눈부심 위에
　살아오는 삶의 아픔
　살아오는 저 푸르른 자유의 추억
　되살아오는 끌려가던 벗들의 피묻은 얼굴
　떨리는 손 떨리는 가슴
　떨리는 치떨리는 노여움으로 나무 판자에
　백묵으로 서툰 솜씨로

쓴다

숨죽여 흐느끼며
네 이름을 남 몰래 쓴다
타는 목마름으로
타는 목마름으로
민주주의여 만세

③ 문을
열어 주십시오

너무도 가혹하게 사무쳐 오던
고난에 멍든 세월을
다시는 기억치 않으렵니다

죽음보다 갑갑하고 어둡던 시간
당신의 부재로 하여
아픔이 피와 같던 시각을 탄식하며
무덤 밖에서 절절히
목메어 울었었거니

　시 ①은 조병화의 「남남 · 28」, ②는 김지하의 「타는 목마름으로」, ③은 이
해인의 「부활의 아침」에서 인용한 것이다. 그렇다면 80년대에 들어서서도
이들 시집들이 각각 베스트셀러 시집으로서 꾸준히 성가를 유지하고 있는 까
닭이 무엇일까. 이들은 각각 적어도 몇만 부 이상이 팔려나갔고, 아직도 꾸준
히 읽히고 있다고 하니 무슨 까닭일까. 아마도 이 까닭은 이 시집들이 각각 낭
만적 상상력, 정치적 상상력, 종교적 상상력이라고 하는 한국시에서의 세 기
본 틀을 확보하고 있기 때문일 것으로 풀이된다. 조병화의 로맨티시즘은 김
소월의 그것에, 김지하의 정치적 상상력은 한용운의 그것에, 그리고 이해인

의 종교적 상상력과 서정성은 윤동주의 그것과 각각 암묵의 영향 관계를 맺고 있는 것으로 판단되기 때문이다. 비록 서로 노래하는 방식과 질은 시대에 따라 달라졌어도 그 내면에 흐르는 정서의 원형질은 서로 원천과 영향 관계를 지닌 것으로 이해된다는 점에서 그러하다.

다시 80년대 중반을 지나 후반으로 달려가는 이즈음에 우리 주변에는 몇 권의 시집들이 베스트셀러 시집으로 등장하였다. 이들은 대략 박노해의『노동의 새벽』, 도종환의『접시꽃 당신』, 김초혜의『사랑굿』, 서정윤의『홀로서기』, 김소엽의『그대는 별로 뜨고』, 유안진의『영원한 느낌표』등이 그 대표적인 예들이라 하겠다. 이들은 대부분 초판을 찍은 지 며칠 만에 재판을 찍고, 다시 판을 거듭하여 수만 부에 이르렀다고 하니 경탄할 만한 일이 아닐 수 없다.

> ① 전쟁 같은 밤일을 마치고 난
> 새벽 쓰린 가슴 위로
> 차거운 소주를 붓는다
> 아
> 이러다간 오래 못 가지
> 이러다간 끝내 못 가지
>
> 설은 세 그릇 짬밥으로
> 기름투성이의 체력전을
> 전력을 다 짜내어 바둥치는
> 이 전쟁같은 노동일을
> 오래 못 가도
> 오래 못 가도
>
> 탈출할 수만 있다면
> 진이 빠져, 허깨비 같은
> 스물 아홉의 내 운명을 날아 빠질 수만 있다면

아 그러나
어쩔 수 없지 어쩔 수 없지

늘어쳐진 육신에
또 다시 다가올 내일의 노동을 위하여
새벽 쓰린 가슴 위로
차거운 소주를 붓는다
소주보다 독한 깡다구를 오기를
분노와 슬픔을 붓는다

어쩔수 없는 이 절망의 벽을
기어코 깨뜨려 솟구칠
거칠은 땀방울, 피눈물 속에
새근새근 숨쉬며 자라는
우리들의 사랑
우리들의 분노
우리들의 희망과 단결을 위해
새벽 쓰린 가슴 위로
차거운 소주잔을
돌리며 돌리며 붓는다
노동자의 햇새벽이
솟아오를 때까지

─박노해,「노동의 새벽」

② 당신의 무덤가에 패랭이꽃 두고 오면
　 당신은 구름으로 시루봉 넘어 날 따라오고
　 당신의 무덤앞에 소지 한장 올리고 오면

　 당신의 무덤가에 노래 한 줄 남기고 오면
　 당신은 풀벌레울음으로 문간까지 따라오고
　 당신의 무덤 위에 눈물 한 올 던지고 오면

당신은 빗줄기 되어 속살에 젖어오네

—도종환, 「접시꽃 당신」

③ 눈 뜨고서는
　볼 수 없는 것
　눈 감고야
　화안히 빛나는
　날 빛의 반짝임.
　별로 오시는 이
　당신이여.

—김소엽, 「별 · 15」

인용한 세 편의 시는 각각 80년대 후반에서 한국시의 특징적인 세 징후인 정치적 상상력, 낭만적 상상력, 종교적 상상력을 드러낸 한 본보기가 된다.

시 ①은 70년대 이래 산업화과정에서 누적된 부조리와 구조적 모순에 대한 분노와 항거 의지를 강력히 표출함으로써 80년대 민중시의 한 에포크를 선명히 그어주었다. 실제로 산업현장에서 노동에 종사하면서 겪고 느낀 고통과 울분을 토로함으로써 현실 타개의 능동적 에너지를 실천적으로 제시한 것이다. 따라서 이 시집은 민중에 의해, 민중의 정감을, 민중의 언어로서 형상화한 80년대 민중시의 한 전범이자 새로운 민중시운동의 선구가 된 점에서 획기적 의미를 지닌다고 하겠다.

시 ②와 ③은 각각 먼저 세상을 떠난 아내와 남편을 그리워하는 애절한 사랑의 슬픔을 노래하고 있다. 각기 노래하는 어조와 분위기는 달라도 대략 주제와 서정의 내질은 서로 유사성을 지닌다. 전자가 상처의 애상을 전신으로 끌어안고 있다면, 후자는 그와 어느 정도 거리를 유지하고 있는 것이 특징이다. 특히 후자는 망부의 모습을 "날 빛의 반짝임/별로 오시는이/당신이여"와 같이 종교적 상상력으로 고양시킴으로써 보다 정제된 정신의 질서를 보여주는 것이다.

그렇지만 이 두 편의 시는 모두 슬픔과 고통을 진지하게 받아들이고, 이를 뛰어넘으려는 인간적인 안간힘과 그 진솔함을 드러내 주고 있다는 점에서 서정의 울림을 던져준다. 우리 시에서 사랑을 노래한 역사는 이미 오래고 길다. 오늘날에도 인구에 회자되는 사랑 노래는 대부분 치열하고 고통스럽되 그 인간적 고통과 연민을 벗어나려는 진실한 몸짓과 비애미를 간직한 경우가 대부분이라 할 것이다. 사랑을 노래했기 때문에 널리 읽히는 것이 아니라, 그것을 진실미와 비장미로서 제대로 노래하는 것이 중요하기 때문이다.

이처럼 80년대의 베스트셀러 시집들 역시 대체로 보아 낭만적 상상력, 정치적 상상력, 종교적 상상력에 그 기반을 둔 것으로 볼 수 있으리라.

IV

이렇게 본다면 우리는 한국시의 기본맥락이 주로 낭만적 상상력, 정치적 상상력, 그리고 종교적 상상력에 뿌리를 두고 있음을 알 수 있다. 그리고 베스트셀러 시집이란 이러한 세 가지 상상력에 근원을 두면서 나름대로의 치열함과 진지함, 그리고 진실미와 비장미를 간직해야 함을 또한 이해할 수 있다. 그렇지만 80년대의 베스트셀러 시집들이 예술적인 면에서 성숙도와 완성미를 확보하고 있는가는 좀 더 면밀하게 살펴보아야만 할 것이다. 이들 베스트셀러 시집들은 많은 경우에 진부한 사랑 타령을 되풀이한다든지 소녀적 차원에서 애상적인 고독에 함몰된다든지 하는 부정적인 징후가 드러나는 경우가 많기 때문이다. 따라서 이들이 문학사 속에서 고전으로 자리 잡을 수 있을 것인가 하는 문제는 더더구나 미지수 일 따름이다.

그렇지만 물질 만능의 시대, 인간 상실의 현대에 있어서 사람답게 살아가려는 몸부림을 고통스러운 언어로 형상화하는 예술로서의 시가 많이 널리 읽한다는 것은 그 사실 자체만으로도 고무적인 일이라 생각된다. 온갖 정치적·경제적·사회적 폭력이 난무하는 지금 이 시대에 있어서 인간성 회복의 명제야말로 가장 긴절한 것이기 때문이다. 시가 당대인들의 고통스러운 삶에 용기와 위안, 즐거움과 힘을 심어줌으로써 사랑의 철학, 평화의 사상을 펼쳐나가야 하리라는 것은 시대적 명제이기 때문이다. 시가 그 시대를 살았던 사람들에 있어서 그 감수성의 내용과 삶의 질을 반영하리라는 것은 자명한 이치이리라.

3. 개작의 유형과 문제점

I

개작이란 말 그대로 원래의 작품을 손질하여 다시 고쳐 쓰는 행위를 말한다. 이러한 개작행위가 바람직한 것인가 아니면 잘못된 것인가 하는 논란은 오래전부터 심심찮게 이어져 왔다. 자기의 원작을 자신이 고쳐 쓰는 행위인데 무엇이 잘못됐는가 하고 주장하는 이가 있는가 하면, 작품이 한번 발표되면 그것은 이미 독자의 것이며 또 그 작품 스스로가 독자적 생명을 지니는 것이기 때문에 개작은 불가한 것이라고 하는 사람도 있다.

그러나 이러한 논란은 대부분 작가 또는 비평가들이 자신들의 의견이나 주장을 심정적인 차원에서 드러낸 것일 뿐이지 이에 관한 체계적 · 이론적인 천착은 아직 찾아보기 어려운 실정이다. 물론 이 짤막한 논고에서 이러한 문제를 정공법적으로 깊이 있게 다룬다는 것은 쉬운 일이 아닐 것이다. 따라서 필자는 소략하게나마 한국문학에서의 개작의 예를 몇 가지 살펴봄으로써 그 유형과 특징을 분석해보고 나아가서 이러한 개작행위가 바람직한 것인가를 예술 일반론에 비추어 논의해 보고자 한다.

한국 현대문학사에서 이러한 개작은 여러 가지 유형과 방법으로 이루어져
왔다. 특히 초창기 현대문학의 형성기에 있어서 개작은 보편적인 창작과정의
하나로 여겨지기도 하였다. 많은 작품들이 개작에 개작을 거듭하여 정착되어
갔기 때문에 개중에는 어떤 것을 '결정판 작품(definitive work)'으로 해야 할
지 판단하기 어려운 경우도 있었다. 이것은 초기 문단의 시인·작가들이 예술
작품의 완결성·자족성·객관성에 대한 명확한 인식이 결여된 데서 기인하는
것이지만, 또한 신문학 형성과정에서 파생될 수밖에 없었던 필연적인 시행착
오 현상을 반영한 것이기도 하다.

김소월의 개작은 특히 여러 차례 되풀이됨으로써 이 땅에서 자유시형의 확
립이 얼마나 어려운 일인가를 반증해 주었다. 「먼 후일」 등의 시는 발표 때마
다 여러 차례의 개작 과정을 통해 정착되는데, 이러한 개작 과정에서 드러난
불안정한 형태의 방황은 자유시형의 확립과정에서 소월이 겪은 갈등과 고민
을 반영해 준 것으로 이해된다. (이에 관해서는 정한모, 「소월의 창작과정 연
구」, 『현대시학』, 1978 참조)

근년의 작품들에 있어서도 개작은 여러 시인들에 의해 이루어진 바 있다.
그 한 예로 김춘수의 「꽃」과 「부다페스트에서의 소녀의 죽음」을 들 수가 있
다. 「꽃」은 시집 『꽃의 소묘』에 수록되었을 때는 9행 "누가 나의 이름을 불러
다오"와 10행 "그에게로 가서 나도" 사이에 연구분이 있었지만, 시집 『부다
페스트에서의 소녀의 죽음』에서부터는 같은 연으로 묶여 있다. 마지막 행
"잊혀지지 않는 하나의 의미가 되고 싶다"도 '하나의 의미'가 『김춘수전집』
에서부터 '하나의 눈짓'으로 바뀌어져 있다. 이러한 유형의 개작은 부분 수정
에 불과한 것 같지만, 사실은 전체적인 시의 흐름을 바꿔놓는 역할을 한다는
점에서 중요한 변화라고 말할 수 있다. 시 「부다페스트에서의 소녀의 죽음」

의 경우에는 결미 부분 "마음약한 베드로가 닭 울기전 세 번이나 부인한 지금"과 "다늅강에 살얼음이 지는 동가의 첫겨울" 사이에 무려 26행이나 원작이 삭제되어『김춘수전집』(문장사, 1982)에 수록되어 있는 실정이다. 이 밖에도 김춘수의 시는 부분적인 오자·탈자의 수정에서 비롯하여 단어·행의 수정 및 연의 첨삭에 이르기까지 개작되어 온 것이 적지 않게 발견된다. 신석초, 「바라춤」의 경우에도 구두점이나 느낌표를 뺀 것 말고도 77행이나 삭제되고 새로 4행이 첨가됨으로써 원시 349행이 276행으로 줄어드는 전면 개작의 실례를 보여준다.(김종길, 「영혼과 육체의 드라마」, 『문학사상』, 1984 참조)

이렇게 볼 때 시에서의 개작은 대체로 ①오자·탈자를 교정하거나 구두점 또는 한자어를 한글로(혹은 역으로) 바꾸는 등의 부분 교정, ②단어 혹은 구절 수정과 행과 연의 분할 또는 통합 등의 부분 개작, ③행과 연의 첨삭 또는 전체 구조의 변경이 가해지는 전면 개작 등으로 나누어 볼 수 있을 것이다. 시에서의 이러한 개작은 시가 특히 섬세한 언어의 유기적인 결합체로서 견고한 구조적 장치를 생명으로 하는 예술이라는 점에 비추어 신중히 이루어질 필요가 있다.

한편 소설에서의 개작은 시에서와는 다른 양상으로 나타난다. 소설은 시에 비해 전체적인 구조가 더 중요성을 지닌다. 따라서 소설에서 표현 등 디테일을 부분 수정한 것을 개작으로 보기는 어렵다. 부분적인 묘사나 표현의 문제보다는 전체적인 내용이나 플롯 자체가 변화하는 것을 개작으로 보는 것이 옳을 듯하다. 소설은 원래 디테일에 의지하는 것이 아니라 전체적인 플롯에 의해 사건이 전개되고 주제와 사상이 형성된다는 점에서 개작의 개념이 다분히 제한적으로 사용될 수 있기 때문이다.

소설의 개작은 일반적으로 단편보다는 중·장편의 경우에 많이 행해져 왔다. 염상섭의 경우 대표작인 「삼대」만 하더라도 처음 조선일보에 연재(1931. 1. 1~9. 17)된 이후 단행본, '59년 민중서관판' 그리고 '71년 삼중당판'에 이르기까지 몇 차례의 개작 과정을 거쳐 온 바 있다. 이 경우는 원래 신문 연재용으로 집필된 것이 다시 단행본으로 정착돼 가는 과정에서 이루어진 개작이며, 또한 원작이 일제하에서 쓰여져 연재됐으며 해방 후 다시 발표됐기 때문에 소설의 분위기와 흐름에 있어 개작이 불가피한 것으로 볼 수도 있다. 해방 후 소설 개작의 대표적인 예는 최인훈, 「광장」에서 이루어졌다. 전후 최대의 작품 가운데 하나로 평가되기도 한 바 있는 이 소설은 1960년 10월『새벽』지에 발표된 이래 무려 다섯 번이나 개작이 되풀이됐다. 원고 매수도 처음 600매 정도의 중편에서 장편에 가까운 분량으로 늘어났으며, 상당 부분 손질이 가해졌고 주제도 처음 것과 반드시 일치한다고 보기는 어렵다.

이 개작은 처음 단행본으로 출간될 때 200여 매가 덧붙여졌고, 신구문화사판『현대한국문학전집』에 수록시 교정되고, 민음사판『광장』에서 문체와 내용 면에서 대폭 수정되고, 다시 전집(문학과지성사)을 낼 때 전체적으로 첨삭이 이루어지는 등 여러 번에 걸쳐 수행되었다. (이에 관해서는 김현, 「사랑의 재확인」,『최인훈전집』I, 문학과지성사 참조), 그리하여 결말에서 이명준의 죽음이 남과 북의 이데올로기에 대한 절망과 삶의 보람 상실에서 연유한 것으로 처리됐던 원작이 사랑이 진실로 인간의 삶에 어떠한 의미를 가질 수 있는가를 깨닫는 결과, 그 사랑을 재확인하는 행위의 죽음으로 개작됐다. 이명준의 죽음은 증오와 좌절의 죽음이라기보다 사랑과 재생에 대한 갈망의 죽음으로 볼 수 있게 개작된 것이다.

한편 김동리는 1936년 5월,『중앙』지에 발표했던 「무녀도」를 최근에 「을화」로 개작 발표함으로써 개작의 또 다른 유형을 보여주었다. 애초에 38매 분량이던 「무녀도」가 2,000매 정도의 「을화」로 개작되었는데 이 경우에는 「광장」과 근본적으로 다르게 나타난다. 「광장」의 경우에 근본 캐릭터와 플롯은 그대로 있고 전체적인 흐름과 주제가 다소 바뀐 데 비해 「을화」의 경우에는 캐릭터와 플롯이 「무녀도」와 크게 차이가 난다. 「무녀도」의 '모화, 욱이, 낭이'가 「을화」에선 '을화, 영술, 월희'로 바뀌고, 그들의 성격도 차이가 나며 분위기도 현격히 다르다. 또한 전체적인 주제도 「무녀도」의 그것과 을화의 그것은 기본적으로 차이가 드러나는 것으로 보인다는 점에서 이 두 작품은 서로 근친 관계가 성립되지만, 이른바 전면 개작이 이루어짐으로써 다른 작품으로 이해하는 것이 옳을 것으로 보인다. 두 작품에 김동리의 탐미적 관능적 작품세계가 지속되고 있는 것은 사실이지만 작품 자체의 플롯과 캐릭터리제이션 그리고 의도에는 근본적인 차이가 드러나는 것으로 판단되기 때문이다.

지금까지 살펴본 것처럼 소설에서 개작은 작가의 필요 내지는 게재지의 요청 또는 시대 상황의 변화 등 몇 가지 요인에 의해서 비롯되며, 그 정도 역시, 부분 교정에서 부분 수정, 전면 개작 등으로 구분할 수 있으리라 생각된다.

III

지금까지 살펴본 바와 같이 개작은 우리 주변에서 왕왕 행해져 왔던 것이 사실이다. 작게는 오자·탈자를 바로잡는 일로부터 부분적인 개작, 그리고 작품 내용 전체를 수정하거나 유사한 다른 작품으로 전면 개작하는 경우까지 여러 가지 방법이 사용됐다.

그렇다면 이러한 개작이 과연 바람직한 것으로 평가될 수 있을까 하는 문제가 남는다. 결론부터 말하자면 개작은 가능한 것이긴 하지만, 크게 바람직한 것은 아니라는 점을 강조하고 싶다. 특히 상업적인 이유에서 장편을 중편 혹은 단편으로 개작하는 것과 같은 행위는 부도덕한 일이기까지 하다. 그것은 창조적인 예술 행위가 아니라 부도덕한 작가 정신이 빚어내는 불건전한 상행위에 불과하기 때문이다.

원래 모든 예술작품은 그것이 발표되는 순간부터는 작가의 것이 아니라 독자 혹은 청중의 것으로 보는 것이 옳을 것이다. 윔샛(Wimsatt)과 비어즐리

(Beardsley)의 그 유명한 비평용어 '의도의 오류」(intentional fallacy)'란 말도 실상 예술작품의 객관성 내지는 독자성을 강조한 데서 생겨난 것이다. 물론 구비문학의 경우처럼 예외도 있을 수 있다. 왜냐하면 구비문학이란 사람들 사이에 말로 전해져서 내려오는 동안 여러 가지 형태로 변화하며 정착·완성된 형식이기 때문에 그 어느 것 하나를 원형 또는 결정판으로 잡기 어렵기 때문이다.

만약 예술작품이 작자의 개인적인 것으로 여겨져 발표 후에 자꾸만 손질이 가해진다면 그것을 대상으로 하여 비평하고 연구하는 일은 도로에 가까운 것일 수밖에 없을 것이다. 예술가에게 있어 하나의 작품이 완성되어 발표되기까지에는 무수한 창조의 고통과 역경이 뒤따르기 마련인 것이며, 그렇기 때문에 발표는 신중에 신중을 거듭하여 완성됐다고 판단된 이후에 이루어져야만 하는 것이다. 화가의 작업, 도예가의 작업, 건축가, 조각가의 작업을 예로 들어보자. 그것들이 아무렇게나 발표된다고 생각하면 그 책임을 누가 질 것인가. 작품이 완성됐다고 생각하여 발표된 후에 거기에다 다시 그 작가의 수정작업이 함부로 가해질 수 있을 것인가. 모든 작품들은 발표되는 순간에 스스로의 자족성과 완결성을 지니며 객관적인 존재로 변모하는 것이다. 음악도 마찬가지이다. 작곡가가 작곡하는 과정에서는 얼마든지 첨삭과 수정이 가해질 수 있지만, 발표되어 연주가들의 손에 넘어간 이후에는 그 작품은 이미 연주가들의 영역에 속하는 것일 수밖에 없기 때문이다.

예술작품은 형상화가 완결되어 발표되는 순간 예술가의 주관세계로부터 독자·관객·청중들의 객관세계로 넘어가게 되는 것이다. 문학이라고 해서 이러한 예술작품의 일반 원리로부터 자유로울 수는 없을 것이다. 시 혹은 소설이 창작과정에서 어떻게 변모하고 수정되는가 하는 문제에 독자가 관여할 수는 없는 일이다. 그것은 오직 창조자로서의 시인·소설가 자신의 영역에 속하며 그 창작의 자유와 특권을 아무도 침해하거나 간섭할 수 없음은 물론이다. 작품의 창작과 발표가 오로지 작가의 자유이자 특권이라는 점은 동시에 그 작가가 그 발표된 작품에 대해 책임을 져야 한다는 것을 의미한다. 그만큼 작가는 발표에 신중을 기해야 한다는 점을 분명히 인식해야만 한다. 작가의 손을 떠나 활자화된 작품은 온전히 독자들에 의해 평가되고 감상 돼야만 하며, 이때에는 작가도 이미 하나의 독자에 불과한 것이라는 점이 소중히 인식 돼야만 할 것이다.

물론 작가가 시대와 관련된 하나의 주제를 일생 동안 여러 차례 다른 작품으로 바꿔 쓴다는 것은 용이한 일이 아니다. 특히 일관되고 지속적으로 관심을 가진 대상이라면 그 시각과 관점을 변화시키기 어려울 수 있을 것이다. 그렇다고 해서 그때 그 상황에서 쓰여질 수밖에 없었던 독특한 작품의 내용과 구조를 시대가 바뀌고 작자의 의식 혹은 세계관이 달라졌다고 해서 몇 차례씩 되풀이해서 바꾸는 것은 바람직한 태도가 아니다. 그렇게 관심이 지속적이고 깊이 있는 것이라면, 그럴수록 시각과 관점을 달리해서 새로운 작품을 창작해 내야지 발표한 작품을 몇 번씩 개작한다는 것은 이해하기 어려운 일이기 때문이다. 차라리 속편을 쓰던가, 연작을 씀으로써 그 커다란 주제를 다양하고 깊이 있게 천착하는 것이 바람직한 작가의 태도가 아닐까 하기 때문이다. 다만 예외적인 것은 신문·잡지에 발표했던 작품을 창작집 또는 전집에 수록할 때 한두 번 수정 혹은 개작함으로써 보다 나은 결정판을 만든다는 것은 있을 수 있는 일로 이해된다.

왜냐하면 신문이나 잡지에 수록되는 경우 특히 그 작품이 연재물일 경우에는 첫 번 발표에서 오자·탈자 또는 부분적인 오류가 있을 수 있으며, 때로는 전체적인 면에서 시간이나 기타 사정에 쫓겨 부분적으로 미흡한 부분이 발견될 수도 있기 때문이다. 훌륭한 작품일수록 사실은 개작이 용이하지 않으리라는 것은 자명한 이치이다. 습작이 아닐진대 때로 한 작품이 출판사를 바꿔가며 여러 차례 개작을 되풀이한다는 것은 의구심을 불러일으킬 수도 있을 것이다. 이것은 때로 작가가 이미 그 이상 가는 다른 작품을 써내기 어려운 상상력의 고갈 또는 능력의 한계에 이르렀음을 방증하는 것일 수도 있다. 훌륭한 작가란 꾸준히 변모하는 가운데 다양하면서도 심도 있는 주제를 발표하고 이것을 일관성 있는 사상의 체계로 발전시켜 나아가야 하는 것이다. 한 작품만으로 작가의 사상이 완성되기는 어려운 일이다. 훌륭한 작가란 자기가 창조해 낸 한 세계에 맴도는 것이 아니라, 오히려 이것들을 허물고 새로운 세계로 모험을 떠나는 살아있는 정신의 고독한 순례자인 것이다.

하나의 성취에 안주하는 자가 아니라, 그것을 부정함으로써 더욱 크고 높은 정신의 가능성에 새롭게 도전하는 영원한 정신의 혁명가인 것이다.

IV

개작이라는 행위가 기본적으로 불가능하거나 부도덕한 일은 아니다. 작가의식이 변모해가고 창조적인 모색을 지속해 가야 하는 것이 작가의 운명이라는 점에 비추어 개작은 때로 불가피한 일이기까지 하다. 그러나 하나의 작품이 창작되고 발표된다는 사실은 마치 독립된 생명체로서의 아기가 탄생하는 것과 같이 분명한 것이기 때문에 그에 따른 책임의식이 따라야 한다는 말이다. 책임 있는 작가란 발표한 작품에 대해 완벽한 확신을 가질 수 있고, 모든 책임을 질 수 있어야 한다. 바로 이런 점에서 개작이 때로 필요한 일이고 또 가능한 일이라 하더라도, 완벽한 창조를 신조로 하는 책임 있는 예술가들에게 있어서는 가능한 한 삼가야 할 일로 여겨진다.

『성심여대학보』 1984년 10월 31일

4. 양적 풍요와 거리좁히기

4-1 머리말

80년대가 후반에 접어든 1986년은 어느 면에서 80년대 시의 전반적인 특징이 요약적으로 드러난 한해라 할 수 있다. 흔히 이야기되듯이 80년대는 '시의 시대'라고 할 수 있을 정도로 많은 시와 시집이 발표되었다. 근년에 들어서 매달 각종 문예지에 발표되는 시만 하더라도 줄잡아 수백 편을 헤아리며, 각종 시집 또한 해마다 수백 권씩 발간된다는 사실이 80년대를 시의 시대라 부르기에 족하기 때문이다.

시인의 연령층으로 보더라도 70대의 김광균, 서정주, 김달진, 박두진 등 원로시인으로부터 중진·중견은 물론 신진층까지 폭넓게 창작 활동을 전개하고 있으며, 창작 주체 면에서 볼 때도 공식적으로 문예지를 통해 등단한 시인들 이외에도 여러 계층의 근로자, 농민, 학생들이 이른바 등단 자율화 현상에 힘입어 시집을 간행하거나 무크지운동을 전개하는 등 문학 담당층의 확대가 다양하게 이루어지고 있다 하겠다.

아울러 시의 주제나 제재 또는 형태나 방법 면에서도 크게 확장되고 심화된 양상을 보이는 것이 사실이다. 때로는 정상적인 기존 시법이나 언어에 대한 과감한 부정이나 혁신이 추구되는 등 이른바 반시운동이 활발하기도 한다. 그런가 하면 80년대의 정치적 소용돌이 속에서 일종의 과격성·경직성을 보이던 현실비판시 또는 사회참여시들이 1986년에는 서정성을 지향하는 등 한층 자리 잡힌 모습으로 변모하기 시작한 것도 중요한 특징이라 하겠다.

이렇게 본다면 1986년의 한국시는 80년대 이 땅 현대시의 한 축도이면서 동시에 앞으로의 방향을 가늠케 하는 의미를 지닌다고 하겠다.

따라서 본 개관에서는 1986년의 시적 특징을 비관적 현실인식의 드러남, 분단극복시의 대두, 민중시의 자리 잡음, 사랑시의 의미, 산문시의 대두, 무크지의 특징, 신인 등장과 수상시인 등의 순서로 살펴보도록 하겠다.

4-2 비관적 현실인식의 팽배

1986년의 한국시에서 가장 보편적으로 나타나는 것은 비관적 현실인식이라 할 수 있다. 비관적인 현실인식이란 이 땅의 시사를 통하여 연면히 지속돼 온 부정적인 징후군의 하나이다. 그만큼 이 땅의 역사가 험난하였으며, 그 속에서의 삶이 고통스러웠다는 사실을 뜻하리라. 특히 일제강점기 이래로 이러한 부정적 비관적 현실인식의 태도는 더욱 심화되었으며, 남북분단의 오늘날에도 지속적으로 작용하고 있음은 물론이다.

① 어떻게 당신의 절벽을 올라갈 수가 있을까요.
  얼음 꽝꽝 얼음의 절벽을
  올라갈 수가 있을까요.
  십억 십천 십조 억억의 절대 절정 절벽
  푸르디푸른 당신의 절벽을
  수 올라갈 수가 있을까요
  ……하략……

② 지금 나에겐 손이 없다.

　지금 나에겐 만져볼 이슬이 없다.

　지금 나에겐 바라볼 하늘이 없다.

　지금 나에겐 고동칠 가슴이 없다.

　들쥐라고 말하는 붉은 입술밖에 없다.

　이 발과

　이 손과

　이 가슴이

　통일되기를 기다리는

　지금은

③ 슬픔은 슬픔끼리 만나 더 큰 슬픔이 되고 더 큰 슬픔은 우리들의 식욕과 만나 더욱 깊게 가라앉는다. 슬픔에 취해 벌건 얼굴을 하고 우리는 마지막 잔에 한 줌의 어둠도 섞어 마신다. 어둠 속의 일은 어둠속에서 더욱 잘 보이나니 마침내 어둠은 한 시대(時代)의 속살까지 꽃피우고, 우리는 차고 단단한 바람 앞에 서서 커다란 슬픔의 뒷모습만 보게 된다.

예시 ①은 원로시인 박두진의 「절벽에서」, ②는 중견 강은교의 「지금은」, 그리고 ③은 신진 이구락의 「포장 술집 또는 어둠」이라는 시의 핵심구절들이다. 이들은 각각 주제의 내밀 체험이나 형상화 방법에 있어서는 서로 달라도 세 작품이 모두 비관적인 세계인식을 기저로 하고 있다는 점에서는 공통점을 지닌다.

먼저 시 ①에는 현실을 수난의 장소 또는 절망의식으로 파악하는 기독교적 세계관을 바탕으로 하고 있다. '당신의 절벽'이란 절대자의 세계에 이르고 싶다는 인간적인 갈망과 그에 따른 절망감을 표상한 것이다. ②의 경우에는 당대 현실에 대한 깊은 절망감과 함께 분노를 담고 있다. '없다'로 연속되는 강한 부정어사 속에는 세계와 현실에 대한 뼈아픈 비판과 저항의식이 내재되어 있다고 할 수 있으리라. ③에는 실상 이즈음 젊은 시인들의 시가 대부분 그러하듯이 현실에 대한 절망감과 함께 생의 비극성에 대한 탄식이 담겨있다.

이러한 비관적인 현실인식은 이 땅의 전통적 정감이라 할 수 있는 한의 정서와 결합되어 보다 심도 있는 비극적 세계인식을 드러내기도 한다. 박정만과 강인한의 최근 시집이 그 한 예가 된다.

　① 초롱의 불빛도 제풀에 잦아들고
　　어둠이 처마 밑에 제물로 깃을 치는 밤
　　머언 산 뻐꾹새 울음속을 달려와
　　누군가 자꾸 내 이름을 부르고 있다.
　　문을 열고 내어다 보면
　　천지는 아득한 흰 눈발로 가리워지고
　　보이는 건 흰눈이 흰눈으로 소리없이 오는 소리뿐
　　한마장거리의 기원사(祈願寺) 가는 길도
　　산허리 중간쯤에서 빈 하늘을 감고 있다.

　　허공의 저 너머엔 무엇이 있는가,
　　행복한 사람들은 모두 다 풀뿌리같이
　　저마다 더 깊은 잠에 곯아 떨어지고
　　나는 꿈마저 오지 않는 폭설에 갇혀
　　빈 산이 우는 소리를 홀로 듣고 있다.

　　아마도 삶이 그러하리라.
　　은밀한 꿈들이 순금의 등불을 켜들고
　　그것이 비록 빈들에 놓여 상(傷)할지라도
　　내 육신의 허물과 부스러기와 청춘의 저 푸른 때가
　　어찌 그리 따뜻하고 눈물겹지 않았더냐
　　…하략…
　　　　　　　　　　　－박정만(朴正萬), 「오지 않는 꿈」

② 이 나라 목판본(木版本)의 가을
　한 쪽으로 기러기떼 높이 날아
　칼끝처럼 찌르는 일 획의 슬픔
　─갈대여.

　끝끝내 말하고 죽을 것인가.
　어리석은 산(山) 하나
　말없이 저물어 스러질 뿐
　역사란 별것이더냐
　피묻은 백지, 마초 한다발

　　　　　　　　　　─강인한(姜寅翰), 「가을 비가(悲歌)」

　박정만은 시집 『맹꽁이는 언제 우는가』를, 강인한은 시집 『우리 나라 날씨』를 각각 상재하여 한국적인 비극적 세계관을 심도 있게 표출하였다. ①의 시에서 보듯이 박정만의 시는 한국인의 내면 깊숙이 자리 잡은 한과 허무의 세계를 치렁치렁한 율감과 빛나는 감각으로 형상화하는 한 시범을 보여주었다. 그의 시는 이 시대의 허무주의적인 기류를 전통시의 비관적 세계인식의 태도와 내밀하게 연결하면서도 과도한 감상에 빠지거나 군더더기를 붙이지 않고 있다는 점에서 비극적인 아름다움을 환기한다. 비관적인 현실인식의 아스라한 깊이를 심도 있게 드러내면서도 그것을 극기의 미학으로 아름답게 이끌어 올리는 지난한 작업을 통해서 개인적인 허무와 이 시대의 적막을 이겨내려는 안간힘을 보여준 것이다.

　강인한의 시에도 박정만의 경우처럼 비관적인 현실인식과 허무주의가 깊숙이 자리 잡고 있다. 그의 시집 『우리 나라 날씨』를 관류하는 것은 전통적인 한의 정감이며 비애의 미학이라 할 수 있다. 그의 시에는 부드러운 듯하면서도 날카로운 지사적 기품이 은근하게 자리 잡고 있는 가운데 시대에 대한 비관적 현실인식을 강렬하게 표출하고 있는 것이다.

이처럼 박정만과 강인한은 전통적인 비극적 세계관을 바탕으로 하여 당대적인 삶에 대한 허무의식을 비극적인 아름다움으로 고양시킨 데서 1986년 시단의 한 성과로 판단된다.

이러한 비관적인 현실인식은 오늘날 이 땅의 현대시를 무겁게 짓누르고 있는 시대 상황의 어려움과 무관하지 않다고 하겠다. 분단의 현실 아래에서 추진해야 하는 민주화와 산업화 실현의 의지가 서로 갈등을 겪을 수밖에 없기 때문이다. 특히 유신 이래 이 땅에서 지속적으로 반복돼온 정치적 갈등과 긴장이 오늘날 당대인들에게 뿌리 깊은 불신과 허무감을 심어줄 수밖에 없었던 탓으로 풀이되기 때문이다.

4-3 분단극복 의지의 구상화

1986년의 시에서 두드러지는 특징의 또 한 가지는 분단 현실에 대한 관심이 첨예하게 드러난다는 점이다. 80년대 시에서 현실에 대한 날카로운 비판과 풍자는 매우 일반적인 시적 경향에 속하지만, 특히 1986년에는 그것이 분단 현실에 대한 응시와 그에 대한 극복의지의 구현에로 초점이 모아진 것이다.

① 높고 넓은
　또 슬기로운
　백두산에 우리를 올라가게 하라
　무궁화도
　진달래도
　백의(白衣)에 물들게 하라
　서럽고 서러운
　분단의 역사
　우리 모두를

백두산에 올라가게 하라

─박봉우(朴鳳宇), 「백두산(白頭山)」에서

② 오월이 가고 유월이 오면
　임진강변의 민들레
　하이얀 낙하산 달고
　남으로 남으로 떠가네

　한양으로 부산으로
　달리고 싶어도
　달리지 못하는 철마(鐵馬)

　오월이 가고 유월이 오면
　임진강변의 민들레
　하이얀 낙하산 달고
　북으로 북으로 떠나가네

─홍희표(洪禧杓), 「씻김굿 6」에서

③ 가르친다는 것은 싸우는 것이다
　휴전선에 얽혀 있는 가시 철조망들이
　잔뿌리를 내려
　가시면류관처럼 한반도를 둘러싸더니
　어느새 교과서의 글자들마다 실뿌리가 보이고
　날 선 가시가 번득인다.
　아, 교과서 속에서
　살해된 내 어머니 한반도의 시신위로
　철조망들이 뿌리를 내리고 양분을 빤다.
　눈물을 흘려서는 안 되리라.
　아이들의 맑은 눈 앞에서
　눈을 크게 뜨고
　정직하게 보라고 말해야 되리라.

─김진경, 「교과서 속에서」에서

시 ①은 연령층에 있어서 50대 중진시인, ②는 40대 중견시인, 그리고 ③은 30대 신진시인의 작품인데 이들은 모두 민족분단의 아픔을 드러내는 가운데 그에 대한 극복의 의지와 통일에의 염원을 노래하는 것이 공통점이다. 특히 박봉우는 근작 시집 『서울 하야식』에서 민족분단의 아픔을 보다 능동적으로 감싸려는 적극적인 자세를 보여준다. 그에게 있어서 분단극복은 통일에 대한 의지로 구상화된다. "무궁화도/진달래도/백의에 물들게 하라"는 핵심구절에서 볼 수 있듯이 그는 진정한 의미에서 분단극복이 민족의 동질성 확보와 민주화합의 노력에서 획득될 수 있음을 강조한다. 이 점에서 그는 "전사자들이 죽어가면서 외쳤던 한 마디"(「창은」에서)의 의미가 "'한 포기 꽃이 제대로 피어나는 통일"(「신세대」에서), "벽과 철조망을 헐고 부수어서, 나비와 무수한 꽃과 신록의 정오를 의미할 그런 환한 날과 바다"(「창은」에서)의 세계로 고양되어야 한다는 점을 강조한다. 민족의 진정한 화합과 민주통일이야말로 민족사의 지상과제이며, 그를 향한 민족구성원 전체의 줄기찬 노력이야말로 준엄한 역사의 명령이라는 점을 확실하게 천명한 것이다.

홍희표는 연작시 「씻김굿」을 통해서 분단극복의 염원을 보다 서정적으로 처리한다. 그는 이 연작시를 통해 6·25의 모순과 비극성을 날카롭게 묘파하는 한편 민족분단에 대한 분노와 그에 대한 극복의지를 다각적으로 조명하고 있다. 특히 인용시에서 보듯이 국토의 통일과 민족의 화합이야말로 평화사상과 민본주의 정신에 입각해야 한다는 점을 서정적인 목소리로 형상화하고 있는 것이다.

한편 김진경은 시집 『광화문을 지나며』 등에서 분단상황에 대한 극복의지를 분단 교육의 제반문제점과 접합시켜 구현하고자 한다. 인용시에서 보면이 시는 분단상황에서의 교육이 점차 분단이데올로기로서 고착화되고 획일화되어 가는 데 대한 젊은 시인으로서의 분노와 슬픔을 정직하게 드러내고자 노력한 것으로 이해된다. 민족분단의 근원적 모순에 분노하고, 그러한 분단

상황이 야기하는 각종 모순과 부조리에 비판을 제기한다는 것은 이 땅에서의 진정한 자유민주주의의 정착을 위해서 절실한 일이 아닐 수 없다. 김진경의 이 시집은 젊은 세대들이 분단문제를 바라보는 정직한 시선을 날카롭게 표출한 데서 의미를 지닌다고 하겠다.

이러한 분단문제와 통일에의 염원은 이 땅의 원로·중진으로부터 신진시인에 이르기까지 폭넓은 관심과 공감대를 형성하고 있다. 전봉건은 "함박눈/하얀 눈 펑펑 내리는/오늘 밤 눈 감은 꿈에 보이는/한반도의 허리는 빛이라야 한다/철조망 155마일의 어둠이 사라진 빛이라야한다"(「빛이라야 한다」에서)라는 한 시구에서처럼 연작시 「6·25」를 통해서 민족분단의 비극을 노래하는 가운데 분단 극복의지를 평화사상·통일사상으로 고양시키고 있다.

이처럼 1986년에 현실비판 시들은 특히 분단문제 및 그 극복의지 구현으로서 통일문제에 집중적인 관심을 기울이고 있는 것이 특징이다.

4-4 민중시의 자리 잡음 현상

80년대 시에서 가장 특징적인 흐름은 이른바 민중시의 급격한 대두라고 할 수 있을 것이다. 80년대 초의 정치·사회적 격동으로 말미암아 문학의 사회적 응전력이 크게 제고되었다. 특히 80년 초의 광주체험에서 야기된 정치적 긴장은 이른바 '오월 세대'를 낳으면서 1960~1970년대의 '4월 상징'과 함께 이 땅에서의 문학으로 하여금 저항적·전투적인 요소를 지니게 만들어 주었다. 따라서 80년대 민중시는 민족주의, 민주주의, 민중주의를 추구하는 이념 지향성을 지니게 되었으며 그 결과 분단 극복의지와 민주화의지, 그리고 인권투쟁 의식을 강조하게 된 것이다. 흔히 말하듯이 이들 민중시들은 많은 경우에 폐쇄적 억압적인 현실 상황에 대한 반동으로써 선언성·파괴성·선동성 등을 노출하였으며, 내용과 형식 의제 측면에서 과감한 해체 노력과 부정운동을 전개했던 것이다.

그러나 1986년에 들어서서 많은 민중시들은 메시지 위주의 내용 편중성에서 차츰 벗어나 점차 서정성을 획득하기 시작함으로써 보다 자리 잡힌 모습을 보여주게 된 것으로 이해된다.

이 해에 들어서서, 오랫동안 현실과 사회에 대한 문학적 비판과 저항을 계속해온 김지하가 아예 '김지하서정시집'이라는 부제를 붙인 시집『애린』을 두 권이나 간행한 것이 그 대표적인 한 예라고 할 수 있다.

> 버들잎 타고
> 천리를 흘러와
> 무에 좋아서 이러는가
> 어쩌다 또 귀양살이인가
> 차차 눈 침침해 가는 이 나이에
> 해남 남동 남녘 끝까지 흘러흘러 와.
>
> —「그 소, 애린·8」

김지하가 근년에 부정과 비판정신을 근간으로 하며 탈 장르 또는 장르 해체를 시도한 「대설·남」 시리즈를 지속해 온 것은 주지의 사실이다.

그런데 시집『애린』에 와서는 마치 만해의 '님'처럼 '애린'이라는 상징적 호칭을 사용하면서 서정적인 가락을 형상화하는 데 주력하는 것이다. 시집 『애린』이 추구하는 것은 기본적으로밖에 대한 관심에 대응되는 '안'의 세계이며 '이야기'의 세계와 호응 되는 '상징'과 서정의 세계이다.『애린』은 세계상과 인생의 모순상, 괴리상을 통일과 화해의 세계로 고양시키려 노력하는 것이다. 앞으로 이 연작서정 시집이 모두 완결되어야 비로소 그 총체적인 의도와 의미를 파악할 수 있겠지만, 우선 대설 시리즈가 연작서정시로 변모했다는 사실 자체가 우선 주목된다 하겠다.

아울러 민중시인 계열의 중진시인 고은의 한국문학 작가상 수상 시집인 시집『만인보』는 80년대 문학의 큰 흐름인 민중시의 자리 잡힌 모습을 보여주어서 주목을 환기한다.『만인보』란 시인 고은이 그간의 세상살이에서 만났던 개인적·사회적·역사적 인물들을 두루 형상화하여 삶의 총체적·다면적인 모습을 제시하고자 한 회심의 역작이자 1986년 시단의 한 성과에 해당한다고 할 수 있다.

> 옥정골 홀아비 애꾸 양반
> 발채 넘실넘실
> 고구마 넌출 한 짐 지고 가는데
> 쌀잠자리도 따라가는데
> 장난꾸러기 다목이 따라가다가
> 그만 고구마 줄기 하나 냉큼 잡아채어
> 지게째 넘어뜨리고 달아나버렸다
> 얼라 죽었나?
> 한참 있다가 애꾸 양반 넌출 걷고 일어나서
> 한마디 젠장 대낮에도 도깨비 양반 장난이구만그려
>
> ─「애꾸 양반」전

80년대에 들어서서 이 땅의 많은 시들은 도시 빈민과 근로자, 농민들의 척박한 삶과 그것을 둘러싸고 있는 당대 현실의 열악한 환경 및 그 구조적 모순에 대한 분노와 저항을 소리 높여 외쳐온 것이 사실이다. 그러나 인용시에서 보듯이 1986년에 접어들어 고은의 시들은 집단의 도식화된 목소리와 상투화된 유형성을 벗어나서 낱낱의 삶이 지니는 구체적·인간적 진실에 대한 밀도있는 응시와 애정을 보여주었다는 점에서 의미를 지닌다. 고은의 시집『만인보』는 개인적 삶의 구체성과 그 인간적 진실 및 진정한 사랑을 통해서만이 사회적 삶, 역사적 삶으로의 상승과 진정한 인간구원이 이루어질 수 있다는 확신을 제시한 데서 주목에 값하는 것이다.

  아울러 이즈음 민중시의 상징화·서정화 경향과 함께 드러나는 또 한 가지의 특징은 그것들이 차츰 짧아지기 시작한다는 점을 들 수 있다. 일반적으로 근년의 민중시들은 현실의 제반 모순과 부조리를 고발하고 그에 대한 저항을 펼치기 때문에 보통 설명적이고 길어지는 것이 주요한 한 특징이었다. 정치적 갈등문제, 공해문제, 분단문제, 사회불평등문제, 소외 문제, 한 등을 메시지로써 다루다 보니 자연히 길어질 수밖에 없었다. 아울러 지나치게 직접적 설명적이어서 어느 면에서는 넋두리의 차원에 떨어진 경우도 없지 않았던 것이 사실이다. 그러나 최근에는 다음의 한두 예처럼 짧아지고 응축되어 서정적 상징성을 지님으로써 예술적으로 다듬어진 모습을 획득하기 시작한 것이다.

> 사람이 모두 벽이라고
> 아니야 아니야 아니야
> 사람은 모두 문이다.
> 우리들이 몸부림쳐서라도
> 열고 들어가야 할
> 사람은 모두 찬란한 문이다.
>
> —김준태, 「사람」 전문

> 기러기들 날아오른다
> 얼어붙은 찬 하늘 속으로
> 소리도 없이
> 싸움의 땅에서
> 초연이 걷히지 않는 땅에서
> 한마리 두마리 세마리 네 마리
> 바람 속에서 오늘 눈 감은 나의 형제들처럼
>
> —이시영(李時英), 「기러기떼」 전문

인용한 두 시들은 이즈음 자리 잡힌 민중시의 또 다른 한 전형을 보여준다. 그것은 짧고 응축된 형식이며, 상징화된 발언의식이라고 요약할 수 있다. 김준태 시의 핵심은 '벽'과 '문'의 상징성에 놓여진다. 벽은 어둠과 절망의 현실을 상징한 것이고, 문은 열림으로서의 자유와 해방의 표상이다. 비록 현실의 많은 부분들이 닫히고, 억눌리고, 억압된 상황이지만 그것을 열고 뛰어넘어 자유로워지려고 노력함으로써 인간의 인간다움을 확보할 수 있다는 강한 깨달음이 담겨있는 것이다. 이처럼 인간다운 삶을 향한 열림에의 의지, 실천의지가 시집 『넋통일』의 주제로서 표출됨으로써 분노와 울분을 뛰어넘어 보다 큰 화해의 철학·평화의 사상으로 고양된 데서 민중시의 자리 잡힌 한 모습을 읽을 수 있다. 이시영의 시는 부정적이고 비관적인 현실에 대한 강한 분노와 항거의지를 담고 있으면서도 "기러기들 날아오른다"처럼 솟아오름과 일어섬으로서의 극복의지·상승의지를 서정적으로 상징화함으로써 비극적인 아름다움을 획득하고 있는 것이 특징이다. 이 시의 밑바탕이 되는 것은 이 땅 역사의 아픔에 대한 분노이며, 현실에 대한 탄식이다. 그러면서도 그것이 전투적인 구호나 상투화된 비판으로 치우치지 않고 서정적 긴장과 표현의 밀도를 획득함으로써 예술성을 확보하고 있다는 점에서 바람직하지 않을 수 없다.

이러한 민중시의 절제된 모습은 김용택, 김명수 등 많은 신진시인들에게서도 쉽게 발견할 수 있는 현상이라 하겠다. "여윈 어머님의 메마른 젖가슴과/주름진 아버지의 꺼칠한 얼굴들이/허옇게 피어있는 갈대처럼 흔들린다/강물아, 강물아/고향을 다시금 고향이게 해주렴"(김명수, 「강물아, 강물아」전문)이라는 한 시구에서처럼 현실의 온갖 어려움 속에서 흔들리며 살아가는 민중들의 고달픔을 압축적으로 묘파하는 가운데 인간 회복·자연회복·생명회복을 소망하고 있는 것이다. 길게 늘어놓거나 목소리 높여 무엇을 강요하지 않으면서 밀도 있는 현실비판을 전개하고, 따뜻하면서도 맑은 인간애를 서정적으로 형상화하려고 노력하고 있는 데서 이즈음 민중시의 자리 잡힌 한 모습을 읽을 수 있는 것이다. 실상 현실의 어둠과 그에 대한 저항을 시가 수용할 때 그것을 서정적으로 절제하고 극기하는 노력을 통해서 보다 차원 높은 예술성을 확보할 수 있음은 물론이다. 시에서 그 뼈대를 이루는 사상성과 그 살을 이루는 예술성의 탄력 있는 균형과 조화야말로 가장 중요한 미학이 아닐 수 없다는 점에서 이러한 민중시들의 변모 경향은 바람직한 것으로 받아들여진다. 개인의 구체적 삶에 있어서 자유와 평등에 뿌리내리고 보다 높은 인간애의 길, 예술에의 길로 나아가려는 노력 속에서 이 시대 시의 바람직한 지평이 열릴 것으로 기대되기 때문이다.

4-5 사랑시의 대두와 그 의미

한편 1986년에는 어둡고 고단한 현실의 삶 속에서 시를 통해 위안과 힘을 얻으려는 경향도 크게 대두되었다. 이른바 '사랑시'라고 불리는 연가류 서정시의 성행이 그것이다. 우리의 시사에서 사랑시의 역사는 길고도 다양하다. 「정읍사」, 「공무도하가」, 「서동요」 등으로부터 「가시리」, 「동동」, 「만전춘」, 「서경별곡」, 「정과정」, 「사미인곡」, 그리고 내방가사와 민요는 물론 일제하의 「님의 침묵」, 「진달래꽃」 등에 이르기까지 한국시의 가장 오랜 전통이자 중요한 원천이 되어왔다. 근년에도 정한모의 「사랑시편」, 조병화의 「남남」, 김남조의 「사랑 초서」, 허영자의 「그 어둠과 빛의 사랑」, 나태주의 「사랑이여 조그만 사랑이여」, 김지향의 「사랑, 그 낡지 않은 이름에게」, 안혜초 사랑시집 『아직도』 등이 인구에 널리 회자된 바 있다.

1986년에 간행된 시집 가운데서 유안진의 『지는 꽃을 보며』, 김초혜 「사랑」, 오세영의 『무명연시』, 그리고 도종환의 『접시꽃 당신』 등이 사랑을 집중적으로 노래하여 세인의 관심을 불러일으킨 시집들이라 할 수 있다.

① 바람 분 날일수록/아름다와지던/수로(水路)//작죄(作罪)끝에 더
더욱/향기 높아지던 수로(水路)//짐승도 파렴치한도 신사(紳士)로 만들
어 준 그녀.

　　신라의 멋이었을까/유부녀(有夫女)의 바람에는//꼬리칠수록 수로
(水路)는/사랑받고/칭송받다니//도무지 알 수 없어라/신라(新羅) 남성
(男性)의 그 마음을

─유안진, 「수로부인(水路夫人)」

② 하늘에/해가 하나이듯/물 흐르는 도리에//두가지가 없어라//그대
로가 하나이어/마음에/두길을 내지 못하고/짧은 생명에 갇히어/내 영
혼을 울어라//산 것도 아니고/죽은 것도 아닌 채/어지러움을 견디며/세
월을 돌려 놓아도/눈 먼 돌 속에/아득히 있는 그대.

─김초혜, 「사랑굿 · 41」

③ 화로(火爐)에 불을 지핀다/빈방 섣달 하순 어두운 밤/기다려도
그대는 오지 않고/뒷문밖에는 눈오는 소리/뒷문 밖으로 갈잎소리/눈
이 되어 오랴/바람되어 오랴/얼어붙은 이승의 차거운 육신(肉身)/귀멀
고 눈멀어서 밤은 길다/빈 방 섣달 하순 어두운 밤/그대의 찬 손 녹여
주려고/빈 가슴에 지피는 외로운 불

─오세영, 「화로」

④ 당신의 무덤가에 파랭이꽃 두고 오면/당신은 구름으로 시루봉
넘어날 따라오고/당신의 무덤 앞에 소지 한장 올리고 오면/당신은 초
저녁 별을 들고 내뒤를 따라오고/당신의 무덤가에 노래 한 줄 남기고
오면/당신의 풀벌레 울음으로 문간까지 따라오고/당신의 무덤 위에
눈물 한 올 던지고 오면/당신은 빗줄기 되어 속살에 젖어 오네/

─도종환, 「당신의 무덤가에」

　이상 네 편 시에서 공통되는 것은 이들이 모두 사랑을 테마로 한다는 점이
다. 먼저 ①시는 고전적인 사랑, 즉 향가 「헌화가」에서 수로부인을 제재로 하

여 신라인들의 멋스러운 사랑과 인간미를 노래하고 있다. 수로부인의 자유분방함 속에서 신라인들의 낭만과 사랑, 그리고 자유의 정신을 읽어내는 것이다. 시 ②는 근년에 「사랑굿」 연작시를 계속적으로 써서 108편으로 묶은 시집 『사랑굿』의 한 편이다. 마치 인생이 그러한 것처럼 숱한 절망과 오뇌 속에서 발견해가는 사랑의 진실을 아프게 노래한 것이다. 너와 나의 변증법적 대위, 그리고 물과 불의 상상력을 기반으로 하여 사랑의 오뇌와 기쁨을 집중적으로 탐구하려 한 데서 이 시집의 의미가 드러난다. 시 ③은 시집 『무명연시』의 마지막 84번째 작품인데 여기에서는 삶의 본원적인 쓸쓸함을 노래하는 가운데 님에 대한 지향 없는 그리움과 안타까움, 그리고 기다림을 노래하고 있다. 특히 "화로에 불을 지핀다"는 행위는 소멸 속에서 다시 생성을 갈망하는 애절한 몸부림을 드러낸 것이다. 마치 만해의 「님의 침묵」에서의 그것처럼 소멸을 통해서 생성에 이르고자 하는 참된 사랑에 대한 갈망이 시집 전편에 흘러넘친다 하겠다. 시 ④는 신진시인 도종환의 애절한 망부석 사랑의 노래이다. 불치의 병으로 아내를 잃은 뒤에 실의와 비통을 이겨 나아가고자 하는 애절한 몸부림이 형상화된 것이다. 이 시가 지닌 장점은 체험의 구체성에 바탕을 둔 비애의 애절함이자 고통의 진지함에 있다. 다분히 애상적인 면에서 벗어나고 있지 못하면서도 체험이 지닌 애절함과 진지함을 비애미로서 고양해가고 있다는 점에서 감동적인 요소를 담고 있는 것이다. 특히 이들 사랑시집 중에서 『사랑굿』과 『접시꽃 당신』은 공전의 베스트셀러로서 많은 독자들의 관심을 불러 모은 바 있다.

지금까지 예로 든 시집들 이외에도 사랑을 제재 혹은 주제로 삼은 작품들이 1986년에는 유난히 많이 발간되었다. 한 예로 김여정의 『날으는 잠』은 신앙적인 사랑과 구원에 대한 갈망을 깊이 있게 노래한 경우가 된다.

이러한 사랑시집들이 이즈음 크게 독자들의 관심을 끄는 이유는 여러 각도에서 풀이될 수 있을 것이다. 그렇지만 그 무엇보다도 이 시대가 어둡고 고단한 상황에 놓여 있기 때문일 것으로 풀이된다. 각종 정치적인 긴장과 억압, 물질주의 · 상업주의의 팽배로 인한 인간소외 등이 그 중요한 원인이 될 것이다. 아울러 80년대 들어서서 민중시의 급격한 대두가 자칫 서정적인 아름다움과 따뜻한 인간미를 결여하고 있기 때문일 수도 있다. 실상 80년대에 와서 현실 비판과 저항시들이 강력하게 또한 폭넓게 대두되어 왔기 때문에 상대적으로 서정시 또는 사랑시들이 다소 위축된 양상을 보여왔던 것이 사실이다. 그런 가운데서 사랑을 노래하는 서정시가 활발히 쓰이고 또 많이 읽힌다는 것은 이 땅의 현대시가 보다 다양성을 확보하는 데 긴요한 일이 아닐 수 없다. 당대에 있어 시의 다양성이란 바로 삶의 다양성을 의미하는 것일 수 있기 때문이다. 다만 앞으로 이러한 사랑시들이 한때의 대중적 인기에 영합하는 것이 아닌, 진정한 인간 탐구와 사랑의 실천을 목표로 해서 깊이 있고, 넓이 있게 천착 되어야 할 것임은 물론이다.

4-6 산문시의 유행과 특징

80년대에 들어서서 이 땅의 시는 몇 가지 면에서 주목할만한 특징을 보여 왔던 것이 사실이다. 그 하나는 이른바 민중시의 급격한 대두와 확산이며, 둘째는 서사시와 장시의 괄목할만한 신장이고, 셋째는 산문시의 유행이 그것이다. 80년대 초반만 해도 특히 서사시와 장시는 그것이 지닌 역사적 대응력과 문학적 포괄성으로 인해서 광범위하게 그 영역을 확장해 왔었다. 전환기로서 80년대 초반의 시대 상황은 짧은 서정시보다는 길고 스케일이 큰 서사시를 요구했기 때문이다. 그런데 이러한 서사시는 80년대 중반에 들어서서 소강상 태에 접어들었고, 상대적으로 산문시형이 크게 유행하게 된 것이다.

그렇다면 80년대 중반에 들어서서 왜 산문시가 크게 성행하게 되었는가? 전봉건의 시집 『북의 고향』은 물론 정진규의 「뼈에 대하여」, 박제간의 「달은 즈믄가람에」, 조정권의 「허심송」, 그리고 황지우의 「새들도 세상을 뜨는구나」에 이르기까지 산문시는 오늘날 다양하게 쓰여지고 있다.

단적으로 말해서 80년대에 산문시가 크게 유행하는 한 이유는 이미 80년대라는 시대적·역사적 상황이 시로 하여금 단순한 서정의 세계 또는 노래의 영역에만 머물게끔 하고 있지 않다는 데서 기인하는 것으로 보인다. 80년대라는 제반 복잡하고 고단한 상황이 시로 하여금 상징의 세계 또는 응결된 노래의 영역에 머물게끔 하지만은 않기 때문이다. 정서의 깊은 내면적 울림을 생략되고 절제된 양식으로 표상하기보다는 현실의 제반 모순과 부조리를 드러내어 그것을 산문적으로 나열함으로써 독자들에게 현대에 있어서의 산문적인 삶의 모습을 그대로 전달하고자 하기 때문인 것으로 풀이되는 것이다. 실제로 이즈음의 많은 시들은 그것이 꼭 산문시가 아니라 해도 서술적인 내용이나 이야기를 담고 있다는 점에서는 산문적인 설화시 내지 서술시 형태를 취하고 있는 것으로 볼 수 있다. 특히 민중시 계열의 시들은 이러한 산문적인 이야기 또는 사건을 포괄하고 있는 경우가 많다.

　　폭삭 망할려면 서양소 사서 키우고/천천히 망할려면 자식놈 낳아
　　대학 보낸다더니/오복리 당숙은 팔아버린/논 서마지기에 황병들고/길
　　만이는 취직자리 걱정에 골병들어 누웠네.
　　　　　　　　　　　　　　　　　　　　　　　　－곽재구, 「오복리 당숙」에서

　　아버지, 논으로 울고 논으로 웃고/논으로 싸워 아버지의 세상과 논
　　을 지키신 아버지/아버지의 적막하게 굳은 등이/오늘 따라 이리 넉넉
　　할까/집에 들면 강 건너 밭 지심을 걱정하시는/어머님 곁에 앉으셔야/
　　맘이 놓이시는 아버지/우리들의 아내는 우리들의 마음을/무엇으로 안
　　심시킬까요/아버지.
　　　　　　　　　　　　　　　　　　　　　　　　－김용택, 「논」에서

인용시에서 보듯이 이즈음의 신진시들은 많은 경우에 시를 쉽게 풀어서 이야기 형식으로 기술함으로써 공간의 영역을 확대하고 있다. 이러한 서술시들을 우리는 산문시라고 하지는 않는다. 산문시란 첫째 길이가 비교적 짧고 요약적이라는 점에서 시적 산문과 다르고, 둘째 행 구분이 전혀 없다는 점에서 자유시(free verse)와도 다르고, 셋째 내재율과 이미지를 지닌다는 점에서는 산문과도 다른 것이다(*Princeton Encyclopedia of Poetry & Poetics*, Princeton Univ. Press, 1974, 664~665쪽.). 따라서 산문시는 이야기 혹은 사건을 담고 있다거나 줄글 형식을 취하고 있다고 해서 모두 산문시라고 할 수 없음은 물론이다.

① 어떤 밤에 혼자 깨어 있다 보면 이 땅의 사람들이 지금 따뜻하게 그것보다는, 그들이 그리워하는 따뜻하게 그것만큼씩 춥게 잠들어 있다는 사실이 왜 그렇게 눈물겨워지는지 모르겠다 조금씩 발이 시리기 때문에 깊게 잠들고 있지 못하다는 사실이 왜 그렇게 눈물겨워지는지 모르겠다 그들의 꿈에도 소름이 조금씩 돋고 있는 것이 보이고 추운 혈관들도 보이고 그들의 부엌 항아리 속에서는 길어다 놓은 이 땅의 물들이 조금씩 살얼음이 잡히고 있는 것이 보인다 요즈음 추위는 그런 것 때문이 아니라고 하지만, 요즈음 추위는 그런 것 때문이 아니라고 하지만, 그들의 문전마다 쌀 두어 됫박쯤씩 말없이 남몰래 팔아다 놓으면서 밤거리를 돌아 다니고 싶다. 그렇게 밤을 건너가고 싶다 가장 따뜻한 상징, 하이얀 쌀 두어 됫박이 우리에겐 아직도 가장 따뜻한 상징이다.

－정진규(鄭鎭圭),「따뜻한 상징」

② 대선생 도를 받아 평생을 지키시니, 검곡 깊은 골에 피어나는 꽃이여, 시천주(侍天主) 조화무궁(造化無窮) 포덕의 길을 가니, 팔도 방방곡곡 나부끼는 천도의 기. 이 길이 내 길이다. 이 길이 네 길이다. 이 길이 모두의 길, 우리가 갈 길이다. 어둠에 햇불같은 기치를 높세우고,

불꺼진 집, 물없는 골, 상해지수(傷害之數) 근심하며 원발을 옮길 때에 바른 발을 생각하고, 바른 발을 옮길 때엔 왼 발을 근심하니……하략……

— 윤석산(尹錫山),「길」에서

③ 며칠째 봄비가 지난다 한 떼씩 마치 진군의 나팔소리 같다. 샤넬 향수병을 따놓은 병마개 같다. 촉촉이 마음에 젖어드는 얼굴, 세상이 보기 싫다며 손나발을 입에 대고 불던 친구가 있었다. 물구나무 서서 가랑이 사이로 세상을 건네보던 친구가 있었다. 젖지도 못하고 마른 종이처럼 구겨졌으면 어쩌나……하략……

— 송수권(宋秀權),「봄비는 즐겁다」에서

시 ①은 올해의 산문시집『뼈에 대하여』를 간행한 정진규 시인의 한 작품인바, 정 시인은 근년에 들어 이런 종류의 연작 산문시를 지속적으로 발표하고 있어 관심을 끈다. 이 시의 배경이 되는 것은 겨울의 추위이자 밤의 어둠이다. 여기에서 추위는 어두운 당대 현실의 비관적 상황을 암유할 수도 있으며, 인간상실의 시대상을 반영한 것일 수도 있다. 이 시의 퍼스나가 유독 추위와 어둠을 더 느낄 수밖에 없는 것은 정치 현실 등 외부상황의 어려움에도 기인하지만, 더 근원적으로는 현대에 있어서 인간과 인간 사이의 단절, 혹은 따뜻함과 아름다움으로서의 인간애를 상실해가고 있기 때문인 것으로 풀이된다. 이 점에서 쌀이 핵심 상징으로 등장하는 것은 자연스럽다. 쌀은 열의 이미지를 내포하여 추위를 이기게 하는 힘이 되는 동시에, 흰색으로서의 빛의 이미지로 인해서 현실의 어둠을 밝혀주는 상징이 되기 때문이다. 이처럼 산문시는 개방적인 형식의 자유로움 속에 현대적 삶을 열어놓음으로써 시성과 산문정신을 함께 공유할 수 있는 장점을 지닌다. 시 ②의 경우에는 전통적인 사설조의 산문율 형태를 지니고 있다. 생략과 나열, 점층과 반복, 쉼표와 마침표를 교차함으로써 사설조의 내재율을 형성하고 있는 것이다. 여기에서는 천도교의 교리를 시적인 상징성과 산문적인 개방성을 적절히 혼합하여 산문시로서의 효과를 충분히 거두고 있는 것으로 판단된다. 시 ③의 경우도 마찬가지이다. 산문시의 개방적인 형태를 통해서 봄이 내포하고 있는 해방과 기쁨의 이미지를 효과적으로 형상화하고 있기 때문이다. "진군의 나팔소리", "샤넬 향수병", "마음에 젖어드는 얼굴" 등과 같이 청각·후각·촉각 심상 등을 다양하게 결합하여 봄의 생명 감각을 리드미컬한 산문율로서 표출하고 있는 것이다.

이렇게 본다면 산문시는 이 시대의 산문화한 삶의 모습을 표출하는 데 적절한 한 양식이 될 수도 있으리라. 현실에 대한 발언을 제기하면서도 시적인 장치 속에 그것을 어느 정도 은폐시킬 수 있으며, 현대적 삶의 양식이 결여하고 있는 명상과 관조의 내밀함을 유장한 산문 가락으로 외형화할 수도 있기 때문이다. 산문시는 현대인의 복잡하면서도 산문적인 삶의 모습을 시인 나름의 개성적인 산문적 시각과 리듬, 그리고 자유로운 형태로서 포착함으로써 열린 정신을 지향해 나아갈 수 있을 것이다. '감춤'으로서의 시 정신과 '드러냄'으로서의 산문정신을 탄력 있게 조화시킴으로써 앞으로도 산문시는 현대인의 위축된 삶과 정신을 개방하고 확대해 갈 수 있는 효과적인 방법이 될 것으로 기대된다.

4-7 무크지운동 개요

80년대 초에 크게 융성하였다가 다소 주춤한 기색을 보이던 무크지가 1986년에 다시 활발히 간행되었다. 발행 허가나 특별한 수속절차 없이도 출판사 등록만 있으면 일 년에 한 번쯤 뜻맞는 사람들끼리 모여 간행할 수 있다는 점에서 무크지운동은 비교적 신진문학인층에 의해 주도됐던 것이 사실이다. 특히 이들은 단순한 친목 모임 정도의 그룹일 경우가 많지만, 나름대로의 이념적 지향성을 갖는 경우도 적지 않다 하겠다.

1986년에 간행된 동인지 내지 무크지로서는 『진단시』를 비롯하여 『문학의 시대 · 3』, 『전망 · 4, 어둠 속으로 화살하나가』, 『시운동 · 8. 언어공학』 등이 주목할 만하다.

『진단시』 9집은 수로부인(水路夫人)을 공동 테마로 하였는데, 이들은 오래전부터 '서동', '동동', '배비장', '온달', '정읍사', '도깨비', '서낭당', '말뚝이', '백결' 등 전통 속의 인물이나 사적 · 사물 등을 집중적으로 탐구해 왔다. 정의홍, 홍해리, 김규화, 문효치, 박진환, 신규호, 유승우, 임보 등 동인들이 역사속에서 두드러지는 민속이나 문학적 인물 · 설화를 현대적인 시각과 감수성으로 변용하여 형상화함으로써 전통의 현대적 계승이라는 문학사적 과제를 성공적으로 이루어내고 있는 것이다. 이 '진단시' 동인지들은 테마 시집 · 공동시집이라는 특성으로 해서 오늘날 발간되는 동인지 중에서 가장 개성적인 동인지의 하나라 할 수 있겠다.

『시운동』 동인들의 여덟 번째 동인시집 『언어공학』이 또한 관심을 끈다. 이들은 평론을 창작과 함께 수록하고 있으며, 동인들의 결집력이 강하다는 점에서 또한 특징을 지닌다. 하재봉, 박덕규, 정한용, 남진우, 이문재 등을 핵심 동인으로 하여 이들은 자유로운 상상력과 역동적 리듬을 통한 인간의 해방을 모토로 활동하고 있다. 이 동인은 80년에 처음으로 결성되어 상상력과 언어라는 시의 궁극적인 문제를 집중적으로 또한 지속적으로 탐구하여왔다는 점에서 민중문학 계열의 무크지운동이 주류를 이룬 80년대에 있어서 특이한 개성과 의미를 지닌다고 할 수 있을 것이다.

『문학의 시대』는 「우리시대의 비평가」, 「역사소설론」 등 무게 있는 평론특집을 수록하면서도 고정희의 연작시 「현대사 연구」, 김정환의 「추억」, 이승하의 「상황 · 2」 등의 창작시를 게재하여 종합무크지로서의 성격을 확실히 했다. 홍정선 · 류양선 · 김태현 · 송승철 · 이현석 · 장석 등이 편집 동인으로 활동하고 있는 이 무크지는 주로 비평 동인으로 결성되어 있지만 시, 소설, 희곡 등의 창작품도 함께 수록함으로써 80년대의 특성 있는 무크지로서 자리 잡아가고 있다고 하겠다.

『전망』의 경우에도 주제 비평「해석의 공동체를 위하여」등 무게 있는 평론을 싣고 있으면서도 이갑재·강경주·이정주 등의 창작시를 비롯한 많은 창작을 수록하고 있다. 부산지역의 의욕 있는 신진들이 모여서 간행하고 있는 이 무크지는 80년대 들어서 지속적으로 발행되어 온 유력한 무크지의 하나라 할 수 있다. 신문학 초창기 이래 지금까지 크게 문제가 되어왔고, 오늘날에 있어서도 해소되지 않고 있는 문단의 중앙집권화 현상에 대해서 이들은 진지한 각성을 요구하는 것이다. 이 땅의 진정한 문학발전을 위해서는 중앙 문단과 지역 문단이 균형 있는 발전을 성취해야만 한다는 점에서 앞으로는 이들 지역에서 간행되는 동인지·무크지 운동에 많은 관심과 지원이 이루어져야 하리라 생각한다. 지역에서의 특수성과 향토성이 한국문학의 전체성으로 수렴되어 조화롭게 발전해 갈 때 바람직한 한국문학의 지평이 열리는 것이다.

이 밖에도 1986년에는 『열린시』, 『목마』, 『시와 자유』, 『시와 인간』, 『분단시대』, 『5·7문학』, 『탈』, 『절대시』, 『낭만시』, 『월미문학』, 『내항』, 『시힘』, 『제주문학』, 『제천문학』, 『천안문학』 등의 동인지 내지 무크지들이 계속 발간되어 기존의 상업지에 신선한 바람을 불어 넣었다고 하겠다. 80년대 문학이 크게 보아 문단권 문학과 운동권 문학으로 대별된다고 할 때 이들 동인지 내지 무크지들은 이들의 중간지대에서 하나의 교통로를 마련했다는 점에서 의미를 지닐 것이다.

4−8 신인 등장과 수상시인

예년과 마찬가지로 1986년에는 각종 신춘문예와 문예지 등을 통해서 신인들이 다수 등장하였으며, 각종 문학상의 시상이 있었다.

먼저 시인들의 등장을 살펴보면 신춘문예가 새해 시단을 여는 첫걸음이 된다. 이들 시인들은 「겨울수화」(중앙일보·최승권), 「연장론」(한국일보·최영철), 「아침노래」(조선일보·염명순), 「아라비아의 영가·2」(동아일보·강미영), 「꿈의 이동건축」(경향신문·박주택), 「수렵도」(서울신문·이진영) 등이 중앙지에 선을 뵌 얼굴들이다. 이들은 대체로 현실의 불모성 또는 인간상실 및 소외현상에 대한 우려와 탄식을 드러내는 가운데 그에 대한 극복의지와 화해의지를 조심스럽게 표출한다는 점에서 하나의 공통점을 지닌다. 그러면서도 그것을 노래하는 방식에서는 각기 나름대로의 개성적인 가락과 호흡을 갖고 있는 것이 사실이라 하겠다.

이들 작품 가운데서 필자에게는 「연장론」이 가장 우수한 작품으로 받아들여졌다. "몽키 스패너의 아름다운 이름으로/바이스 프라이어의 꽉 다문 입술로/오밀조밀하게 도사린 내부를 더듬으며/세상은 반드시 만나야 할 곳에서 만나/제 나름으로 굳게 맞물려 돌고 있음을 본다"라는 한 구절에서 보듯이 이 작품은 '대패', '톱', '못', '망치', '몽키 스패너', '바이스 프라이어' 등의 연장과 그 쓰임새를 통해서 인간과 인간, 인간과 세계, 존재와 사물의 상관관계를 적절하게 형상화하고 있어서 관심을 끈다. 각각의 연장들은 각기의 특징적인 생김새와 쓰임새를 지니며 독자적으로 세계 위에 존재한다. 이것은 마치 각개의 인간들이 그들 나름대로의 고유한 생김새와 개성 및 기능을 갖고 살아가는 사실과 대응된다. 이처럼 연장을 통해서 사물과 인간, 인간과 인간의 상호작용과 상관관계를 성숙된 시각으로 형상화한 데서 이 시의 우수성이 드러나는 것이다.

한편 문예지를 통해서도 많은 시인들이 등장하였는데 전동균·이용범(소설문학), 염천석(현대문학), 서지월(한국문학), 진용선·서정학·오춘옥·손남천·조우현(심상), 김석환·이승복·김효동·김홍식·조기현·이몽희·이정호·남기정·안경희·이정숙(시문학), 김지현·박애봉·전의홍·임석순(현대시학) 및 김우연(문예중앙) 등이 그 대표적인 예라 할 수 있다.

1986년에 시상된 중요 시문학상 수상자로는 시집 『저녁 혹은 패주자의 퇴로』의 김석규(현대문학상), 『항해일지』의 김종해(한국문학 작가상)를 비롯하여 동서문학상의 강계순, 녹원문학상의 이건청, 한국시인협회상의 성춘복, 김초혜, 감태준, 대한민국 문학상의 김지향(일반부문), 구영주(신인상), 조연현 문학상의 구경서, 그리고 김수영 문학상의 김용택, 신동엽창작기금수상의 이동하 등을 꼽을 수 있을 것이다. 때로 문학상의 수상자 선정을 둘러싼 다소의 잡음이나 후문이 있는 것은 사실일 것이다. 그리고 유명·무명의 문학상이 남발되어 상의 권위를 떨어뜨리고 있는 감도 없지 않다. 그러나 상이란 그가 이룬 업적에 대해서 주는 경우도 있지만 앞으로의 가능성에 대한 채찍질이라는 의미도 있는 것이기 때문에 상의 종류가 많고 상금이 많아서 나쁠 것은 없다고 하겠다. 다만 공정한 심사가 전제되어야 하고 객관성이 보장되어야 한다는 것은 상식에 속한다. 그렇지 않더라도 시상이 거듭되면서 자연히 권위 있는 상과 그렇지 못한 것들이 판가름 나고, 그에 따라 자연 도태되어갈 것이기 때문에 그에 관해 집착하거나 과민할 필요가 없음은 물론이다. 횔더린의 말대로 세상에서 가장 죄 없는 일, 진실을 탐구하는 일로서의 시작이란 그것 자체가 정의와 진실, 양심을 수호하기 위한 고통스럽고 외로운 투쟁 과정이기 때문이다.

4-9 마무리

1986년에는 또한 주목할만한 시집이 다수 출간되었다. 1986년 한 해에만도 무려 200권이 넘는 개인 창작시집이 발간됨으로써 일제 강점기 전 기간인 36년 동안에 간행된 100권 정도에 무려 두 배가 되는 양적 성과를 보여준 것이다. 양의 확대가 반드시 질의 진보를 의미하는 것이 아니라 할지라도 양의 풍요로움 속에는 질의 향상도 수반될 수 있는 것이라는 점에 비추어 이러한 시집 발간의 풍성함은 고무적인 일이 아닐 수 없다. 앞에서 언급한 것들 이외에도 필자가 본 1986년에 간행된 중요 시집으로는 최재형『세월의 문』, 황동규『악어를 조심하라고』, 유경환『겨울 오솔길』, 마종기『모여서 사는 것이 갈대뿐이랴』, 김광규『크낙산의 마음』, 문병란『오월의 연가』, 오세영『모순의 흙』, 이승훈『당신의 방』, 송동균『흑장미』, 문충성『내 손금에서 자라는 무지개』, 최연홍『정읍사』, 장윤우『그림자들의 무도회』, 김대규『흙의 시법』, 이은봉『좋은 세상』, 김영태『결혼식과 장례식』, 이동진『마음은 강물』, 신달자『모순의 방』, 윤인영『생물선언』, 윤홍선『외로움은 별이 된다』, 이윤택『춤꾼 이야기』, 윤승천『안 읽히는 시를 위하여』, 박진숙『다른 새들과 같이』, 박찬선『상주』, 조윤호『풀잎사랑』, 백미혜『토마토 씨앗』, 김순일『서산 사투리』, 신승철『너무 조용하다』등을 꼽을 수도 있을 것이다. 시인들이 오랜 세월 각고의 노력 끝에 발간한 시집들을 한두 마디로 요약·비평한다는 것은 쉬운 일이 아니다. 그것은 어쩌면 무모한 일이자 무례한 일이기까지 하기 때문에 언급은 유보하기로 한다.

이렇게 볼 때 1986년의 시단은 양적인 풍요로움 속에서 80년대 시의 특징을 요약적으로 파악할 수 있게 해준 한 해였다고 생각된다. 흔히 문단권 문학과 운동권 문학으로 대별되어 전개되던 80년대 시단이 1986년을 하나의 분수령으로 해서 차츰 거리를 좁히면서 가까워지기 시작한 것으로 생각할 수도 있으리라. 실상 문학이 특히 시가 열린 정신을 탐구하는 것이자 민족어의 완성을 지향함으로써 인간답게 사는 길을 모색하는 일이라는 점에 비추어 보더라도 80년대 시의 공통적인 지향점은 분명히 드러난다 하겠다. 특히 여러 가지 어려운 상황하에서도 시인들이 인간다운 삶, 시다운 시를 위해 혼신의 노력을 경주한 그 사실만으로도 이 땅의 정신사·예술사는 그만큼 풍요로워진 것이기 때문이다.

대한민국예술원『한국예술지』권22. (1987년11월)

5. 가치의 다원화와 열림 지향성

I

격동의 1987년이 저문다. 올해는 '정치의 해'라고 할 수 있을 만큼 다사다난한 정치적 사건들이 꼬리를 물고 일어났다. 그 결과, 사회는 전반적으로 민주화의 열기 속에 달아오르고 있는 중이다. 문학의 경우에도 분단 40년 이래 지배적으로 작용해 오던 고정관념과 금기 체계들이 서서히 무너지기 시작했다. 작품의 소재와 대상, 그리고 그것을 바라보는 시각과 형상화 방법이 크고 다양하게 열리게 된 것이다. 특히 문학 담당층의 다원화는 물론 문학 해석에서의 이론적 기초가 급격히 확대됨으로써 문학의 민주화 시대가 도래했다고 해도 과언이 아니다. 아울러 그동안 부당하게 금서로 지목해 왔던 많은 작품집·이론서들이 해금됨으로써 폭넓은 논의의 기반을 마련하게 되었다고 하겠다. 다만 아직도 문학사에서 실종 상태(?)에 놓여 있는 많은 작가와 작품들에 대한 해금이 유보되고 있는 일은 아쉬운 일이 아닐 수 없다. 진정한 민주화의 실천을 위해 이들도 조속히 해금됨으로써 실질적인 자유·문학적 자유가 보장돼야 할 것이다. 어떻든 비록 불확실한 미래이긴 하지만, 이 땅의 지상 명제인 진정한 자유, 민주주의 실현을 위해 나아가고 있는 것이 이 시대의 대세이며 시대정신이라 하겠다.

따라서 1987년의 문학, 특히 시의 경우에 있어서 그 양과 질은 놀랄 만큼 신장세를 보여주었다. 80년대 자체가 이른바 '시의 시대'라고 흔히 불리어온 것이 사실이지만, 1987년은 그중에서도 하나의 분수령이 된다고 할 것이다. 1987년의 시는 이 땅 시의 기본 골격이라고 할 전통적인 서정시, 현대적인 주지시, 실험적인 언어시, 그리고 운동적인 민중시 등의 맥락에서 파악할 수 있다. 이러한 여러 흐름들이 서로 갈등하고 화해하면서 80년대 시의 시대정신을 만들어가고 있는 것이다. 본고에서는 1987년에 간행된 주요 시집을 통해서 1987년 시의 흐름을 간략히 살펴보고자 한다.

II

80년대 시의 큰 흐름은 아무래도 운동과 실천으로서의 열기를 간직한 이른바 민중시의 대두 및 확산이라고 할 수 있으리라. 80년대 자체가 저 광주의 5월 충격에서부터 시작되었기 때문에 80년대 시는 '광주'와 '5월'로부터 자유로울 수가 없었을 것이 자명한 이치이다. 거기에다가 70년대 이래 누적된 정치·사회·경제·문화적 불평등과 구조적 모순들로 인하여 이 땅은 전환기의 갈등을 겪지 않을 수 없었다. 따라서 80년대의 시는 지배 세력 및 기성 문학에 대한 부정과 비판 및 진정한 자유평등·민권 확보, 그리고 분단극복을 위한 온갖 몸부림을 형상화할 수밖에 없었다고 하겠다. 많은 경우, 특히 젊은 민중 시인들에 있어서 시는 무기로서의 의미를 지녀온 것이 사실이다. 그러므로 박노해의 『노동의 새벽』과 같이 강력한 폭발력을 지닌 작품까지 등장했던 것이다.

그러나 80년대 후반에 접어들면서 민주화운동이 확실하게 대세를 잡아가면서 민중시들은 서서히 뿌리를 내리기 시작하였다. 어느 면에서 이들이 지녀왔던 중요한 단점이던 집단의 도식화된 목소리와 정형성·과장성으로부터 차츰 벗어나서 낱낱의 삶이 지니는 개성의 중요성과 그 진실에 대해 보다 깊은 응시와 밀도 있는 애정을 보여주게 된 것이다. 근년에 발간된 고은의 시집 『만인보』와 『백두산』, 신경림의 『남한강』과 『씻김굿』, 김지하의 『애린』, 이시영의 『바람속으로』, 김명수의 『피뢰침과 심장』, 박봉우의 『서울하야식』, 김준태의 『넋통일』, 곽재구의 『한국의 연인들』 등이 그 중요한 예가 될 것이다. 이들은 대체로 '우리'와 '나', '함께'와 '홀로'의 상대적 중요성을 인식하면서, '이념'과 '서정' 또는 '운동성'과 '예술성'을 함께 중시하는 면모를 띠기 시작하였다.

1987년도에는 이러한 민중시들의 뿌리내림 현상이 더욱 확대되고 심화되는 양상을 보여주었다.

> 어찌할거나 그대의 얼굴
> 잿빛 하늘에 가려버렸네.
> 산 몸에 가시바늘
> 뭇으로 죄어들고
> 그대 찾아가는 길 끝도없으니,
> 어찌할거나
> 그대의 얼굴
> 굽이굽이 아득히
> 잿빛 하늘에 가려버렸네
>
> 찬서리 회오리바람 속에
> 우수수 마른잎 지고
> 어찌할거나
> 그대의 붉은 넋
> 잿빛 하늘에 가려버렸네.
>
> —양성우, 「저녁놀」

그대로 하여
저에게 이런 밤이 있습니다.

오늘따라 비까지 내려
오가는 사람들은 더 바삐 서두르고
우산이 없는 여학생 아이들은
무거운 가방을 들고 울상입니다.
팔다리가 있는 짐승들은 모두
어디로 총총히 돌아갑니다.

그러나 저기
몇 안 남은 잎을 바람에 마저 맡기고
묵묵히 밤을 견디는 나무들이 있습니다.
빛바랜 머리칼로 찬 비 견디는
풀잎들이 있습니다.

그대로 하여
저에게 뜨거운 희망의 밤이 있습니다.

　　　　　　　　　　　　－김사인, 「밤에 쓰는 편지」

　인용시편들에는 오늘날 이 땅에서 척박한 삶을 살아가는 민중들의 아픔과
슬픔이 생생하게 표출돼 있다. 「저녁놀」에서는 "잿빛 하늘", "가시바늘", "찬
서리 회오리바람" 등으로써 당대 현실의 어둠을 제시하면서 "붉은 넋"으로써
그 어둠에 저항하는 날카로운 의지를 암유하고 있는 것이다. 「밤에 쓰는 편지」
에서는 "밤", "바람", "찬비"로 시대 상황의 쓸쓸함을 비유하면서 "여학생 아
이들", "나무", "풀잎"의 이미지를 통해 그 극복의지를 구상화하고 있다.
　이처럼 이 시들은 시대 상황에 대한 울분과 저항의지를 직접적·설명적으
로 드러내지 않고 서정적인 형상화를 성취하고 있어서 주목된다. 아울러 '우
리'와 '나'의 세계가 분리되지 않고 육화되어 표출됨으로써 공동체 의식과 개

인의식에 탄력 있는 조화를 지향하고 있다는 점에서 설득력을 지닌다. 어느 면에서 일부 민중시들에 있어서 시인 자신이 먼저 흥분하고 독자에게 강요하는 듯한 과장적 성향을 보여온 면이 없지 않았음에 비추어 이러한 비판정신의 내면화 경향은 의미 있는 일로 여겨진다. 오늘날 민중시들에 있어서 가장 긴절한 문제는 말하고자 하는 바로서의 사상성과 실제 드러나는 바로서의 예술성이 어떻게 탄력 있는 조화를 확보함으로써 진정한 감동을 유발할 수 있는가 하는 데 놓인다고 할 수 있기 때문이다. 일제강점하의 이상화나 심훈, 그리고 이육사 등에서 볼 수 있듯이 투사로서의 길이 바로 시인의 길로 직결되는 것은 아니다. 그러나 치열한 민족정신이나 자유와 평등의 정신, 그리고 올곧은 역사의식을 바탕으로 하지 않고서는 바람직한 시가 쓰이기 어렵다는 점에 비춰볼 때는 올바른 삶의 길과 바람직한 예술의 길이 결코 분리될 수는 없는 것이다. 따라서 소리 높은 민중시들이 더욱 예술성을 지니면서 내면성을 획득해 갈 때 그 가능성이 크게 열리리라는 것은 자명한 이치라 할 수 있다.

이러한 민중시의 내면화·서정화 경향은 조태일의 『자유가 시인더러』 등의 시집에서도 선명하게 드러남을 볼 수 있다.

풀벌레가 운다.
겨울 견디기가 겁이 나서
몸들을 움츠리며 온종일을 운다.

나무들이 운다.
그렇게 사랑으로 매달았던
나뭇잎들을 지상으로 보내놓고
푸른 하늘 가운데서 운다.

하늘도 운다.
함박눈을 쏟아분기위해

퍼렇게 퍼렇게 운다.
지상을 뒤엎기 위해 하늘은
점점 지상 가까이 내려오면서 운다.
감옥 위에서 운다.
캠퍼스 위에서 운다.
학생들 위에서 운다.

—조태일,「초겨울」

이 시에서도 시대적인 아픔과 어려움을 "풀벌레가 운다", "나무들이 운다",
"하늘도 운다"라는 서정적이며 상징적인 표현으로 내면화하고 있는 것이다.

또한 김진경의『우리 시대의 예수』의 경우에도 "아이야, 슬퍼하지 마라/예
수는 그 사람들 속에 있지 않다/너에게 회개하라고/빵 몇조각을 던져주고간
그 사람들 속에 있지 않다/안락 속에 있지 않다/예수는 늘 버려진 자 속에 있
다"처럼 시대의 고통을 내면적인 상징으로 극복하려는 의지가 담겨있는 것
이다.

한편 1987년에는 근로자·농민들이 쓴 민중시도 큰 비중을 차지하면서 뿌
리내리기 시작하였다. 이들의 특징은 한마디로 사실성·현장성의 확보라고
할 수 있다. 신찬식의『목공예수』나 김용택의『섬진강』, 김기홍의『공친날』,
정동주의『논두렁에 서서』와 같은 시집에서 볼 수 있듯이 격앙된 분노나 고
함으로부터 점차 내면화되는 경향을 띠는 것이다. 이러한 현상 역시 민중시
들의 뿌리내림 현상을 구체적으로 보여준 경우라 하겠다.

III

올해에는 80년 초의 광주민중항쟁을 다룬 시가 부쩍 두드러져 특히 주목
을 끈다. 그동안「5월시」동인들을 중심으로 해서 젊은 시인들이 산발적으

로, 또 상징적으로 광주의 5월을 형상화해 온 것이 사실이다. 그러던 것이 온 국민의 열화 같은 성원과 끈질긴 민주화 투쟁과 노력으로 말미암아 6·29선 언이 이루어지게 되었고, 그 결과 문학에 있어서도 그동안 일종의 금기 사항 으로 여겨졌던 '5월'과 '광주'가 정면으로 다뤄지게 된 것이다. 그와 함께 이 땅의 민주화 투쟁 과정에서 죽어간 열사들을 노래한 시편들도 활발하게 발표 되었다.

> 그대의 몸은 지금도 화염에 싸여 길길이 뛰고
> 우리들의 한반도와 강산과 공장과
> 안방은 온통 생살이 타는
> 석유냄새와 마침내 그대,
> 항상 싸움하는 노동이여
> ……하략……
>
> — 「전태일」에서

김정환의 판화시집 『해방판화시』(홍성담판화, 1987)』에는 민주화 투쟁에 서 산화한 넋들을 노래하면서 1980년 5월의 광주항쟁을 힘찬 호흡과 열정으 로 형상화하고 있다. 이 시편들이 지속적으로 강조하는 것은 모순과 불합리 로 가득 찬 당대 현실을 타파하려는 의지이며, 이 땅에서 참된 새 역사를 창조 하려는 노력의 소중함이라 할 수 있다.

아울러 안도섭의 시집 『어느 화형일』도 광주항쟁을 전면적으로 부각시키 면서 이 땅에서 자유민주주의 소중함을 함께 강조하고 있다.

> 어찌 잊으랴, 그날을……
>
> 번뜩이는 총부리,
> 핏방울 뚝뚝지던

그 울음 끝 불망(不忘)의 꽃잎이어

시방 소리없이 포효하는
무등의 노한 숨결
장한 이름의 다비데를

가슴에서 가슴으로 타 번진
아직도 살아있는 도시
잿더미에서도 스러지지 않는 불새

그러나 사위 휘둘린 섬 되어
온 누리 밤이 지배하던
숨통마저 끊기고

펄펄 꽃잎 날리던
소녀의 치마폭에
어린 고시리 손에

어둔 밤 무찌르던 아수라
어찌 잊으랴, 그날을······

―안도섭, 「못잊을 그날」

　　그의 시집은, 흔히 광주사태라 부르지만 특히 민중사적 관점에서 5월 항쟁이라고 불러야 마땅한 민족사적 아픔을 집중적으로 천착하고 있다. 일종의 연작시집으로서의 성격을 지닌다고 하겠다. 그렇지만 시인이 강조하고자 하는 것은 항쟁 그 자체가 아닌 것으로 보인다. 오히려 그것을 넘어서서 모든 사람이 사람답게 자유와 평등을 누리면서 사는 세상에 대한 갈망과 염원을 담고 있는 점이 소중하다고 할 것이다.

　　문병란과 이영진이 편찬한 『누가 그대 큰 이름 지우랴』에는 그동안 씌어진 5월 광주항쟁시들이 함께 묶여 '5월', '광주'의 의미를 집약적으로 제시하여 특히 관심을 끈다. 모두 5부로 구성된 이 시화집은 광주 5월의 항쟁 과정과 그에 얽힌 이야기, 그리고 5월의 민족운동사적 의미를 집중적으로 조명함으로써 80년대 시사에서 가장 큰 충격파를 형성하고 있는 것으로 보인다.

비수가 노리는 것은 무엇인가

칼끝이 노리는 것은 무엇인가

백주 대로에서

캄캄한 골목에서

왜 비수는 심장을 노리는가

왜 심장은 비수 앞에 당당한가
― 김명수(金明秀), 「심장(心臟)」

이 시에서 '비수ㆍ심장'이 상징하는 바는 자못 의미심장하다고 하겠다. 그것은 온갖 불의와 부정, 압제와 폭력에 대한 거부와 저항의 몸부림을 총체적으로 상징하기 때문이다. 이 사화집 『누가 그대 큰 이름 지우랴』는 광주항쟁을 총체적으로 다루고 있지만, 크게 보아 현장시와 그것이 미친 충격파를 함께 다루고 있다는 점에서 포괄적인 의미를 지닌다. 그것은 민족사의 큰 아픔이지만, 동시에 민족 구성원 자체가 함께 뛰어넘어야 할 커다란 벽인 것이다. 광주의 충격을 뛰어넘는 일이란 이 땅에서 자유와 평등을 올바로 실천함으로써 이 땅의 모든 사람들이 함께 인간다운 삶을 누릴 수 있는 진정한 정의 사회를 만들어 가는 데서 성취될 수 있을 뿐이다 따라서 5월의 상처는 민족 구성원 모두의 합심과 노력을 통해서만 아물어질 수 있으며, 바로 그렇기 때문에 '광주 5월'에 관한 문학적 형상화와 그 의미에 대한 논의가 더욱 알려져야만 하고 또 그것이 예술적인 형상성을 확보해야만 하는 당위성이 놓인다 할 것이다.

IV

올해에는 현대문명 또는 대도시적 삶에 대한 특이한 응전양식이 제기되어 또한 관심을 끈다. 70년대 초부터 이 땅에 몰아치기 시작한 산업화 열풍은 여러 가지 면에서 그 구조적 모순과 부조리를 야기하면서 부정적인 징후를 드러내었다. 그 결과 기계주의 · 상업주의 · 물량주의 · 속물주의 · 이기주의 · 편의주의 등이 크게 범람하게 되었으며 인간성 상실과 소외 문제가 급격히 대두되었다. 따라서 일군의 시인들은 도시적 삶의 병적 징후에서 유발되는 인간상실의 아픔과 슬픔을 집중적으로 탐구하기 시작하였다. 그중에서 올해에는 감태준과 정호승, 그리고 이생진, 한분순 등이 시집을 내어 관심을 환기한다.

> 서울을 보고 있으면
> 내가 점점 작아진다, 눈을 감아도
> 머리 위에 떠있는 육교 고가도로
> 이십층 빌딩이
> 나를 내려다보고 서 있다
> 내 꿈의 머리까지 보이는 듯
> 공중에 철근 박고
>
> 철근 위에 벽돌과 타일을 붙인
> 너는
> 정말 늠름해

너를 보고 있으면
어쩔 때는 내가 안 보인다, 너무
작아져서
던지면 날아가고
발로 차면 굴러가는,

나는 이즈음
철근과 벽돌을 가슴에 얹고 산다

―감태준, 「소인일기」

이 시에는 거대한 도시 문명에 짓눌려서 마땅히 주인이 돼야 할 인간들이 오히려 소인으로 전락한 모습을 아이러니하게 묘파해 주고 있다.

양적인 면에서 급격히 비대해 가는 도시 문명과 그와는 상대적으로 축소돼 가기만 하는 인간 실존의 왜소함 또는 초라함을 드러냄으로써 콘크리트 문명과 기계문명의 폭력성을 풍자한 것이다. "철근 위에 벽돌과 타 일을 붙인/너는/정말 늠름해"라는 야유 속에는 기계주의와 물질만능주의 등 온갖 비인간적인 것들이 횡행하고 발호하는 데 대한 날카로운 비판정신이 담겨져 있는 것이다. 특히 "너를 보고 있으면/어쩔 때는 내가 안 보인다, 너무/작아져서/던지면 날아가고/발로 차면 굴러가는"이라는 구절에서 보듯이 인간은 돌멩이처럼 덧없고 하찮은 물건으로 전락하고 만다. 실상 이 구절 속에는 도시 문명으로부터 소외되고 조직사회에서 하나의 사소한 부속품 또는 톱니바퀴처럼 시달리며 마모돼 가는 현대인들의 불안하고 허망한 실존에 대한 탄식이 깃들어 있음을 알 수 있다. 본성으로서의 부드러움과 따뜻함 그리고 인간적 체온을 상실하고 철근과 벽돌처럼 광물 질화해가는 모습을 통해서 현대의 도시 문명과 메커니즘의 폭력 아래서, 인간답게 살아가고자 몸부림치는 안간힘과 비애가 역설적으로 형상화된 것이다.

정호승은 억압된 현실에 대한 분노와 울분을 서정적으로 노래하면서 인간성의 옹호를 강조하였다.

> 최루탄이 나뭇잎을 흔들고 지나갔다.
> 너의 죽음이 비로소 너를 사랑하게 만들고
> 너의 죽음이 비로소 우리에게 용기를 주던
> 6월 어느날 바람 불던 날
> 하늘에는 검은 구름이 흐르고
> 붉은 눈물 흘리며 시위대는 흩어지고
> 푸른 새들의 발자국 소리가 멈춘
> 명동 성당으로 올라가는 언덕길
> 여기저기 가슴아픈 돌들이 나뒹구는 길가에
> 허연 최루가스를 뒤집어쓰고
> 홀로 울고 이씨는 꽃다발하나
>
> ―정호승, 「꽃다발 하나」

정호승의 시집 『새벽편지』는 현실의 고통을 수용하면서도 그것을 서정적인 비애의 따뜻함으로 이끌어 올림으로써 인간애의 중요성을 강조한 것이다. 그는 현실과 서정을 가장 아름답게 조화시킨 점에서 크게 돋보인다 할 것이다.

> 살아서 꿈이었고
> 죽어서도 꿈이었던 여인
> 진짜 꿈에서만 사는 여인
> 그런 여인이 혼자서
> 미역잎에 묻은 파도를 씻고 있기에
> 그리로 간다
>
> 썰물이면 모래밭에
> 물묻은 발자국 남기고
> 밀물이면 끼룩끼룩

갈매기랑 날자던 여인
그런 여인이 혼자서 살기에
그리로 간다
—이생진, 「거문도·섬에 오는 이유」

　이생진의 시집 『섬에 오는 이유』는 이 땅의 여러 섬들을 편력하면서 쓴 83편의 섬에 관한 시를 묶은 연작시편이다. 여기에서 섬은 삶의 다양한 모습을 의미하면서 동시에 실존적인 외로움과 그리움을 표상한다. 섬은 또한 순수하고 때 묻지 않은 인간성의 상징이면서 자연의 표상이기도 하다. 앞에서 감태준의 시가 도시적 삶, 문명적 삶으로부터 소외된 실존의 모습을 아이러니와 페이소스로서 형상화한 데 비해서 이생진의 시는 도시 문명과 동떨어진 섬과 바다를 집중적으로 노래함으로써 인간성 회복을 역설적으로 강조하고 있는 것이다. 섬은 단독자로서 살아가는 인간 파도의 표상이면서 동시에 원시적 생명력이 살아 숨 쉬는 인간성의 요람을 상징하기 때문이다. 따라서 이생진이 섬을 집중적으로 형상화하는 것은 도시 문명이 상징하는 온갖 병적 징후에서 벗어나 참된 인간성과 생명력을 회복하고자 하는 열린 꿈을 반영한 것이라고 하겠다.

　한분순의 시집 『서울 한낮』의 경우에도 도시 문명의 고달픈 삶에서 구원을 갈망하는 안간힘이 드러나 있어 관심을 끈다. "종탑 꼭대기에 머무는/저 실눈 같은 것/한참을/노래로 겉돌다/문득 숲이 된다/이 하루 피로를 꿰어 강나루에 흘리고"(「서울 한낮」)라는 시편에서 볼 수 있듯이 도시 문명 속에서 덧없이 살아가는 초라한 실존의 모습이 묘파돼 있는 것이다.

　이처럼 오늘날 도시 문명과 조직사회 메커니즘의 폭력 아래에서 참된 인간성을 확보하고 삶의 원상을 되찾으려는 안간힘이 나타나서 관심을 끈다.

V

　80년대 시의 한 주류가 이 땅의 왜곡된 역사와 타락한 사회현상에 대해 저항하고 비판하는 경향을 지녀온 것이 사실이다. 그럼에도 불구하고 우리 시의 전통적 맥락이라 할 수 있는 서정의 세계를 지속적으로 천착함으로써 이 땅 서정시의 본령을 지키고 있는 시인들도 상당수에 이른다고 하겠다. 그중에서 이수익의 시집 『단순한 기쁨』과 이성선의 『별이 비치는 지붕』이 주목할 만한 한 예가 될 것이다.

　　　화냥기처럼
　　　설레는
　　　봄,
　　　봄날이다

　　　종다리는 까무라치게
　　　자꾸
　　　울어 쌓고

　　　산(山)마다
　　　피가 끓어
　　　꽃들 피는데

　　　아,
　　　나는 사랑도 말도 못하는
　　　벙어리 사내

　　　봄 밤
　　　꿈에서만
　　　너를 끌어안고 죄를 짓느니……
　　　　　　　　　　　　　　　　　－이수익, 「봄날에 · 2」

바라보면 지상에서 나무처럼
아름다운 사람은 없다

늘 하늘빛에 젖어서 허공에 팔을 들고
촛불인듯 지상을 밝혀준다

땅 속 깊이 발을 묻고 하늘 구석을 쓸고 있다

머리엔 바람을 이고 별을 이고
악기가 되어 온다

내가 저 나무를 바라보듯
나무도 나를 바라보고 아름다와 할까
나이 먹을수록 가슴에
깊은 영혼의 강물이 빛나
머리 숙여질까

            —이성선, 「아름다운 사람」

　이수익의 시집 『단순한 기쁨』은 날카롭고 우렁차지는 않지만, 따뜻한 비애와 절제된 서정이 함께 어우러져서 전통적인 서정시의 육화된 한 전범을 보여주는 것으로 받아들여진다. 그의 서정시들은 단순한 듯하면서도 특유의 개성적인 울림을 간직하고 있다는 점에서 주목을 환기한다. "내 조상은 뜨겁고 부신/태양체질이 아니었다. 내 조상은/뒤안처럼 아늑하고/조용한/달의 숭배자였다//아, 그것은 모체의 태반처럼 멀리서도/나를 끌고 있다는 생각이 든다/마치/보이지 않는 인력이 바닷물을 끌 듯이"라고 하는 시 「달빛체질」의 한 구절에서 볼 수 있듯이 달의 상상력 내지 서정적 인력이 시를 이끌어가는 원동력으로 작용하고 있는 것이다. 그 어떤 이념이나 주장을 힘주어 강조하거나 설명하지 않으면서도 부드러운 서정과 따뜻한 시어로써 은은한 감동을 불러일으키는 데서 서정시의 한 원형질을 간직하고 있다고 하겠다.

　이성선의 경우에도 내밀한 서정의 울림이 아름답게 반짝이고 있다. "촛불
인듯 지상을 밝혀준다", "악기가 되어온다", "깊은 영혼의 강물이 빛나"라는
구절과 같이 나무의 모습을 통해서 인간과의 교감을 형상화하고 있는 것이
다. 그의 시에서는 빛나는 별의 침묵이 전해 오기도 하며, 풀잎 맑은 잎을 타
고 올라가는 물방울의 투명한 노래가 들리기도 하고, 가슴에 젖어오는 가난
하고 어진 이웃들의 따뜻한 눈빛과 언어가 울려오기도 한다. 그의 시는 그만
큼 따뜻하고 맑은 서정이 섬세한 가락의 언어로써 형상화되어 독특한 시적
울림을 형성하고 있다는 점에서 의미가 놓인다.

　이처럼 이수익과 이성선의 경우와 같은 서정시들은 오늘날과 같이 들떠 있
고 고함소리 드높은 시대에는 별반 관심의 대상이 되지 않을는지도 모른다.
그렇지만 따뜻한 슬픔과 사랑을 내밀한 서정적 울림으로써 형상함으로써 시
의 본토를 지키려 노력했다는 점에서 소중한 의미를 갖는다고 할 것이다.

　이밖에도 올해의 시집 가운데서 김초혜와 김은자, 정호승 및 노향림의 시
집, 특히 이 밖에도 장석주의『새들은 황혼 속에 집을 짓는다』도 서정시의 한
아름다운 전범을 제시해 준 것으로 이해된다.

　　　진눈깨비 그치고
　　　모란꽃 피면

　　　밥 굶고
　　　마약 굶고

　　　모란꽃 그늘에 머리 묻고
　　　잠들어야지
　　　세상 모르게 깊이

　　　　　　　　　　　　　　　　　　　　　－「진눈깨비 · 2」

장석주의 시에서 드러나는 서정은 매우 밀도가 높은 주지적 서정에 가깝다고 할 수 있다. 그것은 오늘날 이 시대의 허무주의 또는 어둠과 비애의 정조를 바탕에 깔고 있기 때문이다. 특유의 서정적 울림과 사물의 내면화 및 집중화를 성취함으로써 젊은 시인들의 신서정의 한 시범을 보여주고 있다는 점에서 그의 시는 충분히 관심의 대상이 될 수 있는 것으로 판단된다.

VI

올해에 첫 시집을 간행해서 잠재된 역량을 조금씩 내보여 주기 시작한 신예 시인들 몇 사람이 관심을 끈다.

① 내 이제사 괴로워한들/피지 않는 꽃들의 아픔을/슬퍼한들 아직도 빛이 없어/오오랜 침묵의 나날을 견뎌야 할/꽃들이 이 땅 어디에나 있음을/생각한들 봄 들판 제각기/자랑스럽게 화알짝 피어날 때/비로소 몸져눕는 이름없는 목숨들

② 북을 보면 두드리고 싶습니다/대청마루 떡하니 놓인 쇠북을 보면/북소리 높이 울리며/잃어버린 옛땅으로 가고 싶습니다/더 큰 조국으로 가고 싶습니다/짓밟힌 풀꽃 한송이 버리지 않으며/버려져 뒹구는 돌멩이 하나 외면하지 않으며

③ 나는 지지리도 못생겨/그 흔한 꽃꽂이의 부속품/한번, 되지 못하고/논두렁 물살 밑에서/고추밭이랑에서/되비둑 잡풀 틈에서/움츠리고 산다만/그래도 이 못난 꽃대궁에/햇살만은 찾아준다.

④ 아아, 나는 그대에게 가리,/이 세상 모든 검열제도를 뚫고/그대에게로 가리/피에 젖은 갈대의 모습을 하고/짐승의 소리를 컹, 컹 짖으며/그런 것이 아닐까요, 시인(詩人)이란/알고 싶어 하는 자(者) 그것이 어떤 재앙을/부르는지도 모르고 (겁도 없이!).

시 ①은 이승하의 「사랑의 탐구」, ②는 정일근의 「북」, ③은 김명수의 「포류기」, ④는 윤성근의 「우리 사는 세상」 등의 한 부분들이다. 이 네 시인의 시들은 근래 신예 시인들의 정신적 지향과 방법적 특성을 잘 보여 준다. 먼저 ①은 비관적 현실인식을 바탕으로 견고한 형상력을 확보하고 있다는 데서 장점이 드러난다. 소리 높여 현실비판을 전개하지 않으면서도 주지적인 서정을 밀도 있게 구사함으로써 시의 내밀성을 성취하고 있다. 시 ②는 역사와 현실에로 시적 관심이 확대된 경우라 하겠다. 그러나 이 시인의 장점은 낱낱의 삶이 지닌 구체적 중요성을 응시하면서 이것을 보편적 정감으로 확대해 간 데서 특징이 드러난다. 그의 시집 『바다가 보이는 교실』에는 이처럼 건강한 시정신이 풋풋하게 담겨있어 주목된다. ③은 어두운 삶을 묵묵히 인내하면서 이겨 나아가려는 시집 『질경이꽃』 중의 한 편이다. 이 시집은 흙의 시상과 서정적 생명력을 바탕으로 향토를 지키려는 끈질긴 안간힘을 지속적으로 보여준 데서 의미가 드러난다고 하겠다. ④에도 비관적인 현실인식이 짙게 깔려 있음은 물론이다. 그렇지만 그것은 형상화하는 데 퍽 개성적인 실험의식을 표출하고 있어서 관심을 끈다. 시집 『우리 사는 세상』은 생의 열기가 방법적인 꿈틀거림을 통해 표출된 신진시의 한 대표적인 예가 될 것이다.

이처럼 젊은 시인들은 현실에 대한 부정적인 인식 또는 비관적인 세계관을 바탕으로 하고 있다는 점에서 하나의 공통점을 지니는 것으로 보인다. 그렇지만 그것을 형상화하는 방법이나 감수성의 면에 있어서는 서로 특이한 개성을 지니고 있다고 할 것이다. 요컨대 불안하고 횡포스러운 시대의 중압으로부터 자신의 세계를 형성하기 위한 몸부림 또는 꿈틀거림을 싱싱하게 드러내주고 있는 데서 의미를 지닌다 하겠다. 이들 이외에도 김영승, 장정일, 구광본 등이 첫 시집을 내어 가능성을 제시해주기도 하였지만 지면 관계상 유보하기로 한다.

VII

앞에서 언급한 시집들 이외에도 올해에는 중요한 시집들이 많이 간행되었다. 근년에 들어서 우리의 시단은 양적인 면에서도 폭발적인 증가를 보여주고 있으며 질적인 면에서도 크게 변모하고 있는 것이 사실이라 하겠다. 이 땅의 역량 있는 많은 시인들이 각고의 노력 끝에 발간하고 있는 각종 시집만 하더라도 일 년에 줄잡아 수백 권을 상회하는 것으로 보인다. 1987년은 여러 가지 면에서 중요한 전환점이 되었지만 특히 시단에는 괄목할 만한 다양성이 전면적으로 열리는 계기가 됐다는 점에서 의미를 지닌다. 민족문학작가회의가 결성되고, 그동안 부당하게 금서로 취급되었던 많은 작품집들이 간행됨으로써 가치의 다원화시대에 접어들게 된 점에서 특기할 만하다 할 것이다. 능력 있는 출판사에서 직접 시인을 발굴하기 시작하여 등단 방법이나 문호개방이 적극적으로 이루어지기 시작한 것도 고무적인 일이다. 또한 수십만 부나 팔리는 베스트셀러 시집도 여러 권이라 하니 반가운 일이 아닐 수 없다. 어떤 경우에든지 시집이 독자들에게 많이 읽힌다는 사실은 그 자체만으로서도 오늘날같이 전파 매체 주도형 문화시대에 있어서는 충분히 의미를 지니는 것으로 이해되기 때문이다.

올해에 신시 80주년을 기념해서 11월 1일이 이른바 '시의 날'로 지정된 것도 시의 저변확대와 시성의 회복에 한 계기가 될 것이라는 점에서 고무적인 일이라고 하겠다.

끝으로 지면 관계상 올해의 시들을 체계적이고 깊이 있게 정리하지 못한 것을 아쉽게 생각한다. 이런 류의 개관을 쓸 때 항상 느끼는 것이지만 각고의 노력 끝에 펴낸 소중한 시집들을 언급조차 하지 못하는 경우가 많아서 안타깝기만 하다. 신경림의 서사시집 『남한강』과 송수권의 『새야 새야 파랑새야』를 언급하지 못하는 것도 그 한 예가 될 것이다.

『소설문학』 1987년 12월호

한국 현대문학의 현주소 <정 담>

-1987 문학총평-

참석자 신경림
김치수
김재홍

◇ 민중문학의 변화

김재홍 1987년은 정치의 해라고 할 수 있을 만큼 다양한 정치적 사건이 벌어졌고 급격한 사회적 전환이 일어났습니다. 6·29선언이 있었고, 민주화 실천의 열기 속에서 합의 개헌이 이루어졌으며, 곧이어 대통령선거가 치러질 예정입니다. 불확실한 앞날이긴 하지만 역시 대세는 우리 사회가 전면적으로 민주화의 시대를 향한 전환기에 접어들고 있는 것이 사실이라 하겠습니다. 문학의 경우에도 분단상황 하에서의 기존 문학이 지닐 수밖에 없었던 고정관념과 금기체계가 무너지기 시작했고, 따라서 소재와 주제, 시각과 형상화 방법에 있어서 새로운 변모가 이루어지기 시작한 것입니다. 또한 작품의 양과 질에 있어서도 급격한 신장세를 보여주고 있는 것으로 이해됩니다. 이제 80

년대도 서서히 종반을 향해 가는 시점에서 올해 한 해의 우리 문학을 점검해 보고자 해서 이 자리가 마련된 줄로 압니다. 우선 신 선생님께서 생각하시는 1987년의 문학적 개황이랄까 특성을 말씀해주시죠.

신경림 온 국민이 단결된 피나는 싸움으로 6·29를 쟁취했음은 새삼스럽게 말할 것 없겠지만 그 과정에서 우리 문학도 적잖이 기여했다고 저는 생각합니다. 가령 70년대의 유신체제, 그에 이은 1980년 이후의 비민주적 요소를 제거하기 위해 우리 문학은 작품을 통해서 또는 몸으로써 앞장서서 싸웠고, 4·13조치를 철회케 만드는 싸움에도 앞장섰습니다. 일부 문인들이 4·13 조치를 지지함으로써 역사를 뒤로 돌려놓으려는 어처구니없는 작태를 벌이기도 했지만, 어쨌든 이제 6월 승리의 결과 민주화의 길은 열었습니다. 이 시점에서 가장 시급한 것은 그동안 축적된 역량을 바탕으로 민족문학을 건설하는 일이 아닌가 생각합니다. 또한 참다운 이 나라의 민주화를 위해서 문학이 감당해야 할 부분도 엄청나게 많습니다. 물론 이 부분은 작품을 가지고, 작품을 통해서 감당하기도 하고 몸을 가지고 감당하기도 해야 할 것입니다. 또 현실적으로 부닥친 문제의 하나는 맹목적 반공주의, 집권자의 전가의 보도로 이용되었던 반공주의에 의해 묶인, 그래서 우리 문학사에서 제외된 많은 문학을 되찾아 가난한 우리 문학사를 살찌게 하는 일입니다. 또한 문학이 민족과 국토의 통일을 위해서 무엇을 할 수 있을까 하는 문제도 진지하게 검토돼야 할 시점입니다.

그 점이 소홀하게 다루어진다면 오늘의 우리 문학은 죄를 짓는 것이 아니겠는가 하는 게 제 생각입니다. 1987년의 우리 문학의 개황을 얘기하는 것이 아니라 앞으로의 우리 문학이 무엇을 해야 하겠는가 얘기하는 꼴이 되는 것 같습니다만, 제가 여기서 장황하게 말씀드리는 건 우리 문학 일각에서 이러한 시도가 이루어지고 있음을 아는 까닭입니다. 올해엔 또 민주화의 물결과 함께 직접 생산을 담당한 근로자 · 농민의 목소리가 높아졌는데 이것을 문학적으로 형성하려는 노력도 올해의 특징으로 볼 수 있을 것입니다. 이와 아울러 현장 근로자나 농민과 직업 작가와의 공동창작 또는 근로자들끼리의 집단창작 성과도 나오고 있는데, 이것이 앞으로의 우리 문학을 크게 변모시키지 않겠는가 생각합니다.

김재홍 그러면 먼저 시에 관해서 살펴볼까요. 올해도 역시 많은 작품이 창작되었습니다. 줄잡아 문예지에 발표되는 시작품만 하더라도 매달 수백 편을 헤아리며 시집 발간 또한 매우 왕성합니다. 1987년의 시는 기본적으로 80년대 시의 기본 틀이라고 할 수 있는 전통적인 서정시, 현대적인 주지시, 실험적인 언어시, 운동적인 민중시 등의 맥락에서 파악할 수 있지 않나 싶습니다. 이러한 몇 가지 흐름들이 서로 길항하면서 시대정신을 형성해간다고 할 수 있겠죠. 그런데 1987년에는 이러한 흐름 중에서 민중시의 변모가 특히 눈에 띄는 듯합니다. 민중적인 세계관에 바탕을 두고 운동적 열정에 치우쳤던 민중시가 자리 잡혀가는 현상이 그 하나입니다. 이에 비해 젊은 층에서는 '전선적 민중시'라고 하는 보다 첨예한 이념 지향성이 드러나기 시작한 것이 또 다른 한 경향이라 하겠습니다. 전자는 고은이나 신경림 · 이시영 · 김명수 등의 예처럼 도식화 · 정형성에서 차츰 개성화와 서정성을 확보해간 경우라 하겠고, 후자는 동인지 『80년대』 등이나 이산하의 「한라산」 등에서 볼 수 있는 진보적 성향을 들 수 있겠습니다. 이 점에 한번 초점을 맞춰서 말씀 나눠보실까요.

김치수 저는 시 전문가가 아니기 때문에 시의 변모를 면밀하게 쫓아가지는 못했습니다만, 80년대 초와 같은 시의 열기는 많이 가라앉았다고 생각합니다. 가령 시의 열기의 주도세력이라고 할 수 있는 젊은 신인들의 시가 초기의 신선한 충격으로부터 삶에 대한 깊이 있는 관찰의 양식화로 바뀌어지고 있다고나 할까요. 뿐만 아니라 일부 대가 시인들이 서사적인 장시를 시도하고 있고 또 이미 50년대 · 60년대의 주역이라고 할 수 있는 시인들도 격동기가 경과하고 난 다음 새로운 시의 세계를 개척하고 있는 것을 확인할 수 있었습니다. 한 가지 지적하고 싶은 것은 민주화의 물결이 이제 선거의 계절을 맞아 보다 새로운 국면으로 접어들게 됨으로써 시가 일시적으로 읽히지 않을 수 있을 텐데, 이러한 정치적 질풍 속에서 과연 시대에 예민했던 시가 어떻게 대응할 수 있을까 하는 문제입니다.

신경림 올해는 양적으로 엄청나게 많은 시가 나온 것 같습니다. 특히 예년에 비해 배에 가까운 시집이 나왔다고들 하는데, 아마 몇몇 시집이 베스트셀러가 된 데 자극받은 면도 없지 않나 생각합니다. 이 가운데는 빼어난 시집도 많았지만 보기 역겨운 시집도 적지 않았다는 게 제 느낌입니다. 올해엔 여러 권의 시집이 베스트셀러가 된 것도 특기할 만한 일인데, 물론 시집이 많이 팔리는 것은 좋은 일이지만 그 시집 가운데는 그릇된 정서를 만연시키는 것도 있다는 점이 간과돼선 안 될 것 같습니다. 많이 팔린 시집이 반드시 좋은 시집은 아니었다는 얘기도 되겠는데, 이 점은 문학 외적인 제조건이 성공 여부를 결정하는 일이 더 많은 우리 문화풍토에서는 아직 어쩌는 수가 없는 일 같아요. 민중시에 대해서 말씀드린다면 '전선적 민중시'라는 용어가 타당할는지는 모르겠습니다만 그런 두 경향이 있는 것은 사실입니다. 그러나 이 두 경향의 민중시는 서로 대립하고 상충하는 그런 관계로 있는 것이 아닙니다. 오히려 서로 보완하면서 있다고 보는 것이 옳을 것입니다. 그리고 이 두 경향은 한 작가와 다른 작가 사이에서만 있는 것이 아닙니다. 한 작가 속에, 같은 작가 속에 이 두 경향이 함께 있는 것이지요. 그리고 이산하의 「한라산」에 대해서 한 말씀 한다면, 이 시가 제주도의 4 · 3사건을 서사시로 형상화함으로써 역사적 진실을 밝히려는 분명한 의도가 엿보이는 시입니다만, 이 시가 목청만 높은 민중시라는 의견에는 반대입니다. 제주도의 삶이며 풍물이 밀도 있게 형상화돼 있어요. 제가 민중시를 얘기할 때 목청만 높은 시를 비판하는 일이 있지만, 이 경우는 내용이 전투적이라는 뜻이 아니고 오히려 관념적이라는 뜻입니다. 이 점에 있어 「한라산」은 전혀 목청만 높은 시가 아니며, 문학적으로 매우 중요한 시라고 생각합니다.

◇ 현장시들의 문제점

김재홍 올해에는 또한 농민시·노동시 등 현장성을 지닌 시집들이 많이 간행된 것도 한 특징이라 할 수 있을 겁니다. 이러한 현장시의 성행은 창작 주체의 다층화·민주화라는 측면에서 바람직한 추세라 할 수 있지만, 이 시들이 기존 시풍의 답습에 머물거나 동어 반복을 되풀이한다는 측면에서는 부정적인 면도 많은 것으로 이해되는데 어떻습니까?

신경림 얼른 생각나는 시집에 김기홍의 『공친 날』, 고재종의 『바람부는 솔숲에 사랑은 머물고』 같은 시집들이 있는데, 올해는 현장 근로자와 농민의 시와 시집들이 특히 많이 나왔던 것으로 생각됩니다. 이러한 현장시라고 할까 생산 주체자의 시는 전문시인이 가지지 못한 뜨거움과 아픔을 가지고 있습니다. 그런 점에서 감동을 주는 점도 있고, 또 민중 시대라 할 수 있는 이 시대의 요구이기도 하겠지요. 그러나 여기서 한 가지 짚고 넘어갈 것은 일부에서 이제 전문시인의 시대는 지났다, 마땅히 생산 주체의 시의 시대가 되고 전문시인·지식인 시는 종속적인 위치에 놓여야 한다는 소리가 일고 있습니다만, 저는 반드시 이 말이 옳은 지적이라고는 생각지 않습니다. 현장시와 지식인 시가 함께 있으면서 앞의 것은 뒤의 것에 힘과 뜨거움을 더해주고 뒤의 것은 앞의 것에게 예술적 세련성을 더해줄 때 우리 시의 가장 바람직한 길이 열리지 않겠는가 하는 것이 제 생각입니다. 이렇게 될 때 비로소 현장시의 부정적인 측면이 극복되고 지식인 시의 한계도 넘어서게 되는 것이 아닌가 생각됩니다.

김치수 사실 작년·금년에 현장적인 성질을 띤 시집들이 많이 나왔고 또 많이 읽히고 있습니다. 이런 현상은 문학의 역할이나 다양성에 비추어 볼 때, 대단히 바람직한 현상이라고 할 수 있습니다. 문학이 어느 계층이나 분야에 의해 독점되는 것은 문학의 본성과 맞지 않은 것이고 또 문학이 어떻게 씌어져야 한다고 주장하는 것은 문학을 변하지 않는 어떤 실체로 생각한다는 점에서 옳지 않습니다. 시는 누구나 쓸 수 있고 또 여러 가지 방식으로 씌어질수 있습니다. 그런 점에서 노동시·농민시란 지금까지 없었던 시를 쓴 것이라고 생각됩니다. 현장에 없었던 사람이 아니면 쓸 수 없는 시를 근로자나 농민이 쓴다는 것은 한국시를 보다 풍요롭게 하는 데 기여할 것입니다. 그것은 우리에게 새로운 시적 현실과 시적 양식을 제시함으로써 그동안 한국시가 수용하지 못했던 현실과 개발하지 못했던 양식을 알게 하고 있습니다. 문학의 영원한 문제가 어떻게 새로워질 수 있느냐에 있다면 바로 그러한 문제에 응답하는 방식을 거기에서 찾아볼 수도 있기 때문입니다. 문제는 그러한 시들이나오면서 그것이 아닌 다른 시를 부인하고 그것만이 참다운 시라고 주장한다는 사실에 있습니다. 이것은 모든 억압적인 현실이 얼마나 추물인가를 보여주어야 하는 시가 스스로 억압적이고자 한다는 모순을 낳게 된다는 이야기입니다. 시를 단순히 메시지 전달의 도구로 생각하는 풍토는 시인의 잘못만이아니라 다른 메시지 전달 도구의 기능과 관련이 있겠지만 시의 장래를 위해깊이 생각해야 할 문제입니다. 유용성이 크면 클수록 빨리 망각되고 도외시된다는 것을 잊어서는 안 됩니다. 그러나 가령 김용택이나 박노해의 시가 가지고 있는 새로운 모습은 높이 평가받을 수 있으리라고 생각합니다.

김재홍 올해의 두드러진 특징의 하나는 80년대 우리 문학의 최대 충격이자 중요한 출발점이었던 '광주의 5월'을 노래한 시들이 부쩍 늘었다는 점을 들 수 있을 것입니다. 60년 이래의 '4월'처럼 80년대의 '5월' 또는 '광주'는 이제 우리 시에서 가장 중요한 상징의 하나가 되었다고 해도 과언이 아닙니다. 그동안 금기시돼오던 '광주의 5월'이 『누가 그대 큰이름을 지우랴』 등 각종 사화집에서 본격적으로 다루어지기 시작했습니다. 이 문제에 관해서 말씀을 좀 나눠보실까요.

김치수 『누가 그대 큰이름을 지우랴』는 80년대 초 시의 활기를 입증하고 있다는 점에서 주목받을 수 있습니다. 모든 전달 매체나 언론에서 이야기할 수 없었던 것을 이야기한 점에서 당시의 시가 가지고 있던 특수한 역할을 확인할 수 있습니다. 그것은 한편으로 언어가 얼마나 힘이 없는가 하는 점을, 다른 한편으로 언어가 얼마나 위대한가 하는 점을 이야기하는 좋은 예입니다. 문학의 본질을 상징적으로 밝혀주고 있습니다.

신경림 광주의 오월이야말로 민족적 모순, 계급적 모순이 이것을 극복하려는 힘과 첨예하게 부딪친 자리가 아니었는가 생각합니다. 광주의 오월이야말로 우리들의 모든 문제를 안고 있는 거지요. 광주의 오월을 형상화함으로써 분단 문제로 이어질 수도 있고, 분단의 산물인 지역 간의 갈등 문제를 다룰 수도 있을 것입니다. 그러나 우리 시가 광주의 오월을 다루기 시작한 것은 어제 오늘의 일이 아닙니다. 민주화의 물결을 타고 광주의 오월이 근래 더 많이 시의 소재로 되고 있는 것은 사실이지만 광주의 오월은 80년대부터 우리 시의 가장 중요한 소재가 돼왔고, 뛰어난 시도 많이 나왔습니다. 그러나, 그 가운데는 광주의 오월을 관념적으로, 피상적으로 파악한 시도 없지 않았다는 점을 지적하지 않을 수가 없군요.

◇ 베스트셀러 시집의 문제점

김재홍 올해에는 수만 부 이상 팔린 베스트셀러 시집이 많이 등장한 것이 특징이라 하겠는데요. 시집이 많이 팔린다는 사실은 그 어떤 경우라도 나쁜 일은 아닐 겁니다. 그렇지만 이들 베스트셀러 시집 류가 과연 시대정신을 정당하게 반영하고 있으며, 바람직한 방향성을 확보하고 있는가 하는 문제는 의문이 아닐 수가 없습니다. 해묵은 사랑 타령이나 되풀이한다든지 소녀적 감상주의에 함몰되어 있지나 않은지 의구심이 드는데요.

신경림 앞에서도 말씀드렸지만 저 역시 시집이 많이 팔리는 것은 결코 나쁜 일이 아니라고 생각합니다. 그러나 베스트셀러 가운데 몇몇 시집은 전혀 알맹이가 없어요. 해묵은 사랑 타령이나 하는 소녀의 감상주의라는 말씀을 하셨는데, 어떤 분은 심야방송 '한밤의 음악편지'니 '잠 못 이루는 이를 위하여'(제목이 정확한지는 모르지만) 같은 심야프로에 가장 맞는 시가 베스트셀러가 된다는 얘기를 하더군요. 말하자면 콧소리가 섞인 관념적인 사랑 타령이 잘 팔리는 시가 된다, 이런 얘기지요. 시란 교과서대로 얘기한다면 읽는 이에게 세상과 사람을 바라보는 따스한 시선을 갖게 하며 시심에 비추어 자신의 일상생활을 반성하는 계기를 만듭니다. 또 시를 읽음으로써 젊은이는 자신의 삶을 윤택하게 만들고 올바른 삶을 방해하는 것에 대해서는 항거할 수 있는 실천력을 기릅니다. 그러나 이러한 관념적인 애정시들은 읽는 이를 그릇된 감상주의에 빠뜨림으로써 올바로 생각하고 올바로 행동하는 힘을 오히려 빼앗습니다. 일부 베스트셀러 시들의 부정적인 역할은 다른 퇴폐문화와 결코 다르지 않다는 것이 제 생각입니다.

김치수 시집이 수십만 부 팔린다고 하는 것은 오늘날 우리나라가 아니고는 아마 세계 어느 나라에서도 상상할 수 없는 일일 것입니다. 우리나라에 그처럼 많은 시 독자가 있다고 하는 것은 그 시의 질적 수준이 어떠하든 반가운 현상입니다. 베스트셀러 시집이 '사랑 타령'이든 '감상주의'이든 시의 독자 확대에 많은 기여를 할 것이고, 그것이 나아가서는 좋은 시집도 몇십만 부 팔릴 수 있는 가능성을 열어주었다고 볼 수도 있습니다. 문제는 시가 아닌 것을 시처럼 과장하는 풍토가 좋은 시들을 도태시켜버리는 데 있을 것입니다. 이것은 시인들 스스로 많이 읽힐 수 있는 좋은 시를 씀으로써 모처럼 획득한 독자를 잃지 않아야 한다는 사실을 일깨워 줍니다. 50년대·60년대의 대표적 시인 가운데는 이미 몇십만 부는 아니더라도 몇만 부씩 팔린 베스트셀러를 갖고 있습니다. 시를 상업주의화시키는 것은 우리 사회구조 자체에서 유래한다고 생각해야 됩니다. 오히려 좋은 시를 출판한 출판사들이 그 상업주의를 활용하고 좋은 시와 나쁜 시를 구분할 수 있는 능력을 시 독자에게 길러 주어야 합니다. 베스트셀러가 무조건 나쁜 시라고 이야기해서는 안 될 것입니다.

김재홍 올해에는 출판사에 의해 신인 발굴이 활발히 이루어진 사실도 주목할만한 일일 겁니다. 기존 문예지의 추천이나 신춘문예를 통한 신인 발굴에서 한 걸음 더 나아가 보다 적극적으로 가능성 있는 신진을 출판사가 직접 발굴하는 작업은 앞으로도 확대되는 것이 바람직하겠죠? 에디터(editor)라는 것이 실상 단순한 편집자에 머물러서는 안 되고 그 시대 문화의 창조자(creator) 내지 선도자(pioneer) 역할을 적극적으로 수행해 나아가야 할 테니까요.

신경림 출판사에서 직접 신인을 찾아내어 시집을 내주는 제도가 이제 제대로 자리를 잡아가는 것 같은데, 이것이 가장 바람직한 제도겠지요. 저도 신문 같은 데 몇번 심사를 맡아본 일이 있지만 시 몇 편을 읽고 당락을 결정한다는 것은 무리입니다. 정말 좋은 시가 낙선하는 경우가 허다했을 겁니다. 하지만 추천제도는 이류를 만들어내는 잘못이 있습니다. 이름을 대고 싶지는 않습니다만 어떤 분이 자기 아류를 지나치게 많이 추천함으로써 시단을 기형적으로 만든 부분이 있는데, 추천제도는 이 점을 극복하기가 어렵습니다. 역시 출판사에서 직접 신인을 발굴, 시집을 출간하는 일이 신인 등용의 길로서는 가장 바람직할 것 같습니다.

김치수 사실 신인을 발굴한다는 것은 문학에 있어서 제도적으로만 이야기하기 어려운 점도 많습니다. 문예지에 추천을 받거나 신춘문예에 입선해서 문단에 등장하는 것이 우리나라에서 가장 널리 보급되고 권위도 인정받는 신인 발굴 제도이기는 합니다만, 사실 시의 경우는 몇 편의 시로 시인의 자질이나 능력을 알아보기 어려운 것입니다. 그렇기 때문에 한 권 분량의 시를 써서 출판사의 편집자에게 투고하여 발굴되는 시인이 어쩌면 가장 신빙성 있는 신인일 수 있습니다. 그렇게 많은 시를 쓴 사람은 시를 도중에 중단할 수도 없을 것입니다. 물론 이 제도로 모순이 없을 수가 없습니다. 상당히 많은 신인들이 자비출판의 형식을 빌어 시집을 출간함으로써 문단에 등장하고 있는 사실이 그것을 증명하고 있습니다. 그러나 진짜 문제는 그 시인이 작품활동을 계속하면서 끊임없이 새로운 시적 경지를 개척하느냐 중단하느냐 하는 데 있을 것입니다.

◇ 올해의 주요 시인 · 작품

김재홍 올해에는 중진 시인들이 시선집을 새로 간행하기도 했고, 중견시인들의 활약도 많았으며, 신진들 또한 두드러지게 부상하기 시작했는데요. 주목할만한 시인이나 작품집을 좀 들어보기로 하실까요.

김치수 가령 고은의 『백두산』, 신경림의 『남한강』, 전봉건의 『기다리기』,

오규원의 『가끔은 주목받는 生이고 싶다』, 장영수의 『나비 같은, 아니아니, 빛 같은』, 감태준의 『마음이 불어가는 쪽』, 황지우의 『나는 너다』, 장정일의 『햄버거에 대한 명상』 등을 들 수 있겠지요. 너무 많아서 열거하기 힘듭니다.

신경림 중견시인의 시집으로는 먼저 민영의 『엉겅퀴꽃』을 들 수 있겠지요. 표현을 절제하고 말을 가려 쓰는 점에 있어 그는 이 시대의 가장 시인다운 시인입니다. 또 이 시집의 밑바닥에 깔린 민요적 가락도 시들을 빛나게 만듭니다. 이 시집의 미덕은 그러면서도 현실을 외면하지 않고 맞받아치는 데도 있다고 생각됩니다. 김용락의 『푸른 별』도 농촌문제·교육문제 등을 정직한 목소리에 담고 있어 호감을 줍니다. 과장이나 헛목소리가 전혀 없습니다. 이 점은 김사인의 『밤에 쓰는 편지』에 대해서도 하고 싶은 말인데, 이 시집 속의 시들은 단정한 시 형식인 점에 있어서도 눈길을 끕니다. 그 단아함 속에 온갖 들끓는 열정·갈등·고뇌 등이 앙금이 되어 가라앉아 있는 것을 볼 수 있습니다. 또 출판사가 발굴해서 낸 시집으로는 고재종의 『바람부는 솔숲에 사랑은 머물고』가 돋보입니다. 신인의 시치고는 새로운 내용이 없고 시 형식이 고루하다고 할 수 있겠지만, 오늘의 농촌풍물을 짙게 담고 있어 재미있습니다. 또 농민제일주의, 맹목적인 농촌주의가 없다는 대목도 호감이 갑니다. 근래에 들어 왕성하게 작품활동을 하고 있는 고은은 최근에 다시 서시시 「백두산」I·II를 내놓고 있는데 우리 시의 영역을 넓히고 있다는 점에 있어 매우 귀중한 작품이라 하겠습니다.

◇ 우리 소설의 동향

김재홍 그러면 이제 소설 쪽으로 이야기를 옮겨볼까요. 80년대 소설의 큰 골격이라 할까요, 주된 흐름을 어떻게 볼 수 있을는지요. 제가 생각하기에, 크게 보아 역사적 종단면의 탐구와 실존적 횡단면의 천착이 큰 흐름이 될 수도 있을 것 같은데요. 전자는 분단 문제를 초점으로 해서 역사적 사건, 또는 민족적 삶의 양식을 조명하는 경향으로서 김원일의 「겨울골짜기」나 조정래의 「태백산맥」, 현기영의 일련의 작품들을 중요한 예로 들 수 있겠고요. 후자는 정치화시대 · 산업화시대에 있어서의 소외 문제 등 인간 실존의 문제를 지속적으로 탐구하고 있는 최일남 · 양귀자 · 조성기 등의 예를 들 수도 있을 텐데요. 어떻습니까? 1987년 소설을 이러한 각도에서 파악해 볼 수 있을는지요. 특히 기존의 문학적 관념이나 풍속들이 급격히 해체되면서 생각(주제 · 소재)이나 틀(양식 · 시점)에서 관습체계가 크게 무너지기 시작했다고 보이는 면도 있는데요.

김치수 금년도 소설계에서 어떤 흐름을 찾는다고 하는 것은 그것이 당대적인 것이기 때문에 대단히 어려운 일입니다. 그러나 이러한 것과는 상관없이 좋은 작품을 고르라고 한다면 대단히 많은 숫자를 들 수 있을 것 같습니다. 사실 최근 들어서 소설의 침체가 이야기되어온 것이 얼마나 허구적인 이야기인지 금년도 소설계는 작품으로 보여주고 있습니다. 가령 분단의 비극에서 빨치산 이야기를 다루고 있는 조정래의 「태백산맥」, 김원일의 「겨울골짜기」, 어려운 현실 속에서 예술가의 삶을 다룬 이제하의 「광화사」, 역사학도의 실종을 주제로 한 현길언의 「불임시대」, 패러디라고 할 수 있는 조해일의 「임꺽정」, 이동하의 창작집 『밝고 따뜻한 날』, 김원우의 『장애물경주』와 서정인의 연작소설 「달궁」, 김주영의 장편소설 「천둥소리」, 최수철의 「화두, 기록, 화석」, 복거일의 「비명을 찾아서」, 김인배의 「하늘궁전」, 조성기의 장편 연작 「야훼의 밤」 등 무수하게 많습니다.

김재홍 올해에는 유신시대로부터 80년대에 이르는 정치적 격변기를 소재로 한 작품들이 유난히 많았던 것으로 보입니다. 그동안 주로 종합지에서 폭로 기사·르포·수기 등 소설의 대체양식이 막강한 흡인력을 과시했기 때문에 막상 소설 쪽에선 이 시기에 관한 형상화가 부족했다고 할 수 있겠습니다만, 올해엔 이러한 폭로 저널리즘에서 벗어나서 차츰 문학적 형상화가 이루어지기 시작했다고 하겠지요? 현길언의 「불임시대」를 비롯해서 이 시기의 억압이나 불신, 단절과 침묵을 형상화한 작품들이 많이 등장한 것으로 보이는데요.

김치수 현길언의 「불임시대」는 물론 유신시대의 지식인의 고뇌와 실종을 다루고 있는 작품입니다. 고시에 합격하여 이른바 출세의 가도를 달릴 주인공이 바로 그 길을 선택하지 않음으로써 스스로 어려운 길을 가고 있습니다. 친구가 시위사건으로 재판을 받을 때 부당하다고 생각한 주인공은 사법연수원에 들어가지 않고, 역사학과에 다시 다닙니다. 그러나 역사학을 전공한다고 자신이 판단한 대로 자유롭게 연구하고 발표할 수 있는 것이 아님을 알게 되면서, 여러 차례 현실과 타협을 시도하지만 결국 자신이 설 자리를 찾지 못하고 말지요. 그는 역사를 「기록」하는 일을 포기하고 역사를 「창조」하기 위해 실종됩니다. 이 작품은 유신시대 많은 사람들이 운동의 현장에 뛰어들 수밖에 없었던 사실을 이야기하면서 동시에 삶의 절망과 고통을 깊이 있게 천착한 점에서 감동을 획득한 것입니다.

김재홍 올해엔 또한 시에서와 마찬가지로 '광주의 5월'을 테마로 한 소설들이 부쩍 많이 등장하기 시작했는데요. 임철우의 「수의」나 김제철의 「우울한 귀대」, 김인숙의 「70~80 겨울에서 봄사이」 등이 그 한 예가 될 겁니다만, 이제 민주화의 정착과정에서 시대정신이나 작가적 역량이 조금씩 성숙돼가고 있다고 볼 수 있겠지요. 부당한 심리적 억압이나 위축에서 작가들이 그만큼 자유로워지기 시작한 것으로 생각할 수도 있겠지요.

김치수 앞의 현길언의 작품이나 마찬가지로 문학작품이, 더구나 소설이 무엇을 테마로 삼았다는 사실 자체는 그것만으로 평가될 수는 없겠지만 광주사태라고 하는 그 거대한 역사적 충격을 수용하게 된 것은 당연하다고 봅니다. 다만 그것을 어떤 식으로 접근하느냐 하는 것이 문제일 터이지만, 최근에 나온 작품집 『일어서는 땅』은 앞에서 말한 시집과 함께 문학의 알리바이를 입증하는 작품입니다. 아마 앞으로 이 사건을 소재로 한 작품들이 계속 나올 것으로 보입니다. 50년대에 전쟁소설이 많았던 것이나 60년대에 4·19를 주제로 한 작품들이 많았던 것처럼 말입니다.

◇우리 소설과 진보적 성향

김재홍 올해 소설에선 미국 내지 미국의 대리표상으로서 미군과 우리의 삶의 관계에 대한 비판적 시각이 본격적으로 제기되기도 했는데요. 50년대 전후 소설이나 홍성원의 「6·25」에서도 부분적으로 드러나기는 했었지만, 김상열의 「붉은 달」 등에서 보면 우리의 가족사 전개에 있어 미군이 부정적 의미로 파악되고 있는데요. 특히 이 문제는 「녹두서평」에서 서사시 「한라산」 문제와도 무관하지 않은 듯합니다만, 어떻게 생각하시는지요? 분단상황 하에서 우리 소설이 가질 수밖에 없었던 혹종의 고정관념의 붕괴와 더불어 진보적 경향이 대두되기 시작했다고 할 수 있을 텐데요. 아울러 월남전에 대한 새로운 인식이 제기되고 있다고 하겠습니다. 일종의 대리전쟁으로서의 월남전에 대해서 근자에 나온 이상문의 「황색인」이나 이원규의 「훈장과 굴레」, 박영한의 「인간의 새벽」을 보면 기존의 시각이 많이 달라진 듯싶습니다. 황인종으로 서의 인종적 유대감이 나타난다든지 동아시아 약소 민족으로서의 연대감이 표출되고, 월남전과 6·25가 상대적으로 조명되면서 우리 현실과 암유관계를 시사하고 있는데요.

김치수 최근에 분단 현실을 다룬 소설이 새로운 양상을 띠고 있는 것은, 이미 앞에서 잠깐 이야기한 바 있지만, 6·25 체험이 없는 작가들에 의해 씌어진다는 것과, 지금까지 다루어지지 않은 빨치산 문제, 이데올로기의 반성 문제가 다루어진다는 것으로 볼 수 있습니다. 하나는 6·25의 상처가 상상보다 더 깊이 우리의 무의식 속에 박혀 있음을 이야기하고, 다른 하나는 문학에 있어서 금기가 있을 수 없으며, 지식인의 이념적 선택에 대한 반성이 가능하게 되었다는 것을 이야기합니다. 분단의 현실이 지속되는 한 계속될 문제로 보입니다. 그리고 월남전에 관한 최초의 작품은 황석영에 의해 씌어졌다고 볼 수 있는데, 그 연장선상에서 올해 발표된 이원규의 장편「훈장과 굴레」를 비롯하여 이상문의 「황색인」은 근래에 드문 수확으로 볼 수 있겠습니다.

김재홍 올해에는 반공법 위반으로 유죄 판결을 받았던 남정현의 「분지」가 해금되고 장용학이 「하여가행」을 발표하는 등 하근찬·최상규 등의 중진들이 활발히 재기하기 시작하고 있어 주목됩니다.

김치수 문학작품을 금서로 만드는 것은 문학과 현실을 구분하지 못한 데서 연유합니다. 문학작품의 해금은 있어서는 안 될 것을 있게 하고 그것을 해제한 것으로 보아야 할 것입니다. 그 이유는 문학작품이 허구이기 때문이고, 또 그렇기 때문에 현실의 1회성을 극복할 수 있는 것이 문학입니다. 문학은 1회적 현실이 바로 그 1과성 때문에 돌이킬 수 없는 과오를 저지르지 않기 위해 존재하는 것입니다. 미리 언어로 해본 다음에 현실에서 일어난다면 착오가 줄어들 수 있을 것입니다. 그렇기 때문에 문학에는 모든 것이 허용되어야 합니다. 그것이 현실의 어느 부분과 닮았다고 해서 그것을 현실로 착각하는 오류를 다시는 범하지 않아야 합니다.

◇ 1987 비평계 동향

김재홍 비평 쪽에서도 비교적 활발하게 작업이 전개되었다고 하겠습니다. 민족문학의 이론 정립이 심도 있게 모색되기도 하였고요. 리얼리즘 논의가 새롭게 조명되는 한편으로는 유물론적 문학해석 방법에 대한 시야 확대의 가능성도 조금씩 열리기 시작했다고 하겠습니다. 아울러 문학의 대중화 논의와 함께 민중적 민족문학의 진로에 관한 점검 작업도 있었습니다만, 올해의 주요한 비평계 동향을 어떻게 파악할 수 있을는지요?

김치수 금년도 비평계의 움직임은 모색의 과정이라고 할 수 있을 것 같습니다. 왜냐하면 일부에서 주장하던 민중적 민족주의라는 문학적 주장이 사회구성체 이론이라는 보다 급진적인 이론과 부딪치면서 아무런 진전을 보이지 못하고 있을 뿐만 아니라 다른 계열의 움직임도 그 성격을 한마디로 이야기할 수 있을 만큼 특징적으로 드러나고 있지 않기 때문입니다. 어떻게 말하면 최근에 문학 이론이 가장 큰 도전을 받고 있다고 할 수 있는데, 그 도전은 문학의 전문화만큼이나 마찬가지로 문학의 민중화에서도 오고 있습니다. 문학이 다른 어떤 것도 아닌 것으로서의 문학 이론이 차차 모색되리라고 생각합니다.

김재홍 비평계에서는 근자에 젊은 비평가들의 활약이 두드러진 특징을 보이고 있는데요. 어느 면에서 이들 30대 초반의 비평가들이 평단에 전면적으로 부상하면서 일종의 세대교체 현상까지 엿보입니다. 이들은 70년대 비평의 한 주류이던 비평의 이분법을 지양하는 공통점을 보여줍니다. 특히 지역에 거주하면서 활약하는 민병욱·구모룡·남진우 등의 비평 작업은 주목할만하다 할 것입니다. 이들은 기존 중앙집중식의 평단 풍토 내지 기성 평단의 권위주의·파벌성·획일성 등에 대해 강한 비판을 펼치고 있는데요. 이 점 어떻게 생각할 수 있겠습니까?

김치수 지방의 젊은 비평가들이 중앙의 기존 비평가를 비판하고 있는 것은 비평의 다양성이나 문학의 보편성을 위해 대단히 바람직한 현상입니다. 사실 후배들이 선배의 아류가 되거나 선배보다 못한 이론을 내세운다면 그것은 전망을 어둡게 하는 현상입니다. 최근에 공부를 많이 한 젊은 비평가들이 나오고 그들의 활약이 두드러지게 나타나는 것은 대단히 긍정적이고 주목받아 마땅한 것입니다. 그러나 한 가지 경계해야 할 것은 그것이 기성인들을 이론적으로 극복할 수 있는 새로운 비평이론으로 나타나야지 문학이 아닌 문제를 가지고 이야기하는 차원에서 나타나지 않도록 해야 한다는 사실입니다. 60년대의 비평이 이룩해놓은 것이 하나 있다면 그것이 단순한 비판의 기능만을 수행하고 있는 것이 아니라 우리 문학에서 발견할 수 있는 긍정적 요소를 이론화하고 문학을 보다 다양하게 볼 수 있는 가능성을 연 이론적 발전을 가져왔다는 데서 찾아질 수 있습니다. 이른바 누구를 깎아내리는 식의 비평보다는 새로운 이론의 가능성을 찾아내는 창조적 비평이 지배하는 풍토가 필요합니다.

김재홍 올해에는 작가와 비평가 사이에 문학적 논쟁이 벌어져 주목을 끈바 있습니다. 최원식 씨와 조정래 씨 사이의 「태백산맥」 논쟁이 그것입니다. 일종의 리얼리즘 논쟁이라고 할 수 있겠는데요. 역사적 사건을 소설화하는데 있어서 진정한 리얼리티가 어떻게 성취될 수 있는가 하는 문제가 정면으로 제기된 데서 의미를 지닌다 하겠습니다. 비록 본격적인 문학 논쟁으로 발전하지는 못했지만, 이렇다 할 논쟁이 없는 평단 풍토에서 작가에게 자기성찰의 기회를 제공하였고 평론가에게 비평의 권한과 책임을 되돌아보게 한데서 의미가 있다고 하겠습니다. 이 점에 관해서 김 선생님의 의견을 듣고 싶군요. 또 다른 문제로 올해에는 오랫동안 부당하게 금서로 취급되었던 염무웅의 『민중 시대의 문학』, 김병익의 『지성과 반지성』 같은 평론집이 해금되는 등 문학 분야에서 많은 열림이 있었습니다. 아울러 마쯔모도 세이쬬의 『북의 시인 임화』가 번역 소개되는 등 괄목할만한 변화가 이루어지고 있습니다. 문학에 있어서의 자유의 확보, 특히 비평에 있어서 자유의 보장이야말로 그 핵심문제이며 당위라 하겠는데, 이 점에 비추어 앞으로의 전망은 어떻습니까?

김치수 「태백산맥」을 중심으로 한 작가와 비평가의 논쟁은 문학에 대한, 소설에 대한 태도의 차이에서 기인한다고 볼 수 있습니다. 작가가 어떤 소재를 얼마나 정확하게 썼느냐 하는 것은 작가가 어떤 소설을 썼다고 주장하느냐에 따라 달리 이야기할 수 있습니다. 소설은 역사를 다시 쓰는 것이 아니라 역사를 바탕으로 인간과 삶에 대해 새로운 해석을 내릴 수 있는 가능성을 열어주며 새로운 현실을 제시하는 것이기 때문입니다. 논쟁은 항상 공동의 출발점에서 그리고 공동의 문제에 집중되어 이루어져야 하는 것이며, 그렇지 못할 때는 서로 다른 이야기만 하는 결과를 가져옵니다. 그리고 비평과 자유에 관한 문제입니다만, 시나 소설에서와 마찬가지로 비평에도 타부가 있어서는 안 되겠지요. 그런 점에서 금서들이 풀린 것은 당연한 일입니다. 뿐만 아니라 앞으로는 납북·월북 작가들의 옛날 작품들도 빨리 해금되어야 하고 그에 대한 비평이나 연구도 자유롭게 행해져야 합니다. 그렇지 못할 때 우리 문학사는 비평이나 창작에 있어서 절름발이의 신세를 면하지 못할 것입니다.

◇ 문단 재편성 기운의 대두

김재홍 기타 1987년에 특기할 만한 일로는 문단 재편성의 기운이 싹트기 시작했다는 점일 것입니다. 분단 이래 이 땅에는 문협 등 보수 문단체제가 주류를 이뤄온 것이 사실입니다. 그러던 것이 70년대에 자유실천문인협회가 결성되어 문단 상황에 있어서 변화가 일어나기 시작했고, 이들의 민주화실천운동은 80년대에도 지속적으로 전개되어 상당한 성과를 거뒀습니다. 이 자유실천문인협회가 6·29 이후 민족문학작가회의로 발전적인 변모를 성취함으로써 문인의 조직화가 이루어지기 시작한 것입니다. 아마도 이러한 보수 성향과 진보 성향의 갈등과 대립은 정치·경제·문화·교육 등 우리 사회의 전체적인 분야에서 일어나고 있는 현상으로 보입니다. 또 실상 이러한 갈등과 대립을 통해서 사회 개신이 이루어지고 사회가 탄력과 창조력을 확보해갈 것이라는 점이 자명한 이치라 하겠습니다. 이와 관련하여 새해 우리 문학 또는 문단 상황을 어떻게 전망하시는지요?

신경림 4·13 조치가 발표되자 2백여 명이 넘는 양심적인 작가들은 다른 지식인에 앞서 성명을 발표, 4·13조치를 철폐, 대통령직선제로 개헌하고 민주화를 시행할 것을 정부에 요구했습니다. 그러나 문협은 4·13 조치를 옹호했습니다. 그 뒤 정부도 6월항쟁을 겪으면서 백성의 뜻이 어디에 있다는 것을 알고 이를 철회했는데, 이에 대해서 문협은 아무런 말이 없습니다. 지난 일을 가지고 길게 얘기하고 싶지 않습니다. 이런 여러 가지 일을 가지고 볼 때 문단이 새로워져야겠다는 것은 저 하나만의 생각이 아닐 것입니다. 우리 문단에 보수와 진보가 있다는 의견에는 저는 찬성하지 않습니다. 보수는 보수 나름의 논리가 있고 명분이 있고 양심이 있는 것입니다. 그러나 일부 보수를 자처하는 문인들에게 이것이 없습니다. 눈앞의 콩알만 한 이권을 쫓아 우왕좌왕

하는 사람들을 보수라 할 수는 없겠지요. 이들은 민주화가 되면 어차피 도태되리라는 것이 제 생각입니다. 사실 좋은 보수는 사회의 안정과 발전을 위해서 있어야 하는 것 아니겠습니까. 이제 명실공히 한국문학을 대표하는 단체가 나올 때가 되었다고 생각합니다. 문인들의 진짜 이익을 대변하고 앞장서서 이 시대를 이끌어 갈 문인단체가 있어야 합니다. 올림픽을 앞두고 많은 외국 문인과의 교류도 있을 테고 어차피 남북 작가의 교류도 언젠가는 논의돼야 할 텐데, 이런 일에 대비할 수 있는 문학단체가 생기지 않으면 안 될 것입니다. 문단 개편이라고까지 말할 수 있을는지 모르겠지만 민주화와 함께 문단도 얼마쯤은 달라져야겠습니다.

김치수 문단의 재편성 문제는 그것이 문학의 문제가 아니기 때문에 저로서는 관심이 없습니다. 다만 진정한 민주화가 이룩되어 자유롭고 창조적인 문학 활동이 보장될 수 있기를 바랄 뿐입니다.

김재홍 네, 오랜 시간 진지한 말씀들을 해주셔서 감사합니다. 남은 이야기는 어디, 자리를 옮겨서 더 나누도록 하시지요.

『현대문학』 1987년 12월호

김재홍

1947년 충남 천안 출생으로 서울대학교 사범대학 국어교육과를 졸업한 후, 동 대학원 국어국문학과에서 박사학위를 취득했다. 1972년 육군사관학교 전임강사 를 시작으로 충북대학교, 인하대학교, 경희대학교에서 교수로 재직했으며, 2012 년 경희대학교 문과대학에서 정년 연장 명예교수로 퇴직하였다. 현재는 경희대학 교 명예교수이자 백석대학교 석좌교수로 있다.

1969년 서울신문 신춘문예에 평론이 당선되면서 본격적인 문단활동을 시작했 다. 이후 시인론, 작품론 등의 실제비평 및 문학사와 문학이론 연구 분야에서 독자 적인 학문적 영역을 구축했다. 이 과정에서 『한국 현대 시인 연구 1,2,3』, 『카프시 인 비평』, 『한국 현대 시인 비판』, 『한국 현대시의 사적 탐구』, 『현대시와 삶의 진 실』, 『생명·사랑·평등의 시학 탐구』, 『한국 현대시 시어사전』을 비롯한 40여권의 저서를 발표했다. 이외에도 국내 최장수 시전문지 계간 『시와시학』과 한국현대시 박물관을 창간 및 설립, 사단법인 만해사상실천선양회 상임대표와 만해학술원장 등을 역임하며 시의 대중화 작업 및 인문정신의 실천적 활동을 주도했다.

<제1회 녹원문학상>, <제33회 현대문학상>, <제1회 편운문학상>, <김환 태문학상>, <후광문학상>, <현대불교문학상>, <유심문학상>, <만해대상>, <서울특별시 문화상> <보관문화훈장> 등을 수상했다.

현대시와 역사의식

김재홍 문학전집 ⑤

초판 1쇄 인쇄일	2020년 3월 05일
초판 1쇄 발행일	2020년 3월 14일

엮은이	김재홍 문학전집 간행위원회
펴낸이	정진이
편집/디자인	우정민 우민지
마케팅	정찬용 정구형
영업관리	한선희 최재희
책임편집	정구형
인쇄처	으뜸사
펴낸곳	국학자료원 새미(주)
	등록일 2005 03 15 제25100−2005−000008호
	경기도 고양시 일산동구 중앙로 1261번길 79 하이베라스 405호
	Tel 442−4623 Fax 6499−3082
	www.kookhak.co.kr
	kookhak2001@hanmail.net

ISBN	979-11-90476-17-1 *94800
	979-11-90476-12-6 (set)
가격	300,000원